BRIDGET
in the City

BRIDGET
in the City

BRIDGET HARRISON

A.W. Bruna Uitgevers B.V., Utrecht

Oorspronkelijke titel
Tabloid Love
© 2006 by Bridget Harrison
Vertaling
Lydia Meeder
Omslagontwerp
BuroLamp
© 2006 A.W. Bruna Uitgevers B.V., Utrecht

ISBN-10 90 229 9159 8
ISBN-13 978 90 229 9159 6
nur 302

Proloog

De taxi sloeg een bocht om, en plotseling stonden we op Pike Street. Voor ons boog de Manhattan Bridge zich badend in de oranje zonsondergang over de East River naar Brooklyn.

'Nee, nee, dit klopt niet! Wat doen we hier nou?' riep ik terwijl ik mijn hoofd door de sleuf in de kogelvrije scheidingswand stak. 'Ik moet naar Clinton Street 91, dat is een stuk terug, bij Delancey. Je bent veel te ver doorgereden.'

Ik plofte vloekend weer neer in de stoel. Had ik maar beter opgelet. In plaats daarvan had ik verwoed in mijn tas zitten zoeken naar een telefoonnummer – ik had een afspraakje dat ik wilde afzeggen – dat ik nog steeds niet had gevonden.

De chauffeur maakte rechtsomkeert. Ik keek op mijn mobieltje. Oei. Het was al halfvijf; er was al drie kwartier voorbij sinds ik van kantoor was weggegaan. Ik had nog minder dan een uur voor de deadline.

'Daar, die kant op, die kant moet je op!' Terwijl we East Broadway kruisten stak ik opnieuw mijn hoofd door de scheidingswand. 'Het is in elk geval meer naar het noorden. Weet je wat, geef me je plattegrond maar even. Heb je eigenlijk wel een plattegrond?'

Met een tenenkrommend kalm gebaar gaf de chauffeur me een beduimeld stratenboek aan. Onder mijn afgemeten instructies rammelden we Allen Street weer op, kruisten Delancey, sloegen Stanton in en kwamen na vijf straten eindelijk op Clinton. Meteen zag ik dat de huisnummers te laag waren, maar we konden nergens keren.

'Verdomme. Stop. Stop!'

Ik gaf het stratenboek met een stapeltje dollars ertussen terug en gooide het portier open. Met mijn tas over mijn schouder geslagen sprintte ik voor de vierde keer die week op hooggehakte laarzen door een New Yorkse straat. Om de een of andere reden was het mijn lot altijd overal te laat te komen.

Ik zag direct in welk deel van de straat ik moest zijn, want daar had zich een opstootje gevormd. Winkeliers, bewoners, passanten, die allemaal met schaapachtige nieuwsgierigheid rondhingen zoals mensen doen wanneer er ergens een ongeluk is gebeurd, staarden naar het gebouw aan de overkant alsof ze wachtten tot de volgende calamiteit daar uit de ramen zou spatten. Cameramensen van NY1 News en Channel 7 Eyewitness News hadden hun statieven langs de stoep opgesteld en stonden rokend af te wachten. Ik voelde de verleiding een sigaret te bietsen, maar ik had geen tijd.

Drie agenten hielden de menigte weg bij nummer 91, een openstaande zwarte deur tussen een Dominicaanse kapperszaak en een Chinese speelgoedwinkel, die naar een liftloos appartementenblok van vijf verdiepingen leidde met aan de voorgevel een verroeste, zigzaggende brandtrap. Een vrouw in een donkerblauw jack met PATHOLOGISCH LABORATORIUM in gele letters op haar rug bewaakte de ingang. Dat betekende dat de lijken nog binnen lagen.

Hijgend wurmde ik me tussen de ramptoeristen door, kijkend of ik andere journalisten zag. Ze stonden een stukje verderop aan de overkant, de enige blanke mannen in de straat, samengeklonterd rond een forse, kale man in een beige rechercheurspak ernstig in hun notitieblokjes te krabbelen. O nee, ik liep de persconferentie mis. Ik dook om een agent heen en stoof over de weg op hen af, intussen mijn blokje uit mijn tas grissend.

'... zij was gewurgd, lag op de grond. Hij hing aan een leiding,' zei de rechercheur lijzig terwijl ik me in de groep binnendrong.

'We hebben gehoord dat ze in de slaapkamer waren. Kunt u dat bevestigen?' vroeg een van de journalisten. Volgens zijn perskaart was hij van *Newsday*.

'Klopt, in de slaapkamer. Het driejarige zoontje heeft ze gevonden,' antwoordde de rechercheur.

'Waarmee heeft hij haar gewurgd?'

'Er zat een nylon koord om haar nek.'

'Dus... hij is de slaapkamer in gegaan, heeft haar gewurgd met een nylon koord, en zichzelf vervolgens aan die leiding verhangen. Toen kwam het kind binnen. Heeft hij een en hetzelfde koord gebruikt?'

Mijn telefoontje zoemde. Ik schoof het onder mijn kin terwijl ik *zij grond, hij leiding, nylon koord, slaapkamer, zoontje drie* in mijn blokje noteerde.

'Hé, maffe Brit. Met Jeff. Hopelijk gaat het nog door vanavond?'

O, o. Mijn afspraakje. 'Eh... hoi. Ja, natuurlijk gaat het door.'

'Nee, het lijkt erop dat hij zelf een ander touw heeft gebruikt. Dat waarmee hij haar heeft gewurgd was dunner,' zei de rechercheur.

'Was het soms een ceintuur van een badjas?' vroeg de *Newsday*-man.

'Wat dacht je van acht uur bij Olives in Hotel W op Union Square? Daar kun je zalige martini's krijgen. Dan besluiten we daar wel wat we verder doen.'

Vanaf hier was Union Square een kwartiertje met de taxi. 'We besluiten daar wel wat we verder doen' betekende dat hij nog moest uitmaken of hij wel iets in me zag. 'Zalige martini's' betekende drinken op een nuchtere maag, een klassiek begin van een eerste afspraakje in New York.

'Nee, geen badjasceintuur. Eerder een soort touw. Overigens was al langer bekend dat in het gezin sprake was van mishandeling,' zei de rechercheur.

'Jeff, prima, dan zie ik je daar wel.' Ik stopte mijn mobieltje terug in mijn tas. 'En waar is het jongetje nu?' vroeg ik.

'Bij zijn tante. Hij wordt afgeschermd van de pers, het is maar dat jullie het weten.'

Mijn telefoon ging weer over.

'Stadsredactie, ik verbind je door met Jack,' zei een stagiair van kantoor. Mijn hart sloeg een slag over.

'Hé, ben je nog niet klaar met die moord c.q. zelfmoord? De tijd begint te dringen.' Jacks vertrouwde stem klonk afgemeten.

'We krijgen net de details te horen,' zei ik even kortaf. 'Ik bel alles zo snel mogelijk door.'

De verbinding was alweer verbroken.

Twee uur later zat ik opnieuw in een taxi, die ditmaal over Allen Street scheurde. Ik hield mijn linkeroog open terwijl ik mascara probeerde op te brengen. Het kasjmieren V-nektruitje dat ik de hele dag in mijn tas had gehad had ik inmiddels aangetrokken. Ik had (met hulp van een Spaanssprekende fotograaf) de Dominicaanse broer van de man die zijn vrouw had gewurgd geïnterviewd. Het jongetje had bedremmeld bij hem aangeklopt en gezegd: 'Ik denk dat papa en mama dood zijn.' Vervolgens had ik twee betraande nichtjes gevonden, die zeiden dat de man een kwade dronk had gehad en enorm jaloers was geweest, en dat ze de vrouw al vaker tevergeefs hadden gesmeekt bij hem weg te gaan.

Ik had gewacht tot de twee lijkzakken in een wagen van het pathologisch laboratorium waren geschoven en over de telefoon mijn verhaal doorgegeven.

Intussen was het vijf voor acht; ik zou minstens tien minuten te laat te komen voor mijn afspraak met Jeff. Terwijl ik eigenlijk alleen nog maar zin had om thuis op de bank neer te ploffen.

Jeff, een gynaecoloog met peper-en-zoutkleurig haar en waanzinnig blauwe ogen, had ik ontmoet op een contactavond voor singles, in het chique restaurant Houston's in de Upper East Side. Het was net een cocktailparty op een cruiseschip geweest, alleen had je er ongegeneerd met iedere man kunnen flirten zonder je zorgen te hoeven maken of hij misschien getrouwd was. Jeff had me om mijn telefoonnummer gevraagd... en ik had me altijd afgevraagd of gynaecologen verborgen talenten hadden.

Hij was 39, nooit getrouwd geweest en had de K2 beklommen, bracht ik mezelf in herinnering terwijl ik onder het gedimde licht van Olives op hem afliep. Automatisch plakte ik mijn hallo-ik-ben-je-sexy-date-voor-vanavond-glimlach op mijn gezicht.

Tijdens onze omhelzing liet hij taxerend zijn blik over mijn tieten en kont glijden; mannen dachten altijd dat je dat niet doorhad. Ik hoopte dat ik met de combinatie van V-hals en tweedbroek de transformatie van moord-zelfmoordoutfit naar dateoutfit had weten te bewerkstelligen.

'Sorry, het was nogal een hectische dag vandaag. Ik was in de Lower East Side bezig met een heel tragisch verhaal over een driejarig joch dat...'

'Van een stevige martini kikker je wel weer op,' onderbrak hij me, en hij wenkte de barkeeper met een briefje van honderd. Goed, blijkbaar was hij niet zo'n luisteraar. Maar in elk geval zouden de drankjes gratis zijn.

'En hoe heb jij het gehad vandaag? Veel vrouwen onder handen genomen?' vroeg ik vrolijk terwijl hij een cocktail mijn richting op schoof.

Hij wierp me een blik toe alsof ik hem voor handtastelijke viespeuk had uitgemaakt.

'Ik bedoel, jij hebt het vast ook druk gehad. Met je patiënten, je praktijk. Toch?' Hmmm. Misschien was het niet gepast een gynaecoloog tijdens het eerste afspraakje naar zijn dagelijks werk te vragen.

Duidelijk niet, want Jeff veranderde vlug van onderwerp en vroeg of ik wist van wie het liedje was dat gedraaid werd. Twijfelend of het een soort test was of een oprechte vraag, giste ik in het wilde weg dat het Coldplay was, die je tegenwoordig in elke kroeg leek te horen.

'Cóldplay? Dat meen je toch niet, hè?' Hij keek onthutst, en de barkeeper nam me medelijdend op. 'En jij bent nog wel Brits. Hoe kun je Radiohead nou met Coldplay verwarren?'

'Ach ja, dat wist ik ook wel,' mompelde ik.

Vervolgens vroeg Jeff of ik van honden hield. Ik zei dat ik onlangs naar de tweede verjaardag van een chihuahua was geweest, maar van het feestje was vertrokken toen de gastvrouw me *Er is er een jarig* had willen laten blaffen.

Jeff vertelde me enthousiast dat hij een chocoladebruine labrador had die vorige week zijn verjaardag in een hondendagverblijf had gevierd.

'Fijn, leuk voor hem,' zei ik.

Of ik wel eens marihuana rookte, wilde hij vervolgens weten, waarop ik hooghartig antwoordde: 'Alleen als er tabak bij zit.'

Hij vertelde me dat hij zijn eigen wiet kweekte – die hij alleen puur rookte – dat hij nooit iets met een vrouw zou beginnen die niet blowde, niet van honden hield of buiten Manhattan woonde.

Verward wees ik hem erop dat hij zelf in Old Brookville woonde, op Long Island, wat beslist niet onder Manhattan viel. Hij haalde zijn schouders op en zei dat het zijn regels voor vrouwen waren, hij hoefde zich er zelf niet aan te houden.

'Ik heb bepaalde basiseisen. Ik bedoel, ik ben een drukbezet man en ik kan het me niet veroorloven tijd te verspillen aan vrouwen die mijn type niet zijn. Maar geen zorgen, jij bent de leukste van alle meiden met wie ik contact heb opgenomen na dat feest, en ik ben dól op de *New York Post.*'

Goh, wat is hij bedreven in complimentjes, dacht ik.

Ik mocht dan de leukste zijn van het niet nader vermelde aantal vrouwen van wie hij die avond het telefoonnummer had gescoord, ik bleek toch niet leuk genoeg. Of misschien kwam het doordat ik had gezegd dat ik wiet alleen met tabak rookte. Jeff kondigde al snel aan dat hij weg moest; hij had afgesproken met een golfmaatje dat in scheiding lag. Ik geloofde hem niet, maar maakte geen bezwaar. Met een vluchtige kus op de wang namen we op de hoek van 16th Street afscheid.

Via 14th Street slenterde ik terug naar huis, met het voornemen sushi te laten bezorgen – twee zalmsashimi, edamame, misosoep – en met een nieuw onderwerp voor de column die ik schreef over het vrijgezellenbestaan in New York, 'Datedumpers': over de kleine dingen die mensen zeggen en doen waardoor de ander besluit dat er geen tweede afspraakje in zit. Ik zou beginnen met een gynaecoloog die alleen uit wilde met vrouwen als ze van honden hielden, wiet rookten en niet van Long Island kwamen, ook al kwam hij dat zelf wel.

Aankomst, contact, conclusie, vertrek. Volgens die methode moest je zowel een date als een reportage benaderen, had ik ontdekt sinds ik drie jaar daarvoor in New York was komen wonen, een volslagen beginneling in allebei.

Deel een

New York, New York

Negenentwintig is best nog jong, toch?

Nieuwjaarsdag, Treasure Beach, Jamaica. Het jaar 2000. De eerste dag van het millennium!

Ik zat in de schaduw van een palm op het strand, met mijn dagboek balancerend op mijn zonverbrande knieën. Verderop in de golven speelde mijn groepje oude studievrienden een partijtje voetbal. De kater waarmee we die ochtend wakker waren geworden in aanmerking nemend was hun energie bewonderenswaardig. Angus, mijn vriend, stond aan de rand van het water spetterend op en neer te springen, alsof hij auditie deed voor *Chariots of Fire*. Ik glimlachte en ging verder met het kauwen op mijn pen.

Lijstjes maken werkte nooit zo goed bij mij. Ik raakte de velletjes altijd kwijt voordat ik de punten efficiënt kon afvinken, maar er moesten hoognodig maatregelen getroffen worden. Over vier dagen zou ik in Londen weer op mijn kantoor bij *The Times* zitten, en moest ik de belangrijkste beslissing van mijn leven nemen.

Voor vier maanden naar New York? schreef ik op.

Voordelen:

Verslaggever worden voor geflipte New Yorkse tabloid en levenslange ambitie vervullen Lois Lane te zijn (wereldschokkende gebeurtenissen verslaan... grove misstanden aan het licht brengen... misschien Clark Kent-achtige collega ontmoeten).

Geestverruimende ervaringen opdoen in nieuwe stad voordat ik de gevreesde 30 bereik.

Als ik nu niet ga, gebeurt het nooit, want wie weet krijg ik binnenkort kinderen... zit ik straks vastgeketend aan een wandelwagen?

Vier maanden is niet zo lang om weg te zijn.

Nadelen:

Heb in Londen al een schat van een vriend, dus hoef Clark Kent niet te ontmoeten.

Bereik binnenkort de gevreesde 30, eierstokken beginnen te verschrompelen, moet snel over kinderen nadenken.

Waarom naar een vreemde stad waar ik niemand ken, ver weg van de man met wie ik de rest van mijn leven wil delen?

Ik keek op en zag Angus in zijn vervaalde Vilebrequin-zwemshort door de branding rennen.
'Henry, hier, hier!' 'Annabel, muts, niet daar, hier! Speel hem door!' 'O, Rory, sukkel dat je er bent.'
Ik grijnsde, maar toen werd ik weer overvallen door een knagende twijfel.

Wil ik de rest van mijn leven wel met Angus doorbrengen? En belangrijker, wil hij de rest van zijn leven wel met mij doorbrengen?
Vier maanden is wél lang om weg te gaan als toekomst van relatie onzeker is.
Alles kwijtraken en eindigen als ouwe vrijster met katten?

Via een uitwisselingsprogramma was me een baan aangeboden bij de Amerikaanse zusterkrant van mediabedrijf News Corporation in New York: de *New York Post*. Het beroemde dagelijkse tabloid stond bekend om zijn sappige misdaadverhalen, schunnige roddels en schreeuwerige koppen (waaronder de mooiste ooit geschreven: LIJK ZONDER HOOFD IN CAFÉ ZONDER VERGUNNING). Als ik toehapte, zou ik als reporter aan de slag kunnen, iets waarvan ik al eeuwen droomde.

Na het afronden van mijn studie had ik een reeks baantjes weten los te peuteren bij kranten en tijdschriften, voornamelijk door onbetaalde werkervaringsprojecten en schaamteloos geslijm. Mijn glansrijke carrière was echter beperkt gebleven tot onbeduidende klusjes: fotokopieën maken, knipsels verzamelen en ideeën opwerpen waarover anderen konden schrijven, me er altijd heimelijk voor schamend dat ik het niet in me had een 'harde' journalist te worden.

Dus naar New York gaan was een unieke kans, hield ik mezelf voor de honderdste keer voor. Ik legde mijn dagboek neer en keek weer naar mijn groep oude vrienden, van wie de meesten ook stelletjes vormden. Of was ik gestoord om mijn leven overhoop te gooien nu ik mijn schaapjes zo'n beetje op het droge had?

Want dat was zo. Ik was nu bijna twee jaar samen met Angus, een veelbelovend filmregisseur. Ik woonde in een knus rijtjeshuis 'met potentieel' in het multiculturele West-Londense Shepherd's Bush, samen met Kathryn en Tilly, twee huurbetalende vriendinnen, waardoor ik de hypotheek kon opbrengen. Ik had de gewichtige functietitel 'assistent-redacteur achtergrondartikelen' bij de Londense kwaliteitskrant *The Times*. Toegegeven, soms zag ik als een berg tegen de werkdag op, maar wie had dat nou niet af en toe als hij zich 's ochtends vroeg met de metro naar kantoor sleepte?

Ja, met mijn dertigste verjaardag in zicht durfde ik zelfs aan te nemen dat ik op schema lag om al die ambitieuze hokjes af te vinken waarvan vrouwen stilletjes droomden: een diamant aan je vinger (bij voorkeur een oud familie-erfstuk), een uitbundige maar ontroerende bruiloft (bij voorkeur in een pittoresk dorpskerkje met naastgelegen landhuis), en volop de tijd om er drie kinderen van een geweldige vader uit te persen voordat de eierstokken in gedroogde pruimen veranderden.

Was het dan geen waanzin om dat allemaal op het spel te zetten voor een maffe tabloid in New York?

Toen ik zes weken later Angus' woning in Kentish Town binnenliep, kwam de geur van gebakken spek me tegemoet. Angus stak zijn hoofd om de keukendeur. Zijn blonde haar was nu kortgeknipt, zijn nog bruine tint van Jamaica werd geaccentueerd door mijn favoriete donkerblauwe Paul Smith-shirt. Ik sloeg mijn armen om zijn middel en snoof zijn vertrouwde Eau Sauvage op.

'Hallo, lekker stuk. Hoe gaat het met pakken?' vroeg hij terwijl hij weer naar het fornuis liep.

'Redelijk.' Over minder dan 24 uur zou ik in de vertrekhal van Heathrow staan.

Ten langen leste had ik tegen mezelf gezegd dat ik moest ophouden zo'n watje te zijn, en ik had de baan aangenomen op de dag dat we van Jamaica waren teruggekeerd. Sindsdien had ik iedereen suf verveeld met grootse verhalen over mijn toekomst als tabloidreporter in Manhattan, ook al had ik geen enkel idee wat het in werkelijkheid in zou houden. Maar vanavond raakten mijn Lois Lane-fantasieën weer overschaduwd door de paniek om wat ik achterliet.

Angus' keuken was het gebruikelijke tafereel van huiselijkheid. Hij stond geroutineerd tomaten, waterkers, spinazie en uitgebakken spekjes voor een salade te mengen. Ik volgde zijn soepele bewegingen. Angus. Knap-op-het-perfecte-af. Hij was de enige die ik kende die bereid was midden in de nacht zijn bed uit te komen en met me naar het platteland te rijden om een meteoorregen te zien; niet dat we dat ooit hadden gedaan. Qua kleding had hij een geweldige smaak (en ook qua inrichting), wat handig was, want als het op stijl aankwam was ik een braakliggend terrein. Hij kon een wijnkaart ontcijferen en een Le Creuset-pan hanteren, terwijl ik al in alle staten raakte als ik een pakje diepvriesgroenten moest ontdooien. We waren beste maatjes, hadden dezelfde vrienden, en het stond buiten kijf dat we van elkaar hielden. Maar waren we ook elkaars grote liefde? Het probleem was dat we dat na bijna twee jaar nog steeds niet leken te weten. En mijn fantasieën over New York maakten die vraag alleen maar prangender.

Ik pakte de aangebroken fles Brunello di Montalcino van het dressoir, schonk voor mezelf een glas tot het randje vol en vulde het zijne bij. Daarna viste ik een nieuw pakje van tien stuks Marlboro Lights uit mijn tas. Met Nieuwjaar was ik min of meer gestopt met roken, maar vanavond kon ik niet zonder.

Ik liep de woonkamer in om de stenen asbak te pakken die op zijn salontafel stond, en bleef even staan om de zo vertrouwde ruimte in me op te nemen.

Wanden vol boeken, twee diepe blauwe banken tegenover een tv met de modernste snufjes, grote schuiframen met uitzicht op de witte huizen in de Noord-Londense straat. We hadden hier talloze avonden tegen elkaar aan gekropen gezeten, hij in een poging wakker te blijven voor het late sportprogramma, ik veinzend het 'ideale vriendinnetje' te zijn dat ervan genoot. Stel dat mijn vertrek betekende dat we hier nooit meer samen televisie zouden kijken?

Ik liep naar zijn overvolle schoorsteenmantel om naar mijn favoriete foto te kijken. Angus had hem een jaar geleden in Parijs genomen, toen ik bij Armani een groene suède jurk aanpaste. Ik zag er behoorlijk sexy in uit, moest ik zeggen. Hij had me de jurk cadeau gedaan, en daarna waren we in Saint Germain oesters gaan eten. De droomvakantie van elke vrouw.

Ernaast stond een groepskiekje van ons allemaal in Jamaica, op oudejaarsavond. Vier stelletjes, waarvan er twee inmiddels verloofd waren... en we waren pas anderhalve maand terug. Er stonden al verschillende andere rijkelijk versierde bruiloftsuitnodigingen op de schoorsteenmantel, samen met een foto van Angus' eenjarige peetzoontje.

Het leek de laatste tijd wel alsof de hele wereld zich verloofde, zwanger raakte, alsof het een competitie was om te bewijzen wie zijn leven op orde had. Ik had gezworen me niet te laten intimideren door die grote haast om te nestelen, totdat zelfs Sandra, mijn immer wijze bureauredacteur bij *The Times*, me eraan had herinnerd dat ik als vrouw niet onbeperkt de tijd had.

'Zie dit als je laatste avontuur en geniet van de ervaring,' had ze gezegd terwijl ze me de aanbevelingsbrief overhandigde die ervoor zou zorgen dat ik werd geaccepteerd voor de uitwisseling met de *New York Post*.

'Ja, en zodra je terugkomt trouw je met Angus,' had haar secretaresse Gill er ernstig aan toegevoegd. 'We rekenen nog steeds allemaal op die bruiloft met toeters en bellen, hoor.'

'Jullie zien één detail over het hoofd: dat Angus misschien geen bruiloft met toeters en bellen met mij wil,' had ik ze voorgehouden.

Ze hadden met hun ogen gerold. Voor iedereen leek het een uitgemaakte zaak dat Angus en ik zouden trouwen. Voor onszelf, nou ja, we zouden wel zien hoe het liep terwijl ik in New York was. Angus had gezegd dat hij het zat was dat ik altijd om me heen liep te spieden uit angst dat ik iets miste. Maar ik wist dat ik niet de enige was die heimelijk om zich heen spiedde. Ik wist dat we ons allebei afvroegen of we wel echt de ware waren voor elkaar. Stel dat er ergens op aarde iemand anders rondliep die onze twijfels zou wegnemen?

'Als je maar onthoudt dat je geen vijfentwintig meer bent. Op een gegeven moment moet je aan de toekomst gaan denken,' had Gill gezegd.

'Maar 29 is toch best nog jong?' had ik tegengeworpen.

En vier maanden in New York was niets. Toch?

Er viel een typische februari-miezerregen toen ik de volgende middag aankwam bij mijn ouders in de West-Londense buitenwijk Ealing. Op de vloer lagen idiote plavuizen, voor de ramen hingen gordijnen met een jarenzeventigmotief, die mijn moeder weigerde te vervangen. De regendruppels verwaaiden in de wind toen mijn vader mijn bagage in de auto zette en mijn moeder met een mueslireep en een appel voor onderweg naar buiten kwam. Ik weerhield me ervan bits te zeggen dat Virgin Atlantic maaltijden aan boord serveerde.

Geslepen als hij was, had Angus de luchthavenhonneurs aan mijn ouders overgelaten, en terwijl we met ons drieën in hun rode Rover over de M4 richting Heathrow reden, voelde ik me net een tiener die naar kostschool wordt afgevoerd. Vanaf het viaduct over Brentford staarde ik naar de verzameling leegstaande kantoorpanden die naast de snelweg waren gebouwd, allemaal uitgedost met troosteloze borden die 'prestigieuze bedrijfsruimte' beloofden. Wat een warm welkom moesten de grauwe torens vormen voor bezoekers die voor het eerst vanaf Heathrow Londen in reden. Maar ik liet ze juist achter!

Bij het passeren van de laatste druilerige buitenwijken – rechte en halvemaanvormige rijen twee-onder-een-kapwoningen met rode pannendaken versierd met spichtige televisieantennes en satellietschotels – stelde ik me Central Park voor, omgeven door de imposante oude appartementenblokken die ik uit Woody Allen-films kende, lommerrijke Greenwich Village-straten met hoge stoepen om koffie op te drinken, en van die stijlvolle minimalistische cafés waar ze in *Sex and the City* altijd naartoe gingen. Niet dat ik iemand kende om mee in een café te gaan zitten; ik kende überhaupt niemand in New York.

'Weet je zeker dat je alles bij je hebt?' vroeg mijn moeder met een betraande blik over haar schouder.

Voor de zoveelste keer controleerde ik in gedachten mijn bagage. Mijn nieuwe groene Nicole Farhi-jas tegen het gure winterweer, een selectie van Miss Selfridge- en Ghost-feestjurkjes voor het geval ik ooit ergens voor zou worden uitgenodigd, het sexy Dior-ondergoed dat ik in Parijs van Angus had gekregen en dat ik alleen maar meenam als herinnering aan hem, uiteraard.

Het enige waaraan ik echter werkelijk waarde hechtte, was de foto in het grove bruine lijstje die hij me als afscheidscadeautje had gegeven. Genomen tijdens een fazantenjacht bij zijn vaders landhuis in Gloucestershire. We stonden er lachend op, gehuld in oude Barbour-jacks. Hij had zijn arm stevig om me heen geslagen.

Ik was volgeschoten toen ik het pakje de avond tevoren na het eten had opengemaakt. We zagen er zo onvoorstelbaar gelukkig op uit.

Ik herinnerde mezelf eraan dat ik me dat weekeinde eigenlijk een vreselijke boerentrien had gevoeld, omdat ik de enorme misstap had begaan tijdens de jacht mijn moeders gele kaplaarzen te dragen. En dat er kort nadat de foto was genomen, honderden halfdode, fladderende fazanten om me heen waren neergestort. Maar ja, de schoonheid – of het probleem – van terugkijken was dat in je herinnering altijd alles perfect was.

Aangekomen bij de vertrekhal zei ik tegen mijn ouders dat ik wel alleen in kon checken, zodat ze geen parkeerplek hoefden te zoeken, maar dat bleek aan dovemansoren gericht. Mijn moeder stoof weg om een kaartje en een bagagekarretje te halen, terwijl mijn vader mijn twee tassen uit de kofferbak hees.

'Dit doet me denken aan toen mams voor ons trouwen naar Parijs ging om als secretaresse te werken. Het is belangrijk om je horizon te verbreden,' zei hij. Mijn moeder was destijds 23 geweest, en een jaar later was mijn vader vanuit Birmingham, waar hij voor de BBC had gewerkt, naar Parijs gevlogen om haar een aanzoek te doen. De grote verhuizing naar Londen was een jaar daarop gevolgd. Ze hadden Ealing uitgekozen vanwege de goede metroverbinding, en mij daarmee overgeleverd aan een spannende puberteit van rondhangen voor het station, samen met de andere buitenwijkse kinderen mijn best doend er stoer uit te zien.

Mijn moeder omklemde beschermend het handvat van mijn karretje terwijl ik in de rij aansloot om in te checken. Een stukje ver-

derop kwam een vrouw van ongeveer mijn leeftijd met onbevatte-
lijk glanzend witblond haar, uit haar gezicht gehouden door een
Gucci-bril, op de balie van de eerste klas afstevenen. Met een lijzig
Amerikaans accent kondigde ze luidkeels 'JFK' aan. Boven haar
minirokje en cowboylaarzen droeg ze een irritant chique schapen-
vachtjas.

'Geen degelijke kleding voor een vliegreis,' merkte mijn vader op.

'Ach, als je eersteklas reist doet het er niet toe.' Ik voelde me uitermate on-Manhattans in mijn spijkerbroek, gympen en met mijn
betuttelende ouders naast me. Ik nam me heilig voor dat ik bij
terugkeer wonderbaarlijk getransformeerd zou zijn tot Sarah Jessica
Parker, zij het wellicht met iets minder dure schoenen.

Mijn ouders liepen met me mee naar de ingang naar de vertrekhal en namen met tegenzin afscheid.

'Zorg goed voor jezelf, Bridgie,' zei mijn moeder. Haar ogen
waren weer vochtig.

'Ik ga niet naar de maan of zo,' zei ik terwijl ik mijn handtas stevig vasthield, hoewel het ineens wel zo aanvoelde. Mijn maan was
New York City: een bruisende metropool met acht miljoen mensen,
zesduizend kilometer van huis, waar ik geen mens kende.

Een meisjesdoodsangst in de metro

'We kunnen je zo'n beetje overal mee helpen, zolang je maar niet zwanger raakt!' zei *New York Post*-uitgever Ken Chandler joviaal terwijl hij me de hand schudde.

Zwánger raken? Waar had hij het over? Ik stond hier nerveus op het startsein van mijn luisterrijke carrière als New Yorkse verslaggever te wachten, en hij begon over seks?

'Dat is ons al eens eerder overkomen,' verduidelijkte Anne Aquilina, het al even joviale hoofd van de administratie, bij wie we in de kamer stonden. 'Een van onze medewerkers kwam zwanger terug van het uitwisselingsprogramma met Australië. Haar kleine Kate is inmiddels twee. Een dotje.'

'Ik heb al een vriend in Engeland, dus ik denk dat ik me geen zorgen hoef te maken,' zei ik nors. Zou ik dan nooit ontsnappen aan die vervloekte geboortegolf?

Het was mijn eerste dag bij de *New York Post*, en die ochtend was ik met het hart in mijn keel door de lawaaierige, overvolle straten van Midtown, die naar stoom en hotdogs roken, naar het hoofdkwartier van News Corporation op de Avenue of the Americas komen lopen. De omgeving was me merkwaardig bekend voorgekomen, dankzij een dieet van *Law & Order*, maar dan sneller en drukker, kleurrijker, hectischer.

De avond ervoor was ik aangekomen in het kleine, grijsgeverfde appartement in de Upper West Side dat de *Post* speciaal voor uitwisselingsreporters had aangekocht, en ik had besloten te voet naar mijn werk te gaan, voor het geval ik in de metro zou verdwalen. Het kostte me maar zo'n twintig minuten, maar toen had ik gemerkt dat ik moest snelwandelen om de stroom bij te houden.

Nummer 1211 was een gebouw in een rij van drie identieke zilveren wolkenkrabbers die vanaf een plein aan de westzijde van de straat omhoogschoten. Voor de ingang stonden imposante betonnen pilaren. Aan de kant die uitkeek op 48th Street blèrden tv-monitoren Fox TV uit, en de koppen van die dag flitsen in rode letters op vanaf een lichtkrant: RECHTER HEEFT LAATSTE WOORD: COURTNEY LOVE TERUG NAAR KLINIEK. Fox – eveneens eigendom van News Corporation – was gevestigd op de onderste verdiepingen van het 44 verdiepingen tellende pand; de redactie van de *New York Post* zat op de negende etage.

Bij de receptie had ik de instructie gekregen te vragen naar Anne Aquilina, die verantwoordelijk was voor het uitwisselingsprogramma en alle praktische en financiële zaken van de krant regelde.

Ken Chandler was alleen even binnengewipt om kennis te maken, en nadat hij weer naar buiten was gerend, tekende Anne een paar formulieren waarmee ik mijn perskaart kon laten maken. Ze legde uit dat ik bij de stadsredactie, die al het harde nieuws behandelde, zou worden ingedeeld bij de ploeg 'algemeen inzetbaar'.

'Je weet toch dat ik nog geen verslaggeverswerk heb gedaan?' zei ik. Ik hoopte dat ze er allemaal van op de hoogte waren dat ik geen steno beheerste, geen ervaring had, er eigenlijk niets vanaf wist.

'Geen zorgen, je pikt het snel genoeg op. Haal bij Myron van de bureauredactie een pieper, en zoek dan een vrije werkplek. Voor je het weet ben je aan de slag.'

Annes kantoor was er een van een aantal kleine kamers met glaswanden die uitkeken op het zenuwcentrum van de *New York Post*: de redactiezaal, een lange ruimte met verlaagde plafonds. Een binnenhuisarchitect was er duidelijk niet aan te pas gekomen. De zaal was volgestouwd met rommelige bureaus, stuk voor stuk met vier of vijf computerterminals erop, en omringd door stapels oude kranten, notitieblokken, faxen, lege koffiekopjes, half opgedronken flesjes mineraalwater, ongeopende post, familiekiekjes, persberichten en allerlei andere troep.

De rijen dossierkasten die her en der waren opgesteld lagen eveneens bedolven onder de oude kranten, snackverpakkingen, bakjes vol kantoorartikelen, zakjes zout en plastic bestek dat was gered van afhaalmaaltijden, telefoonboeken, andere naslagwerken, videobanden, vazen met verwelkte bloemen en onafgewassen mokken. De vloer was amper nog te zien. Het tapijt rond de meeste stoelen ging schuil onder kratjes vol oude notitieblokken, stapels vergeelde kranten, opengescheurde enveloppen, schoenen, paraplu's, zelfs kinderspeelgoed.

Anne vertelde me opgewekt dat dit chaotische schouwspel het thuishonk was van de stadsredactie van de *New York Post*, waar alle verslaggevers van het nieuws, het zakenbulletin en de roddelrubriek zaten, evenals alle redacteuren, assistent-redacteuren en mensen van de opmaak. Ze wees naar een enorme doos met glazen zijwanden aan het andere uiteinde van de zaal: het kantoor van de hoofdredacteur. Daar om de hoek bevonden zich de sportredactie, de achtergrondredactie en de vergaderzaal waar tweemaal daags de nieuwsbesprekingen werden gehouden, legde ze uit.

Terwijl ik het vanuit haar deuropening allemaal in me opnam, wandelde er een groepje mannen in pakken voorbij, met zo te zien afgedrukte lijsten van het nieuws van vandaag. Een van hen blikte in het voorbijgaan mijn kant op, alsof hij onbewust een nieuw gezicht registreerde. Hij was ongeveer van mijn leeftijd, de jongste van het stel, en had een rossige, Iers aandoende teint en een opvallende bos bruine krullen. Ik wierp hem een beleefd glimlachje toe, maar hij was al doorgelopen. Ik ging op zoek naar Myron.

De bureauredactie lag in het midden van de ruimte, grenzend aan een reeks iets minder rommelig aandoende kamertjes waarin, zo had Anne me verteld, de chef stadsredactie, zijn twee assistenten en de coördinator verslaggeverij zaten. Iets verderop lag de fotoredactie, waar de fotoredacteur en haar assistenten de beelden voor de krant selecteerden en fotografen opdrachten gaven. Achter de balie van de bureauredactie lagen stapels van de drie verschillende edities van de *Post* van die dag naast een rek met concurrerende kranten: *The New York Times, New York Daily News, Newsday, Wall Street Journal, USA Today, Village Choice, Washington Post* en *International Herald-Tribune*. De wand erachter was volgeplakt met plattegronden van de bus- en metrolijnen, een verzameling vergelende uitgescheurde voorpagina's, nauwelijks leesbare notities, een grote dagkalender en een klok. Daarboven hingen zes oude televisies met het geluid uit en de ondertiteling aan, afgestemd op CNN, Fox 5, NY1, MSNBC, ABC en een Spaanstalige soapzender.

Myron kon je niet over het hoofd zien: een onberispelijk geklede man met snor en bril in een wit overhemd en kakelbonte stropdas netjes in zijn broek gestoken. Met zijn staat van dienst van 31 jaar was hij een veteraan bij de krant, en, zo ontdekte ik al snel, hij heerste met een evangelische zucht naar protocol over zijn afdeling. Onder zijn leiding bemande een schare van stagiairs de telefoons en faxapparaten, voerde drukproeven af en aan, haalde eten uit de kantine en bediende de redacteuren op hun wenken; allemaal in de hoop het op een dag tot verslaggever te schoppen.

'Eh... Myron?' Ik probeerde hem niet te storen omdat hij telefoontjes aan zat te nemen en de namen afriep van redacteuren en journalisten naar wie werd gevraagd. 'Ik ben Bridget, de nieuwe uitwisselingsreporter. Anne zei dat ik me bij jou moest melden.'

Het duurde even voor hij opkeek. 'Nou, welkom bij de *New York Post*,' zei hij toen kortaf maar niet onvriendelijk. 'Hier heb je een pieper. Hou hem altijd bij je, ook als je eventueel een mobieltje hebt.

Wacht, ik zal hem even testen.'

Hij gaf me het apparaatje aan en toetste vervolgens een berichtje in op het minitoetsenbord op zijn bureau. Twee tellen later klonk er gezoem, en er verscheen BUREAUREDACTIE. DIT IS EEN TEST!!! op het schermpje. Myron glunderde om zijn eigen efficiëntie.

'Notitieblokken vind je hier, de kranten van vandaag liggen achter je, die van gisteren in een doos onder mijn bureau. Je mag ze lenen, als je ze maar teruglegt. Afhaalmenu's liggen in deze la, mobiele nummers van journalisten staan op de lijsten bij de terminals, interne toestelnummers op een andere lijst. Als je ze niet kunt vinden, moet je het even doorgeven, want ze horen er te zijn. Verder staan alle nummers die je nodig zou kunnen hebben in de Rolodex. Als je een plekje hebt gevonden, meld dan waar je zit zodat ik je toestelnummer weet voor het geval er een telefoontje voor je binnenkomt.' Hij griste een van de hoorns op.

'*New York Post* stadsredactie. Momentje. John Mancini, Ken Lovett voor je op lijn twee,' blafte hij.

Hij besteedde geen aandacht meer aan me, dus ik pakte een nieuw notitieblok en liep langs de rijen bureaus terug de zaal in.

De meeste plekken waren nog onbezet. Ik zocht er eentje uit drie rijen verwijderd van de balie, zodat ik kon zien wat er gebeurde zonder de indruk te wekken dat ik mezelf belangrijk vond.

Ik ging zitten en keek naar mijn maagdelijke notitieblok. NEW YORK POST stond er op de voorkant, in de karakteristieke zwarte overhellende blokletter van de krant. Daarnaast stond een rood, cirkelvormig portret gedrukt van Alexander Hamilton, die de krant in 1801 had opgericht.

Ik haalde diep adem. De *Post* was het oudste ononderbroken gepubliceerde dagblad in de Verenigde Staten, en nu maakte ik er deel van uit, als heuse journalist nog wel! Al had ik nog steeds geen flauw idee wat er eigenlijk van me werd verwacht.

Naarmate de dag vorderde, werd het geleidelijk drukker in de zaal. Verslaggevers keerden terug van reportages, en andere medewerkers, onder wie bureauredacteuren en opmaakmensen, kwamen binnendruppelen voor de latere diensten. Terloops zocht ik de gezichten af naar Clark Kent-kandidaten, maar zo te oordelen had dit bedrijf qua sekssymbolen weinig te bieden.

De meeste verslaggevers zagen er net zo verfomfaaid uit als hun omgeving. Ze voerden aluminium bakjes vol stomend voedsel aan, dat ze ongeïnteresseerd naar binnen propten terwijl ze op hun toetsenborden roffelden. Het wegschrokken van maaltijden achter je bureau, ontdekte ik al gauw, was een integraal deel van het leven bij de *Post*.

Sommige journalisten die me daar schuchter zagen zitten als het nieuwe meisje in de klas, kwamen naar me toe om zich voor te stellen, onder wie Tracy Connor, een vrolijk type met kort donker haar, dat iets ouder was dan ik. Ze vertelde me dat zij een poosje via het uitwisselingsprogramma in Londen had gewerkt.

'En, begin je al een beetje te acclimatiseren?' vroeg ze opgewekt.

'Ja, ik geloof het wel. Ik heb alleen totaal geen ervaring als reporter,' fluisterde ik.

'O, je bent er snel genoeg in thuis. Dit is de *Post*. Het draait allemaal om een pakkend intro.'

Pakkend intro?

Tracy liep naar haar bureau en kwam terug met een beduimeld stratenplan van New York, een afschrikwekkend gecompliceerde versie van wat we in Londen hadden.

'En dit zul je nodig hebben,' zei ze.

Ze knikte naar de kamertjes aan de zijkant en wees naar de chef stadsredactie, John Mancini, een drukke, energieke man die ik al rond had zien lopen en met zijn exotische Brooklyn-accent sarcastische geintjes had horen maken. Naast hem zat Stuart Marques, die met zijn ravenzwarte, achterovergekamde haar en scherp gesneden pak zo uit een oude gangsterfilm leek te komen. Hij was de voormalige chef stadsredactie, en inmiddels chef binnenland. Naar verluidde was hij zo fanatiek, dat hij midden in de nacht opstond om kopij te redigeren. De man met het grijzende sikje en de paardenstaart die voor hem stond, zag er als je zijn gestippelde vlinderstrikje wegdacht uit alsof hij net naar een Neil Young-concert was geweest. Steve Marsh heette hij, zei Tracy. Hij handelde de meeste verhalen rond de Shack af, het bijkantoortje van de *Post* op het hoofdbureau van politie, waar de klok rond drie journalisten postten om officiële en officieuze informatie aan agenten te ontfutselen.

'Stu, Mancini en Steve, op zich zijn ze best cool, al zijn ze een beetje lijp,' voegde ze eraan toe.

'Cool,' herhaalde ik nerveus. Zo zagen ze er allemaal uit. Cool. Lijp. En vreemd, in de breedste zin van het woord.

Stuart riep Tracy's naam, en ze rende langs haar bureau om een notitieblok te pakken voor ze naar hem toe ging.

Ik begon door het raadselachtige stratenboek te bladeren. Ik had het gevoel dat ik zat te wachten tot ik het podium op werd geroepen, terwijl ik mijn tekst nog lang niet kende.

Toen kwam om 16.36 uur, precies op het moment dat de redactiezaal gonsde van concentratie voor de ophanden zijnde kopijsluiting, mijn eerste opdracht binnen.

'Hé! Zo te horen is er iemand onder de metro gekomen. Union

Square, vijf minuten geleden,' riep een assistent van de fotoredactie, die vlak naast de onophoudelijk murmelende politiescanner zat. (Later begreep ik dat dit speeltje, afgestemd op de frequentie van de hulpdiensten, ook standaard in de wagens van de fotografen zat, waardoor ze het meteen wisten wanneer er ergens een ongeluk, brand of misdaad had plaatsgevonden.) 'Lijn 4. Klinkt als een minderjarige.'

De redactie schoot in actie. De assistent van de fotoafdeling begon koortsachtig naar fotografen te bellen, en Steve Marsh schreeuwde naar Myron dat hij de Shack aan de lijn wilde hebben. John Mancini sprong overeind, speurde om zich heen naar verslaggevers en zag mij zitten... als een weerloos slachtoffer in mijn eentje achter mijn computer.

'Jij daar, hoe heet je? Ben je vrij? Dan ga je nu naar Union Square.'

Union Square. Oei. Waar was dat in vredesnaam?

Mancini kwam mijn kant al op. Ik schoot uit mijn stoel, stak onhandig mijn notitieblokje in mijn tas en zocht verwilderd om me heen naar een pen. Met trillende handen probeerde ik de pieper aan mijn riem vast te maken.

'Perron lijn 4. Er is iemand aangereden door de metro. Zou een kind kunnen zijn,' zei Mancini, die nu voor mijn bureau stond. 'Jij bent toch de nieuwe uitwisselingsreporter? Ik neem aan dat je weet waar Union Square is?'

'Eh... is dat aan de oranje lijn die naar dit gebouw gaat?' Ik besloot dat dit geen geschikt moment was om te zeggen dat ik nog nooit met de metro was geweest.

'Aha, net van de boot gerold,' concludeerde hij met een schuine grijns. Hij liep terug naar zijn kantoortje, dat naast dat van Anne lag, en kwam terug met een dikke winterjas aan.

'Klaar? Ik rij met je mee. Ik heb een afspraak daar in de buurt. Als je niet weet waar je zijn moet, zit Union Square nogal ingewikkeld in elkaar.'

Daarmee beende hij naar de liften, en ik hobbelde achter hem aan. Beneden stoven we over het plein, sloegen de hoek om en liepen westwaarts over 47th Street, die uitkwam op de kop van Times Square, en stormden vervolgens over 7th Avenue richting station.

'Je zoekt straks naar de ingang Olive Garden,' zei Mancini terwijl hij behendig de drommen toeristen ontweek die voorbijkuierden, allemaal omhoogstarend naar het scala aan wegwijzers, enorme reclameborden en lichten.

Times Square! Ik was op Times Square, als journalist! Ik was Lois Lane! Bridget, verknal het nou niet, zei ik tegen mezelf.

We renden de stationstrappen af. Mancini manoeuvreerde me met zijn pasje door de hekjes, en we wisten nog net in een rijtuig te springen. Terwijl de metro optrok en onder Manhattan door begon te ratelen, gingen we op twee vrije plastic stoeltjes zitten (veel minder comfortabel dan in de Londense ondergrondse, maar zichtbaar eenvoudiger schoon te spuiten), en in de ruit ving ik een glimp op van mijn reflectie naast die van Mancini. Ik zag er verkrampt uit. Ik vroeg me af of ik de enige verslaggever ter wereld was die persoonlijk begeleid werd door haar chef tijdens haar eerste reportage.

Op Union Square loodste Mancini me door het doolhof van gangen, waarin het gedreun van aankomende en vertrekkende metro's weergalmde. We baanden ons een weg tussen de forenzen door die in alle richtingen stroomden en renden de trap af naar het perron voor de lijnen 4, 5 en 6.

O. Ik had verwacht ambulancepersoneel te zien, een bloederig lichaam misschien, afzetlinten. In plaats daarvan stond het groezelige perron barstensvol New Yorkers die op hun trein stonden te wachten alsof er niets was gebeurd.

Ik diepte mijn notitieblok op, de aandrang weerstaand Mancini te vragen hoe het nu verder moest.

'Probeer uit te vissen wat er is gebeurd, zoek naar getuigen,' zei hij alsof hij mijn gedachten had gelezen.

Oké. Hmmm. Waar moest ik beginnen?

Koortsachtig speurde ik de menigte af. Sommige mensen stonden de tunnelbuis in te staren, anderen lazen een krant of praatten met hun reisgenoten; allemaal vreemdelingen in hun eigen ondoordringbare werelden. Mijn blik viel op een gezette Afro-Amerikaanse vrouw ietsje verderop, die een berg boodschappentassen aan haar voeten had staan en redelijk vriendelijk uit haar ogen keek. Ik schoot op haar af.

'Eh... pardon. Degene onder de metro, u weet zeker niet wat er is gebeurd, hè?' brabbelde ik.

'Huh?'

'Eh... ik ben van de krant, de *New York Post*, en ik heb gehoord dat er iemand onder de metro was gekomen...' Ik voelde me vreselijk onzeker. Mancini stond vlak naast me.

Er kwam een zilveren metro het station in denderen. De vrouw pakte haar boodschappentassen op, en iedereen maakte zich paraat om in te stappen. O nee, al mijn getuigen stonden op het punt te verdwijnen.

Kennelijk kreeg de vrouw medelijden met me. 'Ik heb gehoord dat er een of ander kind klem zat met haar arm.' Over haar schouder knikte ze naar de andere kant van het perron. 'Die kant moet je op, daar hebben ze het gezien.' Nogal overbodig begon ik dat op te schrijven, om er ten overstaan van Mancini efficiënt uit te zien.

'Goed, ik ga ervandoor,' zei hij. 'Zorg dat je een paar getuigenissen uit eerste hand krijgt, zoek dan een MTA-medewerker die je meer kan vertellen.' MTA-medewerker? Zijn uitdrukking was mild, maar ik vermoedde dat hij al had besloten me nooit meer naar iets toe te sturen wat ook maar van enig belang kon zijn.

Opgelucht dat ik niet meer onder zijn toezicht stond, stroopte ik het perron af, op zoek naar mensen die eruitzagen alsof ze bereid waren me te woord te staan in plaats van me een dreun te verkopen als ik ze benaderde. Sommigen negeerden me of zeiden 'nee, bedankt'. Anderen keken me glazig aan, alsof ik Swahili sprak. Schijnbaar was mijn kakkineuze Engelse kostschoolmeisjesaccent, met een vleugje aangeleerd plat Cockney, moeilijk te ontcijferen.

Toch was ik er na een verbazend uitputtend kwartier achter dat er een tienermeisje met ofwel haar arm, ofwel haar gymschoen, ofwel haar hele been, ofwel alleen haar enkel had vastgezeten tussen de deuren van een lijn 4. Dat ze ofwel onder het rijtuig was gesleurd, ofwel op het perron ten val was gekomen, ofwel dat iemand haar had laten struikelen, ofwel dat ze ongedeerd was vertrokken. Ik krabbelde het allemaal in mijn notitieblok in mijn hoogstpersoonlijke (eveneens onontcijferbare, ontdekte ik later) steno. Ik had geen idee welke getuigenis met de waarheid strookte, misschien wel geen enkele. Het was een fraai begin.

Mijn pieper zoemde. BEL STADSREDACTIE, STEVE MARSH, flitste er op het schermpje.

Vanuit een telefooncel op het perron draaide ik het gratis nummer van kantoor dat Anne me had gegeven. Uitwisselingsreporters kregen geen mobieltje.

'Redactie *New York Post*,' klonk Myrons zakelijke stem.

'O, hoi, Myron. Kan ik Steve even spreken?'

'Met wie spreek ik?' vroeg hij formeel.

'Met Bridget, de nieuwe uitwisselingsreporter. We hebben al kennisgemaakt.' Hij had me toch net zelf opgeroepen?

'Bridget Hárrison. Ik heb je achternaam nodig, want er kunnen meerdere Bridgets bellen en dan zou er verwarring ontstaan. Bridget Harrison voor Steve Marsh, lijn twee,' zei hij in één adem door.

'Wat heb je te melden?' vroeg Steve. 'Volgens de Shack heeft er een meisje met haar voet klem gezeten, is ze over het perron meegesleurd, heeft ze misschien haar been gebroken. Ze is naar de spoedeisende hulp van Cabrini Hospital afgevoerd. Ik wil dat je daar zo snel mogelijk naartoe gaat.'

'Dat is ook zo'n beetje wat ik heb gehoord.' Nou ja, min of meer.
'Eh... waar is het Cabrini Hospital precies?'

'Op 19th Street, ten noorden van Union Square. Schiet op en bel
me zodra je er bent.'

Ik liep het metrostation uit en stond op 16th Street. Het kostte me
de nodige moeite te bepalen welke richting eigenlijk het noorden
was, maar toen ik er eenmaal uit was, begon ik te rennen alsof mijn
leven ervan afhing.

Uiteindelijk kwam ik uit op het parkeerterrein van een modern
ziekenhuisgebouw, en ik volgde de bordjes SPOEDEISENDE HULP. Ik
schoot door de dubbele deuren heen en stond in een gang waar een
klein, glazen wachtkamertje aan lag vol beroerd uitziende, humeu-
rige mensen op blauwe kuipstoeltjes. Vanaf de televisie aan de wand
blèrde een Jerry Springer-show door de ruimte.

Een Spaans echtpaar zat te bekvechten terwijl een peuter aan hun
voeten met een bos autosleutels in de linoleumvloer zat te krassen.
Naast hen zat iemand – ik kon niet onderscheiden of het een man
of vrouw was – ineengedoken in een met modder bespetterde jas,
de in smerige jeans gehulde benen vooruitgestoken. In een andere
hoek zat een mollige indiaanse vrouw stuurs haar puberzoon te
negeren, die een bebloede theedoek om zijn ene hand had gewik-
keld en met de andere met een gameboy zat te spelen. Ze leken me
geen van allen iets te maken te hebben met het metromeisje.

Vertwijfeld bleef ik hangen bij de frisdrankautomaat. Ik voelde me
zo geniepig als een potloodventer voor een meisjesinternaat. Als ik
de vrouw bij de inlichtingenbalie vertelde dat ik van de krant was,
zou ze me er dan uit gooien? Ik kende het protocol niet, maar het
leek ongepast in een ziekenhuis rond te hangen terwijl ik geen dokter nodig had. Ik vermoedde dat zij er net zo over zouden denken.

Hoe kwam ik erachter waar het meisje was? Kon ik me voordoen
als een bekende en naar haar informeren? Maar stel dat ze vroegen
hoe ik heette? Ik nam aan dat als het meisje inderdaad haar been
had gebroken, ze nu geopereerd werd. Ik stelde me haar voor op
een zaal, omringd door artsen. Misschien zouden haar bezorgde
ouders zo meteen arriveren en kon ik hen aanspreken. Ik begon te
bedenken wat ik tegen ze kon zeggen.

'Hallo. Sorry dat ik u lastigval. Ik heb gehoord dat uw dochter
onder de metro is gekomen.'

Hmmm, dat klonk niet bijster goed.

Een vrouw en twee kinderen met schooltassen op hun rug kwamen de gang van de triageafdeling uit lopen. De meisjes liepen te giechelen. Ze moesten bij iemand op bezoek zijn geweest. Mijn maag
rammelde bij de aanblik van de boterham waarvan ze liepen te eten,

en ik besefte dat ik de hele dag nog niets had gegeten. Misschien zat er een cafetaria in het ziekenhuis. Voordat ik het wist, was het drietal door de dubbele deuren naar het parkeerterrein verdwenen. Pfff, als ik ooit iets wilde bereiken in dit vak, zou ik snel moeten leren over mijn angst om vreemden te benaderen heen te stappen.

Een uur later – het was inmiddels over zevenen – liep ik nog steeds te ijsberen door de wachtruimte en had ik nog steeds honger. Op Steves aanwijzingen had ik een bureauredacteur op kantoor gebeld, ene Willy Neuman, die volgens Steve 'het verhaal in elkaar zou flansen' als ik hem mijn notities doorgaf. Willy wilde dat ik de sappigste stukjes uit mijn onsamenhangende interviews op het metroperron voorlas.

'Eh... het was nogal lastig te bepalen wie daadwerkelijk wist wat er was gebeurd,' zei ik, me realiserend dat het ook nogal lastig te ontrafelen was wat ik had opgeschreven.

'Geef me gewoon het beste wat je hebt. Ik zit met een deadline,' snauwde hij.

Nadat ik Willy met horten en stoten wat zinnen had doorgegeven – gissend naar de woorden die ik niet thuis kon brengen – was er nog steeds geen teken van het meisje, dus belde ik Steve Marsh weer. Hij zei dat ik me maar bekend moest maken aan de informatiebalie.

De vrouw erachter, die me al een hele poos in het oog hield en zich zichtbaar afvroeg wie dat rare mens was dat met een pen in de aanslag door de wachtruimte liep te drentelen, nam me afwachtend op.

'Eh, hallo. Eh... ik was op zoek naar een meisje dat is binnengebracht. Ze is vanmiddag aangereden door de metro.'

'O, die had alleen wat schrammetjes. Ze is alweer naar huis.'

Wát? Ze was alweer weg? Ik had uren bij de uitgang staan posten! Ze had alleen wat schrammetjes? Het hoorde minstens een gebroken been te zijn! Ineens drong het tot me door, en het koude zweet brak me uit. Die meisjes met die boterhammen. Hoe had ik dat over het hoofd kunnen zien?

Verslagen trok ik me terug. Er stond me duidelijk een illustere carrière te wachten bij de *Post*.

Ik belde Steve terug, haalde diep adem en vertelde hem dat het meisje het ziekenhuis had verlaten. Ik besloot hem niet te vertellen dat ze pal voor me langs naar buiten was gelopen, omdat ik ervan uit was gegaan dat ze met het bot door haar vlees op een operatiezaal lag, en daardoor het volmaakt gezonde meisje had genegeerd dat lachend met haar vriendin voorbij was gewandeld.

'Hmmm, dan is ze zeker via een andere uitgang weggegaan?' vroeg Steve achterdochtig.

'Ja, dat moet wel,' loog ik met een gloeiend hoofd.

'Dan heeft het geen zin meer dat je daar nog blijft.'

Ik verbrak de verbinding. Wat een volslagen incompetent begin. Steve Marsh en John Mancini liepen op ditzelfde moment vast naar Anne toe om mijn terugtocht naar Londen te regelen. Of ze gaven Myron een geheim teken dat hij de andere redacteuren een waarschuwing moest sturen: 'Stuur onze nieuwe uitwisselingsreporter Bridget Harrison niet op belangrijke zaken af!'

In mijn wanhoop bedacht ik plotseling iets. Ik had niets te verliezen; ik kon me altijd nog verlagen tot smeken. Dat had ik ooit geprobeerd bij een jongen die me had willen dumpen, en het had gewerkt.

Ik liep terug naar de balie en vertelde de verpleegster dat ik voor de *New York Post* werkte. Ik zei dat ik me ervan bewust was dat het ziekenhuis geen telefoonnummers van patiënten mocht geven, maar wilde ze misschien overwegen – wilde ze me alsjeblieft, alsjeblieft helpen – het meisje van de moeder te bellen en het nummer van mijn collega bij de krant door te geven die een artikel over het ongeluk aan het schrijven was. Zelf had ik geen nummer.

'Het is heel belangrijk dat we haar kunnen interviewen, al was het maar om ervoor te zorgen dat niemand anders zoiets vreselijks kan overkomen,' voegde ik eraan toe. Ik stond versteld van de oprechtheid in mijn stem.

De zuster nam me medelijdend op, vroeg zich vermoedelijk af hoe ik het uithield in zo'n onbenullig baantje.

'Ik zal kijken wat ik kan doen,' zei ze.

Ik krabbelde Willy Neumans naam en het centrale nummer van de *New York Post* op een briefje. Ik had wel door de ruit willen springen om haar te zoenen.

Toen ik de volgende dag onderweg naar mijn werk de voorpagina van de *Post* zag in een kiosk op de hoek van 7th Avenue, had ik haar helemaal willen doodknuffelen.

DOODSANGST IN DE METRO: MEEGESLEEPT MET VOET TUSSEN DE DEUR

Een twaalfjarig meisje heeft gisteren de dood in de ogen gezien toen ze met haar voet klem kwam te zitten tussen de deuren van een spitsmetro en ze – gillend en krijsend – meer dan 40 meter werd meegesleept.

'Ik dacht dat ik er geweest was!' aldus Margaret Schultz, die het gruwelijke ongeluk op station Union Square wonder boven wonder met slechts een paar schrammetjes en blauwe plekken hoefde te bekopen.

De moeder van het meisje had Willy Neuman gebeld. Ik had mijn eerste 'hout', de term die verslaggevers gebruiken voor de voorpagina, omdat voorpagina's vroeger met houten letters werden gezet. En ik zwoer me nooit meer door mijn eigen overtuiging het zicht op de werkelijkheid te laten ontnemen.

Ik had mijn eerste New Yorkse les geleerd: nooit denken dat je kunt voorspellen wat een ander zal doen, nooit iets voor vanzelfsprekend aannemen. Het was een fout die ik nog talloze keren zou maken.

Een hoer op 7th Avenue

Het kostte me drie weken om ook maar het geringste begrip te krijgen van wat het inhield 'algemeen inzetbaar' te zijn, en dat was op stel en sprong vertrekken naar een obscuur deel van de stad waar iets was gebeurd, vreemden aanklampen om ze over te halen je erover te vertellen, en vooral vaak en lang wachten tot de juiste vreemden verschenen. Om resultaat te boeken moest je opdringerig en geduldig zijn, direct maar innemend. Je moest orders van de stadsredactie opvolgen, maar ook razendsnel zelfstandig beslissingen kunnen nemen. Intussen had ik er nog steeds moeite mee mijn stratenboek te doorgronden en mezelf met mijn accent verstaanbaar te maken.

Mijn dienst begon om tien uur 's ochtends, dus mijn opdrachten kwamen doorgaans van de coördinator verslaggeving, Marilyn Matlick. Zij kwam samen met Vern Shibla, een veteraan die al 35 jaar op de fotoredactie werkte, elke ochtend om halfzeven op kantoor om het laatste nieuws en beeldmateriaal te verzamelen. Marilyn maakte een lijst van de berichten die een vervolg moesten krijgen, en ze noteerde nieuwe onderwerpen naar aanleiding van politierapporten over misdaden, ongelukken en andere *Post*-waardige gebeurtenissen die de afgelopen nacht hadden plaatsgevonden.

De onderwerpen werden ook bepaald aan de hand van de lijnen met de persbureaus Associated Press en Reuters, een constant verschuivende ladder van verhalen die uit het hele land en uit de hele wereld werden opgeslagen, en aan de hand van de AP-agenda, waarop de evenementen die die dag zouden plaatsvinden stonden vermeld. Daarnaast overlegde Marilyn met de Shack en met andere verslaggevers die zich met misdaad bezighielden, met degenen die bij rechtbanken van Manhattan, Queens, de Bronx, Brooklyn en Long Island waren gestationeerd, de politiek verslaggevers in Washington, Albany en City Hall.

Hier in New York gaf de politie de namen vrij van personen die bij een ongeluk of misdaad betrokken waren, tenzij ze minderjarig waren, slachtoffer van seksueel misbruik of overleden; in dat geval moesten eerst de nabestaanden op de hoogte zijn gebracht. En het was vrij eenvoudig mensen op te sporen. De adressen van alle New Yorkers met een rijbewijs waren beschikbaar via een database waartoe de *Post* toegang had. Onze documentalisten konden daarnaast uitgebreide zoektochten houden om achter nummers en adressen van mensen elders in het land te komen, samen met details over hun familieleden en buren, de plaatsen waar ze eerder hadden gewoond, en de huizen die ze bezaten. Heel handig voor ons, heel verontrustend voor hen.

Als verslaggever voor de algemene ploeg moest je je een uur voor je dienst melden. Wanneer ik Marilyn om negen uur belde, gaf ze me het huisadres van iemand die bij een misdaad of ongeluk betrokken was, of ze stuurde me naar de locatie om ooggetuigen te zoeken.

Vervolgens liep ik meestal de hele dag van hot naar her te rennen en belde mijn verhaal dan door om het te laten herschrijven door doorgewinterde bureauredacteurs als Tracy en Willy Neuman, Bill Hoffmann, Andy Geller of Kate Sheeny, die al jaren voor de krant werkten. Zij noteerden de informatie van de verslaggevers en zetten de artikelen in elkaar. Als ik echter al vroeg op pad was gestuurd voor een minder belangwekkende gebeurtenis, ging ik terug naar kantoor en schreef ik de tekst zelf, meestal geassisteerd door Tracy.

Op rustige ochtenden kwam ik naar kantoor om op een opdracht te wachten. Net als in het geval van het metromeisje, wist je nooit waar je het volgende moment naartoe op weg zou zijn. Zo werd ik in mijn eerste drie weken bij de *Post* naar een ontsporing van lijn 5 voor station Lexington Avenue gestuurd, waar ik mensen moest bespringen die uit een gloeiend hete trein kwamen waarin ze een uur lang onder de grond hadden vastgezeten. Ik moest naar een woonkazerne in de Bronx, waar een 21-jarig Guyaans meisje dat een studiebeurs in de Verenigde Staten had gewonnen was doodgeplet terwijl ze probeerde uit een lift te klimmen die vastzat tussen twee verdiepingen. Ik ging naar Henri Bendel, een chic warenhuis op 5th Avenue, waar Monica Lewinsky een nieuwe handtassenlijn lanceerde. Ik ging naar de nationale kattententoonstelling in Madison Square Garden. En ik ging naar het huis van een stewardess uit Queens die net naar de Verenigde Staten was teruggekeerd nadat ze in Beijing dagenlang was mishandeld omdat ze lid zou zijn van de Falun Gong-beweging.

Bij dat laatste verhaal was ik 's ochtends zo overijld van huis vertrokken dat ik een paar stinkende sokken had aangeschoten, met het idee dat ik daar wel mee weg kon komen omdat ik laarzen droeg, waarop me bij de vrouw voor de deur werd verzocht mijn schoenen uit te trekken. Het hele interview lang had ik in een kringetje van acht Falun Gong-leden gezeten, die almaar roder werden door de stank van mijn voeten in hun elegant ingerichte woonkamer. Ja, je moest overal op voorbereid zijn.

Ook buiten mijn werk om raakte ik eraan gewend vreemden te benaderen. Ik had wat namen opgekregen van mensen die ik kon opbellen wanneer ik in de stad arriveerde: Olly, een neef van de vriendin van een vriend, Ben, de oude familiekennis van een collega, en Jodi, oud-huisgenoot van een meisje dat ik van school kende, die na haar studie een tijd in Brooklyn had gewoond. Zodra ik de moed had verzameld te bellen en mezelf voor te stellen, merkte ik hoe anders het eraan toeging in New York.

Thuis werd het als enigszins hinderlijk beschouwd om 'kennissen van kennissen' van buiten de stad te moeten opvangen. Als je dat aanbiedt, neemt de arrogante Londenaar meestal aan, zit je de hele avond met een mafkees opgescheept. Maar in New York, een stad die is opgebouwd uit buitenstaanders, passen ze je simpelweg in in hun programma, zonder zich zorgen te maken over de gevolgen.

Olly was de eerste die ik belde. Hij stelde voor nog diezelfde avond iets te gaan drinken bij Milanos, zijn favoriete zaak, een groezelige Ierse pub op Houston Street, de drukke doorgangsweg die dwars door het centrum van Manhattan loopt en SoHo scheidt van de Village. Het was maar tien minuten met de metro vanaf het kantoor in Midtown. Vervolgens belde ik Ben en sprak een berichtje in. Twee dagen later belde hij me terug en vroeg of ik zin had om een paar uur daarop met hem en drie vrienden van hem te gaan eten in een Franse bistro in de Lower East Side, Le Pere Pinard.

Met een wat ongemakkelijk gevoel nam ik hun op-stel-en-spronguitnodigingen aan. Het was alsof ik daarmee bewees dat ik helemaal geen vrienden had… wat hier uiteraard ook het geval was. Maar toen ik dat later opbiechtte, moesten ze allebei hard lachen: in New York sprak je hooguit drie uur van tevoren iets af. Langer dan dat en er zou geheid iemand een beter aanbod krijgen en de plannen in de war schoppen.

Dat was nog zo'n verschil waar ik al vlug achter kwam. Dankzij het efficiënte metronetwerk, de goedkope taxi's en de, vooral in Manhattan, relatief geringe afstanden, kon alles op korte termijn worden geregeld. Niks een maand vooruit etentjes vastleggen, zoals in Londen werd gedaan.

Toen Jodi me op mijn derde zaterdag in New York naar aanleiding van mijn berichtje terugbelde en me op charmant lijzige toon uitnodigde die avond naar een gekostumeerd feest te komen bij haar thuis in Brooklyn, waar iedereen als pooier of hoer verkleed moest zijn, besloot ik dan ook niet beledigd te zijn omdat het zo kort dag was en zei dat ik van de partij zou zijn.

'Maar je vindt het niet erg dat ik de vreemde eend in de bijt bent? Ik ken zelfs jou eigenlijk niet. Ik wil je niet tot last zijn,' zei ik.

'Doe niet zo raar. Ik popel om je te leren kennen. Zorg er alleen wel voor dat je in kostuum komt. Anders laten we je niet binnen.'

Dus die avond zat ik voor het eerst in mijn leven in een taxi naar Park Slope in Brooklyn, op weg naar een feest met vreemden, verkleed als hoer.

Sta open voor het onbekende, hield ik mezelf voor terwijl de taxi over de sterverlichte Manhattan Bridge rammelde en een snelweg op reed die door een wirwar van lage houten woningblokken, pakhuizen en hoekige bakstenen appartementencomplexen leidde.

'Jij hebt vriend?'

'Hè?' Ik keek op en zag dat de chauffeur me via zijn achteruitkijkspiegel zat op te nemen.

'Jij hebt man?'

'Ja, in Engeland.'

Nerveus inspecteerde ik mijn outfit opnieuw. Ik hoopte dat de combinatie van vuurrode mini-jurk (van mijn favoriete tienerwinkel Miss Selfridge in Londen) en de zwarte netkousen, hoge sandalen en diamanten halsband, allemaal inderhaast aangeschaft bij een kostuumwinkel op Columbus Circle, gepast waren voor een huis vol onbekenden. Had ik me niet te veel laten meeslepen met die glinsterende blauwe oogschaduw en kunstwimpers? Stel dat niemand anders de moeite had gedaan een kostuum aan te trekken, of dat het thema was veranderd in Bibliothecarissen & Boekhouders?

'Jij wel eens Pakistaanse vriend gehad?'

O, alsjeblieft. Ik blikte naar het naambordje van de chauffeur: Mohammad al-Fayed. Vast geen familie van de eigenaar van Harrods.

'Ja, ik heb inderdaad wel eens een Pakistaanse vriend gehad. Een heel aardige. Omar Sheik heette hij. Ik was achttien. Hij zat bij mijn broer op school.' Waarom vertelde ik hem dit eigenlijk?

'Ahhhh,' Mohammad al-Fayed knikte geestdriftig.

We sloegen een lange straat in vol aftands uitziende winkeltjes. We passeerden een Chinees afhaalrestaurant annex pizzeria, een combinatie waarvan ik het bestaan nooit had vermoed.

'Wie beter in bed: Pakistaanse man of Amerikaanse man?'

Ik hield mijn blik strak naar buiten gericht. Hopelijk waren we al vlak bij Park Slope. In mijn hand hield ik een papiertje geklemd dat ik uit een notitieblok had gescheurd, met Jodi's adres erop.

'Pakistaanse man, toch?' zei Mohammad voldaan in antwoord op zijn eigen vraag. 'Ja, ja, wij heel goed in bed. De beste!'

Een paar honderd meter lang negeerde ik hem.

'Jij wilt nieuwe Pakistaanse vriend?'

'Luister eens, ik ga naar een gekostumeerd feest, oké? Normaal zie ik er niet zo uit, en ik wil geen andere vriend. Hoelang duurt het nog voor we er zijn?'

'Snel,' antwoordde hij, totaal onverstoord door mijn uitbarsting. En inderdaad hielden we kort daarop tot mijn opluchting stil op de hoek van 7th Avenue en President.

'Laat de rest maar zitten,' zei ik kortaf terwijl ik hem dertig dollar overhandigde.

'Volgend keer jij bent mijn vriendin, ja?' zei hij, nog steeds stralend terwijl ik het portier dichtsmeet en wegstampte.

Ik stond in een donkere straat. Ik trok mijn jas steviger om me heen terwijl ik me probeerde te oriënteren. Het duurde even voor ik Jodi's huisnummer aan de overkant zag, op het hek van een statig oud patriciërshuis. Ze had gezegd dat haar appartement op de bovenste verdieping lag, en ik keek op en zag dat er een rood lampje voor het raam brandde, maar de gordijnen waren dicht en ik kon geen beweging zien of muziek horen. Er ging niemand anders het pand in.

Wat nu? Op de klok in de taxi had 21.27 uur gestaan toen ik uitstapte. Ik had er geen zin in heel duf als eerste binnen te komen. Misschien had ik wat vloeibare moed nodig, en het was veel te koud om buiten te blijven staan. Op 7th Avenue was vast wel iets te vinden. Ik liep door en ging op zoek naar de dichtstbijzijnde kroeg.

Een paar minuten later zat ik in de Santa Fe Grill, een schel verlicht Mexicaans café, waar allerlei stelletjes knus aan grenen tafeltjes aan de fajita's zaten. Ineens onzeker nam ik plaats op een kruk aan de bar. Ik hield mijn jas aan om mijn prostituee-ensemble te verhullen en bestelde een cocktail. Per slot van rekening was het in New York volkomen aanvaardbaar om in je eentje een margarita te verzwelgen. Toch voelde ik me een kneus.

Twee potige gasten aan de andere kant van de bar begonnen mijn kant op te blikken. Ik concentreerde me verwoed op een footballwedstrijd op de televisie in de hoek. Voor het eerst sinds ik in New York was komen wonen wenste ik plotseling dat Angus bij me was.

Angus. Ik nam een flinke slok van mijn drankje. We hadden geprobeerd elkaar regelmatig te bellen, maar nu al leken we moeite te hebben het gesprek gaande te houden. Of lag dat alleen aan mij?

Het viel ook niet mee hem over de telefoon op de hoogte te houden van mijn nieuwe leven; ik had zo veel te vertellen, en hij kende de mensen of plekken waarover ik het had toch niet. En het was spannend voor de verandering eens volledig op mezelf teruggeworpen te zijn. Ik had domweg de tijd niet gehad om Angus te missen. Of misschien had ik hem gewoon niet gemist.

Ietwat treurig dronk ik mijn margarita op. Ik bestelde er nog een en begon me wat beter te voelen. Ik maakte me te veel zorgen. Angus zou me het weekeinde daarop komen opzoeken. Alles zou veel soepeler lopen wanneer we elkaar weer in de ogen konden kijken. En het was niet zo dat ik verliefd was op iemand anders. Ik had nog geen enkele potentiële Clark Kent gesignaleerd.

Jodi's feestje was al volop aan de gang toen ik met het vuur van twee margarita's in mijn buik terugkwam op President Street. Nu hoorde ik een Bee Gees-nummer uit een van de ramen dreunen, en de buitendeur stond wijd open.

Met twee treden tegelijk liep ik de trap op, en ik klopte dapper op de deur. Een tenger meisje met een Dolly Parton-pruik, een roze geruit, in de taille geknoopt shirt en witte hotpants deed open en viel me in de armen alsof we langverloren zussen waren.

'Bridge, schat! Ik ben Jodi. Zó leuk dat je kon komen!'

Ze trok me naar binnen, een gewoel van afropruiken, met lovertjes versierde middenriffen, bontjassen en veren boa's in. Ik had me geen zorgen hoeven te maken over mijn eigen kostuuminspanningen.

Jodi nam mijn jas aan en loodste me vervolgens de kamer door, me voorstellend als 'Bridget de Britse'. Iemand haalde een glas punch voor me. Ik kreeg een joint in mijn hand gedrukt. Even later was ik omringd door een groep mannen, die allemaal vroegen wat ik in New York kwam doen.

Ik zwatelde een eind weg, vertelde over mijn fascinerende avonturen bij de *Post* (de kattententoonstelling in Madison Square Garden verzweeg ik voor het geval dat dat wat tam overkwam). Ja, dit leek er meer op. Ik was niet langer een kneusje zonder vrienden, voer voor kwijlerige taxichauffeurs, dat zich in haar eentje in een kroeg zat te bezatten. Ik was de opwindende mysterieuze dame in de rode jurk, Lois Lane, onversaagd verslaggever, met wie alle mannen wilden praten. Oké, ik was ook aardig bezopen.

Doordat het kleine appartement zo tjokvol nieuwe gezichten was – en doordat ik dubbel begon te zien – duurde het een poosje voor ik Deklin ontwaarde. Maar ik was op slag verliefd toen ik hem zag. Hij stond achter in Jodi's keuken met een panamahoed op zijn hoofd en een glanzend rood sportjasje over zijn blote torso ijsblokjes te breken door met het zakje op de zijkant van de gootsteen te meppen. Hij had zwart krullend haar, en zijn prachtige volle wimpers gingen geconcentreerd op en neer terwijl hij met het zakje zwiepte. Hij merkte dat ik hem aan stond te staren en glimlachte, waardoor er een spleetje tussen zijn volmaakt vierkante, rechte, witte voortanden ontbloot werd. Er viel heel wat te zeggen voor Amerikaanse orthodontie. De avond werd met de minuut mooier.

Ik liep zijn kant op, zogenaamd om wat sap uit de koelkast te pakken. Hij stelde zichzelf meteen voor, heel anders dan de gereserveerde houding die zo veel mannen in Londen erop na hielden. Ik vroeg me zelfs af of ik ooit eerder naar een feest was geweest waar ik een leuk iemand had gezien en zo ongedwongen met hem in gesprek was geraakt. Of misschien was Deklin gewoon niet zo kieskeurig.

Hij vertelde dat hij illustrator was en het jaar daarvoor van Boston naar New York was verhuisd.

'En wat is dat voor kostuum?' vroeg ik als excuus om naar zijn gespierde borst te kijken.

'Ik ben verkleed als Venice Beach-gigolo. Ik weet dat ik er absurd uitzie zo halfnaakt, maar Jodi vond mijn outfit waardeloos en heeft letterlijk het T-shirt van mijn lijf gerukt zodra ik binnenkwam.'

'O, maar zo is het prima,' zei ik, en ik nam me voor Jodi later te bedanken.

Dankzij Jodi's verkleedinstructies, zei ik tegen hem, had ik net een halfuur als een op klandizie beluste snol in mijn uppie in een Mexicaans café gezeten.

Deklin schaterde. Ik voelde me vreselijk geestig.

Hij vroeg wat ik in New York kwam doen, en ik antwoordde trots dat ik verslaggever was bij de *New York Post*. Hij zei dat hij dat vunzige rechtse vod nooit las, en dat het pro-Yankees was, de rivalen van zijn geliefde Red Sox. Ik besloot dat dit niet het moment was om te zeggen dat ik geen idee had wie de Red Sox waren.

'Maar serieus, ik vind het heel moedig van je om naar een nieuwe stad te verhuizen voor zo'n hectische baan.' Hij zag er oprecht geïmponeerd uit. 'En in je eentje naar een feestje te gaan terwijl je zelfs de gastvrouw niet kent.'

'Nou ja, het is belangrijk nieuwe dingen te proberen, hè? Je moet constant op zoek naar uitdagingen in het leven, naar het avontuur.'

Onder de indruk van mijn eigen filosofische woorden baande ik me zelfvoldaan een weg terug naar de andere kamer, waar bijna iedereen inmiddels stond te dansen op Jodi's kale houten vloer. Ik ging in een hoekje wat mee staan deinen, er mysterieus uitziend in mijn rode jurkje, sexy en vol zelfvertrouwen, en binnen de kortste keren kwam Deklin me achterna. Hij had een aardbeienijsje in zijn hand.

'Ik dacht dat je hier misschien wel trek in had. Het lag ik de vriezer,' zei hij terwijl hij het me overhandigde.

Ik keek hem aan en nam er langzaam een likje van. 'Waar is de jouwe?' vroeg ik.

'Het was de laatste, maar we kunnen samen delen als je wilt,' zei hij. En op dat moment wist ik dat hij ervoor in was.

Uiteindelijk ploften we samen op een bank neer. Op een tafeltje naast ons vertoonde een pc-screensaver roze en oranje vissen die in eindeloze cirkeltjes rondzwommen.

'Mooi aquarium,' zei ik bij gebrek aan een leukere opmerking.

'Als je geen zin hebt om vanavond helemaal terug te gaan naar Manhattan: ik woon om de hoek,' was zijn repliek.

'Misschien moest je me dan eerst maar eens zoenen,' zei ik, en ik liet me met halfopen mond zijn kant op hellen.

Abrupt schoot hij voorover. Ik kukelde in het gat achter hem.

'Eh... ik vind het nogal puberaal om hier op de bank te gaan zitten zoenen,' zei hij terwijl ik in een kussen lag te happen.

Dat had me moeten waarschuwen, maar ik lag nog voorover op de sofa. Deklin trok me overeind en verzekerde me dat ik er schattig uit had gezien.

'Misschien kunnen we beter ergens anders heen gaan,' fluisterde hij.

Hij zei tegen Jodi dat hij met me meeliep naar de taxistandplaats op 7th Avenue. Ik bedankte haar voor het leukste feest dat ik in jaren had meegemaakt, en we stapten de overloop op. Nu we alleen waren, nam Deklin mijn gezicht in zijn handen en kuste me, eerst traag, toen almaar harder. Ik schoof achteruit tegen de wand boven aan de trap. Tijdens die eerste opwindende zoen sloegen meteen de vonken over.

Ik was in Manhattan, heel ver van huis.

Deklins appartement bestond uit twee kleine kamers achter in een ander patriciërshuis in Park Slope, drie straten bij Jodi vandaan. Aan de muur hing één enkele zwart-witfoto van een zilveren Airstream-camper omringd door palmbomen. Elders in de kamer stond een Apple Mac en lagen bergen sportartikelen, waaronder een longboard, een football en een honkbalknuppel en -handschoen. Bij de aanblik van de vreemde Amerikaanse spullen had ik het gevoel dat ik in een tienerfilm was gestapt, hoewel hopelijk niet zo eentje waarin het meisje dat met de sexy jongen meegaat onder de kettingzaag eindigt.

Ik ging op Deklins bed zitten. Hij nam mijn jas aan, deed de zijne uit, en we lieten ons samen achterovervallen, rolden in een dronken roes naar elkaar toe.

Na een paar heerlijke zoenen trok hij mijn jurk over mijn hoofd, waardoor ik alleen nog maar mijn geraffineerde zwarte Dior-beha, -slipje en -jarretelles uit Parijs aanhad. Ik had ze op het laatste moment aangetrokken om beter in de rol van hoer te passen, zonder de bedoeling ze aan iemand te laten zien.

Deklin ging overeind zitten en nam me bewonderend op. Hij streelde mijn middel. Toen schudde hij lachend zijn hoofd en zei dat hij niet kon geloven dat hij degene was die de Britse mee naar huis had mogen nemen.

'Zeg nou niet dat het een wedstrijdje was,' zei ik.

Hij stootte zijn vuist in de lucht. 'Joehoe, baby! En ík heb gewonnen!'

O nee. Het was dat klassieke moment met een vreemde in bed, wanneer ze plotseling iets kwallerigs doen en al hun sexappeal dreigt te verdwijnen. Ik bad dat dit zijn laatste Austin Powers-imitatie zou zijn.

Hij stond op en liep naar de badkamer. Alleen achtergebleven drong het opeens tot me door waar ik mee bezig was. De aanblik van het delicate zwarte ondergoed tegen mijn blanke huid deed me denken aan de keer dat ik het gedragen had na de oesteravond in Saint Germain met Angus. We hadden een kamer gehad in een nostalgisch oud hotel, en het hoofdeind had tegen de muur gebonkt terwijl we vrijden, dus we hadden het glanzende roze dekbed op de grond gegooid en waren daar verdergegaan.

Ik hoorde Deklin het toilet doorspoelen. Ik hield mezelf voor dat het waarschijnlijk niet verstandig was herinneringen op te halen aan een vakantie met je vriend wanneer je in bed lag met iemand anders. Maar het kwaad was al geschied.

Jemig, ik was nog geen maand bij Angus weg, en ik was al voor een ander gezwicht. Ik keek om me heen naar Deklins onbekende spulletjes. Er lag een boek met de titel *Joe Humphrey's tips voor de forelvisser* naast zijn bed, met een transistorradio erbovenop. Ironisch genoeg was het precies het soort lectuur waar Angus een zwak voor had.

Maar ja, Angus had hier niets mee te maken. Deze avond was gewoon een van de vele New York-ervaringen, niet anders dan rondrennen op metrostation Union Square, of over Times Square wandelen. O, wie hield ik nou voor de gek? Ik moest meteen opstaan en een taxi bellen. Aan de andere kant was het vier uur 's nachts, en het was ijskoud buiten.

In zijn boxershort kwam Deklin de slaapkamer weer binnen. Ik draaide me naar de muur en trok de dekens over me heen. Hij klom achter me in bed en kuste me in mijn nek.

'Brrr, koude handen,' zei ik, mezelf vervloekend om de opwinding die ik voelde. Ik besloot tot de ochtend niet meer aan Angus te denken. Of me zorgen te maken over het onbenullige feit dat hij over vier dagen in New York zou arriveren.

'En, welke mannen zijn beter in bed? Engelse of Amerikaanse?' vroeg Olly. Hij dronk zijn glas Guinness leeg en draaide zich met een brede grijns naar me toe.

'Dat moet je mij niet vragen,' antwoordde ik. 'Er is niets gebeurd. Echt niet.'

Het was inmiddels zondagmiddag. Ik was een paar uur geleden teruggekeerd uit Park Slope, en omdat ik een eenzame, katterige avond vol zelfverachting vreesde, had ik Olly gebeld. Hij had me onmiddellijk ontboden in zijn favoriete kroeg, een kelderbar op 5th Street die The Scratcher heette.

Olly was driekwart Iers. Hij woonde al vijf jaar in Amerika, in een flatje in East Williamsburg. Hij reed heen en weer naar zijn werk bij een farmaceutisch bedrijf in Hackensack, New Jersey, in een bespottelijke felblauwe, 7,5-liter Buick Electra 225 uit 1973. Zijn vrije tijd bracht hij grotendeels door in Milanos, The Scratcher of in de Mars Bar op 1st Avenue, meestal met zijn beste vriend Ken, een bedachtzame academicus uit Seattle die bij het kunstkatern van de *Wall Street Journal* werkte, en met Agnes, een jongensachtige rugzaktoeriste uit Midden-Engeland die bij The Scratcher achter de bar stond.

'Amerikaanse mannen zijn absoluut beter in bed,' stelde Agnes terwijl ze Olly's glas pakte en een schoon onder de tap zette. 'Ik zal je zeggen waarom: Amerikanen zijn meer prestatiegericht, terwijl het een Engelsman worst zal zijn. Een Engelsman laat zich gewoon vollopen, sjort je zijn bed in, probeert een nummertje te maken, rolt dan van je af en valt in slaap, of hij nu succesvol was of niet.'

'Klopt helemaal,' zei Ken. 'Amerikanen willen overal het beste in zijn. Seks benaderen we op dezelfde manier als werk en sport. We denken erover na, we lezen er boeken over, we doen er moeite voor. Niet zoals jullie lamlendige Britten.'

'Hé, probeer je mij soms af te zeiken?' vroeg Olly.

'Nee, hoor. Een Amerikaan gaat desnoods de hele nacht door om een vrouw klaar te laten komen, maar dat is vooral om zijn eigen ego te bevredigen.'

Mijn gedachten dreven terug naar de afgelopen ochtend. Deklin en ik hadden urenlang liggen zoenen, kronkelend en onze lichamen tegen elkaar wrijvend, en we hadden ternauwernood de verleiding weerstaan tot het uiterste te gaan. Gelukkig had Deklin gezegd dat hij liever pas aan seks begon als de relatie serieus werd, waar ik uiteraard van harte mee had ingestemd.

Maar het was een onvoorstelbaar opwindende vrijpartij geweest. En nu Agnes het zei: op zijn techniek was niets aan te merken. Hij kende alle kneepjes met oren, nek en haar, alsof hij zojuist in de *GQ* van februari 'tien tips om een vrouw te verwennen' had gelezen. Al realiseerde ik me dat mijn tevredenheid niet zozeer voortkwam uit Deklins gladde bedmanieren, als wel uit het besef dat het stuk dat ik op een feestje had geprobeerd te versieren mij ook had zien zitten.

Mijn schuldgevoel speelde weer op. Ach, misschien was het heel normaal om je aangetrokken te voelen tot andere mensen, ook al had je een vaste relatie. Angus zelf had ooit gezegd dat een pasgetrouwde vriend van hem hem gewaarschuwd had dat het meest schokkende aan zijn kersverse huwelijk de hevigheid was waarmee hij nog steeds naar andere vrouwen verlangde. En ik zat in mijn eentje in een onbekende stad, met de missie de dag te plukken en nieuwe ervaringen op te doen...

Hmmm. Ik kon het hele smoezenboek opdreunen, maar diep in mijn hart wist ik dat als ik Angus al zo snel bedroog, er waarschijnlijk iets niet goed zat. Naar New York gaan was nog tot daar aan toe. Met de eerste de beste leuke vent in bed duiken ging wel heel ver.

Baby's slachtoffer
gewapende berovingen

Als verslaggever van de afdeling Algemeen Inzetbaar leefde je voortdurend in spanning. Je kon een hele dag nerveus aan je bureau zitten omdat je begon te vermoeden dat de redactie je bestaan was vergeten, om de volgende ochtend je bed uit te worden gebeld om verslag te gaan doen van een overval op een kruidenier of een brand in een flat, en misschien niet eens voor middernacht weer thuis te komen.

De wat excentrieke maar legendarische redactiechef Mike Hechtman, die het 's avonds van John Mancini overnam, zag er geen been in journalisten er in het holst van de nacht op uit te sturen. Niemand verdiende het bureauredacteur te zijn als hij niet eerst zijn sporen op straat had verdiend, zo stelde hij. Niemand was te goed om een brand te verslaan, en met vijftig procent toeslag had je niet te klagen als je ergens wat meer uren in moest steken (we kregen een overwerkvergoeding wanneer we onze dienst van zevenenhalf uur overschreden, wat geregeld voorkwam).

De meeste *Post*-verslaggevers waren bekend met het verschijnsel: juist op de dagen dat je zin had om iets te ondernemen, zat je eindeloos af te wachten. En wanneer je snakte naar een rustig dagje op kantoor, werd je naar een of andere godvergeten uithoek van New York gestuurd.

De dag waarop Angus uit Engeland zou arriveren, viel in die laatste categorie. Ik werd wakker van mijn zoemende pieper, twee tellen later gevolgd door het schrille rinkelen van de vaste telefoon.

'Stadsredactie, blijf aan de lijn voor Marilyn Matlick,' klonk Myrons stem.

'Hé, we hebben een arrestatie van een voorwaardelijk vrijgelaten misdadiger, die op de J-lijn drie moeders heeft beroofd door een wapen tegen het hoofd van hun baby's te zetten,' zei Marilyn, de coördinator verslaggeverij, op haar kordate toon. 'Jermaine Barima,' zei ze, en ze gaf me een adres op 174th Street in Queens. 'Volgens mij ligt dat in St. Albans. De fotograaf is al onderweg. Die

Barima heeft een ellenlang strafblad: vijf eerdere veroordelingen voor beroving en wapenbezit, en talloze arrestaties. Vorige maand tijdens proefverlof ondergedoken, heeft tot gisteravond de politie weten te ontlopen. Ze hebben hem opgepakt nadat hij op Church Avenue een gouden ketting van de nek van een vrouw had afgegrist, op het spoor sprong en zich onder een trein probeerde te verstoppen. Heb je dat allemaal?'

Mijn gekrabbel was even onleesbaar als altijd.

'Eh... dus ik ga naar zijn huisadres?'

'Dit adres hebben we opgekregen van de Shack. Maak je geen zorgen, hij zit in de cel. Maar kijk eens of je daar iemand vindt. Vraag wat ze ervan vinden dat hun zoon, broer, neef, of wie het ook is baby's berooft.'

Ze hing op voordat ik de kans had te vragen welke metro ik moest nemen om in St. Albans te komen, dus ik zocht mijn heil in mijn nieuwe bijbel: Tracy's stratenboek.

174th Street bleek in een wirwar van straatjes te liggen achter het eindpunt van de metro bij Hollis, de linke buurt waaraan een van de eerste rapgroepen was ontsproten: Run-DMC. Tracy had uitgelegd dat de dubbele nummers in adressen in Queens verwezen naar de hoofdstraat respectievelijk het huisnummer in de betreffende dwarsstraat. Na een hoop gefrons om het systeem te doorgronden concludeerde ik dat ik de E-lijn naar Jamaica Center kon nemen, en dan nog dik een halve kilometer moest lopen. Ik had het trucje de toegewezen fotograaf me bij het dichtstbijzijnde metrostation te laten oppikken nog niet in de smiezen.

De fotograaf die op dit verhaal werd uitgestuurd was Rick Dembow, een vedette bij de *Post*. Hij had vettig donker haar met grijzende slapen en sprak met een lijzig Long Island-accent. Toen ik eindelijk de hoek van 109th Avenue om kwam, knipperde hij vanaf de overkant met zijn koplampen naar me. Ik plofte naast hem neer in zijn witte Honda, die stonk naar mentholsigaretten.

'Hé, alles goed? Jij bent de nieuwe uitwisselingsreporter, hè?' Hij piekte zijn peuk uit het open raam. 'Sorry voor de troep in de wagen.'

'Geeft niet,' zei ik met een blik op de verzameling lege koffiebekers, losse *Post*-pagina's en verfrommelde McDonald's-verpakkingen aan mijn voeten. 'Heb je een aansteker?'

Ik had met roken willen stoppen zodra ik in New York aankwam. Maar het lot van een verslaggever – ofwel doelloos wachten tot er iets gebeurde ofwel hijgend achter iets aan rennen wat al was gebeurd – maakte het vrijwel onmogelijk niet te roken. En uiteraard was roken essentieel voor het smeden van banden tijdens klussen.

Rick gaf me een vuurtje en wees uit het raam naar een verwaarloosd, halfvrijstaand huis. Voor de voordeur en de twee ramen op de benedenverdieping zaten verroeste stangen. Langs het modderige gazon liep een tuinpad; aan het eind daarvan lag een plastic driewielertje verlaten op zijn kant.

'Dit is het adres. Echt, wat een smerige klootzak is die vent. Een van de vrouwen die hij heeft beroofd, heeft hem gisteravond geïdentificeerd op het bureau. Hij heeft een groot litteken op zijn rechterwang, en ze hebben hem laten herhalen wat hij in de metro tegen haar had gezegd. Hij had zijn wapen op het hoofd van haar dochtertje gezet. "Laat dat kleine kreng d'r kop houden, of ik schiet haar lek." Toen de vrouw het hem weer hoorde zeggen, ging ze door het lint. Zei dat alles weer terugkwam.'

Rick haalde een gekreukte kopie van een foto tevoorschijn.

'Dit is hem, gisteravond terwijl hij werd afgevoerd. Hou maar als je wilt.'

Volgens een stilzwijgende afspraak hielden de agenten altijd even stil voor de media wanneer ze de verdachte vanuit het politiebureau naar het busje brachten dat hen naar de rechtbank zou vervoeren. Om met hun veroveringen te pronken, vertelden ze de fotografen meestal van tevoren wanneer het zou gebeuren, en gaven ze hun dan een paar seconden de tijd om een mooi plaatje te schieten.

Op deze foto stond een nors kijkende man met uitstekende jukbeenderen, voorovergebogen in een sweatshirt. Over zijn rechterwang liep een akelige, rafelige streep die eruitzag als een snijwond. Ik hoopte maar dat hij niet zo meteen hier op de stoep zou staan.

Ik stak de foto in mijn tas en nam een haal van mijn sigaret. In de bedompte ruimte van de Honda draaide mijn maag zich om van de rook.

'Zullen we dan maar aanbellen?'

'Nee, heb ik al gedaan. Er is niemand thuis. We moeten afwachten, kijken wie er komt opdagen. De kans bestaat dat iedereen nu op de rechtbank is, maar deze vent komt niet op borgtocht vrij.'

Ik merkte dat Ricks camera op zijn schoot lag.

Tweeënhalf uur lang zaten we in de auto, de ene na de andere sigaret opstekend. Om de tijd te verdrijven vertelde Rick me over iets nieuws dat hij had ontdekt: match.com. Zijn vriend was onlangs getrouwd met een vrouw die hij via internet had leren kennen. Omdat de gescheiden Rick van die lange dagen maakte bij de *Post*, was het vrijwel onmogelijk nieuwe mensen te leren kennen, en hij had besloten ook een poging te wagen. Nadat hij 's avonds laat urenlang de site had afgezocht en uiteindelijk zo'n twaalf introductiemailtjes had verstuurd, had hij drie vrouwen persoonlijk ontmoet.

'En?' vroeg ik gefascineerd. 'Hoe ging dat?'

'Nou, ik kan je meteen wel zeggen, die dames zien er in het echt heel anders uit dan op hun foto,' zei hij terwijl hij nog een menthol-sigaret opstak. 'Kom je op de afgesproken plek, herken je ze soms niet eens. Ik garandeer je, ze zijn altijd ouder, en meestal een stuk dikker ook.'

De meest recente kandidaat met wie hij was gaan eten was een gescheiden reclamevrouw die had beweerd 35 te zijn, maar volgens hem minstens veertig was. Toch had ze hem wel aangesproken, tot ze nog voor de pizza werd gebracht een hele fles wijn achterover had gegoten. Tegen het eind van de maaltijd was ze ladderzat geweest, en had ze huilerig verteld dat ze zo eenzaam was. Hij had haar praktisch uit zijn wagen bij haar naar binnen moeten dragen.

'Ze was helemaal van de wereld. Nog een geluk voor haar dat ik geen verkrachter ben. Daarna heb ik haar mailtjes niet meer beantwoord. Het barst in New York van de alleenstaande vrouwen. Zijn ze eenmaal over hun hoogtepunt heen, dan draaien ze door. Je kunt maar beter bij ze uit de buurt blijven.'

O god, als ik maar nooit zo word, dacht ik bij mezelf. Ineens voelde ik een golf van liefde voor Angus. Nog maar een paar uurtjes, dan zou ik hem weer zien.

Op dat moment kwam er een vrouw van middelbare leeftijd in een lange, bruine regenjas en met bont gevoerde laarzen de hoek van 109th Avenue om. Ze liep het tuinpad naar 109-xx op. Binnen een paar tellen waren we allebei de auto uit. Ik haalde haar in terwijl ze de sleutels van haar voordeur tevoorschijn haalde. Rick stond vlak achter me.

'Mevrouw Barima? Mevrouw Barima, hebt u een momentje?' Mijn hart ging tekeer van de adrenaline.

Ze keek niet op of om.

'Wij zijn van de *New York Post*. Zouden we u even kunnen spreken over Jermaine?'

'Ik heb jullie niets te zeggen,' bromde ze. Gehaast stak ze de sleutels in de drie sloten, nog steeds met haar rug naar me toe.

'Maar u bent toch zijn moeder?' vroeg Rick.

Heel even draaide ze zich om, en zijn flits ging af.

De vrouw hield vloekend haar hand voor haar gezicht. 'Als je die foto gebruikt, sleep ik die verrekte krant van je voor de rechter.' De deur werd voor onze neus dichtgesmeten.

Rick haalde zijn schouders op. 'Blijkbaar niets te melden.'

We gingen weer in de auto zitten.

Ruim een kwartier later kwam er een slungelige puber voorovergebogen op het huis afstevenen. Het kruis van zijn jeans hing halverwege zijn knieën. Ik sprong uit de auto en liep op hem af.

'Sorry, ken je Jermaine soms?'

De voordeur zwaaide open, en de moeder verscheen op de stoep.

'Hé, laat mijn jongen met rust. Donder op!' gilde ze. Achter haar verscheen een man, die over het pad op me af kwam marcheren. Snel schuifelde ik achteruit naar de auto. De jongen liep het huis in.

'Je hebt het gehoord. Wegwezen hier!' grauwde de man een paar centimeter bij me vandaan. Zijn met steroïden volgepompte armen deden de mouwen van zijn blauwe Disney World-T-shirt uitpuilen. Dat was alles wat ik zag, zo wild bonkte mijn hart.

Rick schoof me opzij, confronteerde de vent met de camera in zijn hand. 'Hé, eikel, tegen wie denk je dat je het hebt? Ben je er soms trots op de vader te zijn van zo'n stuk uitschot?'

'Ik zei opsodemieteren! Anders breek ik je nek!'

'We staan hier op de stoep, dit is openbaar terrein. Ik mag hier de hele dag blijven als ik daar zin in heb!' riep Rick terwijl hij woest naar de grond gebaarde. 'En als je niet met ons wilt praten, lees je morgen in de krant wel over die etterbak van je.'

'Nou, eh... bedankt voor de moeite, meneer,' zei ik, opgelucht dat de man iets meer zelfbeheersing leek te hebben dan Rick. Wat bezielde hem in vredesnaam?

De man stampte zijn huis weer binnen. Rick rukte zijn portier open, gooide zijn camera op de stoel en stak een sigaret op.

'Je moet ze een beetje op stang jagen. Soms is dat de truc om een waanzinnige uitspraak of foto te krijgen,' zei hij terwijl hij luidruchtig uitblies en nijdig naar het huis keek. 'Ik doe dit werk al twintig jaar. Geloof me, deze stad wemelt van het ongedierte.'

Ik probeerde mijn trillende handen te verbergen. Als verslaggever kwam je constant voor verrassingen te staan.

Mijn pieper zoemde; ik moest Steve Marsh bellen. Ik leende Ricks mobiele telefoon.

'Wat heb je over die babyovervaller?' vroeg Steve.

Ik vertelde wat er die ochtend was gebeurd en zei dat het erg onwaarschijnlijk was dat we nog iets loskregen. Steve gaf me een ander adres op; de vierde verdieping van een wooncomplex in een zijstraat van Avenue Y, bij Coney Island in Brooklyn.

'De Shack denkt dat zijn vriendin daar woont.'

Coney Island was mijlenver weg, maar ik nam aan dat ik er met Rick naartoe zou rijden en verheugde me op de voortzetting van ons avontuur. Maar toen Rick zijn chef belde, kreeg hij te horen dat hij zich bij een andere reporter moest voegen, die bezig was een gewapende overval op een kruidenier in Astoria te verslaan. Terwijl hij haastig zijn auto startte, keerde mijn angst terug. Hopelijk was Jermaines vriendinnetje minder agressief dan zijn ouders.

Rick zette me af bij Jamaica Center, en met mijn stratenboek tegen mijn borst geklemd begon ik aan een heldhaftige tocht met twee keer overstappen vanuit het oosten van Queens tot in het zuidwesten van Brooklyn. Toen ik na een uur eindelijk uit het station op Avenue X stapte, stond ik in een lange, troosteloze straat, overschaduwd door de verhoogde spoorbrug van de metro. Ernaast lag een onheilspellend industrieterrein vol dichtgetimmerde pakhuizen. Het was inmiddels bijna halfvier. Ik had nog anderhalf uur voor het donker werd.

Met geveinsde bravoure liep ik richting Avenue Y. De vorige keer dat ik in mijn eentje naar Brooklyn was gegaan, had ik het geluk gehad met Deklin in bed te belanden. Deze keer had ik het gevoel dat ik van geluk mocht spreken als ik het er levend van afbracht.

Avenue Y leidde me een buurt vol bakstenen appartementengebouwen binnen die zich eindeloos leek uit te strekken. Ik nam aan dat het adres dat ik zocht ook in zo'n gebouw lag, en nauwgezet volgde ik de straatnummers, waarbij ik steeds verder van de hoofdweg afdwaalde. Ik vroeg me af waar de dichtstbijzijnde telefooncel stond. Zonder mobieltje zou ik de pineut zijn als er iets gebeurde.

Ik passeerde een speeltuin waar een groep jongeren als zoutzakken op de schommels wiet zat te roken. Ze gaapten me allemaal aan. Ik wierp ze een vinnige blik toe, alsof ik wilde zeggen: 'Had je wat soms? Ik kom hier zo vaak.'

Met vastberaden tred, zoals we op zelfverdedigingsles op school hadden geleerd, arriveerde ik uiteindelijk bij het adres dat ik zocht, een wooncomplex van acht lagen met een zwarte voordeur. De halvemaanvormige ruit van gewapend glas erin was gebroken, en de elektronische deuropener was gesloopt, waardoor ik zo door kon lopen.

In de hal was het pikdonker. Ik hield de deur even open zodat er wat licht naar binnen viel, me afvragend of ik wel verder moest gaan. Het stonk naar sigarettenpeuken en urine, en verderop stond een halfgeopende lift met wanden vol graffiti. Daar wilde ik liever niet in vast komen te zitten. Aan de andere kant van de hal zat een deur die waarschijnlijk naar het trappenhuis leidde.

Ik stapte over gebruikte condooms en glasscherven heen. Uit zelfbescherming stak ik mijn hand in mijn tas en klemde hem om een pen. Wat wilde ik? Toeslaan met mijn Bic als ik oog in oog kwam te staan met een overvaller die een mes of pistool trok?

Ik bereikte de vierde verdieping. Er begon een hond jankend en grommend tegen de deur van de eerste woning te krabben. Ik deinsde achteruit, staarde naar de drentelende schaduw onder de deur en durfde amper voorbij te lopen. Dit was een nachtmerrie. Waarom stapte ik niet gewoon weer in de metro en zei ik tegen Steve dat er niemand thuis was geweest? Niemand zou er ooit achter komen. Dan kon ik naar huis om me voor te bereiden op Angus' komst.

Maar ik was er nu bijna. Het zou slap zijn nu op te geven. En had ik niet eindelijk de baan waarvan ik mijn hele leven had gedroomd? Ik had er alleen niet bij stilgestaan dat het werk zo eenzaam kon zijn.

Troostend hield ik mezelf voor dat wat er ook gebeurde, ik straks met Angus samen zou zijn, hem verhalen zou vertellen over mijn heldendaden. Ik drukte op de vieze bel van nummer 5 Avenue x, biddend dat er niet gereageerd zou worden.

Binnen hoorde ik een grendel verschuiven. Ik haalde nog een keer diep adem en zette me schrap tegen een vijandige tirade. Een oudere vrouw in een wijnrood velours trainingspak deed de deur open. Ze had een lichtbruine huid en een propperig figuur. Aan een van de vele gouden kettingen om haar hals hing een groot kruis. Verrast nam ze me op.

'Eh... hallo,' stamelde ik. 'Ik ben verslaggever bij de *New York Post*. Ik vroeg me af of u Jermaine Barima toevallig kende.'

'De *Post*? Ja hoor, Jermaine is mijn schoonzoon. Kom erin, ik heb net koffie gezet. Waar kom je vandaan?'

'Eh... uit Engeland,' antwoordde ik verbluft. De met pistolen zwaaiende boef was haar schoonzoon, en zij wilde koffiedrinken?

'Kom snel binnen. Je weet nooit wat voor gespuis er in het trappenhuis rondhangt,' zei ze.

Ik stapte vlug over de drempel, want ze had vast gelijk.

We liepen haar woonkamer in. De paarse fluwelen bank en fauteuil waren allebei versierd met kleurrijke gehaakte kleedjes. Het tapijt lag vol speelgoed: een rode brandweerwagen, Star Wars-figuren, robotachtige actiepoppen. Er dreef een heerlijke geur van kippensoep uit de keuken, die half aan het zicht werd onttrokken door een schuifdeur.

Het was hier ongerijmd gezellig vergeleken met de somberheid buiten. De vrouw ging de keuken in en kwam terug met een mok waarop I LOVE CONEY ISLAND stond. Uit beleefdheid nam ik hem aan, en ze stond erop dat ik ging zitten.

'Van hun zoontje, daar pas ik op wanneer mijn dochter Lizette op school zit,' zei ze met een glimlach naar het speelgoed op de vloer. 'Maar goed, wat is er met Jermaine?'

O nee. Misschien had ze geen flauw benul dat haar schoonzoon was aangehouden voor gewapende beroving. En ze had net koffie voor me ingeschonken. Wat moest ik in vredesnaam zeggen?

'Eh, nou...'

Ze keek me vriendelijk aan.

Het zweet brak me uit. 'Ik ben bang dat hij is gearresteerd.'

'Gearresteerd? Waarvoor?' vroeg ze verbaasd.

Ik staarde in mijn koffie. Hoe moest ik het brengen? 'Eh... nou, hij schijnt een paar vrouwen te hebben beroofd door een wapen op het hoofd van hun baby te zetten...'

Ik voelde me net een schooljuf die een ouder informeert dat hun kind heeft gespijbeld. Het klonk volkomen surrealistisch in de knusse kamer.

'Jermaine? Nee, dat moet iemand anders zijn. Jermaine zou zoiets nooit doen.' Ze vouwde haar handen in haar schoot, ervan overtuigd dat ze het misverstand de wereld uit had geholpen. 'Jermaine is een schat. Hij is zo lief voor mijn dochter en hun zoontje. En op moederdag stuurt hij me altijd bloemen.'

Nu raakte ík in de war. Hoe kon de schoonmoeder van een man met een strafblad dat terugvoerde tot zijn jeugd van niets weten? Deze vrouw schilderde hem af als een heilige. En een man die zelf een klein kind had, zou toch nooit een wapen op het hoofd van een baby zetten? De Shack had vast een fout gemaakt met het adres. Ik voelde een golf van opluchting.

'Weet u, we hebben vast de verkeerde Jermaine voor ons,' zei ik glimlachend. 'Het spijt me dat ik u lastig heb gevallen.'

'Ach, het was gezellig even met je te praten. Er komen niet veel mensen uit Engeland hier,' zei ze.

Ik stak mijn notitieblok weer in mijn tas en stond op, mijn koffiemok nog in mijn hand. Ineens bleef mijn hart stilstaan. Op de vensterbank stond een foto: trotse ouders met hun zoontje. Ik liep ernaartoe en keek wat beter. Over het gezicht van de vader liep een opvallend litteken.

Ik herinnerde me de gekopieerde foto van Jermaine Barima. Ik trok hem tevoorschijn en gaf hem aan de vrouw. 'Dit is toch Jermaine?' Mijn stem was hoog en beverig.

'Ja, dat is hem!' Even klonk ze trots, toen verscheen er een frons tussen haar wenkbrauwen. De telefoon ging over, en we schrokken allebei.

'Daar zul je mijn dochter hebben. Ze komt haar zoontje hierheen brengen.' Ze nam op. 'Lizette, er is hier iemand van de *Post.* Ze zegt dat Jermaine is gearres...' Ze verstarde en keek naar mij. Alle vriendelijkheid verdween uit haar gezicht.

'Mijn dochter zegt dat je maar beter kunt maken dat je wegkomt,' bromde ze.

'Ja, ja, ik begrijp het. Luister, het spijt me vreselijk dat...'

'Wegwezen! Mijn dochter zegt dat ik niet meer met je mag praten.'

Ik zette mijn mok op de vloer en sloeg op de vlucht.

De vrouw smeet de deur achter me dicht. De hond achter de andere voordeur begon weer te blaffen terwijl ik naar de trap rende, mezelf vervloekend om mijn stommiteit. Godzijdank had ik de foto zien staan. Voor de zoveelste keer was de eerste indruk verkeerd geweest.

Toen ik beneden de deur van het trappenhuis opentrok, stond ik ineens oog in oog met een slungelige vrouw in een glanzend blauw Puffa-jack met een peuter op haar arm. We beseften allebei meteen wie de ander was.

'Hé, wie heeft jou toestemming gegeven bij mij binnen te komen?' krijste ze.

'Eh... je moeder.' Ik graaide naar mijn notitieblok en weerstond de aandrang het op een rennen te zetten.

'O ja? Nou, je hebt geen recht dingen over Jermaine te vragen. Het is een ingoeie vent.'

Verdomme, waar was mijn pen?

Ze stapte me voorbij. Eindelijk voelde ik hem zitten.

'Eh... zou je me misschien je volledige naam kunnen geven?'

'Krijg de klere, ik praat niet met journalisten.' Met de peuter nog steeds op haar arm begon ze de trap op te lopen.

'Ja, nou, vind je ook niet dat het nogal extreem is een wapen op een baby te richten?' riep ik haar achterna.

'Krijg de klere, vuil kreng!' schreeuwde ze terug.

Ik vroeg me af of Ricks tactiek om mensen op stang te jagen ooit werkelijk vruchten afwierp.

Maar in elk geval had ik iets. Dankzij deze vrouw en haar moeder kon ik Steve Marsh wat citaten doorbellen en rechtstreeks doorgaan naar Angus. Ik was op het nippertje ontsnapt aan het risico dat avondchef Mike Hechtman me de halve avond in Coney Island zou laten posten.

Romantisch etentje wordt
stel noodlottig

De pendelbus van metrostation Howard Beach slingerde om het
langparkerenterrein heen, op weg naar de aankomsthallen van JFK.
Ik keek glimlachend het duister in, denkend aan de vorige keer dat
Angus en ik op een luchthaven hadden afgesproken.

Dat was een jaar geleden op Stansted. Om twee uur 's nachts had
hij me uitgevloerd op een bankje aangetroffen, na een hopeloos vertraagde vlucht uit Frankrijk. Ik was in tranen uitgebarsten, zo blij
was ik geweest om hem te zien (en ik huil maar zelden).

Het was mijn verjaardag geweest, en mijn ouders – allebei reis-
boekenschrijver – waren bezig de gegevens te controleren voor een
nieuwe gids over het zuidwesten van Frankrijk. Het had hun een
geweldig idee geleken als ik voor een weekeinde naar ze toe kwam.
En het was ook geweldig… zo geweldig als het kan zijn vast te zitten achter in een bedompte auto tijdens toeristische ritjes door de
regen.

Zoals gebruikelijk in mijn ouders gezelschap had ik weinig goed-
gunstig tegenover een 'lekker weekeindje weg' gestaan. In een recht-
streekse regressie naar mijn puberteit had ik achterin tussen stapels
landkaarten en toeristische folders zitten schelden op mijn vader,
die per se riekende zwarte bananen moest eten in de benauwde
ruimte. In de tussentijd vinkten zij de plaatselijke bezienswaardigheden en dorpen af op hun lijstje met de animo van een jong stel
op huwelijksreis.

De ouderlijke samenzwering had erin bestaan dat ik van Carcas-
sonne naar huis kon vliegen om op tijd terug te zijn voor een groots
verjaardagsdiner dat voor me geregeld was. Maar ik had mijn gordel nog niet om gehad, of de piloot kondigde aan dat het toestel
'defect' was, en we waren allemaal teruggestuurd naar de vertrekhal.

Zeven uur later had ik nog steeds in de muffe, rokerige kantine
van de luchthaven zitten wachten op een vervangende vlucht, en
had ik fantasieën gekregen waarin ik het personeel van Ryan Air met

een bijl te lijf ging. Ik had Angus al gebeld om te waarschuwen dat ik misschien te laat zou komen voor het diner, en vervolgens nog eens om te zeggen dat hij het maar moest afzeggen. Om me ervan te weerhouden de bijl ook in mijn eigen hoofd te jagen, had hij beloofd dat hij naar Stansted zou komen om me op te halen, hoe laat het ook werd. Uiteindelijk was ik om één uur 's nachts geland, om meteen te worden opgeroepen door de informatiebalie: Angus had een boodschap achtergelaten dat hij met pech op de snelweg stond.

Dus was ik in de verlaten aankomsthal op een metalen bankje gaan liggen wachten. Toen hij ten slotte was gearriveerd – even uitgeput en nijdig als ik onderhand was – was ik hem snikkend in de armen gevallen. Hij had een minichocoladecake voor me meegebracht en een halve fles Dom Perignon. Mijn verjaardag hadden we maar in de auto gevierd, in vliegende vaart terugrijdend naar Kentish Town.

De aankomsthal op Kennedy was even uitgestorven als die op Stansted was geweest, bleek toen ik er wonderbaarlijk genoeg een halfuur te vroeg aankwam. De ruimte die bij mijn landing 26 dagen geleden praktisch uit zijn voegen was gebarsten, was nagenoeg verlaten.

Ik ging op een rij stoeltjes zitten wachten. Onder me op de vloer zag ik wat verkreukelde pagina's van de *Post* liggen. Ik verschoof ze met mijn teen in de hoop mijn naam te zien staan bij het artikel dat ik de dag ervoor had geschreven. Een inwoner van Queens, die in het verleden twee amputaties had ondergaan, had 17,5 miljoen gewonnen in de New York Quick Pick-loterij, en was van plan met het geld twee nieuwe benen te kopen. LOTERIJ HELPT HEM WEER LOPEN! had de kop geluid. Ik zag het niet staan; het was alleen het sportkatern. Tja, dat smeet ik zelf meestal ook meteen weg.

Ik staarde naar de witte wand die de rest van de wereld van Amerika scheidde en dacht aan alles wat er was gebeurd sinds ik daar zelf doorheen was gekomen. Een maand waarin ik al drie New Yorkse ziekenhuizen vanbinnen had gezien, naar alle vijf de stadsdelen was geweest (wat sommige bewoners van Manhattan in hun hele leven niet lukt), verschillende onfortuinlijke ongelukken en misdaden had verslagen, en mijn eigen misdaad had gepleegd door de nacht met een ander door te brengen.

Het beeld van Deklins donkere ogen en wimpers doemde voor me op. Opnieuw trof het me hoe vlug ik het vertrouwen had beschaamd van de man van wie ik zou horen te houden, en met wie ik wellicht zelfs zou trouwen. Al die tijd had ik mezelf voorgehouden dat vier maanden van huis niks voorstelde, maar ik was binnen de kortste keren ontspoord.

Hoe zou ik reageren wanneer ik hem zag? Ik voelde me zo anders dan de rusteloze, doelloze persoon die ik bij mijn vertrek uit Londen was geweest. Nog even en hij zou mijn nieuwe, onafhankelijke leventje binnenstappen.

Ik bedacht dat de 'luchthavenproef' een mooie manier was om te bepalen wat je werkelijk voor iemand voelde. Dat eerste moment waarop ik hem straks zag, zou ik intuïtief weten of hij De Ware was. Zou mijn hart opspringen, zou de aanblik van zijn gezicht me het gevoel geven dat ik compleet was? Aan de andere kant: had ik me op Stansted niet zo gevoeld? En ik was desondanks naar New York vertrokken.

Van achter de wand kwamen overzeese passagiers tevoorschijn. Vermoeid uitziende stellen achter karretjes, zakenlieden met kostuumhoezen over hun schouders, New Yorkers die huiswaarts keerden, Britten die een winkelreisje maakten.

En toen zag ik hem, steunend op de stang van zijn karretje, in zijn oude, zachte, donkerblauwe jas. Hij baande zich een weg door de menigte. Zijn dikke, blonde haar was wat gegroeid en achterovergekamd van zijn hoge voorhoofd. Met zijn lichte huid zag hij er zoals altijd frisgewassen uit.

Daar is hij dan, dacht ik. Wat, wacht even. Was dat alles? Waar was mijn bliksemflits? Waar was het moment der waarheid?

'Hallo, stuk,' zei hij met zijn zachte stem. Nog steeds voorovergebogen over het karretje kwam hij op me aflopen.

We omhelsden elkaar, straalden zoals herenigde stelletjes dat horen te doen. Ik hield me vast aan zijn stevige jas, liet de heerlijke vertrouwde geur tot me doordringen. Hij tilde me een stukje op om me te zoenen. Ja, ik hield van Angus. Natuurlijk hield ik van Angus. Maar het ogenblik waarop me duidelijk had moeten worden dat hij De Ware was, was vervlogen. En ik wist het nog steeds niet.

In de taxi op weg naar Manhattan leunde ik tegen hem aan terwijl we over de Van Wyck-snelweg scheurden, voorbij de donkere randen van verpauperde buitenwijken zoals die waarin ik met Rick mijn dag was begonnen. Ik brabbelde een eind weg, doodsbang dat er zo snel na onze hereniging stiltes zouden vallen.

Ik vertelde hem hoe ik tussenbeide had moeten komen in een gevecht tussen Rick en de schurk aan wie hij een mooi citaat had willen ontfutselen, hoe ik onverschrokken de meest beruchte achterbuurt van Brooklyn in was getogen (nou ja, dat had het kunnen zijn), en hoe ik een omaatje had moeten vertellen dat haar schoonzoon baby's met een wapen had bedreigd.

'Lieverd, ik ben zo trots op je,' zei Angus. 'Wat moet het heerlijk zijn eindelijk te doen wat je altijd zo graag wilde.'

'Nou ja, ik ben er nog niet echt goed in,' bekende ik.

Angus draaide met zijn ogen, alsof hij wilde zeggen: 'Jij verandert ook nooit', en keek uit het raampje.

Meteen voelde ik me gestoken. Ik was wél veranderd.

'En, wat is er thuis allemaal gebeurd?' vroeg ik.

'O, weinig.' Hij haalde zijn schouders op. De documentaire waaraan hij bezig was, over de verschillende manieren waarop Britse kinderen hun verjaardag vierden, liep op rolletjes. Hij was voor een vrijgezellenfeest een weekeinde naar Amsterdam geweest, waarbij onze vriend Ed in de gracht was gedonderd. Isabel, een kennis van ons, had iets gekregen met een filmster en logeerde nu bij hem in een of ander poenig penthouse in Vancouver, omdat hij daar opnamen had. Vanuit het bubbelbad op het dakterras op de 50e verdieping bleef ze iedereen maar bellen, om te vertellen dat ze zo'n prachtig uitzicht had over de Stille Oceaan en dat ze hard bezig was Hollywood-baby's te verwekken.

'Typisch Isabel,' verzuchtte ik. 'Ik vrees dat mijn leven hier wat minder flitsend is.'

Ik waarschuwde hem dat het appartement van de *New York Post* in een deel van de stad lag waar weinig te beleven was, ingeklemd tussen een woestenij van bouwputten bij 11th Avenue, en nog minder gezellig was ingericht dan een Holiday Inn. Het bood uitzicht op een half afgebouwde wolkenkrabber van Donald Trump, maar als je je nek ver genoeg uit mijn slaapkamerraam stak, kon je aan de overkant van de Hudson New Jersey zien liggen.

'Ik ben hier voor jou,' zei Angus, en wat onbeholpen omhelsden we elkaar nog eens op de glimmende nepleren taxibank.

De snelweg vanaf Long Island leidde via een lang viaduct over Queens heen, voordat hij richting Queens Tunnel omlaag dook. Ineens rees het panorama van Manhattan als een filmset voor ons op. De fonkelend verlichte wirwar van appartementencomplexen en kantoortorens twinkelde onder de indigo-oranje lucht, doorkliefd door de spitsen van het Empire State en Chrysler Building. Automatisch bogen we ons allebei naar voren.

'Tjonge, dit is onvoorstelbaar! Hier zou ik eeuwig naar kunnen kijken,' zei Angus enthousiast. 'New York is het wel, hè? Je boft maar dat je hier woont.'

Plotseling drong tot me door dat hij gelijk had. Ik was een enorme bofkont. Niet alleen omdat ik in New York woonde, maar ook omdat het enige vereiste van mijn baan was de nog-te-gebeuren-gebeurtenissen te ontdekken en te verslaan die de miljoenen mensen in dat magische uitzicht voor me veroorzaakten.

'Ja, volgens mij ben ik nog nooit zo gelukkig geweest,' zei ik.

En we vielen stil.

'Nog leuke mensen ontmoet?' vroeg hij na een poosje.

'Heb ik je al over Olly verteld?' Schuldbewust bleef ik voor me uit kijken.

Die avond bleven we lang op om plannen te maken. Angus, die al een paar keer in New York was geweest, wilde een bezoekje brengen aan zijn favoriete gebouw, het Flatiron. Hij stelde ook voor naar het Guggenheim te gaan, waar volgens hem een verpletterende expositie van een Zuid-Koreaanse kunstenaar werd gehouden die dingen deed met televisieschermen. Ik sprak mijn beduidend minder hoogstaande verlangen uit een tochtje te maken met The Beast, een toeristische attractie in de vorm van een raceboot die met knoertharde muziek over de Hudson richting Vrijheidsbeeld stoof, met zo'n snelheid dat de passagiers het uitgilden. Angus trok zijn wenkbrauwen op en zei dat die volgens hem alleen 's zomers in de vaart was. Laat het maar aan hem over zoiets te weten.

De volgende dag stonden we vroeg op, en om te laten zien hoe ingeburgerd ik was, suggereerde ik 'een bagel te pakken' bij de The Coffee Pot op 9th Avenue. Met een hoop misbaar maakte ik de pieper aan mijn riem vast. 'De redactie kan me elk moment nodig hebben,' zei ik gewichtig.

Toen Angus eenmaal comfortabel aan een tafeltje in het knusse café geïnstalleerd was, waar het naar kaneel en verse koffie rook, en door *The New York Times* begon te bladeren, rende ik naar de dichtstbijzijnde kiosk en smeet een kwartje op de toonbank voor de *Post*, om hem mijn artikel te laten lezen.

POLITIE ARRESTEERT BEROVER BABY'S stond dwars over pagina vijf, met mijn naam erbij. Angus las het verhaal door terwijl ik glunderend toekeek.

'Petje af, Bridget,' zei hij. Toen sloeg hij met een vorsende blik de vlekkerige pagina's van de rest van de krant open, en hij bleef hangen bij de koppen: DEPRESSIEVE TANDARTS MAAKT DOODSSPRONG, GRUWELIJK GEHEIM IN VUILCONTAINER en SEKSMANIAK VAN EAST SIDE VERHUISD NAAR WEST SIDE?

Ineens voelde ik de aandrang de vulgaire *Post* en de mafkezen die er werkten te verdedigen. 'Oké, het is niet bepaald een elitekrant.'

'Rustig maar, Bridge,' zei Angus. 'Ik vind hem wel grappig, al is hij misschien wat ongenuanceerd.'

Ongenuanceerd? De *Post* was een sensatieblad in de meest rechtvoor-zijn-rape stad ter wereld. Wat verwacht je nou eigenlijk, wilde ik roepen, maar ik wist dat het niet goed zou vallen als ik al binnen 24 uur na zijn aankomst ruzie zocht.

We besloten onze officiële toeristische activiteiten uit te stellen tot zondag, en we togen naar SoHo. Er scheen een heldere lentezon, en de smalle straten krioelden van het winkelende publiek dat de talloze boetieks en galerieën in en uit sjokte, zich langs elkaar heen wurmend voorbij kraampjes overladen met petjes met logo's, zwart-witfoto's van de stad, nep-pashmina's en kopieën van beroemde filmscenario's.

Op Broadway wees Angus naar een zwart met rode vlag die op nummer 670 wapperde: de Leica Gallery. Aangezien hij al een tijdje overwoog zo'n cultcamera te kopen, wilde hij naar binnen om ernaar te kijken. Langs de trap en in de winkel stond een verzameling toestellen tentoongesteld, en daarachter bevond zich een kleine ruimte vol zwart-witfoto's van parklandschappen, gemaakt door een of andere obscure Tsjechische kunstenaar. Angus raakte direct in gesprek met een irritant hip meisje achter de toonbank, dus ik bleef wat staan dralen voor de foto's.

Ineens zoemde mijn pieper. Ik schrok van het trillen aan mijn riem. Ik griste hem uit zijn plastic hoesje. *Bel stadsredactie, Steve Marsh,* stond er in groen op het schermpje. Meteen joeg de adrenaline door mijn lijf. Er moest een noodgeval zijn, een grootse gebeurtenis ergens. De *Post* had me nodig! Ik keek om me heen of ik ergens een openbare telefoon zag.

Angus stond inmiddels lenzen te bestuderen die het meisje voor hem uit de vitrine had gehaald. Ik legde mijn hand op zijn arm, zei dat ik een oproep had gekregen om de redactie te bellen en dat ik zo terug zou zijn.

'Prima,' zei hij zonder op te kijken van de zwarte apparaten.

Eenmaal op zonnig, druk Broadway schoot ik door de menigte naar een telefooncel op Great Jones Street. Tintelend van opwinding roffelde ik het gratis nummer van de *Post* in op de zilveren toetsen.

'Staaaaadsredactie,' dreunde een stagiair die op zaterdag binnen opgesloten zat op.

'Hallo, Bridget Harrison voor Steve Marsh,' zei ik gewichtig.

'Momentje.'

'Ja?' Steve klonk verstoord.

'Met Bridget. Je hebt me net opgeroepen. Moet ik naar kantoor komen?'

'Goh, dat is snel. Nee, vandaag heb ik je niet nodig. Ik was bezig met het rooster. Kun je volgend weekeinde werken?'

'O.' Ik voelde me een overijverige uitslover. 'Natuurlijk. Nou, gelukkig hoef ik op mijn vrije dag niet...'

Zoals gewoonlijk stond ik al tegen de kiestoon te praten.

Ontgoocheld sjokte ik terug naar de Leica Gallery, waarbij ik twee mannen die aan kwamen slenteren moest ontwijken. Ineens herkende ik er een als de jonge redacteur die ik op mijn eerste dag bij de *Post* had gezien. Inmiddels was ik erachter gekomen dat hij voor de zakenrubriek werkte. In plaats van een keurig pak droeg hij een oud, zwart leren jack en donkere jeans, en hij had een plastic tas vast met grammofoonplaten erin. Die opvallende bos bruine krullen was echter onmogelijk over het hoofd te zien.

'Hé, jij bent toch Bridget?' zei hij. 'Ik ben Jack. Volgens mij zijn we op kantoor nooit aan elkaar voorgesteld. Dit is mijn vriend Mike.'

Mike was langer dan Jack en had piekerig, kort donker haar. Ze zagen eruit als populaire schooljongens die aan het spijbelen waren. Ik schudde Mike de hand.

'Bridget komt uit Londen. Ze werkt hier via *The Times* als uitwisselingsreporter,' zei Jack.

Ik stond versteld. Hoe wist hij dat allemaal?

'Man, jullie Britten zijn geschift,' zei Mike. 'Ik ben als puber via een uitwisselingsprogramma van school naar Londen geweest, en ik werd ondergebracht bij een verknipt gezin in Maidenhead. Ze drongen me voortdurend bloedworst en bonen in tomatensaus op. En 's avonds ging iedereen naar de kroeg om te knokken.'

Ik lachte. Mijn blik werd teruggetrokken naar Jack.

'Ja, nou ja, wij Engelsen zijn verzot op ingewanden, en op onze matpartijtjes rond sluitingstijd.'

'Wat ben je aan het doen?' vroeg Jack.

Zijn lichtblauwe ogen leken te fonkelen. Ik besefte dat ik me niet meer bewust was van de drukte om me heen.

'Nou, ik heb toevallig net naar de redactie gebeld, dus het is grappig dat ik je nu tegen het lijf loop. Ik werd opgeroepen, dacht dat ik misschien moest komen, maar ze wilden alleen iets vragen over het rooster.' Wat wauwelde ik toch? Ze waren helemaal niet geïnteresseerd in mijn rooster. 'Eh... en jij?'

'Op muziekjacht.' Jack gebaarde naar de boodschappentas die hij vasthad. 'Een paar ongelooflijke oude jazzplaten gevonden. We zijn nu op weg naar een café op Commerce Street om wat Old Fashioneds achterover te gieten.'

'Old Fashioneds. Dat is toch iets met whisky, hè?'

'Ja, bourbon, Angostura-bitter, suiker en sinaasappelschil. Wat kun je je op zaterdagmiddag nog meer wensen?' Hij viel haast onmerkbaar even stil. 'Als je zin hebt, kom dan mee.'

Ik voelde dat ik een kleur kreeg, al wist ik niet waarom.

'Eh... eerlijk gezegd is mijn vriend voor een paar dagen over uit Londen. Hij loopt daar verderop in de Leica Gallery te snuffelen. Ik moet weer eens naar hem toe.'

'O, Leica's. Daar schijnen mensen echt een tic voor te kunnen hebben. Het ligt aan die messcherpe Duitse lenzen.' Ik wist niet of hij een grapje maakte of niet.

'Ik kan er in elk geval geen touw aan vastknopen.'

'Nou, veel plezier dan nog dit weekeinde,' zei hij.

Ze losten op in de menigte op Broadway. Jack pakte tijdens het lopen een sigaret uit zijn zak, en de krullen op zijn hoofd dansten terwijl hij hem aanstak zonder stil te blijven staan. Ik zag de rookwolkjes achter zijn zwarte jack opstijgen tot ze de hoek omsloegen. Pas toen leek het geluid van het verkeer terug te komen.

Vanuit het River Café, gevestigd in een oud schip onder de Brooklyn Bridge, had je een spectaculair uitzicht op Manhattan. Het was het meest romantische restaurant van New York, zo was me door verschillende mensen verzekerd toen ik plannen maakte voor Angus' bezoekje. De bespreking in *Zagat*, de beroemde restaurantgids, beloofde: 'In dit schitterende toevluchtsoord aan het water in Brooklyn wordt de gewoonste gelegenheid nog bijzonder. Uitermate geschikte plek voor afspraakjes (zelfs met je eigen echtgenoot) dankzij het adembenemende uitzicht.'

Jammer dat er niet bij stond: '... behalve voor het verbreken van de relatie met de liefde van je leven. In dat geval zijn de obers weinig medelevend, kan de hele zaak je horen huilen en verspil je je geld omdat je geen hap meer door je keel zult kunnen krijgen.'

Angus en ik hadden Valentijnsdag niet kunnen vieren omdat ik hier was, en op zijn laatste avond in New York wilde ik hem trakteren op een chic etentje.

Toen we ons eerder die avond op hadden gedoft, had ik geweigerd te verklappen waar we heen gingen.

Helaas betreurde ik mijn keuze zodra we de klinische foyer van het restaurant in liepen en begroet werden door een zuinig kijkende oberkelner, die ons van top tot teen opnam en vroeg: 'Hebt u gereserveerd?'

'U verwart ons met de pizzeria om de hoek,' bedoelde hij in feite.

Zagat bleek evenwel gelijk te hebben. Het uitzicht vanuit de eetzaal was letterlijk adembenemend. Aan de overkant van de zwart deinende East River doemde zuidelijk Manhattan op. De ontelbare verlichte kantoorramen zagen eruit als sterren op een canvasdoek, vastgeklonken aan de enorme boog van de Brooklyn Bridge die zich recht boven ons uitstrekte, duizenden tonnen ijzer en steen. In het zuiden domineerden de Twin Towers van het World Trade Center de donkere lucht.

Aan alle tafels zaten stelletjes, de stoelen als op een tribune naar het uitzicht gericht. Op het getinkel van bestek en het geroezemoes van gedempte gesprekken na was het muisstil in de zaal.

We namen plaats, en een sommelier overhandigde Angus een wijnkaart zo dik als een telefoonboek, waar hij afwezig doorheen begon te bladeren. In het kristallen vaasje tussen ons in stond één enkele roos. Ik vroeg me af hoeveel diamanten ringen aan deze tafel tevoorschijn waren getoverd. Inmiddels wenste ik dat ik een rumoerige bistro in de East Village had uitgekozen voor ons etentje. We hadden wel wat leven om ons heen kunnen gebruiken om onze stemming te verbeteren.

Vermoeid van twee dagen bezienswaardigheden afschuimen hadden we Angus' laatste middag weer winkelend doorgebracht, ons er allebei stilletjes van bewust dat het een kwestie van uren was voordat hij zou vertrekken. Ik had het gevoel dat we het hele weekeinde bezig waren geweest ons niet aan de ander te ergeren, in plaats van te genieten van onze dierbare momenten samen. Onze almaar toenemende onzekerheid over de toekomst hing tussen ons in, onuitgesproken. Ik begon me zelfs af te vragen of mijn misstap met Deklin eigenlijk wel zo'n vergissing was geweest.

Het onvermijdelijke 'hoe moet het nu verder met ons?' kwam uiteindelijk tijdens het hoofdgerecht ter sprake.

'Vind jij dat we ons zorgen moeten maken omdat we na bijna twee jaar, op onze leeftijd, nog steeds geen idee hebben of we wel willen trouwen?' Ik had de woorden nog niet uitgesproken, of ik had er spijt van.

Angus legde zijn vork neer en haalde zijn hand door zijn haar. De rimpeltjes rond zijn grijsgroene ogen leken dieper te worden. Voor het eerst sinds hij was aangekomen, zag ik hem ineens weer als mijn vertrouweling.

'Wil je een eerlijk antwoord?' zei hij. 'Het lijkt alsof... we er geen van beiden moeite mee hebben gehad een maand bij elkaar weg te zijn. En ik moet toegeven dat het best zwaar was de afgelopen dagen weer vierentwintig uur per dag bij elkaar te zijn.' Hij zweeg even. 'Maar als je vraagt wat dat volgens mij betekent, Bridget... ik zou het echt niet weten.'

Ik staarde naar mijn gekonfijte eend met truffelhoning en venkelbloesemsaus. Mijn eetlust was bedorven. Ooit hadden we genoten van dit soort gesprekken: onze grote levensdilemma's analyseren en bediscussiëren. Nu deed het alleen maar pijn. 'Maar je hebt me toch wel gemist?' vroeg ik.

'Heb jij mij gemist? Eerlijk?'

Ik keek over de rivier richting Manhattan. 'Ja, natuurlijk, ik bedoel, dat spreekt vanzelf...'

'Maar...?'

Er kwam een ober aan schuifelen om onze glazen bij te vullen. Angus wapperde hem weg.

'Ik weet niet, de afgelopen maand... er is zo veel gebeurd. Ik heb moeten wennen aan een nieuwe omgeving en alles.' Ik kon er ineens niet meer omheen. 'Maar misschien heb ik je minder gemist dan ik had verwacht.'

Angus boog zijn hoofd en nam een slok wijn.

'Eerlijk gezegd, Bridge, heb ik het ook heel druk gehad, en ik heb niet zo veel tijd gehad om je te missen.'

'O.'

'Maar daar gaat het niet om,' zei hij op zachtaardige toon. 'Het gaat erom hoe jij zelf je toekomst ziet, hoe je gelukkig denkt te worden.'

Over het zwarte water keek ik naar de heldere façade van Manhattan, en ik stelde me alle avonturen voor die deze stad nog voor me in petto had. Nog meer doldwaze artikelen in de *Post*, nog meer sexy onbekenden op gekostumeerde feestjes, middagen vol cocktails met Jack en Mike. Er welde een angstaanjagende opwinding in me op.

Tegenover me aan dit tafeltje zat een leven vol zekerheid en stabiliteit, een heel voorspelbare toekomst. Daar buiten lag het onbekende, het risico. Maar hoe groot was dat risico? Ik had geen idee.

Voordat ik het wist, had ik het hardop gezegd. 'Ik wil uitzoeken of ik na mijn vier maanden via het uitwisselingsproject nog langer in New York kan blijven. Ik wil écht in deze stad hebben gewoond.'

Angus vertrok geen spier. Hij schoof zijn bord van zich af, pakte de wijnfles en vulde voorzichtig onze glazen bij met de pinot noir uit 1996 die hij had uitgekozen.

'Dan denk ik dat je je vraag over dat trouwen zelf hebt beantwoord,' zei hij.

Het was alsof ik de vaste bodem onder mijn voeten verloor.

Nee! Ik neem het terug! Nee, wilde ik gillen. Ik weet het nog niet zeker! Ik sla onzin uit! Maar het was te laat.

'Weet je, Bridge, ik wil geen relatie met een vrouw die eigenlijk op zoek is naar iets anders.'

Er viel een geladen stilte terwijl we allebei probeerden onze uitspraken te laten bezinken.

'Hoe rot het ook is uit elkaar te gaan,' zei hij uiteindelijk, 'misschien is het het beste er maar een punt achter te zetten nu jij nog hier bent.'

'Het is inderdaad handig eraan te kunnen wennen zonder de kans te lopen dat we elkaar op feestjes tegenkomen,' was mijn reactie. Allemachtig. Ik raakte mijn toekomstige echtgenoot kwijt, en ik had het over fééstjes?

Alles wat we samen hadden meegemaakt trok ineens als een film aan me voorbij. De avond waarop we voor het eerst met elkaar naar bed waren geweest: een matras op de grond bij een vriend thuis, na een (ironisch genoeg) gekostumeerd feest. De eerste keer dat ik mee was gegaan naar zijn vader in Gloucestershire en we op een bankje in de tuin hadden zitten praten over onze families, plotseling hadden gemerkt dat het al donker was en hadden gezien hoe de verlichte ramen het huis de aanblik van een betoverd kasteel gaven. Een ander weekeinde daar, toen ik, terwijl hij houtblokken haalde voor het haardvuur, met zijn BMW melk en sigaretten was gaan kopen bij het benzinestation, en ik me kapot had geërgerd aan het slome gehannes van het meisje aan de kassa, omdat het daardoor een paar tellen langer duurde voor ik naar hem terug kon. De talloze keren dat ik me had voorgesteld hoe ik op een dag weeën zou krijgen en hij als aanstaande vader naast me zou staan, me aanmoedigend om te puffen.

Over de tafel heen legde Angus zijn hand op de mijne. Ik knipperde mijn tranen weg, en zag dat zijn wangen nat waren. De ober kwam onze amper aangeraakte gerechten weghalen. We negeerden hem, en hij deed alsof hij niets in de gaten had.

Angus vroeg om de rekening. Ik probeerde mijn paniek te bedwingen terwijl ik me realiseerde dat de tijd koelbloedig doortikte. Binnen een paar uur zou hij weer naar Londen vertrekken. De ober nam haastig mijn betaalkaartje aan, duidelijk hopend dat het grienende stelletje dat zo'n domper op de avond zette zo snel mogelijk zou afmarcheren.

Op het lege terras van het restaurant wachtten we op een taxi. Angus hield me stevig vast terwijl mijn schouders schokten door de onderdrukte snikken.

Hij stelde niet voor dat we er nog eens over na zouden denken.

Een paar uur oppervlakkige, rusteloze slaap later ging om vijf uur die ochtend mijn wekker af. Angus stapte vlug uit bed en schoot in zijn kleren. Ik hoorde hem in de badkamer zijn tanden poetsen en vroeg me af of dit de laatste keer was dat ik daar ooit getuige van zou zijn.

Toen hij klaar was voor vertrek, stond ik op en liep met hem mee naar de lift, aldoor naar het bruin met geel gestreepte tapijt starend. Hij drukte een kus op mijn kruin.

'Ik bel je vanavond, als ik terug ben,' zei hij. De liftbel tingelde, Angus stapte in, de deuren schoven dicht en hij was verdwenen.

Ik kroop terug in bed en lag in het zilveren licht van de New

Yorkse dageraad naar het plafond te staren. Mijn hoofd tolde. Had ik zojuist de meest bevrijdende en volwassen beslissing van mijn leven genomen? Of had ik zojuist afscheid genomen van de beste vriend, toekomstige echtgenoot en vader van mijn kinderen die ik me kon wensen?

En, wat kom jij hier vanavond doen?

'Tilly, met mij, Bridge. Hoe is het met je?'

Angus was minder dan een ellendige week geleden vertrokken. Ik was veel te vroeg wakker geworden en had behoefte aan een troostende stem.

'Hé,' klonk de reactie van mijn oude vriendin. 'Wat maf. Ik wilde je net bellen. Ik heb een nieuwtje.'

'O ja?' Ik had gehoopt dat we het alleen over mij konden hebben.

'Ik ben zwanger. Van een tweeling! Ongelooflijk, hè?'

Wat? Zwanger? Tilly? De duizeligheid die ik had gevoeld toen Angus wegging keerde terug terwijl ik probeerde haar woorden tot me door te laten dringen.

'Jeetje, Tils, eh... dat is onvoorstelbaar...'

Wanneer vriendinnen je vertelden dat ze zwanger waren, was het moeilijk niet te klinken zoals ze van je verwachtten: jaloers, verward en verraden. En om de een of andere reden was ik dat ook.

Tilly en ik waren al bevriend sinds onze studie, en we hadden de afgelopen drie jaar samen in mijn huis in Londen gewoond. Zij en haar vriend Andrew, haar vroegere baas bij een televisieproductiebedrijf, hadden elkaar leren kennen in dezelfde maand dat Angus en ik iets hadden gekregen. Pas heel onlangs had ze ermee ingestemd met Andrew te gaan samenwonen. Ze had me altijd verzekerd dat ze geen haast had om aan 'het volgende stadium' te beginnen.

'Ik had gewoon de pil genomen. Het was een ongelukje. Maar nu het eenmaal zo is, zijn we er enorm blij mee. Stel je eens voor, Bridge, ik krijg een toeter van een buik.'

'Tjonge, gefeliciteerd, echt.'

'Ik wil dat jij hun peetmoeder wordt. Jij bent de enige die ik ken met familie die naar de kerk gaat. Wanneer kom je terug?'

'Eh... binnenkort.' Ik had geen zin te zeggen dat ik juist overwoog langer in New York te blijven.

'Hé, dat vergeet ik bijna. Is Angus niet net bij je op bezoek geweest? Hebben jullie het gezellig gehad samen? Doe hem de groeten, en vertel hem het nieuws ook, hè?'

'Ja, ja, doe ik.' De tranen die over mijn wangen biggelden hadden dit keer niets te maken met Angus' vertrek, noch met Tilly's zwangerschap. Plotseling had ik het gevoel dat mijn hele leven op zijn kop was gezet. Als je tegen de dertig liep, kon er een hoop gebeuren in vier maanden.

'Tilly, ik moet ophangen. Laten we snel weer bellen. Geen alcohol drinken, hè?'

Ik verbrak de verbinding. Ineens snakte ik zelf naar een wodka-tonic. Ach, wat zou het ook? Wat maakte het uit dat het pas acht uur 's ochtends was? Ik liep naar de vriezer, haalde er een fles Stoli uit en schonk langzaam een glas driekwart vol. Ik deed er wat tonic bij waar de prik vanaf was en dronk het in één teug leeg. Dus iedereen maakte driftig toekomstplannen. Als ik zo doorging, lag mijn toekomst bij de AA.

Drie uur later stond ik tollend op 1211 Avenue of the Americas. Ik strekte mijn nek en tuurde vanaf het plein omhoog. De verticale stroken beton en glas van de kantoortoren rezen als treinsporen op naar de helderblauwe ochtendhemel. Door mijn wodka-ontbijt voelde ik me ronduit beroerd. Maar, zo hield ik mezelf streng voor, ik bofte nog steeds dat ik in New York woonde.

De afgelopen zeven dagen had ik mijn best gedaan niet te veel stil te staan bij de langetermijngevolgen van Angus' vertrek, noch bij de lijst van voor- en nadelen van naar New York gaan, die ik op Jamaica had gemaakt. Alles kwijtraken en eindigen als ouwe vrijster met katten?

Ja, daar moest ik maar niet te veel over tobben. Per slot van rekening was ik nu verslaggever bij de *New York Post*. Het was 11.10 uur en daarboven, op de negende verdieping, in de linkerhoek van het gebouw, vond het ochtendoverleg plaats, het moment waarop de redactiechefs of hun waarnemers van elke rubriek – nieuws, foto's, sport, achtergrond, zaken, roddels, televisie – hun overzichten presenteerden van de artikelen die die dag zouden worden gepubliceerd.

Op weg hiernaartoe had ik Jack, de man van de zakenrubriek, zien lopen, en ik had hem een glimlach toegeworpen, denkend aan onze leuke ontmoeting op Broadway. Het was het enige positieve dat dat treurige weekeinde was gebeurd, en ik hoopte vaag dat Jack en ik vrienden konden worden. Maar vanochtend zag hij me amper staan.

New Yorkers waren moeilijk te doorgronden, stelde ik vast. Ze konden het ene moment enorm spontaan en vriendelijk zijn, het volgende moment leken ze te zijn vergeten dat ze je ooit hadden gekend. Ach, hij was waarschijnlijk in gedachten verzonken over het verse nieuws van vandaag.

Tijdens het ochtendoverleg kregen de redacteuren een indruk van wat er de dag daarop in de *Post* zou worden behandeld. Als verslaggever stond ik dagelijks op met het opwindende besef dat ik geen idee had waar ik aan het eind van de dag zou zijn. Wat passend was, want ik wist ook niet waar ik met mijn hoofd zat.

Ik streek over de geplastificeerde groene perskaart om mijn hals. HOOFDBUREAU VAN POLITIE NEW YORK CITY, stond erop. BRIDGET HARRISON, *NEW YORK POST*, is bevoegd te allen tijde politie- en brandweerversperringen te passeren. Tilly mocht dan een tweeling krijgen, zo'n kaart had zij mooi niet.

'Bridget! Vuurtje! Als ik niet snel wat nicotine binnenkrijg, vlieg ik iemand naar de strot.'

Ik schrok op en zag Paula staan, een manische Ohioaanse die voor de roddelrubriek werkte. Ze gooide haar geblondeerde, opgeföhnde haar over haar in wasbeerbont gehulde schouder. Schijnbaar had ze een hele garderobe vol met zulke buitenissige accessoires, evenals honderden paren jarenzeventigschoenen die ze op eBay kocht. 's Ochtends kwam Paula binnenzwiepen alsof ze op weg was naar de voorste rij bij een Versace-modeshow; tenzij ze een kater had, dan strompelde ze met een capuchon over haar hoofd naar haar bureau, en zag ze eruit alsof ze de nacht in een vuilcontainer had doorgebracht.

'Je bent pas een uur aan het werk. Zo verslaafd ben je toch niet?' Ik gaf haar mijn Union Jack-aansteker aan.

Ze stak een Marlboro Light op. 'Echt, als ik nog één zo'n zeiktelefoontje krijg van Paris Hiltons agent over dat artikel waar we mee bezig zijn, ga ik hoogstpersoonlijk naar haar kantoor en ram ik mijn mobieltje door haar strot. We worden overspoeld met telefoontjes van mensen die zeggen dat Paris in Lotus op de tafels staat te dansen en met haar muts loopt te pronken. Haar agent probeerde me wijs te maken dat ze, en dit is een letterlijk citaat, "gewoon haar string achterstevoren aanhad". Wat, wil ze een nieuwe trend in gang zetten of zoiets? Ik bedoel, gatver.'

'Dus Paris danst zonder slipje?' Ik was al besmet met het New Yorkse virus, de obsessie met de beau monde en beroemdheden aan wie ik in Engeland nauwelijks aandacht had besteed. De roddelrubriek lezen was zo aanstekelijk dat je antibiotica nodig had om ervan af te komen. Het was de voornaamste reden waarom de *Post* in Manhattan zo grif werd gekocht.

Paula haalde haar schouders op. 'Waar ik zo pissig om word, is dat Paris het alleen maar doet om aandacht te trekken, en dan het lef heeft te klagen als erover wordt geschreven.'

'Dat is inderdaad nogal dubbel,' zei ik.

'Hou op. En wij hebben nog wel geholpen die griet op de kaart te zetten. Afijn, hoe is het met jou? Was je vriend niet net overgekomen uit Engeland?'

'Ja, hij is geweest, maar hij is weer weg en hij is mijn vriend niet meer.'

'Balen.'

'En mijn beste vriendin is in verwachting van een tweeling.'

'Dat is pas écht balen.' Ze blies zwierig een rookpluim uit en wapperde hem weg met haar gemanicuurde hand. Toen pas zag ze mijn sippe uitdrukking.

'Weet je, langeafstandsrelaties werken gewoon niet. Zet hem uit je hoofd. Je bent nu in New York, schat. Eén grote speeltuin voor vrijgezellen.'

Dat klonk helemaal niet geruststellend.

'Wat ga je vanavond doen?' waagde ik het te vragen. Ik moest afleiding blijven zoeken. Zelfs Olly werd onderhand vast gek van me.

De roddelrubriek werd dagelijks overladen met uitnodigingen voor filmpremières, productpresentaties, winkelopeningen, liefdadigheidsgala's. Het was een nimmer aflatende stroom van door pr gedreven gesocialiseer, louter gericht op het krijgen van media-aandacht, en de hoofdprijs was een vermelding in de roddelrubriek.

Aan het einde van de middag verdeelden Paula, haar mederoddelrubrieker Chris Wilson en hun legendarische chef Richard Johnson de buit. Ze bepaalden wie waarnaartoe zou gaan, afhankelijk van hoe groot de kans was dat er beroemdheden of goede contacten zouden opduiken. Als de gastenlijst voor een feestje flexibel was – en dat was hij voor Paula meestal – wilde ze me wel eens meenemen, al liet ze me dat dan doorgaans precies één minuut van tevoren weten.

'Heb je plannen?' vroeg ze dan terwijl ze met een geplamuurd gezicht op weg naar buiten voor mijn bureau bleef staan.

'Eh... niet echt,' antwoordde ik.

'Oké, ga dan mee naar Henri Blendel,' zei ze dan bijvoorbeeld. 'De herfstcollectie van Fendi wordt gelanceerd, en daarna is er een feestje voor het blad *Glamour*, met cadeauzakjes om je vingers bij af te likken. Ik heb make-up in mijn la liggen. We moeten nu weg.'

Maar vanavond zat Paula al vol.

'Ik ga om zes uur bij Langan's borrelen met Ken Sunshine, Benn Afflecks agent, en daarna eten in Nobu met Monica Lewinsky, en dan naar de seizoenspremière van *The Sopranos*. Schat, ik zou je wel meenemen, maar Richard en Chris komen ook allebei al, en de organisator is al half overspannen door het aantal gasten.'

'Jammer, maar helaas,' zei ik terwijl we het kantoor in liepen. 'Dan blijf ik lekker rustig een avondje thuis.'

Lekker rustig een avondje thuis? Vergeet het maar. Hier had ik geen potentiële echtgenoot voor op het spel gezet, zei ik tegen mezelf terwijl ik die avond op de bank zat, met mijn jas aan voor de uitgeschakelde tv. Op het klokje van de magnetron was het 19.43 uur. Ik probeerde de moed te verzamelen om op pad te gaan.

Op weg naar huis was me te binnen geschoten dat woensdag de avond was waarop Jodi in haar buurtkroeg Great Lakes in Park Slope achter de bar stond, en dat haar vrienden daar vaak samenkwamen. Op het noodlottige gekostumeerde feest hadden verschillende mensen gezegd dat ik daar 'absoluut eens naartoe moest gaan'.

Als ik nog één avond alleen thuisbleef, kreeg ik waarschijnlijk de neiging onder de douche mijn polsen door te snijden, en dat zou zo'n rommel geven in het appartement van mijn werkgever. Ik had besloten Jodi te bellen en had een berichtje achtergelaten waarin ik vroeg of ze die avond inderdaad dienst had. Ze had nog niet teruggebeld, maar ik besloot het erop te wagen en toch te gaan.

Eerlijkheidshalve moest ik toegeven dat het me niet om Jodi ging. Deklin had een week eerder een boodschapje op mijn antwoordapparaat ingesproken: hij 'keek nog steeds scheel' na die nacht van het feest. Ik nam aan dat hij dat als compliment bedoelde. Wellicht kon ik straks nonchalant de kroeg in komen heupwiegen en hem opnieuw met zijn ogen laten draaien. Per slot van rekening was afleiding zoeken op het moment cruciaal.

Met behulp van mijn stratenboek kwam ik erachter dat het café, dat in 1st Street bij 5th Avenue lag, waarschijnlijk zo'n drie kwartier met de metro was vanaf mijn halte, Lincoln Center, en dat ik op Union Square moest overstappen. Geen punt. In Londen was het tenslotte ook volkomen normaal om met de ondergrondse de hele stad door te sjouwen om je vrienden te ontmoeten.

Alleen moest je in New York, besefte ik te laat, niet enkel weten of je de noord- of zuidwaartse lijn moest hebben. Je moest aan de hand van de ingewikkelde kleurencode van de metroplattegrond ook uitvogelen welke letter of welk nummer voor een stopdienst stond en welke voor een sneldienst.

Meer dan anderhalf uur later zat ik nog steeds in een trein tussen Union Street en 4th Street in Brooklyn, vloekend omdat ik in een metro was gestapt die stilhield bij elk denkbaar station tussen Union Square en het westen van Brooklyn. Tegen de tijd dat ik eindelijk het perron op stapte, was het al halftien.

'Nou ja,' zei ik tegen mezelf, en ik deed nog wat lippenstift op terwijl ik de trap naar de straat op klom. In elk geval zou ik deze keer wat mensen kennen.

Maar niet zo goed als ik dacht, zo bleek.

Ik duwde de deur van Great Lakes open en zag een indrukwekkend lange bar met aftandse oude houten krukken ervoor. Verward bleef ik staan. De zaak was uitgestorven.

Aan de andere kant van de ruimte zat één stelletje met hun rug naar me toe diep in gesprek verwikkeld, en de man achter de bar kon beslist niet voor Jodi doorgaan, ook al zou hij een blonde Dolly Parton-pruik op hebben gehad.

Het wás toch wel woensdag? Ja. Waar was iedereen dan? Ik voelde me een enorme sukkel terwijl ik op de bar afliep. Maar nu ik dit hele eind had afgelegd, zag ik ertegen op meteen weer in de metro te stappen.

De barkeeper kwam naar me toe, en tot mijn opluchting herkende ik hem toch van het feest. Hij had de vorige keer een zwart leren korset en een verenboa aangehad.

'Hé, hallo,' zei ik met geveinsd zelfvertrouwen. 'Ik heb je laatst ontmoet op dat hoeren- en pooiersfeest. Eh... ik was de Engelse, Bridget.'

'O, hallo. Ja, nu zie ik het.' Hij leek wat verbaasd me te zien, en niet in gunstige zin.

Er viel een stilte.

'Dus... Jodi werkt niet vanavond?'

'Jodi heeft zich ziek gemeld. Ze is gisteravond zwaar doorgezakt. Ze zei dat ze al zou gaan kotsen als ze alleen een fles drank zag, dus ik neem het van haar over.'

Nog een stilte.

'Trouwens, ik heet Jason.'

'Hoi.' Nu klonk ik al net zo mat als hij.

'De anderen zitten daar. Althans, Kai dan, Jodi's huisgenoot. Ik neem aan dat je hem ook kent?'

'Ja, natuurlijk.' Ik fleurde wat op, want ik herinnerde me Kai als de vriendelijke, halfblote, half Japanse websiteontwerper met een enorme, sexy vissentatoeage op zijn schouder. Ik schoot op hem af om hem gedag te zeggen.

'Hé, jongens, ik ben het, Bridget, de Engelse van het feest!'

'O. Hoi,' zei Kai. Keek hij nu ook al zo opgelaten? Ik vervloekte mijn paranoia en ratelde verder. 'Eh... ik hoop dat ik niet stoor. Jodi had gezegd dat ik eens moest komen, dus ik dacht, ik wip even langs.' Ik negeerde het feit dat je vanuit de Upper West Side niet bepaald kon 'langswippen' hier. 'Willen jullie nog iets drinken? Mijn rondje.'

'Nee... je stoort helemaal niet,' zei Kai met een leugenachtig gezicht. 'Maar ik heb nog een glas staan. Ik blijf niet zo lang meer. Trouwens, dit is een vriendin van me, van, eh... van school. Melissa.'

Melissa was knap en tenger. Ze werd bijna opgeslokt door haar slobberige sweater waarop in grote witte letters YALE stond. Ze had de sexy combinatie van bruin haar en blauwe ogen waarop ik altijd jaloers was bij andere vrouwen, waardoor ik vaak op slag een hekel aan ze had. Maar we schudden elkaar de hand en ik schonk haar een stralende glimlach, zwerend me aan mijn motto te houden dat het belangrijker is om aardig te zijn tegen vreemde vrouwen dan tegen vreemde mannen, ook al meende je er niets van.

'Tjonge,' zei ik enthousiast. 'Ik heb laatst zo veel mensen ontmoet op dat maffe feest van Jodi. Ik kende er helemaal niemand, vreselijk suf, maar ik werd opgenomen alsof ik een langverloren zus was. Zoiets hoef je in Londen niet te verwachten.'

'Londen, daar ben ik nooit geweest,' zei Melissa. 'Maar ik heb een jaar in Milaan gewoond, en daar zijn ze ook nogal stug, kijken ze eerst de kat uit de boom. Als je de taal niet spreekt, ben je nergens.'

Kleingeestig weerhield ik me ervan te vragen of ze Italiaans sprak, al leek ze me eigenlijk heel sympathiek.

'Ja, iedereen gaf me het gevoel dat ik welkom was...'

Waarom zat Kai blikken uit te wisselen met Jason, die nerveus achter de bar stond? Ik blaatte verder. 'Jodi, Kai, Jason, Dek...'

'Hé, wat dachten jullie van een borrel?' onderbrak Kai me, en hij sprong van zijn kruk alsof hij een stroomstoot had gekregen.

'Jägermeister? Tequila? Jason, wat heb je staan?'

'Sterkedrank? Meen je dat nou?' zei Melissa. 'Ik dacht dat je weg wilde.'

'Nou, ik herinner me net dat we nog op Jodi's gezondheid moeten drinken. Zolang we maar niet in dezelfde toestand verzeilen als zij.'

Jason begon met een hoop misbaar glazen neer te zetten. Hij vulde ze met Jägermeister terwijl Melissa en ik weifelend toekeken.

'Jammer, ik wou dat ik ook naar dat feest had gekund,' zei ze.

'Ach, er komen er nog zat,' zei Kai. Hij draaide zich naar mij toe. 'Weet je dat Melissa een maag van stortbeton heeft? Ze heeft een keer een hele club corpsballen onder de tafel gedronken. Mel, dat verhaal moet je haar eens vertellen.'

'Jemig, Kai,' verzuchtte ze. Met een grimas keerde ze zich naar mij toe. 'Hoe dan ook, ik heb dat feest gemist omdat ik in Maine zat, maar volgens Deklin was het een groot succes.'

'Deklin?'

'Ja, mijn vriend. Misschien heb je hem niet gezien, hoor. Hij is illustrator.'

Vríénd? Voordat ik er iets tegen kon doen schoten mijn wenkbrauwen naar mijn voorhoofd. Ik blikte naar Kai en Jason, die zich ineens heel verwoed op het inschenken van de borrels concentreerden. Nu snapte ik het. Ze hadden allemaal gezien hoe ik die avond naar Deklin had staan lonken, en dan wisten ze nog maar de helft. Ik voelde me een enorme sloerie.

Melissa zat me vragend op te nemen.

'Eh... Deklin, even denken. O ja, volgens mij zijn we wel aan elkaar voorgesteld. Hij was toch verkleed als Venice Beach-gigolo, of zoiets?' Ik probeerde mijn stem niet te laten overslaan. 'Fantastisch kostuum.'

'Eerlijk gezegd heb ik het niet gezien. We hadden ruzie gehad. Hij zou eigenlijk met me meegaan naar Maine. Ik moest op bezoek bij mijn zieke oma.'

O nee. Terwijl zij de stervenden verzorgde, had ik haar man verleid.

'O, wat vervelend voor je.'

Er daalde een stilte neer, en ik was doodsbang dat ik verdacht overkwam.

'Nou ja, iedereen had de meest fantastische creaties aan. Ze hadden heel veel moeite gedaan, met pruiken, lovertjes op hun lijf geplakt, zelf dingen genaaid...' Wat stond ik toch te wauwelen?

'Kom, meiden, opdrinken. Op Jodi,' zei Kai als een engel der genade.

'Op Jodi,' mompelde ik.

Op dat moment zwaaide de deur weer open. We keken allemaal om. Deklin stond op de drempel. O fijn. Geweldig. Misschien kon ik naar het toilet kruipen en mezelf in de pot verzuipen.

Melissa sprong van haar kruk en rende op hem af. Jason, Kai en ik tuurden alle drie ingespannen naar onze lege borrelglaasjes. Het liefst had ik Jason gevraagd er nog tien voor me in te schenken.

Samen kwamen ze op ons aflopen, Melissa's hand bezitterig aan zijn broekband vastgeklampt. Ik trok moeizaam mijn mondhoeken omhoog. Onze blikken ontmoetten elkaar even, waarna hij met een schaapachtige grijns de andere kant op keek. Bij het zien van het sexy spleetje tussen zijn sneeuwwitte tanden had ik ze er wel uit willen beuken.

'Hé, jongens, hoe is het?' vroeg hij luchtig.

'Hoi,' zeiden we allemaal vlug.

'Dek, dit is Bridget. Ze komt uit Engeland. Jullie kennen elkaar al, hè?'

'Hé, Dek,' zei ik vlak. 'Volgens mij herinner ik me je nog wel. De Venice Beach-gigolo, toch?'

'Het meisje in de rode jurk.'

'Ja, dat was ik.'

'Leuk je weer te zien.'

'Ja, leuk.'

We stonden er allemaal wat opgelaten bij.

'En, wat doe jij hier vanavond?' vroeg hij.

Jullie hufters hebben allemaal gezegd dat ik eens langs moest komen, dacht ik briesend, alleen ben je vergeten erbij te zeggen dat je hier met je vaste vriendin zou zijn.

'Ach, je weet wel, gewoon geen zin om in mijn uppie voor de tv te zitten.' Waarom, o waarom was ik niet thuisgebleven?

We wisten het nog een kwartier vol te houden met onbeduidend geklets. Deklin hield aldoor zijn arm om Melissa's schouders geslagen, alsof hij me eraan wilde herinneren dat ik mijn mond niet voorbij mocht praten.

Toegegeven, ik had hem kunnen waarschuwen dat ik van plan was een gastoptreden te verzorgen in Great Lakes, maar hij had – net zomin als ik – ooit laten doorschemeren dat er iemand anders in beeld was. Plotseling drong het tot me door waarom hij op het feest niet had willen zoenen.

Nadat we nog een poosje overdreven gezellig hadden staan doen, besloten we dat het tijd was om naar ons mandje te gaan en liepen we achter elkaar de kroeg uit. Ik zwaaide Deklin en Melissa opgewekt gedag en keek toe terwijl ze samen de heuvel beklommen naar zijn huis, waar hij en ik minder dan twee weken geleden samen zo opgewekt heen waren gewaggeld.

'Fraai staaltje, Bridget,' zei ik hardop, en ik draaide me om voor mijn lange terugreis. Het zou wel een kwestie van karma zijn.

Ik besefte het nog niet toen ik in de hobbelende metro naar Manhattan zat, maar ik had zojuist nog een cruciale les geleerd. De kunst om met een uitgestreken gezicht over koetjes en kalfjes te keuvelen met iemand met wie je een paar dagen terug nog in bed had gelegen, was een vast onderdeel van het vrijgezellenbestaan in New York.

Ach, een onthoofdinkje
meer of minder
....

'Je moet naar Erminia in de Upper East Side, een van de beste restaurants in de stad.' John Mancini dook op naast mijn bureau terwijl ik net de grootste helft van een met chili gevulde gepofte aardappel in mijn mond schoof. Het had me niet lang gekost de gewoonte over te nemen boven je toetsenbord te lunchen.

'O-ké,' mompelde ik met bolstaande wangen. Ik greep een pen om zijn instructies te noteren.

'De eigenaar is onthoofd. Hij lag in een plas bloed in de keuken. Ze denken dat een personeelslid hem heeft aangevallen met een hakbijl.'

'Juist.' Ik knikte, kauwde verwoed, schreef *hakbijl* in mijn notitieblok. Het was inmiddels zes weken terug dat John getuige was geweest van mijn eerste schuchtere poging de journalist te spelen op het perron van Union Square. Ik wilde hem dolgraag laten zien hoezeer ik vooruit was gegaan.

'East 83rd Street. De hakbijl lag op zijn borst, en naast hem lag een groot uitbeenmes. Het schijnt nogal een toestand te zijn geweest.'

'Goed, ik ga er direct naartoe.' Ik slikte de rest van mijn aardappel bijna in zijn geheel door en stond op, automatisch tastend naar de pieper aan mijn riem.

'Neem maar een taxi. Het kan een knaller worden,' zei hij met zijn brutale grijns. 'Hopelijk is je eetlust nu niet bedorven.'

Door een onthoofding? Kom nou toch.

'Eriminia ristorante Italiano' zag eruit als een rustiek plattelandshuisje. Het lag ingeklemd tussen een rij statige panden aan de zuidzijde van East 83rd Street, een zijstraat van Second Avenue. Achter het krullerige smeedwerk voor de ramen hingen kanten gordijnen, en rond de houten voordeur groeide klimop. Er zaten stickers met AMERICAN EXPRESS en GEPASTE KLEDING VEREIST op de ruiten. De pittoreske gevel werd ontsierd door geel politielint dat lukraak over de ingang zigzagde. Twee stevige geüniformeerde agenten met opvallend dikke konten in hun blauwzwarte nylon broeken bewaakten het trottoir voor de zaak.

Ik viste mijn perskaart op en liet hem over mijn jack bungelen, zodat ze hem konden zien, en stapte op ze af. Deze keer zou ik de primeur krijgen.

'Hallo, ik ben van de *New York Post*. Kunt u me vertellen wat er precies is gebeurd?' zei ik op autoritaire Sherlock Holmes-toon.

'Mevrouw, wilt u hier uit de buurt blijven?'

'Maar ik ben van de *New York Post*.' Ik wapperde met mijn magische perskaart. 'Ik heb gehoord dat er...'

'Mevrouw, ik zeg het nog één keer. U moet hier weg.'

Waar was hij mee bezig? Oefenen voor nachtclubuitsmijter?

'Maar ik ben van de pers,' protesteerde ik.

'Dit is een plaats delict.'

Tja, dat was nou juist de reden waarom ik hier was, wilde ik zeggen. Nog geen vijf minuten was ik bezig met een 'knaller', of ik werd alweer afgepoeierd.

Ik droop af naar de overkant van de straat en bleef daar chagrijnig staan kijken. Wat moest ik nu doen? Ik diepte een sigaret op.

'Hé, hé, Lady Bridge, leuk je te zien!' klonk een bekend voorkomende stem.

Rick, de fotograaf met wie ik in Queens had samengewerkt, kwam uit een stomerij op de hoek van Second Avenue zetten. Had hij daar heel toevallig zijn pak net afgegeven?

'Hé, Rick, wat doe jij hier?'

'Wat denk je? Ik ben hier vanwege die moord. Wat een geflipt verhaal. Ik heb gehoord dat die vent zijn kop eraf is geslagen.'

'O, ja. Natuurlijk. Mancini heeft niks gezegd over een fotograaf.'

'Ha! Wat hebben ze nou aan jouw verhaal als er geen foto bij staat? Die dooie ligt nog binnen, maar ik knip hem wel als ze hem naar buiten brengen. Er zou zo ook wat familie moeten komen. Ze schijnen onderweg te zijn vanuit Queens, Flushing.'

'Hoe weet je dat allemaal? Mij wilden ze niks vertellen.' De agenten stonden me vanaf de overkant nog steeds dreigend op te nemen.

'O, aan die dommekrachten moet je je tijd niet verspillen. Er loopt hier ergens een rechercheur rond, die moet je hebben. Volgens mij is hij net koffie gaan halen.' Rick verschoof het gewicht van de twee camera's die over zijn schouders hingen. 'Die Chinese mensen van de stomerij hebben de vermoedelijke dader vanmorgen uit het restaurant zien komen. Loop daar maar eens binnen.'

'Goed, oké.' Ik stak mijn onaangestoken sigaret terug in het pakje en haalde mijn notitieblok tevoorschijn. Rick was een godsgeschenk.

Op de hoek van de straat liep ik de stomerij binnen. Het was een piepklein zaakje. Achter de met veiligheidsspelden bezaaide toonbank stond een petieterig vrouwtje met een knot een overhemd te strijken, tussen rekken in plastic verpakte kleding.

'Hallo. Ik ben verslaggever bij de *New York Post*. Ik begrijp dat u iets weet over de moord in Erminia,' zei ik vriendelijk.

'Huh?' Zonder op te kijken ging ze met haar strijkijzer een mouw te lijf.

'De moord in dat restaurant daar.' Ik wees door het raam richting Erminia. 'Had u vanochtend niet iemand naar buiten zien komen?'

'Sorry, niet verstaan Engels,' zei de vrouw, nog steeds doorgaand met het verschroeien van de vouwen in het hemd.

'Maar u hebt toch net met die man gepraat, de man met de camera's?'

Wat deed ik toch verkeerd? Stond er soms 'niet met deze sukkel praten' op mijn voorhoofd?

'Luister, ik ben van de krant, en het is van wezenlijk belang dat ik informatie krijg.'

'Misschien mijn man jou helpen als hij komt terug,' zei de vrouw op een manier die het hoogst twijfelachtig deed klinken dat hij ook maar een woord met me zou wisselen, en die duidelijk maakte dat het gesprek hiermee was afgesloten.

'Nou, bedankt.' Mijn charme deed wonderen.

Voor de tweede keer binnen tien minuten droop ik af, en ik liep terug naar Rick, die met één oog op Erminia op zijn gemak een Parliament stond te roken.

'Nog iets zinnigs losgekregen?' vroeg hij.

'Eh... niet echt.'

Hij wees met zijn sigaret East 83rd Street in, de tegenoverliggende richting van de stomerij op. 'Daar, hem moet je hebben. Dat is de rechercheur.'

Een potige man in een beige regenjas stond tegen een zwarte Lincoln aan geleund te praten met een vrouw met springerig blond haar. Ze had een zwart mantelpakje met een kort rokje aan. Haar hand rustte naast hem op de auto. Ze zagen eruit als een stelletje dat een kantoorromance had, dat elkaar stiekem ontmoette bij de waterkoeler.

'Wie is die vrouw?'

'Michele McPhee, Shack-verslaggever van *Daily News*. Die zit al jaren op dit soort zaken. Ze heeft ze allemaal in hun zak. Zij krijgt alles te horen.'

'O, fijn.' En ik kon een Chinese stomerijbediende er niet eens toe overhalen me aan te kijken.

Ik overwoog ernaartoe te slenteren om mee te luisteren, maar een oprisping van Engelse beleefdheid belette me mijn neus in het zichtbaar vertrouwelijke tête-à-tête te steken. Ik besloot netjes mijn beurt af te wachten.

Vijf minuten later stonden ze nog steeds te kwebbelen, en Michele McPhee maakte ijverig notities, knikte geïnteresseerd, waarschijnlijk als reactie op de sappigste details van de onthoofding. En ik wist nog steeds helemaal niks.

Toen sloeg ze haar blok dicht en legde met een bedankje haar hand even op de arm van de rechercheur. Voordat ik erheen kon rennen, stapte hij in zijn auto en reed weg.

Wel verdomme.

Alsof dat nog niet erg genoeg was, draaide Michele McPhee mij en Rick de rug toe, haalde een mobieltje tevoorschijn en begon haar notities voor te lezen. De primeur lag al bij haar redactie. Dit was een ramp.

Toen ze klaar was, kwam ze op ons af kuieren, haar blok plagerig terugstoppend in haar tas.

'Hé, jongens, mooi verhaal, hè?'

Het liefst had ik haar gewurgd, maar er zat niets anders op dan me nederig aan haar voeten te werpen.

'Eh... hallo. Ik ben Bridget, verslaggever van de *New York Post*. Ik ben hier via het uitwisselingsprogramma. Je kunt me zeker niet vertellen wat er precies is gebeurd?'

Was dat een vals glimlachje? Ik wist het niet.

'O, van dat programma heb ik wel eens gehoord. Ze hebben aldoor mensen zoals jij. Kom je uit Australië?'

'Nee, uit Engeland.' Die stomme trut hoorde het verschil toch zeker wel? Met mijn notitieblok in de aanslag keek ik haar aan.

'Nou ja, er valt weinig te vertellen,' zei ze. 'De eigenaar is onthoofd, door een personeelslid denken ze. Het is vanmorgen rond halftwaalf gebeurd.'

Ja hoor, alsof ze daar twintig minuten mèt de recherche over had staan smoezelen. 'Heeft de politie verder niets bekendgemaakt?' bedelde ik.

'Niet echt,' antwoordde ze luchtig.

'Bedankt dan,' bromde ik.

Mijn pieper zoemde. *Bel stadsredactie met laatste stand van zaken,* luidde het bericht. Fijn. De stand van zaken? Ik was afgepoeierd door twee agenten, een rechercheur, een Chinese stomerijbediende en een *Daily News*-verslaggever die de primeur voor mijn neus had weggekaapt. Allemaal binnen een kwartier.

Voordat ik echter de kans kreeg om te bellen, kwam er een blauw busje met PATHOLOGISCH LABORATORIUM tot stilstand voor Erminia. Tot mijn opluchting werd het gevolgd door de Lincoln van de rechercheur.

Rick gooide zijn sigaret weg en trok een camera van zijn linkerschouder. En deze keer aarzelde ik niet. Ik liep rechtstreeks op de wagen af en klampte de man aan terwijl hij zich naar buiten hees.

'Hallo, ik ben van de *New York Post*. Kunt u me alstublieft vertellen wat er aan de hand is?' zei ik op een jengelig kindertoontje.

'Dame, je zult geduld moeten hebben.' Hij probeerde me van zich af te schudden. Hij was minstens één tachtig en had een stevig postuur. Waarschijnlijk had hij net als zijn geüniformeerde collega's een bijbaantje als uitsmijter.

'Nee, luister, u moet het begrijpen. Ik doe dit werk nog maar net, en ze staan op het punt me te ontslaan. Help me alstublieft. Ik moet de details weten.'

De man nam me op alsof ik een insect was dat in zijn soep lag te spartelen. 'Oké, dit is het enige wat ik je kan vertellen, maar het is strikt onofficieel. Begrepen?'

'Begrepen,' herhaalde ik, al wist ik niet precies wat dat betekende.

'Het slachtoffer is de eigenaar van het restaurant. Nick Orobello, 62 jaar. Hij is vanmorgen rond halftwaalf gevonden door de linnengoedbezorger. Die klopte aan bij de achteringang, maar toen er niet werd gereageerd is hij een kop koffie gaan halen. Een kwartiertje later kwam hij terug en zag hij de deur op een kier staan. Hij trof Orobello aan op de keukenvloer. Het was een behoorlijke akelig tafereel. Laat ik ermee volstaan te zeggen dat als je hoofd er met een hakbijl vanaf wordt geslagen, er nogal wat bloed vrijkomt.'

'Hebt u al een verdachte?' vroeg ik voornaam, alsof ik zulke vragen aldoor stelde.

'We trekken de afwashulp na. Hij was de enige die vanochtend was ingeroosterd. Een of andere Albanese knul. Het schijnt dat er in het verleden onenigheid is geweest over het salaris. Maar dat is voorlopig maar een theorie. Officieel is de zaak nog in onderzoek. Oké?'

'Ja, meneer,' zei ik. Het 'meneer' leek hem te strelen.

'Waar jij vandaan komt, zul je dit soort toestanden wel niet vaak meemaken,' zei hij met een flirterige twinkeling in zijn ogen. Hij had licht, dunner wordend haar, en niet onaantrekkelijke blauwe ogen.

'Nee, meneer, niet vaak.'

'Als je nog even blijft staan, kun je zo wat foto's nemen als het lijk naar buiten wordt gebracht. En mochten we de dader oppakken, dan gaat hij waarschijnlijk naar districtsbureau 19. Maar ik waarschuw je, Orobello's vrouw is onderweg, en als jullie haar lastigvallen of foto's van haar proberen te maken, laat ik jullie arresteren. Is dat duidelijk?'

'Ja, meneer. Dank u wel.'

Hoera. Nu was het mijn beurt de redactie te bellen.

'Weet je, ik heb ooit eens wat gehad met een meid die er precies zo uitzag,' zei Rick toen er een tijdje later een vrouw van middelbare leeftijd met lang, donker, achterovergebonden haar uit een Town Car kwam stappen. Ze werd gevolgd door een jongere vrouw in een denim jasje, spijkerbroek en hoge hakken die veel van haar weg had.

'Welke, die oudere of dat meisje?' vroeg Joey, een andere fotograaf binnen het groepje verslaggevers en fotografen dat zich geleidelijk aan had verzameld, als aasgieren bij een karkas.

'Die oudere, helaas,' zei Rick tegen Joey. Hij begon weer over zijn obsessie. 'Ooit geprobeerd, match.com? Echt, man, op die foto's staan allemaal frisse jonge meiden. Dan neem je er eentje mee uit en blijkt ze eerder vijftig te zijn. Nog even en ik hou ermee op.'

'Dus je hebt nog steeds geen geluk in de cyberliefde?' vroeg ik terwijl we allemaal keken hoe het schouwspel aan de overkant zich ontvouwde.

De oudere vrouw had zich aan de jongere vastgeklampt, zo stond ze te wankelen op haar benen. Haar ogen waren rood van het huilen, en ze hield een verfrommeld papieren zakdoekje tegen haar gezicht gedrukt. Het tweetal staarde naar de ingang maar leek te twijfelen of ze al dan niet naar binnen moesten gaan. De rechercheur stond op hen in te praten, zijn hoofd medelevend gebogen.

Vanuit zijn heup richtte Joey zijn telelens op het gezelschap, en hij maakte heimelijk een reeks foto's.

'Zo, die staan er keurig op. Tranen, alles,' zei hij.

'Wil er iemand koffie?' vroeg een fotograaf achter ons. 'Een straat verderop zit een prima broodjeszaak, ik ren er even heen.'

'Hé, wil je wat donuts voor me meebrengen?' vroeg Joey. 'Ik ben hierheen komen vliegen voordat ik iets kon eten.'

'Nog meer bestellingen?' riep de fotograaf alsof hij bij een sportwedstrijd wat biertjes ging halen.

Even later kwam hij terug met een dienblad waar we allemaal op aanvielen.

'Man, niks mooiers dan een klus in de Upper East Side. Zulke donuts kun je in de Bronx niet krijgen,' zei Rick verlekkerd.

Ik kieperde een zakje suiker in mijn koffie en keek weer naar het treurige tafereel voor Erminia. Ineens trof het me hoe surrealistisch de situatie was. Aan deze kant van East 83rd Street gedroegen we ons alsof we op een gezellige picknick waren. Aan de andere kant van de straat was een gezin net van een dierbare beroofd.

'Opletten, daar zul je het hebben!' Een van de fotografen gooide zijn donut weg op het moment dat twee rechercheurs en twee mannen in doktersjasjes naar buiten kwamen en de achterklep van het busje openden. Iedereen schoot met de camera in de aanslag naar voren.

De twee mannen van het pathologisch laboratorium gingen via het souterraintrapje het restaurant weer in en kwamen terug met een brancard. Daarbovenop lag een witte plastic zak vastgesnoerd, ter grootte van een mens, wat breder in het midden, smaller wordend naar het uiteinde. Op straat zetten de mannen de draagbaar behoedzaam neer en rolden hem naar het busje.

Er viel een vreemde stilte. Alleen het geluid van de klikkende camera's was nog te horen.

De verstijfde echtgenote werd aan haar arm vastgehouden door de jongere vrouw. Ze wendde zich snikkend af van de brancard. De rechercheur posteerde zich tussen hen en het busje in, alsof hij hen wilde beschermen tegen de gruwel die al had plaatsgevonden.

'Zou het hoofd apart naar buiten worden gebracht?' vroeg een verslaggever die achter me stond. 'Ik heb gehoord dat het er helemaal af lag.'

Ik was kort na tweeën bij Erminia gearriveerd. Tegen halfzeven was het lichaam afgevoerd, evenals de familie. Niemand had bij hen in de buurt kunnen komen. Ik had mijn notities – de details die de rechercheur me had gegeven plus wat tweedehandsjes van andere verslaggevers – doorgebeld naar de redactie. Zelfs Michele McPhee was in de loop van de middag bijgedraaid en had me toevertrouwd dat een deel van het keukenpersoneel onlangs had geklaagd over een salarisgeschil. Ik had veel te negatief over haar geoordeeld. Mijn tweede poging iets los te krijgen bij de Chinese stomerij had dezelfde rot-op-reactie opgeleverd. Daarna had ik alle winkels op Second Avenue afgestroopt. Sommige eigenaren hadden Orobello gekend. Ze beschreven hem als 'een heer' en iemand die 'geen vlieg kwaad deed'. In mijn naïviteit ging ik ervan uit dat het karwei er nu op zat.

'Sta je nog voor het restaurant?' vroeg Mancini toen ik hem belde om te vragen of ik naar huis kon.

'Ja. Net om de hoek in een telefooncel.'

'Mooi. Ga terug. Wacht de gasten op, vraag wat zij ervan vinden.'

'Huh?' Was dit een geintje?

'Erminia is een van de populairste restaurants van de stad. Er zijn vast aardig wat reserveringen, en ik betwijfel of het personeel de tijd heeft gehad ze te annuleren. Maar het zit er niet in dat de keuken vanavond opengaat. Ze moeten de boel eerst schoonschrobben.'

Ik verbrak de verbinding en liet mijn hoofd tegen het koele metalen toestel zakken. O nee, alsjeblieft. Ik kon niet meer. Ik wilde naar huis. Toen haalde ik diep adem en pakte mijn notitieblok.

De eerste eters, vermoedde ik, zouden zo rond halfacht komen. Een uur lang stond ik de ene na de andere sigaret rokend op straat. Ik praatte wat met een jonge, ernstige verslaggever van *The New York Times*, die een blauwe kabeltrui aanhad en nauwgezet priegelige aantekeningen maakte, alsof hij wiskundige vergelijkingen probeerde te doorgronden. Heel anders dan mijn manische hanenpoten. Er was ook een aantal cameraploegen blijven hangen, die zich erop voorbereidden live verslag te doen voor het avondnieuws.

Van vijftig meter afstand kreeg ik twee potentiële klanten in het oog, die hand in hand schuin Second Avenue kwamen oversteken. Het waren dertigers. De man droeg een kasjmieren jas en studentikoze loafers. De vrouw had een porseleinen huid en lichtblond haar dat sierlijk op haar schouders viel. Zo te zien maakten ze zich op voor een romantisch avondje in een knus Italiaans restaurant.

Ik schoot naar de overkant, op de voet gevolgd door de *Times*-verslaggever, en hield ze tegen toen ze East 83rd Street in wilden slaan.

'Hallo. Ik vroeg me af of jullie toevallig bij Erminia hebben gereserveerd voor vanavond?' zei ik, als een overijverige oberkelner die had besloten zijn gasten halverwege de straat te onthalen.

'Ja, dat klopt,' zei de man, lichtelijk verbluft omdat we de doorgang blokkeerden.

'Ik vrees dat Erminia vandaag gesloten blijft. Er is... iets gebeurd,' zei ik.

'Wat dan?' vroeg de man. Pas toen zag hij de kluwen van cameraploegen die voor het restaurant patrouilleerden.

'Nou, eh...' stamelde ik. Ik moest toch snel zorgen dat ik hier beter in werd.

'Er is een moord gepleegd,' zei de *Times*-verslagggever. 'De eigenaar is vanmorgen in de keuken om het leven gebracht.'

De vrouw hapte naar lucht en sloeg haar handen voor haar gezicht.

'O god, wat vreselijk,' zei de man, en hij legde beschermend zijn arm om haar heen. 'Erminia is een van onze favoriete adressen.'

Ik krabbelde de uitspraak in mijn blok.

'Ja, het was nogal een akelige toestand. Zijn hoofd was eraf gehakt, dus het opruimen neemt wel even in beslag,' zei de *Times*-verslaggever.

'En, is de dader al gepakt?' De man speurde om zich heen alsof er iemand uit de spreekwoordelijke struiken zou springen.

'Ze hebben een sterk vermoeden wie het heeft gedaan.' Ik noteerde hun namen.

'Tja, schat? Zullen we dan maar naar Primavera gaan? Het is nog vroeg, misschien kunnen we nog een tafeltje krijgen,' stelde de vrouw voor terwijl ze haar telefoon uit haar tas opviste.

'Goed idee,' stemde de man in. En weg waren ze.

Ach ja, waarom zou je je er door een weerzinwekkende moord van laten weerhouden honderd dollar per persoon aan een diner te besteden?

Ik zag een gezette man in een grijs flanellen kostuum vastberaden onze kant op komen. Ineens leek ik een neus voor dit werk te krijgen. Met een beleefd knikje versperde ik hem de weg, en ik vroeg of hij op weg was naar Erminia.

'Klopt, maar laat me er even langs. Ik ben al te laat. De eigenaar is mijn neef. Wat wil je?' zei hij ongeduldig.

Het woord 'neef' leek met een megafoon over straat te zijn geschreeuwd.

Meteeen kwamen er twee tv-ploegen aanrennen, vrouwelijke verslaggevers die met microfoons zwaaiden, de cameramannen in hun kielzog. Nog drie andere clubjes merkten de ophef op en spoedden zich onze kant op.

'Wat moet dit voorstellen? Wat is er aan de hand?' De man was nu omsingeld door reporters.

'Hebt u het nieuws nog niet gehoord? Over meneer Orobello?' vroeg ik.

'Welk nieuws? Luister, ik heb haast. Ik heb een bespreking met hem,' zei hij gefrustreerd.

Ik slikte moeizaam. Ik stond op het punt zijn leven overhoop te halen, en we kenden elkaar niet eens.

'Eh... ik vrees dat meneer Orobello is vermoord. Het is vanochtend gebeurd,' zei ik. 'Mijn oprechte deelneming.'

Als jagers die hun prooi besprongen knipten de cameramannen hun lichten aan en richtten op zijn gezicht. Hij stak een hand omhoog om zijn ogen af te schermen.

'Ik... ik snap het niet. Ik heb hem vanochtend nog gesproken.' De roedel drong zich verder op. Dit was schitterende televisie.

'Meneer, kunt u ons vertellen hoe u heet?' vroeg een journalist van Fox News.

'Ik ben zijn neef...' Zijn stem stierf weg. Zijn verwarring maakte plaats voor paniek terwijl tot hem doordrong dat zo'n toeloop van media bewees dat het geen grapje was.

Een van de verslaggevers stak haar microfoon onder zijn neus en nam een suikerzoet toontje aan. 'En vertelt u eens, u bent meneer Orobello's neef. Wat betekende hij voor u?'

De tranen sprongen hem in de ogen, en hij strekte zijn armen in de richting van het restaurant. 'Alstublieft, laat me erdoor. Ik moet naar mijn familie. Ik moet uitzoeken wat er aan de hand is.' Hij brak door het kordon en strompelde weg.

Als een school vissen met een collectief geweten draaiden we om om hem te volgen, bleven toen in een moment van wroeging staan. Als een van ons erachteraan ging, moesten we allemaal.

'Laten we hem maar even met rust laten,' hoorde ik iemand zeggen.

'Dit is afschuwelijk,' verzuchtte ik.

Het was donker en koud tegen de tijd dat ik terugkwam op de Avenue of the Americas. Mancini had gezegd dat ik goed werk had geleverd en dat ik naar huis mocht, maar ik had mijn sleutels op mijn bureau laten liggen bij mijn overhaaste vertrek eerder die dag, wat een eeuwigheid geleden leek.

Hoewel ik onderhand aardig wat incidenten met fatale afloop had verslagen, was dit de eerste keer dat ik erbij was geweest op het moment dat de nabestaanden op de hoogte werden gebracht. De neef had ik het zelfs zelf moeten vertellen. Ik vroeg me af wat de familie Orobello nu aan het doen was. Zouden ze de keuken zelf moeten schoonschrobben?

Verzonken in sombere gedachten sjokte ik het plein voor nummer 1211 over. Ineens zag ik Jack. Hij stond bij een pilaar een sigaret te roken, intussen een drukproef doornemend. Hoewel ik aanvankelijk had gehoopt hem als nieuw werkmaatje te strikken, had ik hem de afgelopen weken nauwelijks gezien. Ik was vrijwel elke dag op pad geweest, en de paar maal dat ik hem op de negende verdieping was tegengekomen leek hij te verstrooid om te benaderen.

Omdat ik vanavond niet in de stemming was genegeerd te worden, deed ik alsof ik hem niet zag en liep ik zonder iets te zeggen richting lobby.

'Wat doe jij hier nog zo laat?' hoorde ik hem toen vragen.

'Ik ben net terug van een reportage.' Ik bleef staan. 'Heb je toevallig een sigaret over?'

'Tuurlijk.' Hij hield me zijn pakje Camel Light voor en maakte een kommetje van zijn handen terwijl hij me een vuurtje gaf. Na alle emoties van die dag – en de laatste twee weken – barstte ik bijna in tranen uit door het vriendelijke gebaar.

'Gaat het wel?' vroeg hij.

'Ik ben met een enorm triest verhaal bezig geweest. Een vent die in zijn eigen restaurant is vermoord. Uiteindelijk moest ik het nieuws aan zijn neef vertellen, die een afspraak met hem had en nog van niets wist...' Ik blies de rook uit. 'De hele mediameute stond om hem heen, en het kon niemand wat schelen. Verdomme, ik voelde me zó lomp.'

Zijn blik was zachtaardig. Het viel me weer op hoe blauw zijn ogen waren, en ik zag dezelfde vreemde twinkeling als op Broadway.

'Nou, hij zal het vast liever van jou hebben gehoord dan van zo'n bloedhond van een misdaadverslaggever,' zei hij.

'Maar het was echt verschrikkelijk. Hoe raak je ooit aan zulke dingen gewend?'

'Het blijft moeilijk. Volgens mij moet je er juist niet aan gewend raken. Als zoiets je niet meer raakt, weet je dat je afgestompt bent.'

'Ja, dat zal wel.' Ineens had ik de overweldigende aandrang hem te vragen of hij me vast wilde houden.

'Probeer het zo te bekijken,' vervolgde hij. 'Morgenochtend word je wakker en ga je achter een ander verhaal aan, raak je weer net zo betrokken. Juist dat medeleven maakt je tot een goede verslaggever.' Hij pauzeerde. 'En voor zover ik heb gehoord, doe je het hier geweldig.'

'Echt?' Deed ik het geweldig? Ik? Voor de tweede keer voelde ik me gevleid door het feit dat hij alles over me scheen te weten.

'Ja, echt.' Hij glimlachte. 'En blijf bedenken dat je voor de mooiste krant werkt die er is. In de mooiste stad ter wereld. De straat op gaan, getuige zijn van het leven, daar draait het allemaal om. Stukken beter dan de hele dag op kantoor opgesloten zitten, zoals ik.'

Hij zag er inderdaad nogal grauw uit.

'Ik moet maar weer eens naar binnen,' zei hij terwijl hij zijn peuk weggooide. 'We zijn nog niet klaar met onze rubriek.'

'Bedankt voor de sigaret.'

'Geen dank.' Hij keerde zich om en verdween door de draaideuren.

Terwijl ik hem tot aan de liften nakeek, betrapte ik mezelf erop dat ik hoopte hem vlug nog eens in zijn eentje te treffen.

Vaarwel, Shepherd's Bush...
Hallo, East Village

Door allerlei opgeblazen verhalen en een overdaad aan televisie neigen we ertoe te geloven dat grote levensveranderingen plaatsvinden in één enorm dramatisch moment: de ochtend waarop je je man zijn gebakken eieren in de schoot kiepert en aankondigt dat je ervandoor gaat met de zwembadschoonmaker. De dag waarop je spontaan je kantoorbaantje aan de wilgen hangt om in India tantristische yoga te gaan beoefenen. Die keer waarop je een zwangerschapstest doet en er twee roze streepjes verschijnen in plaats van één.

In werkelijkheid verandert het leven eerder van koers door een aaneenschakeling van kleine openbaringen. Een kettingreactie van gebeurtenissen, sommige uitgelokt, sommige als donderslag bij heldere hemel, die je geleidelijk een nieuwe weg op duwen.

De aaneenschakeling die mij ertoe aanzette mijn vier maanden lange 'laatste avontuur' in New York om te zetten in een permanent verblijf, begon die avond in het River Café, toen mijn besluiteloosheid plotseling het eind van mijn relatie met Angus had ingeluid.

Het volgende duwtje kwam kort voor het verstrijken van mijn periode als *Post*-uitwisselingsreporter, toen hoofdredacteur Xana Antunes me haar kantoor binnenriep en zei dat ze had gehoord dat ik een vaste baan bij de krant ambieerde.

Xana was een slimme, scherpzinnige Schotse die Rupert Murdochs respect had gewonnen toen ze de zakenrubriek van de *Post* had weten op te waarderen tot verplicht leesvoer op Wall Street. Halverwege de dertig was ze tot hoofdredacteur gepromoveerd. De aantrekkelijke, zoetgevooisde vrouw was als een ongewone keuze beschouwd, vergeleken bij Murdochs andere rouwdouwerige tabloidhotemetoten, zoals voormalig *Sun*-man Kelvin MacKenzie en hoofdredacteur van Australiës *Daily* en *Sunday Telegraph* Col Allan, die later de *New York Post* over zou nemen.

Xana was ermee belast de inkt afgevende, kleurloze *New York Post* de 21e eeuw binnen te loodsen. Ze nam maatregelen om het blad overzichtelijker te maken, en, nog belangrijker, om vrouwen meer aan te spreken. Er waren miljoenen geïnvesteerd in een ultramoderne drukkerij, die in een gigantische fabriek in Hunts Point in de South Bronx was gehuisvest. Het was de bedoeling de krant te verfraaien met sprekende kleurenfoto's, luxueus uitgevoerde, advertentie-inkomsten genererende supplementen en sappige op vrouwen gerichte achtergrondartikelen. In Engeland had die strategie de *Daily Mail* al aan een voorsprong op de concurrentie geholpen. De 200 jaar oude tabloid – die evenzeer bekendstond om zijn afgevende inkt als om zijn schreeuwerige, dubbelzinnige koppen – stond op het punt een metamorfose te ondergaan.

Ik vermoedde dat Xana, die in eerste instantie naar New York was verhuisd om de Wall Street-vestiging van de *Evening Standard* op te zetten, een soort geestverwant in me zag. Een Britse die verliefd was geworden op de stimulerende maalstroom van het New Yorkse nieuws en die zot genoeg was haar middelvinger op te steken naar een geregeld leventje thuis in Engeland.

'Dus je bent echt bereid alles in Londen op te geven en op jouw leeftijd nog naar New York verhuizen?' vroeg ze vanachter haar enorme bureau, terwijl ik vol ontzag in de deuropening van haar glazen kantoor stond te dralen. Zoals gewoonlijk zat ze op een lolly te sabbelen die ze uit de snoepmand in Anne Aquilina's kamer had had gegapt.

'Luister, ik weet dat alle uitwisselingsreporters roepen dat ze niet weg willen,' zei ik. 'Maar ik meen het serieus. Ik zou niets liever willen dan hier een vaste baan krijgen.'

Waarom ik dit uitgerekend nu zei, wist ik niet precies. Ik was net terug van een helse ochtend rondsluipen in het brandwondencentrum van het Presbyterian Hospital, waar ik me had afgevraagd waarom een weldenkend mens ook maar een dag voor zo'n opdringerige tabloid zou willen werken.

We hadden een tip gekregen dat de auteur Kurt Vonnegut in een ambulance was afgevoerd, nadat hij had geprobeerd zichzelf en zijn appartement in de East Side met een sigaret in de fik te steken. Toen ik met behulp van mijn beste vermomming – mijn Engelse accent – de beveiliging had omzeild, had ik plotseling op de spookachtig stille afdeling gestaan, waar het enige geluid van piepende apparaten kwam, en het gemurmel van onthutste familie aan de bedden.

Wat nu, had ik me afgevraagd. Moest ik op de beblaarde, praktisch dode versie van de schrijver afschieten voor een gezellig babbeltje?

Toch had ik voorzichtig mijn hoofd om verschillende gordijnen gestoken, in de hoop zijn restanten te vinden. Totdat een bazige

Afro-Amerikaanse verpleegster op me af was komen marcheren en had gevraagd waarmee ik in godsnaam dacht bezig te zijn.

De richtlijnen schreven voor dat we ons moesten identificeren als in een ziekenhuis naar de reden van onze aanwezigheid werd gevraagd. Dus had ik tegen haar gezegd – alsof het de gewoonste zaak van de wereld was – dat ik van de *Post* was en alleen even was binnengewipt om meneer Vonnegut te zien, omdat we op de redactie allemaal 'grote fans' van hem waren.

'Hij redt het wel,' had ze gebromd, om me meteen daarna door de beveiliging eruit te laten smijten.

Maar nu ik veilig vanuit Xana's deuropening toekeek hoe ze zich met haar stoel omdraaide naar het uitzicht over Midtown, voelde ik de wanhopige behoefte me in haar ogen te bewijzen.

Vanaf de dag dat ik in New York was aangekomen, realiseerde ik me, had ik het als een grote opluchting ervaren ontsnapt te zijn aan de beklemmende haast om een nestje te bouwen. In Londen had de gevreesde 30 me het begin van de middelbare leeftijd geleken. Hier, in het vrijgezelle, te-druk-om-je-te-binden New York, werd 30 als bijna even jong beschouwd als 21; er was immers altijd nog botox.

In Londen had ik me druk gemaakt over hoe het verder moest met mijn carrière. Of beter gezegd: met mijn hele leven. Hier stond ik (ondanks meer blunders dan de stadsredactie kon bevroeden) elke ochtend op met het gevoel dat als ik maar hard genoeg mijn best deed, niets onbereikbaar was. Niet dat ik streefde naar een topfunctie bij de *Post*-redactie. Nog een poosje langer Lois Lane spelen was goed genoeg voor mij.

'Volgens Stuart en John ben je vanaf het begin al heel gedreven bezig, en enthousiasme is onmisbaar bij deze krant.' Xana wapperde met haar lolly. 'En met alle aankomende veranderingen denk ik dat je ervaring bij Britse bladen hier heel goed van pas zou komen. Ik wilde je in elk geval even laten weten dat als er een plekje vrijkomt, ik zal zien wat ik voor je kan doen.'

En daarmee was het balletje aan het rollen gebracht.

Een minder prettig duwtje kreeg ik in de loop van die week, toen ik wakker werd in het appartement op 11th Avenue, badend in het zweet na een nachtmerrie waarin ik Angus' flat in Kentish Town was binnengestapt en hij brood had staan roosteren voor een nieuw vriendinnetje.

Zodra ik uit mijn kramp was geschoten, had ik op mijn wekker gekeken. Het was vijf uur 's ochtends geweest – tien uur 's avonds in Londen – dus ik was uit bed gesprongen en had zijn mobiele nummer gedraaid.

'Hé, met mij,' had ik gezegd, niet gerustgesteld door de ongeduldige toon waarop hij had opgenomen. 'Sorry dat ik je zo laat nog bel, maar ik heb net een vreselijke nachtmerrie gehad. Jij had een nieuwe vriendin, en ik kwam bij je binnen en je stond samen met haar brood te roosteren in de keuken,' had ik haperend uitgebracht.

Ik had bijna gehoord dat hij een gezicht trok.

'Nou, ik heb geen nieuwe vriendin, dus maak je geen zorgen. En ik hou niet van geroosterd brood,' had hij kortaf gezegd.

'Maar ben ik compleet gestoord, dat ik probeer nog langer in New York te blijven? Maak ik geen levensgrote vergissing?'

Er viel een stilte, en het was alsof hij wilde zeggen dat het niet langer zijn probleem was.

'Lieverd, je hebt het zelf in de hand.' Nog een stilte. 'Maar wat ons betreft, dat besluit is al gevallen, weet je nog?'

O ja. Er was een hoop gebeurd sinds ik op dat Jamaicaanse strand mijn lijstje had opgesteld. Er was al geen weg meer terug. Ik kon alleen maar hopen dat mijn nieuwe koers niet tot het eenzame ouwevrijsterschap zou leiden, met katten.

Begin juni keerde ik terug naar Londen, maar dankzij Xana kreeg ik kort daarop een vaste betrekking aangeboden bij de *Post*, én een onschatbare werkvergunning voor drie jaar. En deze keer was het te laat om aan het twijfelen te slaan.

De zomer ging in een roes voorbij. Ik diende formeel mijn ontslag in bij de *Times*. Sandra, mijn chef, en Gill, haar secretaresse, trokken hun wenkbrauwen op over mijn besluit, maar stelden zich – net als mijn lijdzame ouders – op het standpunt dat als ik zo wanhopig graag terug wilde naar New York, ik er wel goed aan zou doen (al hoopten ze dat ik niet te lang weg zou blijven).

Ik zocht nieuwe huurders voor mijn woning in Shepherd's Bush. Tilly en Andrew waren inmiddels gezegend met hun eigen zwaar ver-hypothekeerde rijtjeshuis in Noord-Londen. Haar buik zwol gestaag op. Mijn andere huisgenoot, Kathryn, was een rijzende ster bij tv-maatschappij Channel Four en was ook bezig een huis te kopen in Londen, in de buurt van Harrow Road. Ik suste mijn ongerustheid over het feit dat mijn leven een volslagen andere richting op dender-de door eindeloze 'allerlaatste' borrels in de kroeg te organiseren.

Uiteindelijk brachten Angus en ik die zomer meer tijd met elkaar door dan we hadden verwacht, doordat we nog steeds zo veel gemeenschappelijke vrienden hadden. En omdat onze breuk zo absurd zakelijk was geweest, deden we enorm ons best 'dikke maat-jes' te zijn. Een paar keer belandden we zelfs in bed. Maar we ver-gaten nooit dat ik weer zou vertrekken. Voor hoe lang het deze keer zou zijn wist ik niet.

Drie dagen voor mijn vlucht naar New York had Angus een afscheidsweekeindje voor ons geboekt in Babington House, een luxueus buitenverblijf in Somerset. Op onze laatste ochtend samen gaf hij me in het reusachtige hemelbed een in leer gebonden album dat hij had volgeplakt met foto's van ons en onze vrienden, een collage van onze twee jaar samen. Parijs, Italië, Cap Ferrat, Jamaica, een cricketwedstrijd op het landgoed van zijn vader, het dagtochtje naar mijn ouders tijdens hun minicruise door de Engelse binnenwateren. Voorin had hij een boodschap geschreven. *Angus en Bridget, 1998-2000. Ik zal eeuwig van je blijven houden. XXX Angus.*

Ik huilde tranen met tuiten. Hij hield me stevig vast, gepast ontroerd door mijn reactie.

Voordat ik het wist zat mijn tijd in Londen erop en was ik weer terug in Brooklyn, waar ik op een benauwde septemberavond bij Olly aanbelde. Ik had een fles Jameson bij me, een cadeautje in ruil voor een plek op zijn bank zolang ik op huizenjacht was. Ik was van plan de hele fles zelf achterover te gieten.

Deel twee
....

Single op zondag

Een kippenhok met uitzicht
....

'Sorry voor de hond. Hij kwakkelt een beetje, maar meestal redt hij het nog wel naar de bak,' zei het meisje met het paarse haar vanachter een schaal vol Fruit Loops en M&M's.

We stonden in de deuropening van een flat in een oud appartementencomplex op Malcolm X Avenue in Harlem.

Ik keek omlaag en stapte behoedzaam over een bewegingloze hond die door had kunnen gaan voor een toiletborstel, qua uiterlijk zowel als qua geur, en volgde haar de, nou ja, de grot in.

'Er zitten geen ramen in, want het is tegen de ventilatieschacht van het pand aan gebouwd. Maar daardoor is het wel heel rustig, wat maar goed is ook, want er wonen nogal wat herrieschoppers in dit gebouw.'

Ik tuurde de sjofele slaapkamer in, die kleiner was dan de gemiddelde gevangeniscel. De ruimte werd vrijwel geheel in beslag genomen door een blauw, vierkant waterbed. Voorzichtig liet ik me op een hoek zakken, en het bed deinde als een vadsige buik op en neer.

'De vorige bewoner heeft het achtergelaten. Het ligt zalig, heb ik gehoord,' zei ze terwijl ze nog een handvol M&M's in haar mond propte.

Ik was ervoor gewaarschuwd dat het zoeken van een appartement in New York gelijkstond aan gebeten worden door een hele zwerm vampiers die al je energie, geld en huiselijke ambities uit je zogen. Maar $ 800 per maand om in de hondenpoep te trappen, op een klont cellulitis te slapen en samen te wonen met iemand die de eetgewoonten had van een kleuter waarop geen toezicht werd gehouden, dat kon toch niet serieus zijn?

Of misschien toch wel.

'Dit hier is een fantastische buurt. Vreselijk populair aan het worden,' zei Jed, een verdacht opgewekte makelaar, terwijl hij me een bedompt gebouw op Stanton Street in leidde, net ten zuiden van Houston Street. In het trappenhuis rook het naar doorgekookte kool. Fijn, mijn toekomstige buren waren culinair net zo getalenteerd als ik.

Nummer 5-b was een wagonwoning (zo genoemd omdat alle kamers in een rij achter elkaar lagen) die zo krap was dat hij hooguit een 'gangpadwoning' had mogen heten. De kale bakstenen wanden hadden zo hun charme, maar dat was dan ook het enige wat charme had. De slaapkamer, woonkamer en keuken bestonden uit één lange, smalle koker, gescheiden door schuifdeuren. Als je je in de badkamer voorover boog om je billen af te vegen, zou je een schedelbreuk oplopen aan de wasbak.

'Geweldig, hè?' zei Jed terwijl hij alle lichten aandeed om het duister te verjagen.

Boven onze hoofden klonk een onheilspellend, schurend geluid. Het was alsof er een lijk over de vloer werd gesleept. We keken allebei verschrikt omhoog.

'Ach, buren.' Jed haalde zijn schouders op. 'Die hebben we allemaal in New York. Deze woning kost $ 1.800, plus een maand huur als courtage voor ons, en een maand borg. En geloof me, dat is een koopje.'

Dus dat was $ 5.400 vooruit om in een schimmelig krot onder een moordenaar in de Lower East Side te mogen wonen. En dan te bedenken dat ik ooit commentaar had gehad op het zielloze maar in verhouding vorstelijke appartement van de *Post* in de Upper West Side. Helaas was dat gereserveerd voor uitwisselingspersoneel, en ik zou binnenkort tot de vaste medewerkers horen!

Tijdens die eerste week terug in New York, terwijl ik naarstig naar woonruimte zocht voordat ik weer aan het werk zou gaan, begon ik al vlug te begrijpen waarom New Yorkers maar zelden mensen thuis uitnodigen. Het was een bekend gegeven dat je in deze stad jarenlang met iemand bevriend kon zijn zonder ooit aan hun eettafel aan te schuiven; waarschijnlijk omdat ze die niet eens hadden.

Vanwege de talloze karige flatjes die in het verleden voor immigranten waren gebouwd, en het feit dat het eiland Manhattan slechts beperkte ruimte bood, legden zelfs de meest veeleisende inwoners zich 's nachts ter ruste in buitensporig prijzige kippenhokken.

Ik had me er al bij neergelegd dat ik de helft van mijn salaris kwijt zou zijn aan de huur voor iets ter grootte van de badkamer in mijn huis in Shepherd's Bush, maar ik wilde nog steeds de droom niet opgeven dat ik in New York een redelijk chic onderkomen zou krijgen. Stel dat er iemand uit Engeland wilde komen logeren?

'Vergeet Manhattan, zoek iets in Brooklyn,' adviseerden Olly en Paula (nog steeds de koningin van de roddelrubriek) me die eerste week allebei. En inderdaad, Olly's krappe flatje leek onmetelijk groot vergeleken met de astronomisch dure appartementen die ik had bezichtigd, en hij betaalde maar $ 1.100. Maar East Williamsburg was 's avonds nogal een stedelijk oorlogsgebied, gaf hij toe. Paula huurde voor $ 1.300 een ruim, zonnig appartement op de bovenste verdieping van een gebouw in Cobble Hill, een buurt tussen Brooklyn Heights en Park Slope die in razend tempo werd opgeknapt.

Een paar dagen nadat ik was teruggekomen, ontbood Paula me bij haar thuis. Ze had een zak kleding die ze aan een goed doel wilde schenken. Ik had een voorliefde voor krijgertjes omdat die me behoedden voor mijn eigen gebrek aan stijl en smaak, en stond binnen een mum van tijd bij haar op de stoep.

Voordat ik bij haar aanbelde, verkende ik vluchtig de omgeving. Cobble Hill en het naburige Carroll Gardens bestonden uit groene straten met patriciërshuizen die uitkwamen op twee hoofdwegen, Court Street en Smith Street, die konden bogen op een assortiment exotische eettentjes, hippe kroegen en ouderwetse herbergen. Overal zag je jonge carrièretypes rondwandelen, van wie de zelfvoldaanheid om hun fabelachtige buurt af droop. En met de F-lijn was je in minder dan een kwartiertje in Manhattan. Ik ging bijna overstag.

Toen ik echter door Paula's stapel afdankertjes rommelde – een extravagant roze vestje met slangenmotief van Diane von Furstenberg, twee paar corduroybroeken van Juicy Couture die tot mijn ergernis te nauw waren, en een berg boterzachte kasjmieren Alice en Oliver-truitjes – zag ik uit haar raam in de verte de wolkenkrabbers van Manhattan. Ze leken te ver weg.

'In Manhattan kun je je alleen iets veroorloven als je de huur deelt met huisgenoten. En ik weet niet hoe het met jou zit, maar ik moest er domweg niet aan denken weer met iemand samen te wonen... Ja, dat, die trui moet je zeker nemen, die staat je geweldig,' zei Paula, die onderuitgezakt op haar bank zat met een T-shirt waarop LIK ME stond gedrukt, terwijl ik een schrikbarend strak, paars Cynthia Rowley-coltruitje showde.

'Ik heb een keer zo'n herboren christen als huisgenoot gehad. Telkens wanneer ik met een vent thuiskwam, schoof die engerd van die stichtelijke folders over seks voor het huwelijk onder mijn deur door. Over dompers gesproken,' zei ze.

Maar na veel gepieker besloot ik het standaardadvies voor nieuwkomers op te volgen: minstens een jaar in Manhattan wonen zodat je midden in de actie zit, en dan saai worden en naar een buitenwijk trekken.

Als het aankwam op de vraag in welk deel van Manhattan ik wilde wonen, was ik aanvankelijk niet zo kieskeurig. Maar er werd me verteld dat je in het gebied ten zuiden van 14th Street moest zijn: de East Village, de West Village, de Lower East Side of Tribeca.

Alleen moest je bulken van het geld – à la Gwyneth Paltrow en Sarah Jessica Parker – om je woonruimte in de West Village te kunnen permitteren, en doordat Tribeca zo dicht bij Wall Street lag, was het er vergeven van de flitsende zakenjongens in pakken. Ging je meer naar het noorden, dan was Chelsea een bruisende wijk, en de Upper West Side was een mekka voor jonge gezinnen (en moest daarom kost wat kost vermeden worden). Oostwaarts lag Gramercy, eveneens onbetaalbaar. Murray Hill zat volgestouwd met jonge stelletjes in hoge flats, en voor de Upper East Side moest je behalve miljonair ook bestand zijn tegen straten vol door plastische chirurgie verminkte oudere dames. De East Village klonk me nog het best in de oren.

'Allo, iek ben Pierre,' zei Pierre als een ware Gérard Depardieu. Hij nam me van top tot teen op terwijl ik in de gang van zijn appartement op East 7th Street stond, tussen Avenue B en Avenue C. Ik had hem op quentinsnyfriends.com gevonden, een internetsite van een nijvere Brit – Quentin – die nieuwkomers in New York wegwijs wilde maken.

'Bridget, aangenaam,' zei ik, hopend dat het maar een fabeltje was dat Engelsen en Fransen niet met elkaar konden opschieten. 'Je hebt vast al een hoop belangstellenden gehad voor de kamer?'

'Zekèr, uiteraard,' zei Pierre met een Parijs schouderophalen. 'Quentin eeft veel vrienden.'

Ik liep het zonnige, moderne appartement in. Er stond een strak vormgegeven bruine bank met bijpassende fauteuils voor het raam aan één kant, en een smetteloze open keuken aan de andere. Pierre leek zich met zijn oranje Lacoste-shirt en bruine pantalon te hebben aangepast aan het interieur.

'Iek woon hier met mijn vriend Roman. Wij zoeken een gezellig type, je weet wel, iemand met dezelfde leefstijl, iemand die niet zo moeilijk doet.'

Dat stond me wel aan, ondanks het feit dat het hier zo schoon was als in een operatiezaal en er weinig sporen waren van menselijke bewoning.

'Iek laat je eerst de kamer zien,' zei hij.

Hij liep verder en opende een deur die deels schuilging achter een kolossale televisie. Op slag was mijn verrukking verdwenen.

'Jezus, vraag je hier $ 1.400 voor?' stamelde ik bij het zien van de lege witte doos die amper genoeg ruimte bood voor een tweepersoonsbed en tafel.

'Et ies veel geld, iek weet et, maar wat doe je eraan? We delen de uur eerlijk door drieën. Dit zijn tegenwoordig de prijzen in de East Village, en et is een mooi gebouw met een portier. Maar wacht, je moet het skitterende terras nog zien.'

Door zijn accent leek het alsof hij me *une terrasse* in Cannes in het vooruitzicht stelde.

We liepen een houten trap achter het keukentje op en kwamen via zijn slaapkamer – die beduidend groter was dan de mijne voor dat 'eerlijke' deel van de huur – op het terras, en ik vergaf hem alles.

Het was zo'n vijf bij drie meter en bood over de boomtoppen van Tompkins Square Park een halve straat verderop uitzicht op het panorama van heel Midtown. Het Empire State Building torende als een zilveren ruimteschip omhoog te midden van een wirwar van baksteen. Rechts ervan rees als een enorme injectienaald het Chrysler Building op. Op deze septembermiddag was de lucht verblindend helderblauw.

'Wauw,' bracht ik uit. 'Dit is prachtig.'

'Dat zei iek al.'

Ik besloot mijn charmes in de strijd te gooien. 'Weet je, ik ben erg makkelijk in de omgang. Ik heb al mijn hele leven huisgenoten gehad. En ik heb hier al een hoop leuke vriendinnen,' loog ik. Misschien zou dat hem overhalen.

'Iek ben in New York om geld te verdienen. Iek oef geen vriendin. Die maken et leven veel te ingewikkeld.'

Alsof ik er hem eentje had aangeboden. Ik probeerde een andere tactiek. 'Ik ben dol op boodschappen doen, de koelkast vullen.'

'O, die van ons is leeg. We ebben zelfs elemaal geen eten in uis. We alen altijd iets.'

Nou, dat kwam mooi uit, want ik kon ook niet koken.

'Hebben jullie nog bepaalde huisregels, niet roken of zoiets?' vroeg ik.

'Wij roken allebei.' Hij haalde een pakje Marlboro tevoorschijn en stak er een in zijn mond.

'Je hebt er niet toevallig eentje over, hè? De mijne zijn net op,' loog ik. Ik had niet meer gerookt sinds ik in het voorjaar naar Londen was vertrokken, maar ik offerde mijn longen graag op als het hielp banden te smeden.

We keken bewonderend naar het uitzicht over Midtown. De sigaret smaakte smerig, de nicotine steeg meteen naar mijn hoofd. Ik blies hard de rook uit.

'Rook je wel eens marihuana?' vroeg Pierre.

'Ja hoor.'

'Mooi zo!' zei hij enthousiast, en op de een of andere manier wist ik dat ik mijn stekje had gevonden.

Een overschot van een
half miljoen – plus mij

Volgens de statistieken kende New York het hoogste percentage alleenstaande mannen en vrouwen van de Verenigde Staten. Ik had gelezen dat er 2.563.986 vrouwen tegenover 2.080.881 mannen in de leeftijd van 20 tot 49 in de stad woonden. Dat was een half miljoen vrouwen meer, mezelf niet meegeteld. En dan liet ik het oude adagium dat de helft van de vrijgezelle mannen in New York homo was nog buiten beschouwing.

Tijdens mijn eerste halfjaar terug in New York besloot ik me echter niet te laten afleiden door bijzaken als het vinden van een vriend, en niet te tobben over mijn dreigende ouwevrijsterschap. Mijn dertigste verjaardag was zonder hysterische toestanden verlopen (ik had me samen met Olly bij Milanos bezat aan de tequila). Mijn werk als verslaggever nam al mijn tijd in beslag, en ik had Olly en zijn vriend om mee op stap te gaan (Agnes had de moed opgegeven ooit nog een man te vinden in New York en was naar Honduras verkast, waar ze duiklessen gaf). Paula sleepte me nog steeds geregeld mee naar pr-recepties, en ik had altijd Pierre en Roman nog als gezelschap, hoewel ik ze meestal knetterstoned op de bank aantrof, een toestand die ze elke dag binnen een uur na thuiskomst van hun Franse banken bereikten, waar ze als valutahandelaren werkten.

Bovendien kon je je anders dan in Londen in New York prima vermaken in je eentje. Overal kwam je singles zoals ik tegen: mensen die gemoedelijk op een bankje in Tompkins Square Park een boek zaten te lezen, terwijl de geschifte daklozen voorbijsjokten; jonge vrouwen die rondscharrelden bij mijn kruidenier op de hoek van Avenue A en 7th Street en een afhaalmaaltijd voor één persoon bestelden; rolschaatsers die door Central Park reden in de gelukzalige cocon van hun walkman. Het was zelfs acceptabel in je eentje naar de bioscoop te gaan, waar je voor een paar uurtjes kon ontsnappen aan overstelpende menigten op straat.

Al vlug raakte ik eraan gewend als eenling ergens naartoe te gaan, mezelf voorhoudend dat het bij mijn rijke, nieuwe leven hoorde om een solitaire stedelijke ontdekkingsreiziger te zijn. Niet dat het altijd even leuk was om in je uppie op een feestje binnen te komen, zo ervaarde ik op een avond toen ik in een kleine, propvolle galerie op Crosby Street met mijn rug tegen de wand geperst stond, een plastic bekertje sangria in mijn hand geklemd.

Ik was voor de vernissage uitgenodigd door Ken, via zijn connecties bij *The Wall Street Journal.* 'Het wordt echt een feestje voor de intimi,' had hij gezegd. 'En de kunstwerken zijn adembenemend. Dit is het soort mensen dat je moet leren kennen.'

Ik had verzuimd hem mee te delen dat een troep hippe vogels die zich vol bewondering stonden te vergapen aan een stapel recycled verpakkingsmateriaal niet mijn interesse had. Zelfs niet in *brave, new New York.*

Midden in de ruimte stond een wankele stapel houten kratten, allemaal knaloranje geverfd, met daaromheen een angstaanjagend modieuze verzameling mensen in cargobroeken, rafelige sweatshirts en gescheurde jeans die elkaar met bizarre gebaren begroetten. Zo te oordelen deden ze allemaal aan skateboarden en doken ze in hun vrije tijd metrotunnels in om graffiti te spuiten.

Ken had ik nog steeds niet gezien. Ik wurmde me tussen de meute door naar de sangriakuip, waar een statuesk meisje met een grappige sjaal om haar hoofd de drank stond uit te lepelen.

'Prachtige werken,' zei ik vriendelijk terwijl ik mijn bekertje naar voren stak.

'Heftige kunst.' Ze nam mijn nette grijze kantoorrok en poederblauwe T-shirt op alsof ze nog nooit zoiets sufs had gezien.

Wat waarschijnlijk terecht was.

Het witte ribbeltjeshemdje dat zij aanhad liet een stukje van haar felgele beha vrij, en onder haar tot aan de dijen ingescheurde spijkerbroek pronkte ze met gouden netkousen en roze gespoten laarzen.

Ik was echter vastberaden me niet te laten intimideren. In een hoek zag ik een leuke man staan; hij had iets weg van de zanger Beck. Ik slenterde zijn kant op, zogenaamd gefascineerd door een stuk drijfhout dat hij stond te bewonderen. UITWERPSELEN stond er op het bordje.

'Ken je de kunstenaar?' vroeg ik gewichtig, alsof we in het Tate Modern voor een Rothko stonden, in plaats van voor een eind hout dat zich voordeed als reuzendrol.

'Nee, ik verzorg de muziek voor de graffiticlub.' Hij wierp me een zijdelingse blik toe.

'Aha, dus je bent dj?' zei ik, zijn wat-moet-die-griet-van-me-toon negerend. Doorzettingsvermogen was essentieel in deze stad.

'Dj's zijn passé. Ik draai niet, ik selectéér.'

'O, ik snap het. En wat selecteer je zoal?'

'Vinyl.'

Ontging me hier iets?

'Goede muziek is niet alleen een kwestie van vakkennis; je hebt er visie voor nodig. Daarom moet je selecteren, niet mixen. Daarom is graffiti ook zo'n waanzinnige kunstvorm. Een lege spuitbus is een symbool van verzet, net zoals het selecteren van newwavepunk. Daar doe je het uiteindelijk voor.'

O-ké.

Voordat ik kon vragen wat hij had gerookt – en of hij misschien nog wat over had – keerde hij me de rug toe om iemand anders aan te spreken.

Ik gaf het op nog langer naar Ken te zoeken en liep naar buiten. Te midden van een klein groepje dat op de stoep stond te roken zag ik een bekend gezicht. Ha, eindelijk een feestmaatje! Het was een kennis van Olly, een graffitikunstenaar die David heette en Nato als tag gebruikte.

Toen ik hem afgelopen voorjaar had ontmoet, had hij een poppetje in mijn agenda getekend, met zijn mobiele nummer erbij en *Hopelijk tot gauw, Britse spetter. David.*

'Hé, jij bent toch David?' zei ik terwijl ik op het groepje afliep. Zijn gezicht vertrok, alsof zijn moeder hem net ten overstaan van zijn vrienden voor guitige dondersteen had uitgemaakt.

'Na-to,' verbeterde hij me lijzig.

'O, sorry. Ik ben Bridget, weet je nog? Olly's kennis uit Engeland.'

'Hmmm-mmm.' Ongeïnteresseerder had hij niet kunnen klinken.

Ik stond met mijn mond vol tanden. Hij noch zijn vrienden leken bereid me tegemoet te komen.

'Je hebt zeker niet toevallig een sigaret over, hè?' O, het zalige juk nicotineverslaafd te zijn.

Hij stak me er een toe en gaf me van een afstandje een vuurtje.

'Bedankt, Da-, eh... Nato. Hé, raad eens? Ik ben weer terug, en deze keer voor veel langer dan...'

'Bridge, leuk je weer te hebben gezien. Ik moet ervandoor. Er staan mensen naar mijn werk te kijken.' Hij legde even zijn hand op mijn arm en liep de galerie in.

Ik bleef in mijn eentje achter. Ik gooide de sigaret weg en dacht aan de les die Deklin me die pijnlijke avond in Great Lakes had geleerd: dat een New Yorkse vent één keer interesse in je toonde, betekende niet dat hij je de volgende keer nog zag staan. Bovendien gingen in deze stad de zaken altijd voor het meisje.

Net als elke andere metropool had New York een scala aan verschillende sociale kringetjes, en in Manhattan waren die dankzij de compacte indeling eenvoudig onder te verdelen. Je had de hippe, artistieke types zoals die op het feestje in de galerie. Die gingen uit in de Lower East Side en werkten veelal als freelancer in de enorme kunstindustrie van de stad: fotografen, stylisten, websiteontwerpers. Dan had je de geperste-overhemd-bankierstypes, die de chiquere cafés in Midtown frequenteerden, zaken als Tao, een pan-Aziatisch restaurant annex nachtclub op East 58th Street, en het dakterras van het Peninsula Hotel, waar je voor een martini het huiveringwekkende bedrag van $ 18 moest neertellen. In de weekeinden kon je 's ochtends in de West Village en East Village, en in Pastis in het Meatpacking District, de welgestelde eurokliek tegenkomen – onder wie Pierre en Roman – allemaal driftig lucht-kussend en brunchend met dure zonnebrillen op hun neus. De Upper West Side genoot de voorkeur van jonge Joodse ouders, doorgaans geboren en getogen New Yorkers, die hun kinderwagens naar Central Park duwden nadat ze bij Barney Greengrass een cappuccino en een omelet hadden genomen. Aan de andere kant van het park vond je in de East Side de perfect geblondeerde en gemanicuurde dames met hun blanke, burgerlijke, pasteldragende weldoeners.

Op vrijdag- en zaterdagavond stroomde Manhattan vol met mensen van buiten het centrum, die in 'de stad' kwamen stappen. Ze arriveerden via de Lincoln en Holland Tunnel, of met de trein vanuit New Jersey, of over een van de vier bruggen die vanaf Brooklyn en Queens over de East River voerden. De snobistische Manhatteners gaven op ze af om hun slonzige kleding en platte tongval. Om het klootjesvolk te vermijden gingen zij vooral op donderdag uit.

Er bevond zich ook een almaar uitdijende groep Britten in New York, die vaak in dienst waren van tijdschriften of in de modebranche zaten. Ik voelde me nooit op mijn gemak bij hen.

Wanneer iemand me vroeg of ik ook bij de club hoorde, wierp ik uiteraard op dat ik in New York was om Amerikanen te leren kennen, geen mensen van Fullham Road. Maar in feite was ik ronduit geïntimideerd door het onvoorstelbare zelfvertrouwen dat zo veel landgenoten zich leken aan te meten zodra ze uit het vliegtuig stapten. Engelse meisjes als Plum Sykes en haar al even chique zusje Lucy – die respectievelijk voor *Vogue* en *Marie Claire* werkten – werden in de roddelrubrieken als filmsterren afgeschilderd. Zelf wist ik alleen als iemand anders introducee op feestjes binnen te komen.

Inmiddels was mijn interesse in het opbouwen van een goede

verstandhouding met mijn huisgenoten danig afgenomen op het moment dat Roman een mengpaneel in de woonkamer had geïnstalleerd, waarop hij bij voorkeur om vijf uur 's nachts platen begon te draaien, wanneer hij samen met Pierre lam terugkwam uit Centrofly, hun favoriete nachtclub. Het was allemaal leuk en aardig een solitaire stadskrijger te zijn, maar misschien was het toch niet zo'n gek idee eens op zoek te gaan naar een vriendje.

Hooggespannen verwachtingen

Ik stond paniekerig voor de paskamerspiegel in het Banana Republic-filiaal in Rockefeller Center. In het kersenrode, elastische topje had ik een aardig decolleté. Was het subtiel maar toch sexy? Of was het te opzichtig voor een eerste afspraakje?

Veel keuze had ik overigens niet. Over een klein kwartiertje zou ik een volslagen vreemde ontmoeten in de Whiskey Bar, negen straten verderop, en op de elegante witte linnen blouse die ik van plan was geweest te dragen zat een gemene groene vlek.

Die ochtend was ik van huis vertrokken met fris gewassen haar, met de blouse en mijn nieuwe Seven-jeans aan, klaar voor mijn allereerste blind date ooit. Niet lang daarna had ik ook mijn allereerste les op dat gebied geleerd: niét alvast naar je werk aantrekken wat je die avond wilt dragen.

Meteen na aankomst bij de *New York Post* was ik naar Hunts Point gestuurd, een naargeestige uithoek van de South Bronx die vooral bevolkt werd door crackverslaafden, hoeren en vrachtwagenchauffeurs. Ik had een priester moeten opsporen die via een biecht iets te horen had gekregen wat kon helpen bij de vrijspraak van twee mannen die ten onrechte voor een moord waren veroordeeld. Op het moment dat ik op weg naar zijn kerk op Longwood Avenue de metrohalte uit was komen lopen, was er een klodder stinkende groene smurrie op mijn hoofd gespetterd. Een hele kwak kleverige, dampende drek.

'Krijg nou wat!' had ik hardop geroepen terwijl ik achteruitsprong en omhoogkeek. Het was door mijn haar op de rug van mijn blouse gedropen. Een tweede klodder had de binnenkant van mijn tas geraakt. Het was een vettige substantie, een soort kots met gras erdoor. De lucht had me doen kokhalzen.

Iemand moest het vanuit een van de woningen boven de ingang hebben gegooid, vermoedelijk met opzet. Er had niets anders op gezeten – ik moest nu eenmaal die priester opsporen – dan het eettentje aan de overkant binnen te lopen, waar ik mezelf op het smerige toilet had opgesloten en geprobeerd had de vlek met een papieren handdoekje weg te krijgen.

Omdat ik tot vroeg in de avond bezig was geweest in de Bronx, had ik geen tijd gehad me thuis te gaan omkleden. Ik vertikte het echter naar een afspraakje te gaan en uit te leggen dat mijn o-zo-flitsende baan als verslaggever strontbombardementen met zich meebracht. Een bliksembezoekje aan Banana Republic was mijn enige optie geweest.

Mijn blind date heette Daniel, en hij had me een e-mailtje gestuurd.

Hallo, Bridget,
Ik heb genoten van je artikel over je bestaan als vrijgezelle Brit in New York. Ik werk als beleggingsexpert, ben 32, knap, intelligent en heb een scherp gevoel voor humor. Ik heb groene ogen en donker haar. Wil je een superavond, dan ben je bij mij aan het juiste adres!

Eerder die week had ik een snedige recensie geschreven over *De huwelijksmarkt: hoe sla ik binnen een jaar de ware aan de haak?*, een boek waarin vrouwen in wezen werd voorgehouden dat ze de jacht op een man net zo moesten aanpakken als de jacht op een baan: een actieplan opstellen, iedereen die je kent op de hoogte stellen, en al tijdens het eerste afspraakje het onderwerp trouwen aansnijden. Op mij was het allemaal nogal extreem overgekomen. Het verbaasde me dat een lezer de moeite had genomen op mijn stukje te reageren.

Omdat die groene-ogen-donker-haarcombinatie tot mijn verbeelding had gesproken, had ik hem teruggemaild, zogenaamd omdat ik benieuwd was naar wat hij onder een 'superavond' verstond. Per slot van rekening was ik juist naar New York gegaan om dit soort dingen te kunnen doen, het soort mannen te ontmoeten die ik in Londen nooit zou zijn tegengekomen.

In Engeland werden blind dates nog steeds beschouwd als wanhoopspogingen. Anders dan in New York, waar het heel gewoon was om elke week weer met een volslagen vreemde uit eten te gaan, ontstonden daar de meeste relaties op besloten groepsevenementen zoals feestjes thuis of in de kroeg, en dan vooral tussen mensen die elkaar al vaag kenden. Dit was onontgonnen terrein voor me, en hopelijk zou ik er aan het eind van de avond een New Yorks vriendje aan overhouden!

Ik beende naar de Whiskey Bar, waar ik precies vier minuten over acht arriveerde, verstijfd van de zenuwen. In het café was het pikdonker, en ik tuurde naar de groepjes mensen die op lage banken zaten, brandend van nieuwsgierigheid naar mijn eerste aanblik van Daniel. Toen zag ik iemand vanaf de bar wenken.

O nee. Was dat hem? Ik wuifde terug. Door het duister zag ik een gedrongen versie van Nicholas Cage, maar vierkanter en met een coltrui aan. Niet bepaald de gebeeldhouwde held van mijn dromen.

Ach, hield ik mezelf voor, welke blind date kon nou op het eerste gezicht voldoen aan alle hooggespannen verwachtingen? Of zou het wél kunnen? Ik was hier nog helemaal niet in thuis.

Ik zette dapper een enthousiast gezicht en liep naar hem toe. Intussen vroeg ik me af hoeveel mensen een vergelijkbare teleurstelling hadden gevoeld bij de eerste indruk. Te oordelen naar de manier waarop Daniel zich van zijn kruk hees en me op mijn linkerwang kuste, had hij zich ook wat meer van mij voorgesteld.

'Dus, Bridget van de *Post*, aangenaam,' zei hij vlak. 'Je ziet er heel anders uit dan op je foto.'

O nee. Was dat niet waar Rick de fotograaf altijd over klaagde? Ik had nooit gedacht dat mij zoiets kon overkomen.

'Echt?' Ik verzette me tegen de neiging me te verontschuldigen. Naast mijn recensie had een foto van me gestaan die in Langan's was genomen, de stamkroeg van de *Post*, waarop ik bekoorlijk over mijn martini heen blikte. Ik had mijn haar speciaal voor die gelegenheid steil laten föhnen. Nu liep ik rond met een bos krullen, die wat pluizerig was geworden na mijn lange dag in de South Bronx. Maar ik zag er toch zeker niet ouder uit, of – gruwel – díkker?

Ik durfde het niet te vragen.

Daniel vroeg wat ik wilde drinken en draaide zich terug naar de bar, vermoedelijk om aan de opgelaten sfeer te ontsnappen die tussen ons in hing. Ik probeerde me voor te stellen dat hij gewoon een oude kennis was die ik een tijd niet had gezien.

Met een drankje in onze hand liepen we naar een zitje met twee fauteuils. Ik plofte neer. De stoel was onverwacht diep. Onderuitgezakt en me pijnlijk bewust van mijn opgehesen decolleté probeerde ik me te ontspannen, of in elk geval ontspannen over te komen. Plotseling had ik het idee dat het mijn verantwoordelijkheid was het feit dat hij me mee uit had gevraagd te rechtvaardigen.

Door mijn rietje nam ik een ferme slok. Ik zou mijn teleurstellende uiterlijk moeten compenseren met mijn boeiende gespreksstof.

'Je raadt nooit wat me vanmorgen is overkomen,' begon ik. 'Ik ging op reportage in de South Bronx, en iemand kwakte een berg groene smurrie uit het raam, pal op mijn hoofd!'

'O ja?' Daniels ogen schoten van mijn borsten naar mijn kruin.

O, Bridget, wat had je je nou voorgenomen? Niet over die derrie beginnen. Snel herstellen, snel.

'O nee, het is er al af. Je ruikt het niet meer, hoor. Maar het maffe is dat ik geen flauw ideee heb wat het was.'

Daniel keek alsof hij daar liever niet over na wilde denken.

'Gebeuren zulke dingen je vaker?'

'Nee, nee, dit was de eerste keer, maar ja, ik doe dit werk ook nog maar kort. Ik weet wel dat een groep journalisten een keer een emmer mensenstront over zich heen kreeg,' blaatte ik. 'Ze stonden bij een vent aan te bellen die urenlange vertraging op de metro had veroorzaakt doordat zijn arm vast was komen te zitten in een trein- toilet, toen hij probeerde zijn mobieltje op te vissen.'

'Dat meen je niet.' Daniel schoof een stukje achteruit, alsof hij bang was dat hij ook met uitwerpselen zou worden bekogeld.

Waarom had ik het toch over toiletten en stront?

'Nou ja, eh... ander onderwerp. Ik neem aan dat je behoorlijk wat ervaring hebt met daten, hè?'

'Ik heb er een paar gehad.' Daniel zat nog steeds tegen zijn rug- leuning aan gedrukt en staarde me aan alsof ik gestoord was.

'Je zei in je e-mailtje dat ik bij jou aan het juiste adres was voor een superavond, maar heb je ook wel eens heel erge afspraakjes meegemaakt?' Ik overwoog er 'en hoeveel punten zou dit krijgen op een schaal van een tot tien?' aan toe te voegen.

'Nou ja, ik heb een keer een vrouw meegenomen naar de Moon Dance Diner, en die bestelde extra bacon op haar sandwich, dat was nogal een afknapper.'

Huh? Wat was er in godsnaam mis met wat extra spek op je boterham? Ik durfde het niet vragen. Misschien was hij wel Joods en zou hij beledigd zijn dat ik dat niet op de een of andere manier wist.

Ik stelde me hem voor hoe hij aan zijn volgende afspraakje ver- telde dat hij een Engelse griet had ontmoet die binnenkwam met papegaaienstront op haar hoofd en alleen maar over toiletten had kunnen kleppen. Allemachtig, wat was dit een idiote ervaring. We zaten tegenover elkaar, probeerden als oude bekenden te keuvelen, maar we wisten allebei dat we met elk woord dat we uitten stilletjes over elkaar zaten te oordelen. En het gekste was nog wel dat ik, hoe- wel ik nu al wist dat ik Daniel niet zo mocht, toch wanhopig graag wilde dat hij mij aardig vond.

Na een uur van stokkende conversatie over zijn baan en mijn ver- huizing naar New York kondigde Daniel aan dat hij een tafeltje voor ons had gereserveerd bij Rue 57, een restaurant een paar straten ver- derop.

'O, dat lijkt me gezellig,' zei ik, al had ik geen idee hoe het ooit nog gezellig zou kunnen worden. Maar het leek me te bot om het zomaar af te slaan.

Rue 57 bleek een grote, dure, pretentieuze bistro te zijn. De zaak zat vol nette kantoormensen die uit hun werk iets kwamen eten. Terwijl we aan een tafeltje schoven, kwam een serveerster met de wijnkaart op ons af, maar Daniel schudde zijn hoofd en bestelde een Bud Light. Teleurgesteld vroeg ik om een glas witte huiswijn, en ik herinnerde me hoe Angus er altijd van had genoten de wijnkaart te bestuderen voordat hij de zaligste gerechten uitkoos. Het bleef raar, een romantisch etentje met een vreemde.

Onze drankjes werden gebracht, even later gevolgd door het eten. Daniel vertelde dat hij in Murray Hill woonde, oorspronkelijk uit Chappaqua kwam en aan Yale had gestudeerd. Enthousiast vroeg ik hem of hij Bill Clintons huis dan wel eens had gezien, en hij nam me meewarig op. We schakelden over op Europese skioorden; hij was met een reisje van zijn bank naar Verbier geweest. Ik vertelde hem dat ik daar wel eens met een ex was geweest. Ik voelde die steek weer, dacht aan het paasweekeinde dat Angus en ik daar hadden doorgebracht.

'En, ken je die beroemde columnist van de *Post*, Cindy Adams? Die eet hier vaak,' zei Daniel.

Het viel me op dat hij telkens als er iemand binnenkwam over mijn rechterschouder keek.

'Ik heb deze tent uitgekozen omdat ik dacht dat als zij toevallig kwam, je ons aan elkaar voor kon stellen.'

'Eh... ik ken de columnisten van de *Post* niet echt. Die werken meestal thuis.'

'O, jammer.'

Heel charmant, dacht ik.

Ik probeerde een ander onderwerp. 'Heb je die nieuwe film gezien...' Ik stopte. Daniel leunde achterover, strekte zijn armen boven zijn hoofd en geeuwde uitgebreid. Ik kon mijn ogen niet geloven.

'Lange dag gehad?' vroeg ik koeltjes.

'Niet echt. Maar ik wil zo eens naar huis.'

Toen de rekening werd gebracht, gooide Daniel gelaten zijn platinum Amex-kaartje op tafel. Ik dook in mijn tas om mijn portemonnee te pakken, angstvallig de groene smurrie die nog onderin zat ontwijkend.

'Ik betaal wel. Ik heb jou uitgenodigd,' zei hij toonloos.

We trokken onze jassen zo snel aan als mogelijk was zonder al te onbeleefd te lijken. Daarna liepen we 6th Avenue op, en Daniel bleef aan de stoeprand staan om een taxi aan te houden. Ik vroeg me af hoe het nu verder moest. We konden toch minstens net doen alsof we contact zouden blijven houden? In Engeland zouden we uit hoffelijkheid wel honderd keer hebben gezegd dat we het binnenkort nog eens moesten overdoen.

Wist ik veel dat er in New York al een hele Magna Carta van ongeschreven regels bestond voor dit soort situaties.

Er kwam een taxi tot stilstand, en Daniel hielp me erin.

'Jij moet toch ook richting oosten, hè?' zei ik terwijl ik opschoof om ruimte voor hem te maken.

'Ik neem de volgende wel.' Hij smeet het portier dicht. En daarmee was de kous af.

De taxi trok op, en ik keek verdwaasd door het raampje naar de hoge torens van Midtown. Hoe kon ik me zo gekwetst en afgewezen voelen na een etentje met een vent die ik niet eens aardig vond?

'Nou, adieu, Daniel met de groene ogen. Voor jou tien anderen,' zei ik tegen de langszoevende straten. Maar mijn stem klonk heel iel.

'Ik bedoel, die gozer zat te gápen. Hij begon uitgebreid te geeuwen terwijl ik iets zat te vertellen. Ik kon het niet geloven. Wat een eikel.'

'Schat, dat is nog niks. Ik ben eens uit geweest met een vent die in zijn neus peuterde en het aan zijn kont afveegde. Onder het eten, in Nobu nota bene.'

Ik stond naast Paula's bureau, tegen een dossierkast aan geleund die was bedolven onder de uitnodigingen voor filmpremières en cocktailparty's.

'Het idiote was dat ik al wist dat ik hem niet mocht toen we net 'hallo' hadden gezegd en hij opmerkte dat ik er anders uitzag dan op de foto.'

Paula keek ontzet. 'Sorry hoor, maar waarom ben je dan in godsnaam nog met hem uit eten gegaan?'

Haar Vertu-mobieltje ging over. Ze griste het van haar bureau, luisterde een paar tellen en brak de beller toen af. 'Clarissa, schat, ik heb geen tijd. Ik ben net bezig met de lijst van het ochtendoverleg.' Ze hing op en richtte haar aandacht weer op mij.

'Tja, dat was min of meer afgesproken,' zei ik.

'Bridget,' zei ze met een diepe zucht, 'ik ben dol op je, maar je hebt geen enkel benul. Je moet nooit, maar dan ook nooit, naar een blind date gaan zonder een smoes paraat te hebben om ertussenuit te knijpen als het niet bevalt. Je drinkt een borrel, maar je gaat pas mee uit eten als je hem leuk vindt. Dat is de belangrijkste regel.'

'De belangrijkste regel van wat?'

'Jézus!' Ze draaide met haar ogen. 'Het is een kwestie van gezond verstand. Anders zit je de hele avond opgescheept met een of andere hufter. Heb je daar tijd en puf voor? Nee, dat heb je niet.'

'Maar ik hoopte dat dit afspraakje misschien ergens toe zou leiden.'

'Schat, dat hopen we allemaal.'

'Nou, zijn er nog meer regels die ik moet weten voordat ik verderga met mijn speurtocht naar een man?'

Paula wierp haar perfect geföhnde haar over haar schouder. 'Als je iemand niet nog een keer wilt zien, moet je nooit bellen, zelfs niet om te bedanken. Als je iemand wél terug wilt zien, mag je nooit, maar dan ook nooit, meer dan één berichtje op zijn voicemail inspreken. Niet e-mailen voordat hij het doet, en sowieso nooit meteen antwoorden. Nooit zinspelen op een afspraakje voor het weekeinde, en niet over je emoties praten voordat je het derde afspraakje achter de rug hebt... als je al zover komt.'

'Goh, het komt allemaal nogal ingewikkeld over.'

Jon Auerbach, de redacteur van de zondagbijlage, stond vlak bij ons te wachten op Richard Johnson, die zoals gebruikelijk geheimzinnig in zijn telefoon zat te knikken.

'Grappig om te horen hoe een groentje de grote stad ervaart,' merkte hij op.

'Valt er soms iets te lachen, Jon?' snauwde Paula. 'Jij bent gelukkig getrouwd, jij kunt er niet over meepraten. Een rottige date is net zo pijnlijk als een aambei die in je reet ontploft.'

'Jézus, Paula!' riepen Jon en ik in koor.

Toen ik weer aan mijn bureau zat, belde Jon om te vragen of ik de week daarop een keer met hem wilde gaan lunchen.

Boven een berg mosselen en frietjes op 6th Avenue deed hij me een uitzonderlijk aanbod. Hij zei dat hij en Xana een nieuwe vrouwelijke stem aan de *Sunday Post* wilde toevoegen. Had ik met mijn frisse blik op New York misschien zin om naast mijn reportagewerk een wekelijkse column te verzorgen?

'Wat? Zou ik dan over gemeentelijke perikelen en politiek en zo moeten schrijven?' vroeg ik in blinde paniek. Aan het New Yorkse systeem van gemeenteraadsleden, stadsdeelvoorzitters en volksvertegenwoordigers kon ik nog steeds geen touw vastknopen.

'We dachten eerder aan iets in de lijn van je persoonlijke ervaringen. Je weet wel, met mannen, vrienden, hoe je je draai vindt in de stad. Je zou kunnen beginnen met een stukje over die blind date.'

'Oké dan,' zei ik sceptisch, maar mijn buik kriebelde. Dit was de kans waar verslaggevers hun hele leven van droomden. En hij werd mij zomaar in de schoot geworpen.

De volgende dag kwam ik al om zes uur 's ochtends de redactie binnen, met het gevoel alsof ik een examen moest afleggen. Met trillende handen opende ik een leeg document, en ik schreef:

Wat doe je als een man al op het eerste gezicht tegenvalt?

Wat zeg je wanneer je in een donker café al van meters afstand voelt dat er geen chemie is, dat er geen vonken overslaan? Moet je gewoon botweg zeggen: 'Dit wordt niks, laten we er maar meteen een punt achter zetten'?

Die vraag drong zich aan me op toen ik de Whiskey Bar op Central Park South in schoot, te laat voor een blind date met een man over wie ik al dagen liep te fantaseren...

En zo kreeg Daniel de groenogige beleggingsexpert toch nog een heldenrol. Wie was Cindy Adams dan wel? Ik had nu zelf een column!

Wat mankeert de New Yorkse man toch?

Ik was columnist bij de *New York Post*! Wat zou ik een mannen aantrekken!

Op het toilet van club W8 op West 8th Street bestudeerde ik mijn spiegelbeeld. Achter me stond een kliekje meiden die eruitzagen als *FHM*-modellen zich te verdringen met lipgloss en mascara.

'Sorry, sorry, mag ik er even bij, ik moet kijken of mijn kleurlenzen nog goed zitten. Hé, heb je die vent gezien die net binnenkwam? Wat een stoot!' zei een blondine met een naamplaatje met CANDY tussen haar pronte borsten.

Deze vrouwen zijn mijn zusters, mijn kameraden, hield ik mezelf voor. Ze duwden me opzij.

Dankzij mijn nieuwe column was ik uitgenodigd op een speeddating-avond, georganiseerd door het blad *Jane* en de fabrikant van Kahlua. Het was de nieuwste rage in New York, en ik wilde het wel eens uitproberen, vooral omdat speed-dating in Londen nog praktisch onbekend was.

In Engeland werd het concept in de rij te gaan staan om je aan een trits mannen aan te bieden als ordinaire veehandel gezien. Een Brit zou waarschijnlijk liever meteen voor een uithuwelijking kiezen. Maar hier, waar mensen van snelle resultaten hielden, was het volkomen logisch.

En, zo redeneerde ik, zoals mijn afspraakje met Daniel had aangetoond: als je al binnen een minuut weet of het klikt met iemand, was speed-dating de ideale manier om te voorkomen dat je een hele avond verspilde aan de verkeerde vent. Althans, dat dacht ik.

Ik liep terug naar de dansvloer, waar twee lange tafels waren opgesteld. Aan de bar stonden groepjes vrouwen in allerlei combinaties van minirokken en hooggehakte laarzen van de gratis cocktails te nippen, intussen de concurrentie inschattend. Geleidelijk aan begonnen de mannen binnen te druppelen, als gladiatoren die hun entree maakten in het Colosseum. Netjes verzorgde types, zo te zien allemaal met een kantoorbaantje en een abonnement op de sportschool.

De gastvrouw gaf me een pen en scorevel aan en legde uit dat je per man een minuut de tijd kreeg. Na die minuut moest je 'ja' of 'nee' naast zijn naam aankruisen, afhankelijk van of je hem nog eens wilde zien of niet.

'Als jullie allebei "ja" aankruisen, krijg je elkaars e-mailadres!' Ze straalde als een heuse Cupido.

Ik weerhield me ervan op te merken dat je binnen tien minuten dus ook tien keer gedumpt kon worden.

We werden naar de start geroepen, en met klamme handpalmen nam ik plaats tegenover ene Mike. En daar ging mijn grootse theorie. Terwijl ik naar zijn keurige, korte donkere haar staarde, zijn niet-onaantrekkelijke, hoekige gezicht, kon ik met geen mogelijkheid zeggen of het al dan niet klikte.

Candy streek neer op de stoel naast me en sjorde haar topje omlaag, zodat het net een millimeter boven haar tepels bleef hangen. We keken tegelijk naar een leuke vent die een paar plekken verderop zat. Hij had dik, golvend haar en droeg een studentikoze bril. Hij leek op Keanu Reeves. Ook ik trok mijn topje omlaag.

'Start!' riep de gastvrouw, en er brak een hels spektakel los.

'Oké, ja hallo, hoi, goh, hoe is het?' schreeuwden Mike en ik boven het kabaal van de stelletjes om ons heen uit. 'Ja, prima, super, met jou? O sorry, nee, begin jij maar. Nee, ga je gang.'

We begonnen opnieuw.

'Jij heet Bridget, hè?'

'Ja! Hoe weet je dat?' Had hij mijn column gelezen en me van mijn foto herkend?

'Het staat op je naamplaatje.'

'O, ja, ja natuurlijk, sorry.'

'Geeft niet.'

'Dus, hoe...'

'En wisselen!' riep de gastvrouw, en ze rinkelde met een bel. Allemachtig, wat ging zo'n minuut snel!

Mike haalde zijn schouders op, alsof hij net een kwartje in de fruitautomaat had gegooid maar nog een hele emmer vol muntjes had. Met zijn scorevel schoof hij door naar de volgende stoel. Ik probeerde te zien welk vakje hij voor mij aankruiste, maar hij hield zijn hand ervoor zoals de bolleboos op school die denkt dat iedereen bij hem probeert te spieken. Dus kruiste ik principieel 'nee' aan bij hem.

Zijn plaats werd overgenomen door Rich, die veel weg had van Mike: een hoekig gezicht, een overhemd met scherpe vouwen. Hij had een mooie lach. De knappe vent zat nu tegenover Candy, die voldaan zat te grijnzen. Ik probeerde haar te negeren en liet deze keer Rich het initiatief nemen.

'Start!' riep de gastvrouw.

'Hallo, Bridget.'

'Hallo, Rich.'

'Hé, wat een grappig accent. Waar kom je vandaan?'

'Engeland.'

'Wauw, te gek. Ik ben verzot op die Austin Powers-film, *The Spy Who Shagged Me.*'

'Die heb ik niet gezien.'

'O. Moet je toch eens doen.'

Einde gesprek. Stilte. Help. De seconden tikten voorbij.

'Ik ga komende zomer misschien naar Londen,' zei Rich toen.

'O, wat leuk. Heb je al uitstapjes gepland?'

'Ik heb geen slipje aan.'

De opmerking kaatste tussen ons heen en weer. We keken verschrikt opzij. Candy had zich over de tafel gebogen, haar borsten hingen praktisch in Keanu's schoot.

'Ik heb totaal geen last van remmingen,' schreeuwde ze boven het lawaai uit, en ze begon hem gulzig aan te halen.

Rich keek verongelijkt toe, vroeg zich zichtbaar af waarom Candy hém niet zo had behandeld.

'Eh... waar waren we?' zei ik. 'O ja, Londen. Uitstapjes. Er zijn een paar musea waar je geweest moet zijn, en je hebt Windsor Castle... en Stratford natuurlijk, waar William Shakespeare is geboren...'

Aan Richs glazige blik te oordelen kon het hem niet echt boeien.

'Wisselen!'

Rich schoof door. Ik kruiste 'nee' aan, omdat ik zeker wist dat hij dat ook zou doen.

Nu was Keanu aan de beurt. HOWIE, las ik tot mijn deceptie op zijn naamplaatje.

'Hoi, Bridget.' Hij veegde Candy's kwijl van zijn mond.

'Hoi.'

De zestig seconden daarop hadden we het over niks, terwijl hij schuin onder de tafel zat te voetjevrijen met Candy.

Toch was er nog hoop, bedacht ik toen ik weer veilig aan de bar zat, aan mijn vierde cocktail. Inmiddels zat de tweede ronde speeddaters elkaar toe te schreeuwen. Het ging er niet om wat er aan de tafels gebeurde; het meest effectieve aspect van speed-dating was dat je in een ruimte vol dronken mensen was die allemaal op hetzelfde uit waren. Misschien was zestig seconden niet lang genoeg om erachter te komen of de kandidaat tegenover je je toekomstige echtgenoot was, maar het was lang zat om te besluiten of je na afloop nog eens op hem af zou stappen.

Een briljante theorie! Ik besloot er een column aan te wijden.

Als om mijn gelijk te bewijzen bleef iedereen na de laatste ronde plakken. En net terwijl ik gefascineerd toekeek hoe Candy een eind verderop Howie afdankte voor een ander exemplaar, dook er een sexy man in een rood overhemd en geperste antracietgrijze broek naast me op.

'Hallo, ik hoop dat je het niet erg vindt dat ik even hallo kom zeggen. Je was me daarstraks al opgevallen, en ik baalde dat we niet in dezelfde groep zaten.'

Ik was hem opgevallen? Ik was nu al dol op hem. Volgens zijn naamplaatje heette hij Eddie. Hij had een lichtbruine huid, en zijn ogen hadden de vorm van laurierbladeren.

'Nou, als ik bij jou had gezeten had ik misschien een reden gehad om "ja" aan te kruisen,' zei ik flirterig.

Eddie vertelde dat hij uit Virginia Beach kwam en nieuws 'kanaliseerde' voor onafhankelijke televisiemaatschappijen die programma's maakten voor VH1 en MTV. Ik had geen idee wat dat precies betekende, maar het klonk goed.

'Luister, ik moet ervandoor. Ik heb morgenochtend vroeg een bespreking met een paar grote klanten, maar ik zou je heel graag een keertje bellen.'

'Natuurlijk!' Ik schreef mijn mobiele nummer op een servetje (nu ik permanent in New York woonde, had ik in een telefoontje geïnvesteerd). Ik weerstond de aandrang te vragen wat hij bedoelde met 'een keertje'.

'Een keertje' bleek twee dagen later, betekende net op tijd om af te spreken op een donderdagavond iets te gaan drinken in Etoile, zijn favoriete club.

'Een chique tent met internationale allure. Je wordt er als een vorst behandeld, en een vrouw als jij verdient het in de watten te worden gelegd,' zei hij over de telefoon.

Dat klonk nogal glibberig, dacht ik, maar toen riep ik mezelf tot de orde. Wilde ik nu wel of geen vriendje?

We spraken om acht uur af, voor de Starbucks-vestiging op Astor Place. Ditmaal zorgde ik ervoor dat ik tijd had om me thuis te gaan omkleden. Na het uitblijvende succes van het rode Banana Republic-topje, koos ik bij mijn Seven-jeans een transparante groene Versace-blouse uit Paula's zak afdankertjes, en zwarte laarzen met hoge hakken. Het was een charmante, klassieke combinatie, leek me zo. Maar niet charmant genoeg, werd me al snel duidelijk.

Eddie arriveerde tien minuten te laat. Ik zag hem vanaf het

metrostation Lafayette over komen steken. Terwijl hij dichterbij kwam, nam hij me taxerend op.

'O,' was het eerste wat hij zei, het 'Hallo, fijn je te zien' overslaand.

'Hallo.' Ik wachtte op het 'Sorry dat ik te laat ben'. Ik hief mijn hoofd op om hem een kus op zijn gladgeschoren wang te geven.

'Ik had toch gezegd dat Etoile een chique zaak was?' vroeg hij terwijl hij de lucht naast mijn oor kuste. 'Weet je zeker dat je daar zó heen wilt?'

'Zo' was een ultrahippe blouse. Ik slikte de opmerking in dat hij niet eens de fantasie had om af te wijken van zijn antracietgrijze pak.

'Op zich zie je er prima uit, hoor. Maar de vrouwen die bij Etoile komen zijn heel smaakvol gekleed, sexy, hebben figuurtjes als modellen. Ik zou niet willen dat je je minderwaardig voelt bij ze.'

Minderwaardig? Ik was verdomme columnist bij de *New York Post*. 'Je meent het toch niet serieus, hè?' was het enige wat ik wist uit te brengen.

'Jawel.' Opnieuw nam hij me op. 'Ach, je kunt er wel mee door zo. Dat warrige haar heeft wel wat, net of je zo uit bed komt.'

Dit afspraakje begon niet best.

In de metro kwam er weinig verbetering in. Terwijl ik zo maar wat weg zat te kwekken in een poging Eddie ervan te overtuigen dat ik leuk gezelschap was, onderbrak hij me abrupt. 'Hé, Bridge, praat eens wat zachter. Niet iedereen hoeft je levensverhaal te horen.'

Ik kreeg een kop als een biet. Onder het felle neonlicht nam hij me vorsend op. Ik had het gevoel dat hij elk donshaartje en elke porie op mijn gezicht telde. Ik was blij dat ik voor het eerst mijn wenkbrauwen had laten epileren, ondanks het psychische trauma dat ik had opgelopen toen de manische Koreaanse vrouw in Bloomie Nails me met hars en pincet te lijf was gegaan.

'Weet je, als je wat meer moeite deed, zou je best een spetter zijn.'

Wát? 'Wij Britten zijn niet zo geobsedeerd door overtollige haargroei en cellulitis, oké?' snauwde ik.

Zijn blik schoot naar mijn kruis, alsof hij zich een voorstelling maakte van het oerwoud dat zich daar wel eens zou kunnen bevinden.

Maar eenmaal bij de receptie van Etoile op East 56st Street, waar ik de alcohol al kon ruiken, kikkerde ik wat op. Totdat Eddie een pepermuntje uit de schaal bij de garderobe pakte en het in mijn mond stak.

'Voor een frisse adem!' zei hij.

Jezus, stonk ik ook al uit mijn mond?

De rest van de avond verliep redelijk... voor zover dat kon als je aan de bar zat met een vent die over niets anders dan zijn werk kon praten en zo'n beetje iedere vrouw die voorbijkwam met zijn ogen uitkleedde.

'Ga je met me mee naar huis voor een slaapmutsje?' vroeg hij. 'Het ligt op weg naar jouw adres.'

'Waarom niet?' antwoordde ik. Waarom wél? Ik had me al de hele avond groen en geel zitten ergeren aan die vent. Paula kon het maar beter niet horen.

Het maakte deel uit van het onderzoek voor mijn column, hield ik mezelf voor. Maar ik wist dat dat niet de reden was waarom ik met hem meeging. Na meerdere maanden alleen in New York begon ik naar genegenheid te hunkeren, waar ik het ook vandaan moest halen. Eddie tolereren was nog altijd beter dan naar huis gaan, waar Pierre en Roman omgeven door half aangevroten afhaalmaaltijden in coma op de bank zouden liggen.

Eddies piepkleine flatje lag in Chelsea, en hij loodste me recht-streeks naar zijn slaapkamer; het slaapmutsje kwam niet eens meer ter sprake. Zijn kamer was in elk geval vredig, geverfd in een tren-dy, hotellerige roomkleur. We lieten ons naast elkaar op zijn lits-jumeaux vallen.

'Ik ga niet met je liggen vrijen, hoor,' zei ik als een schoolfrik.

'Weet ik.' Hij boog zich naar me toe om de achterkant van mijn linkeroor te zoenen. Ik huiverde bij de aanraking van zijn zachte lip-pen. Ach, hij viel toch best mee?

Hij rolde zich op zijn rechterzij en keek op me neer. Ik staarde in zijn laurierbladogen. Hij stak zijn hand in zijn zak en haalde zijn mobieltje tevoorschijn.

'Ik moet even mijn maat Curly bellen. Hij woont in Chicago. Dit gelooft hij niet!'

Wat? Had Eddie heel pikant een homominnaar?

Nee, maar misschien wel een oud-corpsmaatje. Terwijl ik met mijn vingers op het matras lag te tikken, voerde Eddie een gesprek van vijf minuten over een basketbalwedstrijd en zijn perikelen bij MTV. Vervolgens schakelde hij over op mij.

'Hé, luister, ik lig hier met een of andere Engelse meid in bed. Ze klinkt alsof ze zo uit Austin Powers komt. Ze zei zelfs: "Ik ga niet met je liggen vrijen, hoor"!'

Weer over die stomme film. Ik had die vervloekte Mike Myers zijn kop wel willen afhakken.

'Moet je haar accent eens horen.' Hij duwde de telefoon in mijn hand.

'Eh... hallo,' zei ik.

'Hé, zeggen jullie in Engeland echt "vrijen"?'

'Nou ja, ik wel, soms.'

'En wat was die andere ook weer? "Kerel"? "Hij is een briljante kerel"? Dat zeggen jullie toch?'

'Ja, dat wordt ook wel gebruikt.'

O, als-je-blieft, dacht ik toen hij met een zogenaamd Engels accent nog meer uitdrukkingen begon op te sommen. 'Eh... volgens mij ben je nu in de war met Australisch...'

'O. Wat was ook weer dat ene woord voor "meid"?'

'"Mokkel", bedoel je waarschijnlijk.' Ik keek naar Eddie, vroeg me af hoelang dit linguïstische avontuur nog zou duren. Hij zat te glunderen als een trotse ouder bij een diploma-uitreiking.

'Dus het gaat van: "Ik heb hier een briljant mokkel. Dat wordt vrijen"?'

'Zoiets, ja.'

Ik kon het niet langer opbrengen beleefd te blijven. 'Zeg, Curly, het was leuk je te spreken, maar ik geef je terug aan Eddie, want ik moet ervandoor.'

Daarna ontmoette ik Eddie nog een paar keer, voornamelijk wanneer hij spontaan belde omdat hij door de East Village kwam, en alleen als ik dacht dat ik ertegen opgewassen was een avond lang zijn beslommeringen met kabeltelevisieproductiecontracten aan te horen en zelf een les Engels slang te geven.

Toen kwam ik, op een zaterdagavond waarop Pierre en Roman me meenamen naar een feestje bij iemand thuis op Bleecker Street, Tom tegen.

In tegenstelling tot Eddie, die zich aldoor liet afleiden door borsten van serveersters, mijn pluizende haar of het onophoudelijke rinkelen van zijn mobieltje, wekte Tom de indruk dat hij het niet eens zou merken als hij tegen een muur op liep.

Ik had de hele avond aan de Absolut Tangerine gezeten. Hij kwam de keuken in lopen, verschoof zijn beslagen bril op zijn neus, voelde instinctief aan dat ik single was... en sloeg toe.

Tom was lang en pezig, op een aantrekkelijke manier, net als Angus. Hij had blond, ruig haar en een exotisch zuidelijk accent. Hij vertelde dat hij 28 was, uit Georgia kwam, en probeerde aan de bak te komen als scenarioschrijver. Even later hing ik half over de leistenen ontbijtbar om Toms nek.

'Waar woon je?' lispelde ik toen ik voelde dat ik niet veel langer op mijn benen kon blijven staan.

'Ergens,' antwoordde Tom zangerig.

Veel vager kon hij niet worden.

Uiteindelijk nam ik Tom mee naar huis; 'ergens' betekende dat hij op 89th Street bij zijn oom op de bank bivakkeerde. Terug in de East Village leidde ik hem mijn kippenhok in en liep weg om mijn tanden te poetsen. Tegen de tijd dat ik weer binnenkwam, lag hij luidkeels te ronken.

De volgende dag stelde hij voor te gaan brunchen in het Great Jones Café, een oranje geverfde keet op Great Jones Street, waar je heerlijke Mexicaanse schotels en straffe Bloody Mary's kon krijgen. Daar ontdekten we dat we allebei van obscure documentaires hielden, van tot laat in de avond doorborrelen en van lange wandelingen maken. Het leek wel iets uit een contactadvertentie! Er was geen vuiltje aan de lucht, tot hij zei dat hij later op de dag misschien naar de bioscoop wilde.

'O, leuk. Daar liep ik zelf net ook over te denken.'

Er verscheen een paniekerige blik op zijn gezicht.

'Ik weet niet of dat wel zo'n goed idee is,' zei hij. 'Het is zondagavond. Ik heb wat ruimte voor mezelf nodig.'

Wat dacht hij nou? Dat ik achter hem aan zou sluipen naar de Upper East Side?

Na die zondag belde Tom me nog af en toe om te vragen hoe het was, maar hij bleef altijd even vaag.

'Eh... ja, hallo, met mij,' was zijn standaardbegroeting. 'Ik heb misschien vanavond wel zin om wat te doen. Ik weet alleen nog niet precies hoe het loopt. Maar als jij ergens gaat borrelen, kom ik misschien even langs.'

Een paar keer wist ik hem in bed te krijgen, maar ik begon te vermoeden dat hij alles best vond, of ik hem nu een Jenna Jameson-seksmarathon aanbood of zei dat ik hoofdpijn had. Uiteindelijk begon mijn enthousiasme te tanen. Later kreeg ik te horen dat hij ook een knipperlichtrelatie had met een vrouw in San Francisco. Knipperlichtrelaties waren een bekend verschijnsel in New York.

Ik wist dat ik een half miljoen rivales had, maar het vinden van een normale man was moeilijker dan ik had verwacht. Ik besloot over mijn ervaringen met Tom en Eddie te schrijven. Ze leken allebei apetrots dat ze in de *New York Post* zouden komen te staan, hoe ik ze ook afschilderde.

WAT MANKEERT DE NEW YORKSE MAN?

Trek ik gewoon mafketels aan, of zijn alle mannen in New York gestoord? De twee met wie ik af en toe op stap ga, drijven me tot wanhoop. De een is zo neurotisch dat hij al kritiek leverde op mijn kleding voor-

dat hij hallo had gezegd. De ander is zo onverschillig dat als ik zou aan-
bieden hem van top tot teen af te likken, hij vast zou zeggen: 'O, best hoor,
je doet maar.'

Onderhand had ik een scala aan opzienbarende onderwerpen
behandeld in mijn zondagse column: mijn helse huisgenoten, de
feestjes waarop ik niemand kende, het trauma dat ik had opgelopen
toen ik voor de eerste keer mijn wenkbrauwen liet harsen, de voor-
en nadelen van speed-dating. Alsof ik een gevoelige snaar had
geraakt, stroomde mijn e-mailbox vol met reacties van mensen die
hun eigen visie op het leven in New York gaven. De respons, merkte ik al snel, was het grootst wanneer ik schreef over mijn eigen lief-
desleed. Het leek wel of de halve stad even verbijsterd was als ik dat
het zo lastig was om een partner te krijgen, iets waar ik in Londen
nooit bij stil had hoeven staan. En het was geruststellend te weten
dat ik niet de enige was die de meest afgrijselijke afspraakjes uitzat
en zich soms behoorlijk eenzaam voelde.

Beste Bridget,
Niemand begrijpt wat het woord vagevuur betekent, zolang ze zelf niet
hebben geprobeerd in New York aan de man te komen.

Beste Bridget,
Ik las dit weekeinde je stuk over New Yorkse mannen, en ik ben het
roerend met je eens. Op het moment maak ik precies hetzelfde mee met zo'n
slome duikelaar. Het was zo herkenbaar, dat ik er haast van overtuigd
ben dat we met dezelfde vent omgaan. Hij werkt toch niet in de muziek-
industrie, hè?

Beste Bridget,
Vaak wijt ik mijn pech in de liefde aan mijn lange werkdagen, waar-
door ik niet genoeg onder de mensen kom. Maar ik denk dat we maar
eens moeten erkennen dat mannen ons domweg niet fatsoenlijk behande-
len.

Beste Bridget,
In deze stad kun je soms echt horendol worden. Ik heb er een haat-
liefdeverhouding mee. Ik ben verzot op alles wat hier te doen en te krij-
gen is, maar tegelijk word je door anderen constant beoordeeld op je
uiterlijk en je baan. We worden omgeven door strak in het vel zittende
gratenbalen, en New Yorkers verwachten dat alle vrouwen zo zijn. Wat
moet je als je gewoon maat 40 hebt?

Hallo Bridget,

    Betaalt de Post *je om te schrijven over je wanhopige toeren met mannen, om andere vrouwen het gevoel te geven dat het wel meevalt met ze? Vlieg je eruit zodra je een vriendje hebt?*

Als hij nu eens de Ware was?

'Goed, dus waarom is het in New York zo moeilijk om een partner te krijgen?' begon ik onderuitgezakt in een stoel in Brad Hamiltons kantoor, lebberend aan mijn ijskoffie (mijn nieuwste passie). 'Wil je mijn verklaring horen?'

Brad, een praatgrage Californiër met zandblond haar, was de redactiechef van *Sunday Pulse*, de themabijlage van de krant waarin mijn column verscheen.

'Oké, brand maar los,' zei hij.

Ik had nagedacht over de e-mailtjes die ik van lezers had gekregen, en de houding van de mannen die ik tot dusverre in de stad had leren kennen. Daarnaast had ik verschillende vrouwen gevraagd hoe het was om single te zijn in New York. Het was me opgevallen dat het in de restaurants wemelde van de groepjes vrouwen zonder mannen. Meiden onder elkaar à la *Sex and the City*, je kwam ze dagelijks tegen.

Ik haalde het velletje papier tevoorschijn waarop ik mijn belanghebbende nieuwe theorie over het vrijgezellenbestaan had opgeschreven.

1. *New York is een stad van onbegrensde mogelijkheden. Het barst hier van de buitenstaanders, en mensen komen hierheen om succes te verwerven c.q. geld te verdienen. Daardoor is iedereen heel sterk op zichzelf gericht, en komt het werk op de eerste plaats. Liefde en romantiek mogen geen nadelige invloed hebben op je carrière.*
2. *Die ambitieuze instelling zorgt ervoor dat er weinig ruimte overblijft voor een sociaal leven. Voor afspraakjes is een apart vakje ingericht. En als iemand niet meteen aan de allerhoogste verwachtingen voldoet, stap je op en ga je verder.*
3. *Niet alleen telt New York een half miljoen meer vrijgezelle vrouwen dan mannen, de mannen hebben een brede leeftijdsgroep om uit te kiezen – zeg tussen de 21 en 45 – waardoor de concurrentie moordend is. Ook al heeft een vent een slimme, mooie vrouw aan de haak geslagen, hij weet dat hij voor haar tien anderen kan krijgen.*

4. *Slimme, mooie vrouwen hier vinden dat ze een bijzondere behandeling verdienen, zeker met alle moeite die ze doen om aan kop te blijven. Op mannen kan dit overkomen als 'veeleisend'.*

5. *Singles van zowel vrouwelijk als mannelijk geslacht die gewend zijn geraakt aan die keiharde competitie raken afgestompt en defensief, wat het nog lastiger maakt een relatie te beginnen.*

'Maar weet je,' zei ik terwijl ik mijn velletje weer opvouwde. 'Volgens mij is het uiteindelijk louter een kwestie van geografie.'

'Geografie?' herhaalde Brad verbaasd. Misschien had ik hem niet verteld dat dat bij mijn studie mijn hoofdvak was geweest.

'In Londen blijf je eerder aan iemand hangen, al was het maar voor het gezelschap, want het is een hele bedoening om met het openbaar vervoer ergens te komen, en met de auto hoef je het al helemaal niet te proberen. Hier ben je zo vrij als een vogel. Je kunt elke avond van het ene naar het andere feest fladderen. Dus als je een borrel zit te drinken met iemand en het bevalt je niet, kun je zo door naar iets anders. Als je als man ergens zit met een vrouw, en je vriend belt om te zeggen dat hij een hele bups lekkere wijven op bezoek heeft, kun je na afloop nog eventjes langswippen om te kijken of daar wat voor je bij zit. En als je iemand weet te strikken, kun je met ze mee naar huis gaan in het besef dat je net zo vlug weer de benen kunt nemen.'

'Je wilt toch niet beweren dat een geolied metrosysteem en goedkope taxi's zo veel invloed hebben op de liefde?' vroeg Brad. Hij was 37 en had al tien jaar een vaste vriendin. Ze bewoonden de parterre van een patriciërshuis in Carroll Gardens, met een bubbelbad in de tuin. Geen wonder dat hij zich niet met dit soort dingen bezighield.

'Je moet het effect van een lange, ontnuchterende tocht naar huis met een vreemde niet onderschatten.' Ik dacht aan een bepaalde reis die ik in Engeland had doorstaan, van het West End naar Kingston. Tijdens de rit was mijn wodka-tonicroes opgetrokken, en had ik ineens gezien dat de gebronsde snowboarder die ik dacht te hebben versierd in werkelijkheid een uit de kluiten gewassen puber met pukkels was.

'In Londen ben je overal zo lang naartoe onderweg, dat je alles van tevoren moet afspreken en plannen. In New York kun je van het ene op het andere moment van gedachten veranderen. Dus waarom zou je je vastleggen, waarom zou je je aan iemand binden?'

Brad knikte traag. 'Hmmm, daar zit wel wat in.'

Er zat wel wat in? Allemachtig, ik was een antropologisch genie.

De volgende dag zat ik weer achter mijn bureau. Ik moest de

berichtgeving over 'de orkaan' coördineren. Er kwam een zware storm op de stad af drijven, met de dreiging van grote overstromingen. Maar zoals gebruikelijk kon ik het niet weerstaan elk half-uur mijn mailprogramma aan te klikken om te zien of ik nog fanmail had ontvangen. Ik vroeg me af hoeveel reacties collega-columnist Cindy Adams per week kreeg.

Dus ik zag het meteen toen er halverwege de middag een e-mailtje van Angus binnenkwam. Het was een kopie van een uitnodiging voor een voorvertoning in Londen van het eerste drama dat hij voor de BBC had geregisseerd. Ik klom direct in de telefoon. We hadden elkaar al een poosje niet gesproken. Hij wist zelfs nog niets van mijn nieuwe column.

Bij de tweede keer overgaan nam hij op. Zonder hem de kans te geven iets te zeggen, begon ik te ratelen.

'Lieverd, gefeliciteerd met je film! Fantastisch! Je bent vast door het dolle heen. Ik ben zo trots op je. Ik vind het zo jammer dat ik niet bij de voorvertoning kan zijn.'

'Hallo, Bridge.' Hij klonk wat overdonderd. 'Ja, ik ben behoorlijk in de wolken. En, hoe gaat het daar in New York?'

'Ach, prima hoor, z'n gangetje,' antwoordde ik. 'O, ik heb tegenwoordig een column! Ik schrijf over mijn belevenissen als nieuwkomer in de stad. En vandaag ben ik bezig met een reportage over die storm. Maar genoeg over mij, ik wil meer over de film horen. Vonden ze hem mooi?'

Het bleef stil.

Ik zuchtte. Na mijn ervaringen met Tom en Eddie voelde het zo vertrouwd aan met hem te praten. Met Angus kon ik in elk geval een normaal gesprek voeren.

'Luister eens, Bridget.' Ineens klonk hij formeel. 'Ik had je eerlijk gezegd zelf al willen bellen.'

'O?'

'Ik wilde je iets vertellen voor je het van een ander te horen kreeg. Ik heb een nieuwe vriendin.'

Mijn buik verkrampte. Alles om me heen werd wazig.

'Het is India. Volgens mij heb je haar wel een paar keer gezien. Eerst was het nog heel vrijblijvend, maar nu, nou ja, het is inmiddels wat minder los.'

India? Wat minder los? Wat bedoelde hij? Ik herinnerde me een mooie, hippieachtige kunstenares die ooit met onze groep een weekeindje weg was geweest.

'O, die is heel knap,' wist ik uit te brengen.

Hij zweeg weer even. 'Ze is heel leuk, ja. Het is allemaal best spannend.'

Zijn woorden kwamen aan als een dolkstoot. Ik slikte moeizaam en voelde hoe de tranen zich vanuit mijn maag omhoog persten.

'Lieverd, ik ben heel blij voor je, maar de deadline zit eraan te komen, ik moet ophangen. Laten we snel weer bellen, oké?'

Ik hing op en rende zonder iets of iemand te zien door het kantoor naar de liften, ging rechtstreeks naar de kiosk in de lobby om sigaretten te kopen. Eenmaal buiten liet ik me langs de betonnen gevel op mijn kont zakken. Mijn handen trilden toen ik probeerde een lucifer af te strijken. Wat minder lós? Het moest wel heel serieus zijn als hij het mij vertelde.

Ik inhaleerde diep. Het verkeer op 6th Avenue klonk harder en agressiever dan anders, de claxons en krijsende banden herinnerden me eraan dat ik nu in een stad woonde die voor niemand stil bleef staan.

Pas nu drong het tot me door dat ik me aldoor had voorgesteld dat ik op een dag terug zou gaan naar Londen en met Angus zou trouwen. Maar waarom zou hij in vredesnaam op me wachten? Ik stak mijlenver van huis in een sensatieblaadje de draak met mijn rampzalige liefdesleven, terwijl aan de overkant van de oceaan een andere vrouw zich koesterde in Angus' oprechte liefde. Allemachtig, wat had ik allemaal opgegeven? Ik voelde me misselijk.

Ik keek op mijn horloge. O nee. De deadline naderde, en ik was nog niet eens begónnen aan mijn artikel. Ik dwong mezelf op te staan en weer naar binnen te lopen. Het was alsof ik een toekomst tegemoetging waaraan niets meer te redden viel.

Mijn telefoon rinkelde toen ik bij mijn bureau kwam. Een gelukzalig moment lang dacht ik dat het Angus was, om te zeggen dat hij een enorme vergissing had gemaakt. Ik griste de hoorn van de haak. 'Angus?'

'Hallo, meteorologische dienst. U hebt gebeld over de neerslagverwachting voor vanavond en morgen?'

Niet Angus.

'Er vormt zich een depressiegebied boven de Great Lakes, dat zich waarschijnlijk in de loop van de dag over Pennsylvania, New Jersey en New York zal verspreiden. Wanneer dat in aanraking komt met het huidige hogedrukgebied boven de stad...'

Tevergeefs probeerde ik me te concentreren. Misschien was 'ietsje minder los' toch niet zo heel serieus.

'Betekent dat dat er overstromingen zouden kunnen komen?'

Angus met India. Zelfs hun namen klonken goed bij elkaar.

'Morgenochtend vroeg bestaat er een kans op wateroverlast, vooral in het noordelijke deel van de staat. We raden het wegverkeer aan extra oplettend te zijn. Het zou prettig zijn als u dat in het artikel kunt opnemen.'

Angus was verliefd op een ander, en ik moest automobilisten ertoe manen voorzichtig te zijn.

'Een wodka-tonic graag, Joe,' zei ik toen ik mezelf een uur later in Langan's op een barkruk hees en nog een sigaret opstak.

'En, wat heb jij vandaag uitgevoerd?' vroeg de Ierse barkeeper. Hij liet een schijfje citroen in mijn glas zakken en schonk het vol.

'Over het weer geschreven. Er drijft een storm op de stad af, en het zit erin dat er overstromingen komen.' O, en dat is waar ook, de man van wie ik altijd had gedacht dat ik op een dag met hem zou trouwen is verliefd op een ander.

Ik nam een ferme slok. Nu al had ik het gevoel dat ik mijn halve leven in Langan's had doorgebracht.

Het was rustig vanavond. Op de televisies aan weerszijden van de lange bar flikkerde een footballwedstrijd. Verschillende groepjes mannen in pakken, net uit het News Corporation-gebouw gestroomd, zaten ernaar te kijken. Paula stond aan de andere kant van de zaak tegen een kruk geleund wild te gebaren naar een gebruinde man met blonde plukjes in zijn haar, waarschijnlijk een impresario of persagent uit Los Angeles. Naast haar aan de bar hing Steve Dunleavy, de legendarische *Post*-columnist en voormalige nieuwsredacteur, die zoop als een ketter en vergroeid was met zijn sigaret. In het restaurantgedeelte voorbij de bar zat een clubje toeristen van middelbare leeftijd uit het Midwesten, net binnengerold vanaf Times Square, rond een van de met rood-geruite kleedjes gedekte tafels gefrituurde borrelhapjes weg te werken.

Deze kroeg was een tweede thuis voor het *Post*-personeel. Ze kwamen na hun dienst om zich te beklagen over hun werk. Dunleavy, die bevriend leek te zijn met iedere brandweerman en politieagent in de stad, hield er hof, meer slissend naarmate de avond vorderde en hij met zijn nasale Australische accent verhaalde over de dagen waarin journalisten nog echte kerels waren.

Telkens als ik Langan's binnenkwam, glunderde ik bij het besef dat ook ík nu kon vertellen welke gebeurtenis ik die dag had verslagen. Oké, mijn reportages gingen eerder over huiselijk geweld in Queens dan over staatsgrepen, maar met mijn pieper aan mijn riem en mijn notitieblok in mijn tas voelde ik me beslist een Lois Lane. Alleen leek het vanavond ineens een schrale troost in ruil voor een leven met een man als Angus. Zeker omdat ik steeds meer ontdekte hoe gebrekkig de andere exemplaren waren.

Ik was er altijd van overtuigd geweest dat de Ware met een bliksemflits zou opdoemen, maar stel dat het er in de liefde eigenlijk om draaide degene die je had te waarderen? Stel dat Angus de Ware was geweest, en ik hem opzij had geschoven voor mijn carrière?

De deur zwaaide open. Dina, een vriendin van Paula die voor het pr-bureau Harrison & Shriftman werkte, kwam binnenlopen, zag mij zitten en kwam op me af. De joodse Canadese met schitterende kleren en kroezend donker haar was iemand om rekening mee te houden in het pr-kringetje.

'Hé, ik zie dat Paula nog aan het werk is,' zei ze terwijl ze haar Gucci-jas over een kruk naast de mijne gooide en een whisky met Cola Light bestelde. 'Jezus, wat ben ik toe aan een borrel. Mijn moeder is al de hele week over uit Toronto, en ze loopt maar te zaniken waarom ik nog geen vaste relatie heb. Ik bedoel, in deze stad? Doe even normaal.'

'Hou maar op,' zei ik droevig, en ik stak nog een sigaret op.

'Gaat het wel?' vroeg Dina.

'Niet echt. Mijn ex-vriendje in Engeland heeft een ander.'

'O, wat waardeloos. Nou, dan zou ik me vanavond maar flink bezatten als ik jou was. Maar wacht eens, jullie hadden het toch al eeuwen geleden uitgemaakt?'

'Ja. Maar ik had er niet bij stilgestaan dat hij verliefd zou kunnen worden op iemand anders.'

'Weet je wat jij nodig hebt? Een avond stappen met de meiden,' vond Dina. 'Wij vrouwen moeten elkaar steunen. Alle mannen zijn hufters.'

Maar ik had geen zin in een avond stappen met de meiden. Ik wilde mijn vriendje terug. En Angus was geen hufter, dat was juist het probleem.

Paula kwam op haar vijftien centimeter hoge Jimmy Choo's op ons af klepperen. 'Dag, mop van me.' Ze wierp de man met wie ze had staan praten een handkus toe en draaide zich weer naar ons. 'Jezus, die persagent daar. Met de botox die hij in zijn voorhoofd heeft kun je een klein land van de kaart vegen.' Ze wenkte de barkeeper.

'Geef Bridge er ook nog maar eentje. Haar ex heeft een nieuwe vriendin,' vertelde Dina.

'O god, toch niet nog steeds die vent uit Engeland, hè? Je hebt hem al een jaar geleden gedumpt, schat,' zei Paula. 'Maar ja, het zal wel even steken, zeker na die sukkels die je hier hebt gehad.'

'Amen,' zei ik.

'Wie heeft er sukkels gehad?' vroeg een stem achter me. Ik draaide me met een ruk om en zag Jack staan. Ik probeerde wat meer rechtop te gaan zitten.

'Bridget,' zei Paula. 'Je weet wel, al die gasten over wie ze in haar column schrijft. Ik bedoel, wat was dat voor figuur, die ene die in de metro zei dat je te hard praatte? Sorry hoor, maar waarom zat je überhaupt in de metro?'

'Het komt niet vaak voor, maar deze keer ben ik het met je eens, Paulita,' zei Jack met een glimlach naar mij. Hij maakte zijn stropdas los en bestelde een Makers Mark.

'Proost, jongens.' Ik voelde dat mijn wangen rood werden. 'Nog even fijn natrappen, hè?'

Jack nam me verward op.

'Angus, Bridgets oude vriendje in Engeland heeft een nieuwe scharrel,' legde Dina uit.

'O, wat naar voor je,' zei hij, maar hij keek er niet bepaald treurig bij.

Het gesprek kreeg een andere wending: of Paula het gebrek aan een vriend moest compenseren door de teckel te kopen die ze elke ochtend in de etalage van een winkel in Cobble Hill zag zitten.

'Ben je niet lekker? Je hebt het zo druk dat je amper de tijd hebt om adem te halen,' zei Jack. 'Ik moet er niet aan denken dat jij verantwoording zou dragen voor een ander levend wezen.'

'Jij hebt duidelijk nog nooit van hondencrèches gehoord,' snoof ze. Ze gaven me het zoveelste nieuwe glas aan.

Vervolgens biechtte ze op dat ze niet zozeer een oogje op de hond had als wel op de bedrijfsleider van de dierenwinkel.

'Paulina, hou óp!' zei Jack.

Twee uur later zaten we nog steeds in Langan's, flink dronken, en de bar was volgelopen. Inmiddels werd ik heen en weer geslingerd tussen de door alcohol ingegeven illusie dat Angus en India het nooit langer bij elkaar zouden uithouden, het misselijkmakende vermoeden dat mijn enige kans op ware liefde was verkeken, en een vreemd, bedwelmend gevoel dat het door Jacks aanwezigheid allemaal wel goed zou komen.

Ik kon mijn ogen niet van hem afhouden terwijl hij door de groepjes verslaggevers heen zigzagde, een glas whisky in zijn hand, geintjes makend of wijs knikkend, afhankelijk van degene met wie hij praatte. Ondanks zijn sarcasme en gehaaidheid leek hij oprecht in mensen geïnteresseerd. Maar hij straalde ook iets onbenaderbaars uit, waardoor je onmogelijk hoogte van hem kon krijgen.

Af en toe, of vrij vaak eigenlijk, ving hij mijn blik, maar ik wist niet of dat per ongeluk was. Dina en Paula bleven me drankjes voeren; solidariteit van vrouwen onderling was de enige manier om in New York te overleven, stelden ze.

Uiteindelijk verscheen Jack weer bij ons in de buurt om een whisky te bestellen. Met door drank ingegeven moed ging ik naast hem staan en haalde een sigaret tevoorschijn.

'Je zit nogal in de rats over dat ex-vriendje, hè?' vroeg hij.

'Ik ben gewoon ineens doodsbang. Stel dat hij mijn grote liefde was en ik hem heb laten gaan?'

Hij gaf me een vuurtje. 'Als jullie elkaars grote liefde waren, hadden jullie het vast niet uitgemaakt.'

'Denk je echt dat het zo eenvoudig ligt?'

Hij keek me aan alsof het hem verbaasde dat ik het misschien anders zag. 'Ik denk dat je op een dag iemand tegenkomt, je wereld op zijn grondvesten schudt en je weet dat het de ware is. En met minder mag je geen genoegen nemen.'

'Heus?' Wat zou Jacks wereld op zijn grondvesten doen schudden?

'Bridget, jij lijkt me een heel bijzondere vrouw.'

Noemde Jack me bijzonder? Hij kende me nauwelijks.

'Er loopt iemand rond die alles voor je overheeft, en dat is degene bij wie je hoort. Die ex van je, Angus of hoe hij ook mag heten... jullie hebben vast ooit van elkaar gehouden. Maar ik heb hem niet hierheen zien vliegen om te proberen je terug te halen naar Engeland.'

'Nee, dat is waar.' Daar zei hij wat.

'En vergeet niet dat je terug bent gegaan naar Londen en toch weer hierheen bent gekomen.'

'Ik weet het, ik weet het.'

'Ik denk dat je moet wachten tot je iemand leert kennen die je naar de andere kant van de aarde zou volgen, en hij jou,' zei hij.

Even bleven we zwijgend tegen de bar aan staan, onze schouders bijna tegen elkaar. Alles om me heen werd een waas, en ik kon mezelf niet meer bedwingen. Plotseling wilde ik alleen maar zijn armen om me heen voelen. Ik drukte mijn peuk uit.

'Eh... Kan ik misschien in de tussentijd, totdat die prins op het witte paard verschijnt, van jou een knuffel krijgen om me op te beuren?' Vanavond kon ik wel wegkomen met zo'n vraag.

'Natuurlijk,' zei hij zacht.

Met ingehouden adem stapte ik dichterbij. Ik sloeg mijn armen om zijn middel, drukte mijn gezicht in zijn overhemd. Hij rook heerlijk, naar vers zweet en schone was en tabak. Hij legde zijn handen op mijn rug, eerst wat stijfjes, toen steviger, en streek met zijn wang over mijn haar. Het was alsof ik zweefde, zo veilig en geborgen voelde ik me. Vlug lieten we elkaar weer los. Hij draaide zich terug naar de bar, dronk zijn glas leeg en legde een briefje van twintig neer.

'Nou, ik moet ervandoor.' Hij ontweek mijn blik. 'Gaat het weer een beetje?'

Ik keek hem na, hopend dat ik hem snel weer zou tegenkomen. Broeide er iets tussen ons, of verbeeldde ik me dat alleen maar?

Een eigen ondergoedla

Ik begon Jack op het werk constant in de gaten te houden. Hij liep met rechte rug door de redactiezaal, zijn rechterarm licht gebogen op zijn rug, als een cricketspeler die zich voorbereidt op een slag.

Op Wall Street werd de zakenrubriek van de *Post* als eerste gelezen, en Jack hield zich bezig met exclusieve berichten over fusies en overnames, uitbreidingen en inkrimpingen, dalende en stijgende aandelen, allemaal zaken waar ik totaal geen kaas van gegeten had. Maar ik was altijd al op intelligente, zelfverzekerde mannen gevallen, het type dat je in je team zou willen hebben (zoals ik het graag omschreef). En hoewel Jack niet echt knap was – hij zag er geregeld afgetrokken en katterig uit – was hij wat mij betrof de meest sexy man van New York.

Hij zat verderop in de zaal, op ruime afstand van mijn wanordelijke rijtje, maar mijn bureau, dat ik toegewezen had gekregen toen ik in vaste dienst kwam, stond aan het uiteinde. Als hij niet op pad was voor een artikel, wierp hij me soms een blik of glimlach toe wanneer hij op weg was naar de ochtend- of avondbespreking. Vaak waren we tegelijk nog laat op kantoor, als de tweede editie van de zakenrubriek moest worden bijgewerkt en ik aan mijn column zat te schrijven. Wanneer hij opstond om te vertrekken, keek ik vanuit mijn ooghoeken toe hoe hij zijn jas aandeed, wetend dat hij zo langs zou lopen.

'Hé, zin om een borrel te pakken bij Langan's?' was alles wat ik had hoeven zeggen. Hoe vaak ik de woorden ook vormde, ik kreeg ze niet over mijn lippen. Ik had al het gevoel dat iedereen aan me kon zien dat ik straalverliefd was op een collega. En als hij interesse had, zou hij me toch zelf wel een keer uitnodigen voor een drankje? Dat deed hij maar niet.

In mijn vrije tijd begon ik er intussen achter te komen dat Paula en Dina gelijk hadden over vrouwen in New York. Zonder vriendje of familie, in een manische, slopende stad, was het hebben van vriendinnen die zich een beetje over je ontfermden even vitaal als zuurstof.

In de loop der maanden had ik drie andere Engelse vrouwen leren kennen: Pom, een bedrijvig type met een rank figuurtje, aparte kleding en lang, kroezend blond haar, die op een nieuwjaarsdag impulsief naar Amerika was afgereisd. Sindsdien had ze met een toeristenvisum het hoofd boven water gehouden. Ze probeerde aan de slag te komen als fotograaf. Sacha, haar bedaarde nichtje met roomblanke huid, werkte voor de Verenigde Naties, ging op zondag naar de kerk en pochte er graag mee dat mensen haar aanzagen voor een jonge Meg Ryan. En Fi, hun licht ontvlambare vriendin die modeverslaafd was, had een baan bij een reclamebureau, maakte deel uit van het Britse uitgaanskringetje en leefde op chocolaatjes en geroosterde kikkererwten. Ze woonden alle drie al twee jaar in Manhattan, en ze hadden ook geen van drieën een vriendje. Maar ja, ze waren wel vier jaar jonger dan ik.

Olly had me op een avond in Milanos aan Pom voorgesteld, toen ik nog als uitwisselingsreporter had gewerkt. Indertijd was ze een beetje vijandelijk tegen me geweest – ik was de nieuwkomer – en had ze aldoor haar armen om Olly heen geslagen om te laten zien wat een dikke vrienden ze wel niet waren. Maar ik had al vermoed dat haar vinnige gedrag een façade was, en dat ze wanneer je haar eenmaal leerde kennen juist heel aardig kon zijn.

Kort nadat ik naar New York was teruggekomen, had ik haar gebeld, en we hadden een paar keer afgesproken voor een brunch of een bezoekje aan de vlooienmarkt die elk weekeinde tussen 26st Street en 6th Avenue werd gehouden. Pom had een fijne neus voor tweedehandsjes en had me een lamp en kussens helpen uitzoeken voor mijn kleine slaapkamertje in de East Village. Ik waakte er echter voor haar het gevoel te geven dat ze met me opgezadeld zat. Dat, had ik uitgedokterd, was de sleutel tot het maken van vrienden.

Mijn voorzichtige toenadering wierp zijn vruchten af. Op het moment dat ik Pom het hardst nodig had, ontdekte ik dat ze evenveel talent had om mensen op te beuren als om ze tegen zich in het harnas te jagen.

Dat bewees ze op een nacht niet lang nadat Angus me over India had verteld. Ik lag in bed en schoot wakker van het dichtslaan van de huisdeur. Ik kreunde, wist al wat er nu zou volgen. Een paar tellen later galmde het geklos van hoge hakken vermengd met Franse dronkenmanskreten door het huis.

Pierre, Roman en hun eurokliek waren thuisgekomen van Centrofly, een club op West 26th Street waar op vrijdagavond in de viproom van alles te beleven viel. Dankzij de Franse portier was het een van de weinige zaken waar ze langs het fluwelen koord mochten.

Eerder die avond was ik met ze mee geweest, en ik had een paar uur lekker staan dansen, omringd door vrouwen die in verstikkend strakke designerjeans met hun platte buik liepen te pronken, het type waar Pierre en Roman zo wild van waren. Naast ons hopste het topmodel Tara Read met een schare evenbeelden rond een tafel vol flessen drank.

Opgehitst door Pierre had ik een beetje geflirt met Lucian, een net uit Parijs overgekomen dj die hij kende. Althans, totdat Lucian wellustig had voorgesteld dat we voor een uurtje naar zijn hotel zouden gaan.

'Kom op, ik heb zo'n zin. Ik weet dat jullie Engelse meiden overal voor in zijn,' luidde zijn verleidingstactiek.

'Ik ga mezelf nog liever op de vloer van een abattoir liggen vingeren dan dat ik met een slakkenvreter als jij de koffer induik,' was mijn o-zo-gevatte reactie geweest.

Toegegeven, ik vond hem best sexy. Hij had een hoekig gezicht en lichte ogen, en hij danste als een latino. Maar ik wist welk effect cosmo's op me hadden. Ik had er al drie achterovergeslagen, en ik was bang dat als hij me nog één keer aanraakte, het me ineens een goed idee zou lijken met hem mee te gaan naar zijn hotel. En flirten was nog tot daar aan toe; ik was niet in de stemming voor een losse wip. Dus was ik vertrokken.

Nu lag ik grommend onder mijn dekbed te luisteren hoe de openingsakkoorden van Daft Punk's *One More Time* door de wand kwamen denderen. Ik trok mijn kussen over mijn hoofd. Ik was dertig, ik was in Londen eigenaar van een heel huis, verdomme. Wat deed ik hier in mijn eentje in een absurd duur kippenhok met een horde losgeslagen Europeanen die drie meter bij me vandaan stonden te hossen?

Er werd op mijn deur geklopt. Hij ging open voor ik de kans had 'rot op' te roepen. Lucian kwam binnenstommelen en liet zich naast me neerploffen.

'Hé, Britje,' lalde hij in een mist van sigarettenrook en alcoholdampen. 'Pierre en Roman zeiden dat dit jouw kamer was. Mag ik erbij komen liggen?'

Ik weerhield me ervan te zeggen dat hij dat al had gedaan.

'Lucian, ik sliep al bijna. Je moet hier weg.' Ik gaf hem een harde por in zijn zij. 'Je had toch een hotelkamer?'

Hij reageerde door onhandig zijn T-shirt uit te trekken en een zware arm over me heen te leggen.

'Hé, Fransoos, je kunt hier niet blijven,' siste ik terwijl ik me losrukte uit zijn greep. Hij lag voor pampus, zijn gezicht in het kussen.

Inmiddels klaarwakker luisterde ik in het donker naar het gebonk van de muziek. Dus nu lag er één dj in mijn bed, en werd ik gekweld door een tweede dj in de dop in de kamer naast me. Waarom was ik in vredesnaam ooit naar het eenzame, individualistische New York verhuisd? Als ik maar driftig genoeg gebedjes opzei, zou ik misschien wakker worden in mijn slaapkamer in Shepherd's Bush, met Angus naast me en mijn kat aan het voeteneind. Ineens kreeg ik een stomp in mijn maag: Angus was nu met India.

Lucian leek bij zijn positieven te komen. Hij rolde zich op zijn zij; zijn hand schoof over mijn buik. Ik draaide me nijdig van hem af, maar hij liet zijn arm liggen, en ik duwde hem niet weg. Na een paar minuten gleden zijn vingers onder mijn T-shirt en begonnen over mijn rug te wrijven.

'Hé, kappen. Wat doe je?' fluisterde ik, maar het was best lekker.

Zijn hand ging op en neer over mijn rug. Ik negeerde hem. Toen kroop hij weer naar voren en gleed omlaag over mijn bekken. Mijn lichaam reageerde met lichte, prettige tintelingen. Ik deed alsof ik sliep. Zijn hand zakte cirkelend en heel geleidelijk naar het randje van mijn slipje. Nog even, en ik zou hem eruit smijten, hield ik mezelf voor. Toen stak hij zijn vingers traag onder de stof. Het voelde heel sexy aan zo onder het warme dekbed.

De overwinning ruikend sjorde hij mijn broekje omlaag. Nu draaide ik me protesterend naar hem toe. 'Hé, laat me met rust, oké?', zei ik, maar ik wist dat ik hem verder zou laten gaan. Hij trok zijn eigen broek uit en drukte zachtjes zijn neus in mijn nek. Ik voelde dat hij zijn arm uitstak, en hoorde het onmiskenbare geluid van een condoomverpakking.

'O nee, Lucian, vergeet het maar!' wilde ik zeggen, maar er kwam geen geluid uit mijn keel.

Hij duwde me weer op mijn rug, scheurde met zijn tanden het pakje open, spuugde het papiertje weg en deed indrukwekkend bedreven met één hand het condoom om. Ik wachtte zwijgend af. Waar was ik in godsnaam mee bezig? Ik had geen idee. Ik zat gevangen tussen eenzaamheid en onverschilligheid. Ik hoopte maar dat het het waard was.

Hij klom boven op me en liet zijn gezicht naast mijn rechteroor in het kussen zakken. Hij begon vlug te bewegen, zijn adem was zuur van de verschaalde drank. Hij stootte harder en harder, klampte zijn hand om mijn linkerborst; ik wist niet of hij dat voor mijn plezier deed of zijn eigen. Het volgende moment kwam hij met een diepe, grommende kreun klaar. Hij liet hijgend zijn hele gewicht op me zakken terwijl de bevrediging door hem heen stroomde. Toen rolde hij van me af. We hadden niet eens gezoend, geen woord gewisseld, of elkaar zelfs maar aangekeken.

Hij ging overeind zitten, pakte zijn broek en T-shirt en trok ze aan.

'Zo, en nu een lekkere joint,' zei hij, waarmee hij opstond en zich bij het feestgedruis in de andere kamer voegde.

De deur viel achter hem dicht. Buiten was het inmiddels licht geworden, en er filterde een kille gloed door mijn jaloezieën. Jezus. Was dit werkelijk gebeurd? Ik trok mijn benen tegen mijn borst, voelde me misselijk. Nu ging hij bij Pierre en Roman zitten blowen... en zou hij ze waarschijnlijk bedanken voor de extra service. O god.

Ik voelde de aandrang meteen onder de hete douche te springen, maar ik durfde niet langs ze. De lichamelijke vernedering kon me niet eens zo veel schelen; het was eerder dat ik zo zielig, wanhopig en zwak was geweest om dit toe te staan. Hij flikte dit kunstje vast de hele tijd, die arrogante eikel.

Ik draaide me om, en mijn blik viel op de foto die Angus me had gegeven toen ik voor het eerst uit Engeland was vertrokken. Hij en ik bij zijn vaders huis in Gloucester. Het lijstje stond op een kunststof ladekastje naast mijn bed. Ik ging zitten en pakte het op, legde het op mijn schoot en klemde mijn handen eromheen. Daar stond ik, zo zorgeloos in zijn sterke armen. Het was als een doorkijkje naar een heel ander leven.

'O, lieverd, was je maar hier om me vast te houden,' zei ik zachtjes tegen zijn glimlachende gezicht. De eerste traan die ik had vergoten sinds ik naar New York was teruggekeerd viel op het glas.

Ik veegde hem weg. Ik hield mezelf voor dat ik ontzettend veel had om trots op te zijn. Ik woonde in de mooiste stad ter wereld, zoals Jack het noemde. Ik had de baan waarvan ik altijd had gedroomd. Mijn naam stond elke dag bij artikelen in de *New York Post*, en bij mijn zondagse column stond zelfs mijn foto.

Ik kroop naar de andere kant van mijn bed en staarde uit mijn raam naar het uitzicht op het allegaartje van gebouwen van Midtown. De lucht had een parelmoerachtige glans, en de opkomende zon kleurde de rechterflank van het Empire State Building zalmroze. Vanuit de verte dreef het geloei van een politiesirene over de boomtoppen in Tompkins Square Park. Het enige wat echter tot me doordrong, was dat ik moederziel alleen was in een stad waar niemand een moer om me gaf.

'Oké, gooi je spullen in een taxi. Je komt een weekje hier logeren,' zei Pom. Ik had haar een paar uur later gebeld, toen ik dacht dat ze wakker zou zijn.

Aanvankelijk had ik me voorgenomen nooit aan iemand te vertellen dat ik een wildvreemde in mijn kamer had toegelaten, die even vlug aan zijn gerief was gekomen en vervolgens met zijn maten ging zitten blowen. Maar zodra ik haar stem had gehoord, had ik het hele verhaal eruit geflapt.

Het was allemaal aan Pierre en Roman te wijten, was haar magnifieke reactie geweest. 'Ik bedoel, ze hadden die enge gladjakker nooit je kamer aan moeten wijzen!' had ze verontwaardigd gezegd.

Pierre had nogal schaapachtig gekeken toen ik hem bij het koffiezetten in de keuken was tegengekomen, zo te oordelen met een zware kater.

'Alles goed?' had hij bars gevraagd, en hij had in zijn ogen gewreven voor hij een sigaret opstak.

'Prima hoor!'

Maar we wisten allebei dat hij wist wat er was gebeurd. Ik had het gevoel dat ik ze nooit meer onder ogen kon komen.

Pom en Sacha bewoonden een *loft* in het Meatpacking District, de bovenste verdieping van een industrieel gebouw, op het indertijd nog troosteloze westelijke uiteinde van 14th Street. Het buurtje bestond uit zes blokken vol pakhuizen met ijzeren luifels. Zoals de naam al aangaf, werd hier om vijf uur 's ochtends de vleesvoorraad voor de stad, in de vorm van enorme karkassen, vanuit grommende vrachtwagens de bedompte, bloederige bergruimten in gedragen. Zelfs overdag waren de straten bedekt met een laag gelig vet, en in de zomer hing er een rottingslucht.

Twee jaar later zou het deel waar Pom en Sacha woonden, tussen 9th en 10th Avenue, een metamorfose ondergaan. Er zou een chic winkelcentrum worden gevestigd met dure boetieks, waaronder filialen van Stella McCartney, Alexander McQueen en La Perla. Maar destijds waren vrijwel alle panden dichtgetimmerd en beplakt met gescheurde affiches die bandjes aanprezen waarvan niemand ooit had gehoord. Aan het einde van 10th Avenue moest je je een weg banen tussen de glasscherven en gebruikte condooms door.

Alleen bij de armetierige supermarkt Western Beef, met zijn oranje markies die eruitzag alsof hij elk moment van de gevel kon loskomen, gonsde het van de activiteiten. Er werden constant kratten goedkoop voedsel uitgeladen, waaronder veel bederfelijke waar, die er een week over leken te doen voor ze de winkel in gingen.

De loft was een voormalige productiestudio met aan weerszijden grote ramen. Pom had er drie kleine slaapkamers in gebouwd. Aan één kant van de ruimte stond een zithoek, bestaande uit een doorgezakte bank en futon. Daarboven hingen een zeefdruk van de leden van Pink Floyd en een panoramafoto van 14th Street. Aan de andere kant zat een provisorisch keukentje met een kookplaatje en bergplanken en, het allermooiste, een grote tafel met glazen blad. Drie kasten van vloer tot plafond, waarin voorheen elektrische apparatuur had gestaan, besloegen een zijwand. Pom en Sacha hadden de instrumenten eruit gesloopt en er hun designerkleding voor in de plaats gehangen. De badkamer was nauwelijks groter dan de douchecel zelf.

Toen ik die zaterdagmiddag arriveerde, had Pom in de hokkerige, raamloze derde slaapkamer het bed voor me verschoond. Aan de wanden hingen strengen kerstverlichting. De kamer werd normaal gesproken gebruikt door haar andere nicht, Liberty, een model dat meestal op pad was voor modereportages. Ze had ook het nachtlampje gerepareerd, een bosje madeliefjes in een glas ernaast gezet en een lade voor me uitgeruimd.

'Je bent ergens pas thuis als je een eigen ondergoedlade hebt,' stelde ze.

En dat bleek waar te zijn.

Die avond zaten Pom, Sacha, Fi, die iets verderop op 13th Street woonde, en ik aan tafel boven de aan huis bezorgde sushi: misosoep, edamame, tonijnrolletjes en zalmsashimi. De perfecte hapjes om tijdens het roddelen van te peuzelen, en onvoorstelbaar goedkoop in vergelijking met Londen.

Inmiddels zaten we onbedaarlijk te lachen om wat al eufemistisch tot de 'Luciaanse Confrontatie' was gedoopt. Veilig onder hun dak, met een nieuw bed om in te slapen, had ik besloten dat er niets anders op zat dan het als iets onbeduidends af te doen en er de humor van in te zien. Per slot van rekening had elke vrouw wel een paar dubieuze nummertjes op haar naam staan.

'We hadden een keer een vent te logeren die elke nacht bij me in bed kroop en probeerde me in mijn slaap te beklimmen,' vertelde Sacha. 'Op de laatste avond had hij me bij het eten zo dronken gevoerd dat ik toegaf, maar het was binnen drie minuten voorbij. "Wat denk je dat ik ben?" had ik wel willen gillen. "Een masturbeermachine?"'

'Wat dacht je hiervan? Ik lag een keer met een gozer in bed die almaar probeerde mijn hand in zijn boxershort te schuiven en zei dat ik zijn "wormpje" moest vasthouden. Ik bedoel, hoe verzín je het?' zei Pom hinnikend.

We schaterden het uit, en ineens besefte ik dat ik maandenlang niet zo veel lol had gehad.

'Oké, van nu af aan wordt hier in huis geen hoofd-duwen, hand-leiden, piemel-porren en condoomverpakking-spugen meer getolereerd,' kondigde Pom aan. 'Niet dat we hier ooit mannen binnen krijgen.'

'Misschien kun je over de "Luciaanse Confrontatie" schrijven voor je column,' opperde Sacha. 'Over waarom je nooit een dronken vent bij je in bed mag laten vallen.'

Met dat idee had ik al gespeeld.

Afgelopen week kwam er een wildvreemde vent mijn slaapkamer binnenwandelen, deed alsof hij buiten westen raakte en beklom me toen zonder een woord te zeggen of me zelfs maar te zoenen, om meteen na afloop weer bij zijn vrienden te gaan zitten!

Nee. Er waren bepaalde dingen die mijn collega's, de rest van de stad en mijn ouders niet hoefden te weten.

Licht, camera.
Stop, eerst wat aan dat haar doen

Voor de spiegel die aan een spijker aan de keukenwand bungelde stond ik sneller kleren aan en uit te trekken dan een stripper die speed heeft gebruikt. Ik streefde naar een Kate Winslet/Carrie Bradshaw-uitstraling, met een vleugje Lois Lane uiteraard. Maar zelfs met een nieuwe lading van Paula's afdankertjes bleek zo'n transformatie lastig te verwezenlijken.

Die avond zou ik voor het eerst voor een televisiecamera zitten. Ik zou 'een borrel drinken' met Lisa Ronis, een professioneel koppelaarster uit de Upper East Side, die afspraakjes voor me zou regelen waarover ik weer in mijn column kon schrijven. Ons gesprek zou worden opgenomen in een documentaireserie, *To Live and Date in New York*. Ze hadden me gevraagd aan het programma mee te werken als de Engelse-columnist-die-de-liefde-zoekt, en ik had ja gezegd, onder het mom dat het mooie reclame zou zijn voor de *Sunday Post*, al was het natuurlijk ijdelheid die me ertoe had gedreven.

Mijn column begon een populaire rubriek te worden, omdat ik – de Luciaanse Confrontatie uitgezonderd – schaamteloos beschreef wat ik als single in New York allemaal meemaakte, vanaf het sturen van flirterige e-mailtjes tot aan de plompverloren suggestie in een hotelbar af te spreken 'zodat we eventueel meteen door kunnen naar boven', om vervolgens bij aankomst te ontdekken dat ik per abuis had afgesproken met een naaste collega van Sacha, tot aan de avond waarop ik bij een wedstrijd van de New York Knicks probeerde een man te versieren en uiteindelijk doordrenkt met bier thuiskwam. Ik schreef hoe Fi en ik Meg Ryan (de echte) op een modeshow hadden gezien en haar de hele avond als bezetenen hadden gevolgd, om ten slotte in een vrijwel lege zaal te belanden die naar een vipruimte leidde die zo streng bewaakt werd dat we net zo goed niet op het feest hadden kunnen zijn. In een andere aflevering rekende ik uit dat ik binnen één week 29 cocktails had gedronken. Mijn ouders, die via internet devoot mijn werk bijhielden, waren minder enthousiast over die aflevering.

Maar drie weken na de Luciaanse Confrontatie nam mijn leven een drastische wending. Pom belde om te vertellen dat Liberty zich met haar Engelse vriend had verloofd en haar kamer niet meer nodig had. Voelde ik er misschien voor permanent in te trekken?

Nu had ik eindelijk mijn eigen New Yorkse gezinnetje om bij thuis te komen, zij het dat dit gezinnetje de wildste feesten afschuimde en een joint rookte voor het slapengaan. Ik vroeg me niet langer af of ik een gigantische vergissing had gemaakt door uit Londen te vertrekken.

Naast mijn reportagewerk en mijn column bij de *Post* – en het voeden van mijn verliefdheid op Jack – was ik vastberaden te bewijzen dat je als vrijgezelle dertiger de mooiste tijd van je leven kon hebben. En ik geloofde erin... meestal. In een column schreef ik:

Door Bridget Jones *en* Sex and the City *zijn we allemaal gehersenspoeld. Als een vrouw van in de dertig nog vrijgezel is, denken we, heeft ze er gewoon een puinhoop van gemaakt. Maar in welke andere fase heeft een vrouw de wijsheid – en de financiële middelen – om te doen en laten waar ze zin in heeft? Om nog maar te zwijgen van het feit dat ze dan op haar seksuele piek is.*

In een andere:

Eerlijk is eerlijk, ik vind het zalig om me te beklagen over mijn onfortuinlijke affaires, net zoals ik het zalig vind als mijn vriendinnen over die van hen jeremiëren. Mijn huisgenoten en ik kunnen urenlang om de keukentafel zitten en verhalen uitwisselen over monsterlijke mannen, rampzalige etentjes en stuntelige vrijpartijen. Ik betwijfel of we evenveel koppen thee zouden wegwerken als elk gesprek begon met: 'Je gelooft nooit wat de kleine vandaag heeft gedaan!'

Per slot van rekening mocht het in New York dan moeilijk zijn een echtgenoot te krijgen, verder kon je alles bereiken waar je je zinnen op zette. Zelfs tv-ster worden!

Ik stond nog steeds voor de spiegel toen mijn mobieltje overging. Zucht. Ik pakte hem op. Het was pas halfnegen. Het was altijd hetzelfde liedje. Uitgerekend wanneer ik een rustig dagje op kantoor wilde doorbrengen, werd ik in alle vroegte op pad gestuurd. Ik klemde de telefoon onder mijn kin terwijl ik Sacha's kast opendeed en in haar veel spannender collectie begon te snuffelen.

'Stadsredactie, ik verbind je door met Jerry,' zei een stagiair. Ik trok een getailleerde, roomwitte Chanel-blouse uit de kast en hield hem voor de spiegel tegen me aan. Kijk, dat zag er meer uit als tv.

'Morgen,' zei Jerry, de coördinator verslaggeving die Marilyn had vervangen. 'In de Bronx is net een joch van vier jaar doodgestoken met een balpen, door twee andere kinderen. Je moet er als de wiedeweerga naartoe.'

Met de blouse nog over mijn arm pakte ik een pen en het eerste het beste waarop ik het adres kon schrijven: een sushimenu op de keukentafel.

'Twee kinderen, eentje van acht en eentje van negen, waren in een trappenhuis met een kleuter van vier aan het spelen, en ze hebben hem met die pen gestoken. De moeder heeft hem gevonden.'

Ik noteerde de feiten maar probeerde me geen voorstelling te maken van het tafereel. 'Waar zijn die kinderen nu?'

'De kleuter ligt in het mortuarium, de twee anderen zitten vast op het districtsbureau 44. Waarschijnlijk worden ze vandaag nog voorgeleid. Schiet nou maar op. De fotograaf is al onderweg.'

Vijf minuten later rende ik in een gekreukelde blauwe rok, een T-shirt en op teenslippers over 14th Street naar het metrostation op 8th Avenue. Sacha's Chanel-blouse had ik in mijn tas gepropt. Over mijn transformatie tot Kate Winslet moest ik me later maar zorgen maken.

De metro bracht me binnen twintig minuten van de buurt vol mondaine Manhattanners die in driedelig grijs naar hun werk togen, naar een dampige hoofdstraat in de Bronx, waar verweerde oude mannen en bendejeugd rokend voor snackbars rondhingen. De temperatuur was al tot boven de 26 graden gestegen.

Nu al nat van het zweet wurmde ik me tussen een traag voortsjokkend lint van vrouwen achter kinderwagens door, en ik sloeg af naar Sheridan Avenue. Aan het eind van de straat zat een kruidenier met groezelige ramen, volgeplakt met stickers van goedkope sigaretten- en biermerken. Ertegenover had zich voor een U-vormig flatgebouw van zes woonlagen een menigte verzameld. Een vrouw maakte nijdige gebaren naar een mannelijke verslaggever, die in zijn blokje stond te krabbelen. Naast hen staken de lange satellietantennes van twee tv-wagens als periscopen omhoog. Iets verderop stonden twee fotografen die ik van eerdere klusjes herkende samen te roken.

Ik liep op ze af en haalde een sigaret tevoorschijn.

'Hallo, ik ben Bridget. Van de *Post*. Hoe staat het ermee?'

'De moeder zit boven, op nummer 5A. Ze wil de pers wel te woord staan. Man, je moet dat bloed op de trap eens zien.'

'Waar wonen de kinderen die het gedaan hebben?' Met mijn peuk in mijn mond trok ik mijn nu al vettige haar in een paardenstaart.

'Goede vraag. Ze schijnen uit een pleeggezin op de begane grond te komen, maar die doen óf niet open, of ze zijn hem gesmeerd.'

'Aha, Bridget, dat werd tijd.'

Ik keek achterom. Matt, de fotograaf van de *Post*, kwam met een beker koffie in zijn hand de straat oversteken.

Matt was een knappe, houthakkerachtige vent met blauwe ogen. Er werd schamper beweerd dat Gretchen, de chef fotoredactie, hem had aangenomen om de vrijgezelle dames bij de krant een plezier te doen. Maar ik mocht hem om de ongedwongen manier waarop hij mensen benaderde, en hij was leuk gezelschap tijdens reportages. Bovendien was ik al verliefd op een andere collega.

'Die zijn vast al boven geweest.' Ik knikte naar een Channel 7-reporter in een roze rokje, die in haar mobieltje stond te blaffen alsof ze het moederschip beval haar op te stralen uit deze broeierige buurt.

'Heel kort, ja,' bevestigde Mike. 'Jij bent pas de derde. Niet slecht voor de *Post*.'

Matt en ik wrongen ons door het opstootje van omwonenden het gebouw in. Binnen werden we overvallen door de bedompte stank van de vuilstortkoker. De metalen liftdeur voor ons leek wel met een stormram te zijn aangevallen.

'Laten we de trap maar nemen,' zei ik.

Eenmaal op de vierde verdieping bleven we hijgend staan. Op de overloop lag een plas bruinig bloed. Het smerige deksel van de stortkoker hing half open.

'Dat ziet er gezellig uit,' zei ik zo opgewekt mogelijk.

'Wacht.' Matt hurkte om wat foto's te nemen.

De deur van nummer 5A stond op een kier.

'O nee, Jerry heeft niet eens gezegd hoe ze heten,' fluisterde ik tegen Matt.

'De moeder heet Valentina Manufort. Het kind heet... heette... Jesus.'

Ik schreef de namen op mijn hand.

Via een smalle gang bereikten we de open keuken van de woning, waarin rond een formica tafel vier gele skaileren stoeltjes stonden. In het woongedeelte erachter zaten een man en twee vrouwen, de een wat ouder dan de ander, op een sleetse bruine bank. Ze zagen er West-Afrikaans uit. De vrouw in het midden had rode ogen van het huilen.

Het drietal keek gelaten op, alsof ze hadden zitten wachten tot we kwamen. Door een raam kwam de zwoele buitenlucht binnendrijven, die gonsde van het gebrom van vermoeide airco's. De kamer was doordrenkt met verdriet.

'Mevrouw Manufort?' Ik knielde half en stak mijn hand naar haar uit. 'Wij zijn van de *Post.* Mijn oprechte condoléances.'

'Haar zoontje is twee trappen hieronder vermoord,' zei de oudere vrouw op gekwelde toon. 'Hoe bestaat het dat zulke jonge kinderen zoiets verschrikkelijks doen?'

De vraag bleef tussen ons in hangen. Ook wij hadden er geen antwoord op.

Ik blikte achterom naar Matt, die zichtbaar moeite had zijn emoties te bedwingen.

'Kunt u me misschien iets over Jesus vertellen, over hoe u zich nu voelt?' Ik haatte mezelf om de goedkope vraag.

'Jesus was mijn oogappel,' zei Valentina Manufort. 'Ik had hem en zijn zusje alleen even naar buiten gestuurd om een luier in de stortkoker te gooien. Toen ik even later ging kijken waar ze bleven, lag mijn kleintje op de grond. Verder heb ik niets gezien...'

De tranen stroomden over haar wangen. Matt drukte af. Ik noteerde wat ze had gezegd en voelde het zweet over mijn rug lopen.

'Hij was maar een paar meter van huis!' loeide ze.

Ik probeerde verwoed iets te bedenken om haar te troosten.

'Die jongens moeten gestraft worden,' riep de man, die had gezegd dat hij de vader was. 'Als jullie ze niet tegenhouden, doen ze het morgen weer.'

'Mevrouw,' zei Matt tegen de moeder. 'Hebt u misschien een foto van Jesus?'

Opnieuw was het de vader die reageerde. Hij pakte een prullerig plastic lijstje op, dat ze duidelijk klaar hadden liggen, en gaf het aan mij. Ik zag een kleuter met grote hertenogen in een matrozenpakje en met een maanvormige rammelaar in zijn hand. Hier zou de fotoredactie van smullen.

Uit beleefdheid bewonderde ik de foto voor ik hem doorgaf aan Matt. Ik probeerde me niet voor te stellen hoe het jongetje moest zijn geschrokken toen zijn speelkameraadjes hem op de trap te lijf waren gegaan. Matt legde de foto op de keukentafel en boog zich er met zijn camera overheen.

Bij de aanblik van haar dode zoontje leek de laatste kracht uit de moeder weg te stromen. Ze greep mijn arm vast.

'Je trouwt, je krijgt een kind, je denkt dat alles wel goed zit. Maar zo werkt het niet. Nooit. Het leven wordt niet gemakkelijker, alles wordt alleen maar zwaarder,' zei ze toonloos. 'Zijn vader heeft twee banen, werkt zestien uur per dag als beveiliger. En nu is mijn kleine jongen dood.'

Ineens zwaaide de deur aan het eind van de gang met veel kabaal open. Een man met een televisiecamera op zijn schouder kwam de keuken in marcheren, gevolgd door een graatmagere vrouw in een zwart maatpakje die een microfoon vasthad. Achter hen verdrongen zich twee andere cameraploegen.

'Waar is de moeder?' vroeg de eerste. Hij zwiepte zijn camera als een raketwerper om zich heen. Toen hij zijn prooi eenmaal had gelokaliseerd, schoot hij op de bank af. Hij klikte de schijnwerper aan terwijl de vrouw hem aanstaarde.

'U bent de moeder van die jongen, hè?'

Ze knipperde met haar ogen tegen de felle stralen, die haar gladde, bruine, betraande gezicht verlichtten.

'Hé, jij daar,' bromde hij tegen mij. 'Opschuiven, je staat in beeld.'

Ook de verslaggever stond meteen bij de bank. Ze had het fotolijstje al in haar hand. Ik was lucht voor haar.

'Wilt u deze even vasthouden?' vroeg ze op zalvende toon, en ze stak haar microfoon onder de neus van de moeder. 'Mevrouw Manufort, vertelt u eens, wat gaat u doen nu u uw zoontje kwijt bent?'

De moeder keek van de foto naar de groep vreemden die haar keuken was binnengedrongen. Ze begon haar hoofd te schudden. Matt trok zich al terug naar de gang.

'Mevrouw, heel erg bedankt voor uw medewerking,' zei ik terwijl ik mijn hand op haar arm legde.

'En de volgende keer,' snauwde ik tegen de tv-verslaggever, 'zou ik het prettig vinden als je de beleefdheid op kon brengen me mijn interview te laten afronden.'

'Wij gaan over een kwartier de lucht in, we kunnen niet wachten,' snerpte ze terug.

Het rouwende drietal zag het met matte gezichten aan.

Ik stond op en schoof langs de tv-ploegen naar de voordeur. In de gang was een cameraman van de Spaanstalige zender Univision bezig de bloedvlek te filmen.

Matt stond buiten, met zijn voet tegen de gevel trappend een sigaret te roken. Terwijl hij op het schermpje van zijn digitale camera de foto's doornam, haalde ik mijn telefoontje tevoorschijn en belde de redactie.

Even vroeg ik me af of ik er ooit aan gewend zou raken mensen in het diepst van hun ellende lastig te vallen, met als enig doel iets bruikbaars voor de krant los te krijgen, voordat ik hun en hun verdriet weer de rug toekeerde. Maar toen besefte ik dat ik die grens allang was gepasseerd.

Lisa Ronis, de relatiebemiddelaar, had gevraagd of ik om zeven uur in de Atlantic Grill op 3rd Avenue en 76th Street kon zijn. Toen ik eindelijk rechtstreeks vanuit de Bronx aan kwam hollen, zat ze op het terras te wachten, een toonbeeld van uiterlijke verzorging.

De televisieploeg op het trottoir ervoor – cameraman, geluidsman, en een trendy jong meisje met krullend haar dat een klembord vasthield – stond ongeduldig te kijken.

Buiten adem stelde ik me voor, en ik verontschuldigde me. Ik had zweetplekken onder mijn oksels, en mijn haar zat als een nylon pruik op mijn voorhoofd geplakt. In de metro die me vanaf Grand Concourse naar de Upper East Side – een compleet andere wereld – had gevoerd, had ik geprobeerd de gebeurtenissen van die dag van me af te zetten.

'Kunnen we?' vroeg het meisje met een Australisch accent.

'Alleen even snel een andere blouse aan.' Ik trok Sacha's gekreukte Chanel uit mijn tas.

Het was alsof ik een afgehakt hoofd tevoorschijn haalde.

'Eh... doe maar geen moeite,' zei het meisje met een misprijzende blik. 'Het maakt niet zo uit hoe je eruitziet. We hebben al een paar prachtige vrouwen op band staan, dus dit is wel leuk voor de variatie.'

Daar ging mijn glansrijke nieuwe tv-carrière.

'Oké, je komt over straat op ons aflopen, vertelt hoe je heet en wat je in New York doet,' instrueerde de cameraman.

Ik had kunnen vertellen dat ik net acht uur lang zonder enig resultaat tussen Sheridan Avenue en de rechtbank in de Bronx heen en weer had gerend in een poging de twee jongens te vinden die de kleuter met een pen hadden doodgestoken, maar ik vermoedde dat dat niet helemaal was wat ze bedoelden.

'Eh... ik ben Bridget Harrison. Ik ben in 2000 vanuit Londen naar New York verhuisd, en ik werk als verslaggever en columnist voor de *New York Post.*'

'Stop!' riep de cameraman. 'Misschien moet er toch even een borstel door dat haar.'

Toen ik even later tegenover Lisa Ronis aan tafel zat, haalde ik mijn notitieblok weer tevoorschijn. Ik sloeg de blaadjes met details over Jesus' dood om en schreef *Tips van de relatiebemiddelaar* boven aan een nieuw blad.

Lisa's leeftijd was moeilijk in te schatten. Ergens tussen de 30 en 45, leek me. Ze had een rimpelloze olijfkleurige huid, schouderlang donker haar en grote bruine ogen onder smalle, boogvormige wenkbrauwen. Ik zag er nog steeds uit als een verzopen kat en voelde me inmiddels ook lichtelijk aangeschoten. De wodka-tonic die ik had besteld en net in één teug had leeggedronken steeg naar mijn hoofd. Ik probeerde te negeren dat er een grote, pluizige microfoon boven ons hoofd hing en er een cameraman voor ons tafeltje stond te doen alsof hij er niet was.

Lisa, die duidelijk door de wol geverfd was, opende zwierig het gesprek.

'Geloof me, Bridget, er is geen stad ter wereld zo keihard als New York.'

Vertel mij wat, had ik willen zeggen.

Ze legde haar theorie voor. Dat er zo veel prachtige New Yorkse vrouwen single waren, kwam doordat al die prachtige mannen met wie ze iets wilden het te druk hadden met hun prachtige carrière.

'En wie wil er nou een vent die tijd heeft om in kroegen rond te lummelen?' zei ze met een ingestudeerd schouderophalen.

Ik, had ik willen zeggen.

Lisa beschreef zichzelf als een voormalig 'turbo-dater' en vertelde dat ze haar bureau had opgezet nadat ze een aantal vriendinnen aan de man had weten te helpen.

'Je moet het heel zakelijk aanpakken. Tijd reserveren om jezelf op te kalefateren: manicure, kapper, scrubbeurt. Dan regel je een reeks blind dates met mannen die aan jouw criteria voldoen. Het is aan hem een tafeltje te reserveren. Dat peper ik mijn mannelijke cliënten in, overigens. En je leert een rijtje vragen uit je hoofd aan de hand waarvan je meteen kunt bepalen of je op het juiste spoor zit.'

'Dat klinkt nogal gereglementeerd, weinig romantisch.'

'Schat, als je wanhopig naar kinderen verlangt, moet je je energie niet verspillen aan een vent die geen vader wil worden. En op jouw leeftijd moet je daar rekening mee houden.'

Hoera. Fijn dat ze me eraan herinnerde. Ik bestelde als troost nog een wodka-tonic.

Lisa zei dat ze een bestand met honderden beschikbare mannen en vrouwen had, die allemaal op zoek waren naar de ideale partner. Voor het luttele bedrag van $ 3.000 per jaar kon Lisa je met acht gegadigden in contact brengen.

'Als er ergens in New York een begeerlijke vrijgezel rondloopt, zorg ik dat ik hem te pakken krijg om hem of haar aan mijn cliënten voor te schotelen. Bij 'te pakken' sloeg ze met haar vuist op tafel. Toen boog ze zich samenzweerderig naar me toe. De microfoon zwenkte mee. 'Ik heb in de loop der jaren de hand gehad in minstens vijftien huwelijken en meer dan tien serieuze relaties. En jij kunt de volgende zijn. Ik weet zo al een paar kerels die weg zouden zijn van jou!'

'Echt?' vroeg ik sceptisch. Ik griste mijn nieuwe wodka-tonic zo snel uit de hand van de ober dat er iets over de rand gutste.

Lisa haalde haar zwarte boekje en potlood uit haar tas en vroeg wat ik precies zocht in een man.

'Nou... hij moet intelligent zijn, gevoel voor humor hebben... en goed zijn in zijn vak.' Er doemde een beeld voor me op van Jack die door de redactiezaal liep. Het gezag dat hij uitstraalde te midden van de chaotische taferelen bij de krant was nog steeds het sterkste afrodisiacum dat ik kende. Ik beloofde mezelf dat ik hem de eerstvolgende keer dat ik hem in zijn eentje trof uit zou nodigen voor een borrel.

'Heb je je oog op een bepaald iemand laten vallen?' vroeg Lisa alsof ze mijn gedachten had gelezen. De cameraman kwam dichterbij. Nerveus blikte ik naar de microfoon.

'Eh... nee, niet echt.' Ik werd vuurrood. Jack zou vast diep geschokt zijn als zijn naam werd genoemd in een programma over daten.

'Vertel eens over je vroegere relaties.'

'Eh... in Engeland had ik een vaste vriend.'

'Wat is daarmee gebeurd?'

'Ik ben een jaar geleden naar Amerika verhuisd, daardoor is het spaak gelopen,' antwoordde ik mat.

Had iemand me een jaar geleden verteld dat ik ooit over Angus zou praten met een relatiebemiddelaar die afspraakjes voor me wilde regelen, dan was ik nooit uit Engeland vertrokken. Maar ja, dan had ik Jack ook nooit ontmoet.

Drie dagen later ging ik met de opnameploeg mee naar een afspraak met een andere relatiebemiddelaar; Janis Spindel, een pittige, keurig gecoiffeerde vrouw van in de vijftig. Ze rekende $ 15.000 per jaar voor haar diensten. Ja hoor, verzekerde ze me, er waren volop mannen bereid dergelijke bedragen neer te tellen om de juiste vrouw te vinden.

'Maar dat is bijna net zo veel als een aanbetaling op een huis,' zei ik vol ongeloof.

'Niet voor het soort mannen waar ik mee te maken heb,' reageerde ze nuffig.

Om te voorkomen dat ik er weer als een rioolrat uit zou zien, had ik ditmaal de ochtend vrij genomen en uren gespendeerd aan het uitkiezen van mijn kleding. Uiteindelijk had ik het grappige roze T-shirt met de opdruk PLAYMATE OF THE YEAR aangetrokken (van Pom gekregen) en een stijlvolle wijde strokenrok die ik van Sacha had geleend.

Janis wachtte me op in AKA, een duur koffiezaakje in de Upper East Side. In haar goudlamé blouse nam ze mijn T-shirt geringschattend op. Ze zei dat ze binnen een paar minuten kon bepalen wat voor vlees ze in de kuip had. Ze had duidelijk al besloten mij op veilige afstand van haar fors betalende cliënten te houden.

Janis stak Lisa naar de kroon: zij had maar liefst 300 relaties en 100 huwelijken op haar staat van dienst staan. Op zoek naar kandidaten kamde ze de hele stad uit, van sportscholen en parken tot liefdadigheidsevenementen. De nietsvermoedende New Yorker kon letterlijk door haar worden aangeklampt en in ruil voor zijn visitekaartje de mooiste romantische avonturen in het vooruitzicht gesteld krijgen.

Zo vertelde ze dat ze een interessante producent uit Los Angeles in haar bestand had die wel eens op mijn 'artistieke uitstraling' zou kunnen vallen, al waarschuwde ze me dat ik wel eerst een metamorfose zou moeten ondergaan.

'Mannen houden van vrouwen die zich goed verzorgen.' Haar blik gleed van mijn pluizige krullen naar de rouwranden onder mijn nagels. 'Wat zou je aantrekken als ik een afspraakje met hem voor je regelde in een restaurant in SoHo?'

'Eh... strakke spijkerbroek, een kort vestje... En ik denk mijn rode Manolo Blahniks.' Die laatste waren feitelijk van Sacha, maar ik dacht dat het wel mooi zou klinken op tv.

'Heel goed!' riep ze uit. 'Altijd hoge hakken aan naar een afspraakje, en altijd je haar los laten hangen. Mannen zijn dol op lang haar, bij voorkeur sluik.'

Terwijl Janis verder oreerde, drong het tot me door dat of het nu de oudere carrièretypes waren die een relatiebureau inschakelden, of de hippe twintigers die in cafés, op internetsites of speed-dating-avonden probeerden iemand van hun gading te vinden, er één gemene deler was: de eerste indruk was cruciaal. Geen wonder dat iedereen erover klaagde dat het elke keer was alsof je op sollicitatiegesprek ging. Het was verbazingwekkend dat er überhaupt iemand ooit voor een tweede afspraakje in aanmerking kwam. De meesten van ons haalden die horde nooit.

Aangespoord door Janis belde Sandy, de producent uit Los Angeles, me een paar dagen later op. Hij zei meteen dat hij weigerde zich te laten filmen voor het tv-programma of als onderwerp voor mijn column te dienen. Hij stierf nog liever dan dat hij in een sensatieblaadje terechtkwam, beweerde hij. Om elf uur op een broeierige avond haalde hij me met zijn zwarte Porsche op voor het News Corporation-gebouw (hij zei dat hij niet eerder kon komen omdat hij tot laat moest werken). Sandy was voor in de veertig en zag eruit als een kruising tussen Woody Allen en Ed Harris als de producent-met-baret van *The Truman Show*. Terwijl we in de stroom van uitgaansverkeer op Times Square werden meegevoerd, wierp hij me zijdelingse blikken toe, alsof ik een straathond was die hij zojuist uit het asiel had gered en die hij morgenochtend weer terug kon brengen.

Op het terras van Macelleria, een pas geopend, chic Italiaans restaurant in het Meatpacking District, bestelden we gebakken tong, frietjes en salade. Ik sloeg me door het gesprek over de filmindustrie heen, worstelend met mijn schuldgevoel dat hij $ 15.000 had neergeteld bij een relatiebemiddelingsbureau om vervolgens met mij opgescheept te worden. Het enige wat indruk leek te maken op Sandy, was dat ik om mayonaise vroeg bij mijn friet.

'En, hoe verzoen je je werkelijke daten met alles wat je in je column beschrijft?' vroeg hij ietwat smalend.

'O, die column. Weet je, het zijn gewoon vermakelijk bedoelde stukjes over een vrouw die een vriend probeert te vinden. Zeker niet autobiografisch. Ik werk voornamelijk als verslaggever voor de stadsredactie.'

Hij was duidelijk niet overtuigd. 'Nou, ik kan me niet voorstellen dat een beetje verstandige vent iets met jou te maken wil hebben,' zei hij.

Ik lachte kirrend; hij maakte natuurlijk een grapje. Het kwam niet eens in me op dat hij wel eens gelijk kon hebben.

Een uur later zette hij me thuis af en zoefde de nacht in, om nooit meer iets van zich te laten horen. (Via Janis kwam ik een jaar later te weten dat hij met een boomlange Scandinavische schoonheid was getrouwd die voor Calvin Klein werkte.)

Sanjay, mijn tweede afspraakje via Lisa, werd door haar omschreven als 'kierewiet en overal voor in'. Hij bleek een temperamentvolle 28-jarige te zijn die zei dat hij uitsluitend met blondines uitging en zich nog zeker tien jaar niet wilde binden omdat hij zich op zijn carrière bij de bank wilde richten. Blijkbaar had Lisa terecht gesteld dat je je prioriteiten al vooraf vast moest stellen.

Ik nam Sanjay mee naar een feestje dat de platenmaatschappij van Groove Armada had georganiseerd. Vanaf het dakterras Windows of the World, het blitse restaurant op het dak van het World Trade Center, zagen we de hele stad als een glinsterende deken van oranje lichtjes onder ons uitgespreid liggen. (Fiona had de uitnodiging via haar bedrijf bemachtigd en aan het goede doel opgeofferd.)

Sanjay had er schoorvoetend mee ingestemd zich te laten filmen voor *To Live and Date in New York*, maar kreeg er zichtbaar spijt van toen we voor de draaiende camera's achter het kennismakingsdrankje zaten, en hij zich plotseling realiseerde dat hij in beeld zou verschijnen als het type dat bereid was te betalen voor een afspraakje.

'Luister, ik heb me alleen maar bij Lisa ingeschreven omdat ik het te druk heb om mensen te ontmoeten,' zei hij met een schichtige blik op de verlichte straten diep onder ons.

'Wat doe je precies?' vroeg ik.

'Ik bemiddel in schulden van noodlijdende ondernemingen.'

Ik keek hem wezenloos aan.

'Het is ongeveer zoals wanneer je tegenover een vrouw zit die aan de buitenkant heel lelijk is, maar daaronder een mooi karakter heeft. Wij doen hetzelfde met bedrijven.'

'Fascinerend.' Ik begreep er nog steeds geen snars van. Probeerde hij me soms een of andere hint te geven?

'En jij, jij laat de hele stad meegenieten van je seksleven?' vroeg hij.

Ik was onthutst. Hij werd nog beledigend ook. Zo werd mijn column toch zeker niet gezien?

'Nee, mijn stukjes gaan eerder over het bestaan als single in New York,' mompelde ik.

'Nou, ik hoop maar dat je niet over mij schrijft.'

Nu was het mijn beurt nerveus naar het uitzicht te kijken. Allemachtig, we werden gefilmd voor een tv-programma over daten. Het was een beetje te laat om verlegen te worden.

Kort daarop schuifelden we met de camera's op onze rug gericht de dansvloer op. Maar na nog een paar snel achterovergeklokte drankjes leek Sanjay er ineens niet meer mee te zitten dat hij op tv en in mijn column zou figureren. Met veel ceremonieel deed hij zijn bovenste knoopje los en hij barstte los in een doldrieste dans.

'Weet je, als ik eenmaal op dreef ben, kan ik behoorlijk impulsief zijn,' schreeuwde hij in mijn oor. 'Energie, dat is alles wat je nodig hebt.'

En een fles wodka.

Hij greep me bij mijn heupen en begon woest te wiegen, bumpen en wrijven. 'Schudden maar!' riep hij.

Het hippe publiek op de dansvloer schoof vol afschuw bij ons vandaan, en vanuit mijn ooghoek zag ik de opnameploeg gniffelen. Maar ik kon niet anders dan enthousiast meewiegen en -bumpen.

Er is maar één ding erger dan houterig dansen, en dat is gegeneerd dansen. God, ik hoopte maar dat dit eruit werd geknipt.

'Kijk, dat was nou mooie televisie!' zei de ploeg toen we eindelijk weer aan de bar zaten. Ik begon er spijt van te krijgen dat ik me ooit had laten ronselen voor het programma.

Die spijt werd nog heviger toen Sanjay aanbood me met een taxi thuis af te zetten. Zodra we alleen achterin zaten, besprong hij me, probeerde hij zijn mond op de mijne te drukken terwijl de wagen over de West Side Highway scheurde.

'Kom op, jij sekscolumnist, ik heb het verdiend,' lalde hij in een walm van wodkadampen. Hij tuimelde over me heen toen de taxi West 14th Street op sloeg. Ik dook weg, me afvragend of hij misschien gelijk had.

Terwijl ik de vier trappen naar onze loft beklom, vervloekte ik mijn ijdele zucht naar roem. Als ik zo doorging zou ik eeuwig single blijven, en terecht.

Daar komen de bruiden

Als vrijgezelle vrouw op een bruiloft krijg je onvermijdelijk met een combinatie van de volgende vragen te kampen: 1 Hoe zal mijn eigen bruiloft eruitzien? 2 Met wie zou ik trouwen als ik het vandaag voor het kiezen had? en 3 Wie kan ik zoenen, nu ik er op mijn paasbest bij loop?

Toen ik met mijn oude vriend Henry in Cherry Hill, Oxfordshire uit de auto stapte, nam ik me echter heilig voor me niet door zulke onzin te laten afleiden. Ik had een dieproze jurk aan, en mijn haar zat in een kringelig opgestoken kapsel waar ik dagen op had geoefend. We liepen over het pasgemaaide gazon naar een witte feesttent, waarvoor een menigte gasten in de late zomerzon champagne stond te nippen, en ik hield mezelf voor dat deze bruiloft gewoon een mooie gelegenheid bood om bij te praten met oude Engelse bekenden. Maar mijn maag zat in een knoop. Een van die oude bekenden was Angus.

Milly hoorde bij het Londense clubje waarmee we de millenniumwisseling op Jamaica hadden gevierd. Haar bruiloft was al de tweede waarvoor ik deze zomer naar Engeland was overgekomen. Het vorige huwelijk was voltrokken in een klein Schots dorpje, en ik had de EasyJet-vlucht van Londen naar Glasgow gemist. In een druilerig café had ik zitten fulmineren omdat ik alleen was en nu in mijn eentje de ingewikkelde tocht naar het verre noorden moest afleggen, terwijl alle anderen het reisje leken te combineren met een romantisch weekeindje weg; samen met hun wederhelft overnachtten ze onderweg in landelijke hotelletjes.

In elk geval had ik op Milly's bruiloft iemand om samen mee binnen te komen. Henry en ik stevenden rechtstreeks af op een jonge serveerster die met een blad vol champagne bij de ingang van de tent stond. We pakten allebei een flûte en klokten de sprankelende nectar achterover.

'Ah, daar was ik aan toe,' verzuchtte Henry. 'Het is zo belangrijk een bruiloft in de juiste stemming te beginnen.'

We liepen naar Luke, de bruidegom, en zijn getuige Alex toe, die er in hun jacquetkostuums uitzagen om door een ringetje te halen.

'Van harte, maat. Het wordt een schitterende dag,' zei Henry terwijl hij Luke op de rug sloeg.

'Ik ben zó blij voor je.' Ik sloeg mijn armen om hem heen, intussen met één oog de menigte afspeurend. Was Angus er al? Ik durfde het niet te vragen.

'Lief dat je helemaal uit New York hierheen bent gekomen, Bridge,' zei Luke.

'En, heb je je toespraak al voorbereid, Alex?' vroeg Henry. 'We verwachten dat je de zaal plat krijgt.'

'Hou op.' Alex blikte nerveus naar de meute. 'Ik sta zo te zweten dat ik straks nog een schoon overhemd aan moet.'

Glimlachend hoorde ik het gesprek aan... tot ik opeens geen enkele aandacht meer aan hen kon schenken. Angus kwam over het gazon onze kant op lopen.

Hij was alleen (ik had nagevraagd of hij India mee zou brengen). Hij droeg een roomwit linnen pak en een zachtlila overhemd met een witte roos in zijn knoopsgat. Zijn gezicht was goudbruin van de zon, en hij had een klein blond baardje laten staan, dat hem de uitstraling gaf van een Noorse ontdekkingsreiziger. Verdomme. Waarom was hij niet gewoon kaal en tien kilo dikker geworden sinds we uit elkaar waren?

Ik deed net alsof ik hem niet had gezien en begon overdreven hard om Alex' grapjes te lachen. Een paar tellen later stond hij naast ons.

'Ha, jongens, wat een prachtig weer, hè! Luke, gefeliciteerd. En hoe is het met de schone bruid?' zei hij terwijl hij Luke de hand schudde. Het was typerend dat hij de enige was die zo attent was naar Milly te informeren.

'Prima, prima,' antwoordde Luke. 'Ze zit met haar moeder boven, voor zover ik weet.'

Ik stond naar mijn champagnebelletjes te staren tot hij zich eindelijk naar mij toe draaide.

'Ha, lekker stuk,' zei hij opgewekt. 'Net overgekomen vanuit New York?'

'Ja, gisteren pas geland zelfs!' antwoordde ik nog opgewekter.

We omhelsden elkaar, en de geur van zijn Eau Sauvage blies het hele afgelopen jaar zonder hem weg. Ik wilde hem nooit meer loslaten. Hij leek daarentegen verpletterend onaangedaan door mijn aanwezigheid.

'Leuk je te zien, Bridge,' zei hij terwijl hij zich terugtrok.

In de tent rook het naar stoom, biezen matten en rozen. Henry,

Angus en ik schuifelden achter de massa aan naar binnen, nadat we zo veel mogelijk van de champagne hadden geprofiteerd. Er waren lange banken opgesteld voor de gasten, en voor het bruidspaar stond voorin een eenvoudige houten katheder met guirlandes van witte rozen. We bewogen ons in de richting van een lege bank achterin. Ik liep als eerste het gangpad op terwijl Henry bleef staan om iemand te begroeten, dus Angus kwam achter me aan.

Bij onze zitplaatsen pakten we allebei ons dagprogramma op en begonnen het te bestuderen. Op iemand anders bruiloft naast de ex zitten met wie je ooit van plan was geweest te trouwen, dat stond vast hoog op het lijstje van risico's voor hart- en vaatziekten. Ik voelde de neiging er een grapje over te maken maar had zo'n vermoeden dat Angus zou zeggen: 'Deze dag draait niet om jou, Bridge'.

In plaats daarvan speurde ik de tent af of ik andere bekenden zag. Het was verbazingwekkend hoeveel van mijn leeftijdgenoten inmiddels kinderen hadden. Overal drentelden peuters rond in snoezige katoenen zomerkleertjes, en het wemelde van de moeders die hun baby's in trendy draagdoeken op hun borst hadden. Het leek wel een kleuterklas op schoolreisje.

Rosie, een oud studiegenootje van me, wurmde zich samen met haar man Mark op de bank voor ons. Op de ene arm had ze een pasgeboren baby, op de andere een mollige peuter die vrolijk met een halfgesmolten chocoladereep over haar snoet wreef. Dit kon niet. Het leek pas gisteren dat Rosie en ik in een roes van xtc de benen uit ons lijf hadden staan dansen, en nu had ze al twéé kinderen? Rosie was altijd een oogverblindend feestbeest geweest, maar vandaag zag ze er afgetobd uit. Haar voorheen gave huid zat onder de vlekkerige make-up. Haar roze flaphoed stond scheefgezakt op haar hoofd terwijl ze de baby verschoof en probeerde de chocoladevlekken van de peuter af te vegen. Ze stak getergd haar hand naar ons op voordat ze zich nijdig sissend naar Mark boog, die het grootste kind van haar overnam.

Bij die aanblik besefte ik dat vrouwen van in de dertig in twee categorieën uiteenvielen. Je had degenen met jonge kinderen die weemoedig terugkeken op hun vrijgezellenbestaan en zich afvroegen hoe hun glamoureuze, ongecompliceerde leven zo plotseling in een uitputtende strijd tegen slapeloze nachten en slopende dagen had kunnen veranderen. En je had de singles die zich, al hun onafhankelijkheid en schoonheidsslaapjes ten spijt, in paniek afvroegen of ze eigenlijk niet bezig moesten zijn met het verschonen van luiers. Bruiloften vormden de kortstondige, vreugdevolle raakvlakken tussen de twee groepen.

'Milly en Luke, ik heb de afgelopen weken het genoegen gehad kennis met jullie te maken tijdens de voorbereidingen voor deze heuglijke dag, en wat me het meeste is opgevallen is dat jullie elkaars beste vrienden zijn. In de toekomst zal die hechte vriendschap de gezegende band zijn die jullie verenigt,' begon de dominee, die voor het paar stond. Ik durfde niet naar Angus te kijken.

'In de liefde gaat het niet uitsluitend om passie, maar ook om kameraadschap en respect. Het gaat om de zekerheid dat jullie elkaar bij zullen staan en samen verder zullen groeien, wat de toekomst ook mag brengen.'

Tenzij een van jullie hem smeert naar New York, natuurlijk.

Met Milly en Luke als nieuwste aanwinst van mijn groep getrouwde vrienden verliep de rest van de dag volgens de kenmerkende jolige formule van een Engelse bruiloft in het groen. Op het terras voor het met rozen begroeide huisje van Milly's ouders werden toespraken gehouden en heildronken uitgebracht. Het gezelschap streek in een andere, grotere tent aan ronde tafeltjes neer voor de rosbief en nieuwe aardappeltjes. Tegen zessen was het kabaal tot een oorverdovend niveau gestegen, dankzij de typisch Engelse copieuze aanvoer van drank. Geleidelijk aan waagden de eerste gasten zich op de dansvloer. Omdat ik er weinig voor voelde in mijn eentje te gaan staan hupsen, schuifelde ik van tafel naar tafel om bij te praten met oude bekenden.

'Je schijnt tegenwoordig een heuse Carrie Bradshaw te zijn, hè?' merkte iemand op.

Ik dacht aan de taxirit met de aanhalige Sanjay en aan de afschuwelijke Luciaanse Confrontatie.

'Nou, niet echt hoor,' zei ik.

In de tussentijd was ik me er, zoals op alle feestjes waar verse exen rondliepen, voortdurend van bewust dat Angus in de buurt was. Hij leek met iedereen behalve mij een praatje aan te knopen of te dansen. Om de moed erin te houden, dronk ik stevig door.

Achter de provisorische bar naast de dansvloer stond een engelachtig uitziende ober, die telkens als ik naar hem toe liep naar me grijnsde. Ik begon terug te lachen. Op bruiloften had je in elk geval altijd nog het bedienend personeel om mee te flirten, ook al waren ze vandaag de dag wat aan de jonge kant.

Op mijn vierde tripje naar de bar besloot ik toe te slaan.

'Zo... ik neem aan dat je tot het eind van de avond moet werken... al plannen voor daarna?' Ik knipoogde naar hem.

'Eerlijk gezegd komt mijn vriendin me ophalen voor de schooldisco.'

Ik kon wel door de grond zakken. Waarom had hij geen ontwijkend antwoord kunnen geven? Moest hij me per se inwrijven dat ik min-stens tien jaar ouder was dan hij, en dat zelfs hij voorzien was? Die klierige puber.

'Jammer, want ik ga morgen terug naar de set van *Sex and the City*, en ik had je mee willen vragen,' lispelde ik.

Hij keek verward. 'Luister, zou je echt nog wel een borrel nemen?'

Ik veranderde mijn bestelling in water en stommelde de tent uit om mezelf te vermannen.

Ik keek naar de sterren in de inktblauwe lucht. Was ik gedoemd die overjarige, zielige figuur te zijn op bruiloften, die net iets te hard riep dat er niets mis mee was om nog steeds alleen te zijn? Maar er wás ook niets mis mee. Dat wist ik. Waarom zou iedereen tussen zijn 26e en 32e moeten trouwen? Dat bewees toch alleen maar dat ze allemaal fantasieloze slaven van de doortikkende tijd waren. Of kwam er een punt waarop je nu eenmaal praktisch moest zijn en accepteren dat je niet eeuwig de tijd had? Per slot van rekening zaten mijn verschrompelende eitjes te wachten op bevruchting, en mijn op leeftijd rakende ouders op kleinkinderen. O nee. Daar had je ze weer, diezelfde vragen die door mijn hoofd bleven spoken. Ik hield mezelf voor dat het geen zin had me er voortdurend zorgen over te maken. Positief blijven, ik moest positief blijven.

'Bridget Harrison, je bent alleen maar zielig als je dat zelf denkt,' zei ik hardop in de tuin.

'Wat zei je, Bridge?' Een klein groepje mensen dat op het gazon stond te roken draaide zich naar me toe.

'Eh... niks, niks. Ik haal gewoon even een frisse neus,' mompelde ik, en ik liep vlug verder.

Het was onderhand flink donker. Ik zag een van boomstammen gemaakt bankje halverwege het pad naar het huisje staan. Ik plofte erop neer, nam een slok water en ademde diep in en uit. In het bloemperk achter me stond een sproeifontein. Het spetterende geluid van het water op de blaadjes werkte kalmerend. De zoele geur van rozen en lavendel hing in de lucht. Ik begon een beetje op te knappen. Op een dag zou ik ook zo'n tuin hebben, beloofde ik mezelf, ook al moest ik hem in mijn eentje onderhouden.

Ik hoorde voetstappen op het pad. Angus kwam uit de richting van het huis op me aflopen.

'Alles in orde, Bridge?'

'Ja hoor, ik had gewoon wat frisse lucht nodig. Is het niet heerlijk hier buiten?'

Hij ging naast me op het bankje zitten.

'Hoe gaat het echt met je?'

'Prima, prima. Ik begin eindelijk mijn draai te vinden in New York.' Ik wachtte even om me ervan te verzekeren dat mijn stem niet oversloeg. 'En hoe gaat het met jou en India?'

'O, dat loopt goed.' Hij zweeg even. 'En jij, heb jij iemand?'

Ik keek naar de sterren die boven ons uitgestrooid waren. 'Ach, er is een bepaalde redacteur bij de *Post*, maar ja, het is nog erg pril.'

Pril? Dat was wel heel zacht uitgedrukt. Maar de gedachte aan Jack beurde me op. Op Jack had ik mijn hoop gevestigd, terwijl ik geleidelijk aan mijn verleden losliet.

'Nou, ik hoop dat het een goeie vent is,' zei Angus.

'Ja, hij is heel aardig, en heel slim. Een rijzende ster bij de krant. Hij is zelfs net gepromoveerd; hij is nu mijn baas.'

'Je báás?'

'Ja, nou ja, hij is overgeplaatst van de zakenrubriek. Hij is nu chef van de stadsredactie. Dus als ik straks terug ben, moet ik aan hem rapporteren,' vertelde ik op luchtige, montere toon. Ik probeerde het zelf nog steeds te bevatten.

Stevie Wonders *Isn't She Lovely* kwam vanuit de tent de nacht in drijven.

'Lijkt me nogal gecompliceerd,' vond Angus.

Dat was helemáál zacht uitgedrukt.

De langste dag

De ochtend van 11 september 2001 werd ik net voor negenen wakker gemaakt door Pom. Ze stond met een wat geschokte uitdrukking op haar gezicht en de telefoon in haar hand in de deuropening van mijn kamer.

'Je vriendin Kathryn van Channel 4 in Londen heeft net gebeld. Ze zegt dat er een vliegtuig het World Trade Center in is gevlogen. Of je haar terug kunt bellen om te vertellen wat er precies aan de hand is.'

Ik had geen flauw idee wat er aan de hand was. Ik had diep liggen slapen in een hok zonder ramen.

Dit moet ik meteen aan de redactie doorgeven, was mijn eerste ingeving. Ik krabbelde mijn bed uit, nam de telefoon van Pom over en koos het nummer van kantoor.

'Hé, met Bridget. Ik geloof dat er zojuist een vliegtuig het World Trade Center in is gevlogen. Hebben jullie me daar nodig?' vroeg ik gewichtig.

Denise Buffa, een verslaggever die die ochtend de coördinator waarnam, zat er al bovenop. 'We hebben er al acht reporters en fotografen heen gestuurd. Er is nog een tweede vliegtuig ingeslagen; we denken dat het een terroristische aanval is. Je moet zo snel mogelijk naar kantoor komen om de boel uit te schrijven.'

Drie minuten later stond ik buiten verwilderd naar een taxi te speuren. Intussen probeerde ik Kathryn met mijn mobieltje terug te bellen. Overal stonden mensen die op weg waren geweest naar hun werk verbijsterd in de richting van de Twin Towers te staren. Vanuit elke hoofdstraat waren ze zichtbaar.

De bovenste verdiepingen van beide wolkenkrabbers stonden in lichterlaaie. Uit de markante verticale groeven van de gevelbekleding schoten oranje vlammen, er er wolkte dikke zwarte rook de lucht in. Het was alsof iemand op het puntje van Manhattan twee gigantische Romeinse kaarsen had aangestoken.

Ik dacht aan mijn afspraakje in Windows on the World met Sanjay, net twee weken geleden. Jeetje, ik hoopte maar dat er nu niemand boven zat. Nee, iedereen was er vast op tijd uit gekomen.

Het enige wat nu nog telde, was dat ik zo snel mogelijk op kantoor kwam. Ik zag een taxi en wist drie andere voetgangers voor te zijn. Tijdens de rit over 8th Avenue richting Midtown zagen we op elke straathoek groepen mensen staan, die met open monden naar de torens staarden. Ze zagen eruit als figuranten in een King Kongfilm, op het moment dat het enorme beest door de stad stampt, allemaal met hun handen voor hun gezicht geslagen, hoofdschuddend van ongeloof over waar ze getuige van waren.

'Dit is volkomen gestoord,' zei de taxichauffeur.

'Zeg dat wel.' Ging ik in plaats van naar het noorden naar het zuiden, waar het allemaal gebeurde.

Ik arriveerde om 9.25 uur op de redactie. Binnen was het al een drukte van belang; de medewerkers die in Manhattan woonden en het adres hadden kunnen bereiken hadden zich direct gemeld, of ze nu dienst hadden of niet. De harde kern van de bureauredactie, degenen die het snelst en soepelst een tekst konden produceren, zat al aan de telefoons en tv's gekluisterd, paraat om informatie te verwerken van reporters die zich bij het World Trade Center bevonden. De bureaus waren verlaten; iedereen verdrong zich voor de monitorwand. Op alle nieuwszenders waren vertraagde herhalingen te zien van United Airlines vlucht 175 die zich in de zuidelijke toren boorde. Ik keek om me heen of ik Jack zag. Hij was er nog niet.

Denise riep me bij zich; ik kreeg de opdracht gewonden op te gaan wachten in het Bellevue op 1st Avenue en 20th Street, het ziekenhuis dat het dichtst bij de Twin Towers lag. Ik controleerde of ik mijn pieper en notitieblok had en stormde weer naar buiten om opnieuw een taxi te nemen.

Tot mijn verbazing zat er nog steeds beweging in het verkeer, al ging het stapvoets. De gebouwen aan ons plein stroomden leeg, mensen liepen richting Central Park. Anderen stonden ingespannen naar de schermen te staren waarop Fox het nieuws vertoonde. Het beeld van de vlammende torens lichtte aldoor op. Iets verderop op 6th Avenue kon je ze werkelijk zien branden.

Deze taxichauffeur had zijn radio afgesteld op 1010 WINS, en terwijl we door een reeks smalle zijstraten gehaaste, angstige voetgangers voorbijkropen, hoorden we dat ook het Pentagon door een vliegtuig was geraakt. Er schenen nog meer toestellen vermist te worden, wellicht in de buurt van Chicago en Los Angeles. Het Capitool en de westelijke vleugel van het Witte Huis werden geëvacueerd. In het hele land was het luchtverkeer stilgelegd.

Hoewel het tot me doordrong dat ik in mijn uppie achter in een taxi zat in een stad die onder vuur lag, terwijl heel Amerika afgleed naar de chaos, was ik om de een of andere reden niet bang. Ik had alleen een merkwaardig gevoel van ontzag; hier gebeurde iets waar niemand iets aan kon doen. En waar het ook op uitdraaide, het was mijn taak er voor de *Post* over te rapporteren.

De radiocorrespondent was minder kalm. De vrouw beschreef de brandende torens live vanaf een dak in New Jersey. Terwijl zij toekeek en wij luisterden, stortte de zuidelijke toren in. In een verstikte kreet riep ze: 'O god, de toren, hij stort in! Een van de torens is ingezakt!' Ze snikte. 'O god, o god.'

Hoe griezelig het ook klonk, ik wou dat ik er zelf bij was.

Bij de lelijke betonnen monoliet van het Bellevue Hospital, ingeklemd tussen 1st Avenue en de verkeersader FDR aan de oostelijke rand van Manhattan, heerste paniekerige bedrijvigheid. Ik had vlug uitgedokterd waar de gewonden binnen zouden worden gebracht. Aan de linkerkant van het gebouw vulde een terrein voor de eerstehulpingang zich met ambulances, paraat om uit te rukken. Terwijl ik ernaartoe rende, kwam er een horde medische studenten in groene chirurgenpakken op de ingang af marcheren, hun gezichten bleek en vastberaden. Later kwam ik erachter dat ze regelrecht uit de collegebanken waren geplukt om zich voor te bereiden op de toevloed van gewonden.

De grote hal van het ziekenhuis liep inmiddels vol met grimmig kijkende New Yorkers die bloed kwamen geven; iedereen wilde helpen. Het overbelaste personeel probeerde stoelen voor ze te regelen en ze in ordelijke rijen op te stellen. Gewone patiënten, velen in ziekenhuispyjama's, sommige in rolstoelen of op krukken, andere met infusen, zagen er in de consternatie ineens verloren en broos uit.

Er doken tv-ploegen en verslaggevers op. We waren er allemaal: *The New York Times, Daily News, Newsday,* CNN, Fox, NY1, Channel 4, 7 en 11, 1010 WINS, en zelfs iemand van de BBC. Aanvankelijk konden we ongehinderd door het gebouw rennen en probeerden we de behandelzalen op te komen. Het gerucht ging dat er hele verdiepingen waren vrijgemaakt en dat de bedden al vol lagen met stervenden (die verhalen bleken allemaal verzonnen te zijn). Maar al snel werden we door de beveiliging in de kraag gegrepen, en de verhitte woordvoerder van het ziekenhuis smeekte ons rustig af te wachten. Hij beloofde ons op de hoogte te brengen zodra er nieuws was. Kort daarop hoorden we dat ook de noordelijke toren was ingestort.

De surrealistische ochtend ging over in de middag. Elk heel uur verzamelden we ons in een zaaltje achter in het ziekenhuis voor een persconferentie, waar we telkens te horen kregen dat er tot nog toe niet meer dan een tiental gewonden was binnengebracht. Na afloop belde ik steeds braaf de redactie, maar ik had ze weinig te melden. Een groot deel van de dag zat ik voor de zuidelijke ingang van het ziekenhuis. De FDR die daarlangs voerde was inmiddels afgesloten voor burgerverkeer, en met loeiende sirenes sjeesde een onophoudelijke stroom van ambulances, politie en brandweer richting het World Trade Center. Deze kant op bleef de weg uitgestorven.

Ik was (voor de zoveelste keer) gestopt met roken, maar vandaag besloot ik weer te beginnen. Een CNN-cameraman gaf me een Marlboro, en we zaten samen op de stenen trap die naar de dubbele deuren leidde naar de sirenes te luisteren.

'Het heeft weinig zin je druk te maken over longkanker als de wereld toch op het punt staat te vergaan,' grapte ik. Een verpleegster kwam bij ons staan om een vuurtje te vragen.

'Wat gebeurt er daar toch allemaal?' vroeg ik haar. 'Waar blijven al die gewonden? Er moeten honderden mensen binnen zijn geweest.'

'Schat, al sla je me dood. We staan al de hele dag klaar om ze op te vangen. Het schijnt dat ze zelf zijn weggelopen. Of het helemaal niet gered hebben.'

In stilte rokend probeerden we alle drie te bevatten wat ze zojuist had gezegd.

Er kwam een auto tot stilstand, volgekoekt met wit gruis. De ruitenwissers hadden ternauwernood een stukje glas voor de bestuurder weten vrij te maken.

'Allemachtig,' bracht ik uit.

Het was een van de ziekenhuisdirecteuren, zei de verpleegster. Hij was naar het crisiscentrum bij het World Trade Center geweest. De man die uitstapte was zelf ook bedekt met wit stof. Terwijl we met onze notitieblokjes op hem afsnelden, streek er een windvlaag over de voorruit die het poeder in een wolk opstuwde. Mijn ogen begonnen te branden, en het was alsof ik een bijtend zuur had ingeademd.

Proestend, met onze handen voor ons gezicht, stommelden we bij de auto vandaan. De scherpe, bittere geur zou de hele stad al snel gaan herkennen als de stank van Ground Zero.

Terwijl ik in mijn tranende ogen wreef, begon me ineens te dagen wat een vreselijke toestand het bij het WTC moest zijn. Ik hoopte maar dat onze reporters geen gevaar liepen, en ik vroeg me af hoe het met Jack en de rest op kantoor ging.

Er kwam een vrouw op de ingang aflopen, ook wit van het stof.

Ze keek verdwaasd om zich heen. We omsingelden haar, maar zelfs de opdringerige tv-reporters hielden zich vandaag in.

Tiffany Keeling heette ze, en ze kwam uit Albuquerque. Ze was hierheen gevlogen om een informaticacursus te volgen op de zestigste verdieping van de zuidelijke toren. Het was haar eerste bezoek aan New York. Even voor 8.45 uur had de groep uit het raam het uitzicht staan bewonderen.

'Ineens klonk er een dreun, en alles begon te schudden. Toen zagen we honderden vellen papier langs het raam dwarrelen. We dachten eerst dat het serpentines waren van een of andere optocht.'

Terwijl wij koortsachtig in onze blokjes krabbelden, vertelde ze ons hoe ze vervolgens hadden gezien dat er in de diepte onder hen brand was uitgebroken. Zij en haar collega's hadden hun tassen gepakt en waren via het trappenhuis op weg gegaan naar beneden. Maar twee verdiepingen lager hadden ze via de intercom gehoord dat er geen gevaar dreigde.

'Een heleboel mensen zijn toen weer naar boven gegaan,' zei ze. De tranen stroomden over haar stoffige wangen, trokken glanzende sporen over haar gezicht. 'Sindsdien heb ik van niemand meer iets gehoord.'

Zelf was ze nog steeds in het eindeloos lange trappenhuis geweest toen het tweede toestel was ingeslagen. 'Ineens brak de hel los. Het hele gebouw trilde, overal verschenen scheuren, de trap lag vol bloed. Je kon de kerosine ruiken.'

Voor het eerst stond ik mezelf toe me een voorstelling te maken van de gruwelijke taferelen in de torens, een beeld dat ik in de maanden daarop door de talloze interviews zo goed zou leren kennen.

Tiffany Keeling vertelde dat ze uitgeput was geraakt en op de 24e verdieping door haar benen was gezakt. Dat ze het uiteindelijk naar de begane grond had gered, had ze te danken aan een vreemde die bij haar was blijven staan en had gezegd dat hij niet zonder haar verder zou gaan. Eenmaal beneden waren ze met hun laatste kracht het pand uit gestrompeld.

'Buiten liep iedereen door elkaar te rennen,' zei ze. 'Toen riep iemand "kijk uit!" Ik keek omhoog en dacht dat ik een schaduw zag. Voordat ik het wist, kwam het gebouw op me af. Het zakte gewoon in. Ik liet me op de grond vallen, trok mijn jas over mijn hoofd en dacht dat ik er geweest was. Ik voelde een soort hagel op mijn rug vallen. Ik kreeg geen lucht, zo veel stof stoof er op. Ik dacht echt dat ik dood was, maar ik hoorde iemand zeggen: "Je leeft nog, je leeft nog", en ik werd weggetrokken. Ik weet niet hoe ik mijn ene voet voor mijn andere kreeg. Toen ik achteromkeek, zag ik dat alle politiewagens, alle mensen die voor het gebouw hadden gestaan waren verdwenen. Gewoon verdwenen.'

Haar schouders schokten van het huilen. Het groepje reporters en cameraploegen stond zwijgend om haar heen, onthutst door haar verhaal.

'Wat is er gebeurd met de man die je naar beneden heeft geholpen?' vroeg ik.

Ze keek me aan en schudde alleen haar hoofd maar. Had ik het maar niet gevraagd.

Later zag ik haar in haar eentje op het parkeerterrein staan, haar haar nog steeds vol stof. Vanuit een telefooncel probeerde ze snikkend een taxi te bellen. Het drong tot me door dat ze hier alleen was, niet naar huis kon, geen idee had wat er met haar vrienden was gebeurd en er alleen maar nachtmerries voor haar in het verschiet lagen. Ze sjokte richting First Avenue, en terwijl ik haar nakeek vroeg ik me opeens af waarom ik niet naar haar toe was gegaan om haar te helpen. Zelfs op een dag als vandaag beschouwde ik andermans leed als een kans op een primeur.

Tegen elf uur 's avonds waren de meeste verslaggevers uit het ziekenhuis vertrokken. De tv-ploegen bereidden een laatste live-uitzending voor voor het late nieuws. Ik belde nog eens naar kantoor en werd doorverbonden met Steve.

'Kun je blijven werken?' vroeg hij. 'We hebben gehoord dat er politie-eenheden vanuit andere regio's onderweg zijn om te helpen met de reddingswerkzaamheden.'

'Natuurlijk.' Zolang ik maar bezig bleef, had ik het gevoel dat me niets kon overkomen.

Op 1st Avenue kocht ik een pakje sigaretten, en ik begon in de richting van de West Side te lopen. De stad was verlaten. Het immer aanwezige geraas van taxiclaxons, optrekkende auto's en piepende bussen was gedoofd. In plaats daarvan hing er een griezelige stilte over de lange wegen, slechts onderbroken door sirenes. Winkels waren gesloten, anders afgeladen restaurants waren dicht en de kroegen waren leeg. Terwijl ik in mijn eentje door het donker liep en mijn eigen voetstappen hoorde, leek het wel alsof de hele stad onder beleg was.

Op de paar gezichten die ik passeerde stond dezelfde uitdrukking van verbijstering en ongeloof. 'Dit is een zwarte dag voor de stad,' zei een man die op 40th Street stond. 'De wereld is voorgoed veranderd.'

Afslaand bij Bryant Park zag ik de tenten die waren opgebouwd voor de New York Fashion Week spookachtig klapperen in de wind. Ze zagen er vreemd en misplaatst uit. De kleurrijke reclames

op bushokjes voor H&M, Swatch en Nokia leken ineens zo beteke-
nisloos. Het anders zo drukke Times Square was uitgestorven, en
de felle lichten wierpen een kille neongloed op de lege trottoirs. Een
paar toeristen liepen verdwaasd rond.

In dit deel van de stad waren de cafés wel open. Voor de televisies binnen zaten kleine groepjes mensen, alsof ze naar een Yankees-
wedstrijd keken. In plaats daarvan toonde elke zender keer op keer
het moment waarop de zuidelijke en noordelijke toren in een wolk
van stof ineen waren gestort.

Rond middernacht arriveerde ik in de West Side. Zoals Steve al
had voorspeld, hadden zich politiewagens uit de noordelijke regio's
van New York, uit Pennsylvania en Connecticut op de afgesloten
snelweg verzameld. De geüniformeerde vrijwilligersoperatie werd
geleid vanuit een kleine trailer voor het Javits Convention Center.
Je kon aan de gezichten zien dat ook hier niemand echt wist wat hij
moest verwachten of wat er aan de hand was.

In het donker stonden ernstig kijkende agenten naast hun voer-
tuigen gedempt te praten. Ik haalde mijn notitieblokje weer tevoorschijn en liep op een van de mannen af. Brigadier Glenn Carlson
kwam van het Mount Pleasant-korps in Westchester County.

'Ze lopen al de hele dag manschappen op te trommelen,' zei hij
met een knikje naar de rij politiewagens achter de zijne. 'We zijn om
drie uur vanmiddag aangekomen, en we zijn bereid alles te doen
wat nodig is. Als we maar kunnen helpen. Het verkeer regelen, de
menigten in goede banen leiden, lichamen bergen. Wat ze ook maar
willen.'

Een stukje verderop zat agent Timothy Mahoney uit Dobbs
Ferry, ook in Westchester County, rokend in zijn auto naar het centrum te staren.

'Er liggen mensen bedolven onder het puin, sommigen leven
misschien nog. We blijven tot ze ons wegsturen,' zei hij.

Ik belde de redactie weer. Deze keer nam Jack zelf de telefoon op.
Zijn stem klonk hol en vermoeid. Sinds mijn terugkomst van de
bruiloft in Engeland droomde ik er steeds vaker van dat er iets tussen ons zou opbloeien, ondanks het feit dat hij nu mijn chef was.
Ineens leek het een absurd, onnozel, irrelevant idee.

'Hoe staat het ermee?' vroeg hij.

Ik vertelde dat ik op Steves verzoek de vrijwilligers had geïnterviewd, en hij zei dat ik mijn notities door moest geven aan een van
de verslaggevers die nog bezig waren met redigeren, en dat ik dan
naar huis moest gaan, naar bed.

'Je moet morgen goed uitgerust zijn,' zei hij.

'Is alles verder in orde met iedereen?'

'Ja, de reporters en fotografen die ter plekke waren hebben zich er allemaal doorheen geslagen. Sommigen zitten nu nog op kantoor.'

Zijn stem werd zachter. 'En met jou? Gaat het wel?' vroeg hij.

'Ja hoor.'

Meer viel er niet te zeggen.

Stik maar in je antrax

'Hallo, met Bridget Harrison. Ik werk als verslaggever voor de *New York Post*. Ik weet dat u het heel moeilijk hebt op het moment, maar ik ben bezig aan een artikel over mensen die een overlijdensakte voor een dierbare hebben aangevraagd na de aanval op het World Trade Center, en ik begrijp dat u er zojuist een hebt aangevraagd voor uw vrouw. Eh... ik vroeg me af of u hem al binnen hebt.'

'Hallo, met Bridget Harrison weer, de verslaggever van de *Post*. We hebben elkaar gisteren aan de lijn gehad. Ik vroeg me af of er al iets bij de post zat vandaag?'

'Hallo, met Bridget van de *Post*. Nog nieuws? O, hij is binnen. Wat erg. Zoudt u het goed vinden als we een fotograaf langs stuurden om een foto van u te nemen... met de akte?'

Het was drie weken na 11 september, de hele stad was in rouw gedompeld, en ik kromp ineen bij het horen van mijn eigen vraag. Het was verschrikkelijk de door verdriet verscheurde nabestaanden te vragen of ze voor de krant op de gevoelige plaat wilden. En het leek alsof mijn werk tegenwoordig alleen nog maar daaruit bestond.

Na de wereldwijd verschenen paniekkoppen over de aanvallen, doken er nu duizenden achtergrondverhalen op over mensen die dierbaren hadden verloren. De beurshandelaren en secretaresses die op de bovenste verdiepingen hadden gewerkt; de managers die ontbijtbesprekingen hadden gehad op het dakterras; de timmerlieden en metaalbewerkers die onderhoud hadden uitgevoerd; de brandweerlui, politie en hulpverleners die zich na de inslag naar zuidelijk Manhattan hadden gespoed.

Overal in Manhattan hingen gekopieerde foto's van vermiste mannen, vrouwen, zonen, dochters en verloofden. Op elk bushokje, aan elke lantaarnpaal fladderden vakantiekiekjes, foto's van diploma-uitreikingen en trouwportretten. Ze zaten op de kaartverkoophokjes in de metro geplakt, bij Penn Station en Grand Central, en op de gevel van de Armory op Lexington, die was ingericht als informatiecentrum. Na de aanvallen hadden zich daar honderden nabestaanden gemeld, in de hoop dat een vermiste dierbare alsnog ongeïdentificeerd zou opduiken in een ziekenhuis. Op kantoor noemden we het 'de klaagmuur'.

De *Post* stuurde dagelijks reporters naar de Armory, Ground Zero, de herdenkingsdiensten, en naarmate de tijd verstreek ook naar de uitvaarten voor brandweerlieden, epische gelegenheden bijgewoond door 3.000 collega-helden in vol ornaat die langs de straat stonden. Voorafgegaan door een bluswagen passeerde de kist, begeleid door het hartverscheurende geluid van de doedelzakken van het politiekorps. Bij elke begrafenis wapperde er een enorme Amerikaanse vlag van een brandweerwagen, de kleuren scherp oplichtend in de felle herfstzon. Op die momenten begreep ik Amerika's vaderlandslievende trots, en voelde me ermee verbonden. De grimmige tranen van de kinderen die veel te jong van hun vader waren beroofd, stonden op mijn netvlies gebrand.

Col Alan, de hoofdredacteur die Xana vijf maanden eerder had opgevolgd, verordonneerde dat wij de krant van de New Yorkse helden zouden zijn. De maanden daarop versloegen we elke uitvaart, en we zouden nog drie jaar berichten over de stoffelijke resten die geleidelijk aan werden geïdentificeerd.

Toen de gemeente aankondigde dat er in versneld tempo overlijdensakten zouden worden uitgeven voor de slachtoffers, kreeg ik de taak toebedeeld de eerste van de zeventig gezinnen die erom hadden gevraagd te benaderen. Col wilde per se dat wij de primeur kregen. Ik moest ze dagelijks bellen, om te zorgen dat we nog op de dag dat de akte bij de post zat een foto konden bemachtigden.

Mensen één keer vragen of ze de overlijdensakte van een dierbare hadden ontvangen was al vreselijk, laat staan als je het vier dagen achterelkaar moest doen. Maar hoezeer ik er ook tegen opzag de telefoon te pakken, mijn angst dat mij de pas zou worden afgesneden door een andere krant en dan uit te moeten leggen hoe dat had kunnen gebeuren, was groter.

Op mijn bureau lag een stapel papier met de namen en telefoonnummers van de gezinnen, door onze documentalisten via computerbestanden achterhaald. Ik haalde diep adem voordat ik zo'n nummer draaide, want ik wist nooit wat ik aan de andere kant van de lijn kon verwachten: onverstoorbare behulpzaamheid, eenzaamheid en behoefte aan een luisterend oor, moeite met het formuleren van een zin, of het botweg neersmijten van de hoorn na mijn vraag.

Op 5 oktober 2001 vielen de eerste overlijdensakten in de bus. De dag daarop prijkte op onze voorpagina een foto van de akte van Cantor Fitzgerald, een 39-jarige beurshandelaar die op de 90e verdieping van de noordelijke toren had gewerkt. Zijn vrouw vertelde me dat ze al op het moment waarop ze de aanvallen op tv had gezien had, beseft had dat haar vier kinderen hun vader nooit meer zouden zien. Ze had de overlijdensakte niet nodig gehad om de waarheid onder ogen te zien, zei ze. Dat had ze gedaan zodra ze de torens in zag storten.

'Juist, ja,' had ik gezegd, de telefoon onder mijn kin geklemd terwijl ik haar woorden intikte. Voor de zoveelste keer in de afgelopen drie weken had ik niets passends weten te bedenken.

Tijdens die bizarre herfst slokte mijn werk bij de *Post* al mijn energie op. Terwijl de hele stad gebukt ging onder de vrees dat Al Qaeda nog niet klaar was met ons, vormde de *Post* een saamhorige gemeenschap. Anne Aquilina liet pizza's op kantoor bezorgen, omdat we geen tijd hadden om naar buiten te gaan voor de lunch, en we 's avonds meestal tot laat doorbuffelden. Langan's boekte forse omzetwinst, omdat we allemaal behoorlijk dronken.

Bij veel New Yorkse singles verbleekte de trots op de zo geroemde onafhankelijkheid bij de angst voor eenzame avonden. Mensen schoten geregeld wakker van loeiende sirenes of het plotse gebulder van een patrouillerende F-16, doodsbang dat er een grotere aanval was ingezet, beseffend dat ze niemand hadden om bij weg te kruipen.

Pom, Sacha en ik sliepen tegenwoordig met onze slaapkamerdeur open, en het viel me op dat we elkaar steevast 'welterusten' toeriepen, als in een karikatuur van de Waltons. Sinds Fi's huisgenoot het had bijgelegd met zijn ex en naar het platteland was gevlucht, kwam ze vrijwel elke avond naar ons toe, en eindigde ze naast Sacha in bed.

Ook ik vroeg me af wat ik zou doen als er een biologische of chemische aanval op de stad zou plaatsvinden en we plotseling aan de giftige dampen moesten zien te ontsnappen. Naar wie zou ik me wenden voor hulp, zonder familie in New York? Zou het raar zijn om Jack te bellen? Ik fantaseerde dat hij zich een weg zou banen door de hysterische massa's in Manhattan om me te zoeken en me naar een of ander knus boerderijtje buiten de stad zou meevoeren. Toen bracht ik mezelf in herinnering dat als er zo'n aanval kwam, wij erover moesten rapporteren. Jack zou het veel te druk hebben op de redactie om mij te komen redden.

Hoewel het verdriet en de angst overheersten in New York, bestond er ook verzet. Het was verbazend hoe snel de stad gewend raakte aan het voorheen onbevattelijke idee dat zuidelijk Manhattan nu een stoffige spookstad was rond een enorme, smeulende berg verwrongen metaal en beton, waar ooit de ontzagwekkende

Twin Towers hadden gestaan. Er restte slechts een gat aan de horizon, gevuld met vettige bruine rook.

's Avonds gingen Fi en ik – zoals de burgemeester de bevolking dringend had verzocht – geregeld naar restaurantjes in de omgeving, die om klanten zaten te springen. Voorbij Liberty Street was de hemel griezelig helder door de gigantische witte schijnwerpers die Ground Zero verlichtten bij de reddingsoperatie die dag en nacht doorging. De bijtende stank die ik voor het eerst bij het Bellevue Hospital had geroken hing nu overal, en zette je ertoe aan schietgebedjes te doen voor de bergingswerkers die nog steeds voortploeterden.

Twee weken na de aanslagen merkte ik in mijn column op dat de stad waar nooit iemand tijd voor een ander had gehad, ineens een plek vol liefde en zorgzaamheid was geworden. Het was me opgevallen dat mensen op straat in het voorbijgaan naar elkaar glimlachten, dat vrouwen met kinderwagens spontaan hulp kregen aangeboden bij het instappen in de metro. Bij de halte van 14th Street begon iemand briefjes van vijf neer te leggen bij een slapende bedelaar, die voorheen al van geluk mocht spreken als hij een paar kwartjes in zijn kopje vond. De meest zelfzuchtige stad ter wereld begon sympathieke trekjes te vertonen.

De seksueel getinte mopppen over 11 september vlogen over en weer. Mannen beweerden dat het nog nooit zo gemakkelijk was geweest een vrouw te versieren, omdat niemand alleen wilde slapen. Ikzelf had af en toe de nacht doorgebracht met mijn oude vlam, de vage Tom. We waren elkaar op straat tegen het lijf gelopen en hadden bij een borrel bijgepraat, en ineens had ik hem zitten bepotelen, hunkerend naar genegenheid.

Ironisch genoeg kreeg ik Jack nu vaker te zien dan ooit. Hij kwam vrijwel elke avond naar Langan's, uitgeput en met rode ogen, en vaak vingen we elkaars blik. Maar ondanks mijn biobom-reddingsfantasie hield ik mezelf voor dat romantiek nu uitgesloten was. Ik nam genoegen met de wetenschap dat hij en ik, net als alle anderen bij de *Post*, in elk geval samen waren in deze vreemde nieuwe toestand. En dat was ook zo.

Kort nadat ik het artikel over de overlijdensakten had geschreven, zat ik op een avond laat nog te werken aan een column over mijn ontmoeting met Tom, getiteld *Vlucht in vreemde armen*, toen Jack en de hoofdredacteur op kantoor verschenen. Ze riepen al het personeel bijeen en maakten bekend dat er een antrax-aanval op de *Post* was geweest.

Een envelop waarop eenvoudigweg *redactie* had gestaan was ergens in de afgelopen drie weken op kantoor bezorgd en gaan zwerven. Uiteindelijk was hij opengemaakt door Johanna Huden, een bureauredacteur, die nu een zwart uitgeslagen middelvinger had. Poederbrieven met een gelijksoortig handschrift erop waren eveneens verstuurd aan presentator Tom Brokaw van NBC, aan ABC News en CBS News, en aan de senatoren Tom Daschle en Patrick Leahy. Ze waren allemaal verzonden vanaf het hoofdpostkantoor in Trenton, New Jersey. (Al met al overleden er uiteindelijk vijf mensen aan antrax, onder wie een fotoredacteur bij het sensatieblad *Sun* in Florida, en twee personeelsleden van een postsorteercentrum in Washington D.C., naast een Vietnamese immigrant uit New York en een 94-jarige vrouw uit Connecticut die volgens de politie in aanraking was gekomen met post die door een van de antrax-brieven was besmet.)

Met ernstige gezichten hoorden we het bericht aan. Vervolgens togen we allemaal naar Langan's en maakten geintjes over het feit dat het aan onze chaotische omgang met poststukken te danken was dat de met antrax gevulde envelop een week lang onopgemerkt en ongeopend was gebleven.

Twee dagen later stond er een foto van Johanna op de voorpagina van de *Post*, waarop ze haar verbonden middelvinger opstak naar Osama bin Laden en om het even wie verantwoordelijk was voor het versturen van de dodelijke brieven. De kop erboven luidde STIK MAAR IN JE ANTRAX.

Gedurende de week banjerden er mannen in witte ruimtepakken door de redactiezaal om proeven te nemen, terwijl wij allemaal gewoon in onze normale kleren achter de computers zaten. Het gebied waar de envelop was gevonden, was afgedekt met een zeil en afgezet met linten en waarschuwingsbordjes met BESMETTINGSGE-VAAR erop. We plakten ballonnen en papieren sterren op het plastic om het wat op te fleuren.

Wij waren de *New York Post*, het was onze plicht het verdriet van de stad te documenteren en de verloren helden te eren.

En uiteraard waren we er stilletjes allemaal trots op dat wij een poederbrief hadden gekregen, en niet de *Daily News*.

Van uw buitenlandcorrespondent: druilerig dorp, Engeland

'Niks glitter en glamour, als verslaggever werken voor een tabloid,' had mijn vriendin Sarah bij *The Times* altijd gezegd. 'Je bent overgeleverd aan een stel nieuwsredacteuren die je op de gekste momenten naar de gekste plekken kunnen sturen, of je er nu zin in hebt of niet. En niemand zit op jou te wachten in een rotsituatie. Je moet informatie uit mensen zien te trekken die misschien helemaal over de rooie zijn. En hoe je ook je best doet, het is nooit genoeg, de krant wil altijd meer.'

'Maar geef nou toe, het is toch fantastisch op stel en sprong de hele wereld over te worden gestuurd?' had ik altijd geprotesteerd. Voordat Sarah naar *The Times* was overgestapt, had ze jarenlang voor een Engelse tabloid gewerkt.

'O ja, het is geweldig om om twee uur 's nachts je bed uit te worden gebeld en naar een troosteloos dorp in midden-Frankrijk te worden gejaagd omdat daar de minnares van een of andere tweederangs tv-presentator is gesignaleerd. Om vervolgens bij aankomst 's ochtends vroeg te ontdekken dat er nergens iets open is en je in je auto moet slapen.'

Ik stond in de regen op de deur van café de Slaughtered Lamb te bonken, in een saai gehucht bij Guildford in Zuidoost-Engeland, na een nachtvlucht uit New York en ik vroeg me af of ze misschien gelijk had gehad. Ik had overal liever willen zijn dan in dit godvergeten oord, doodvriezend en zonder enig idee wanneer ik weer weg kon.

'Hallo, is er iemand? Hebt u kamers vrij?' riep ik door de brievenbus.

'Sorry, we gaan pas over 57 minuten open,' klonk een stem van binnen.

'Kunt u geen uitzondering maken? Het stortregent.'

'Regels zijn regels.' O, roemrijk Engeland. Wat was het heerlijk om thuis te zijn.

Ik sjokte terug over het zompige driehoekje gras dat het dorpsgroen van Peaslake was, stapte weer in mijn gehuurde Fiat Punto en

legde mijn hoofd op het stuur. Mijn ogen brandden van het slaap-
gebrek. Het was pas tien uur 's ochtends.

Minder dan twaalf uur eerder was Jack naar mijn bureau komen
rennen: ik moest zo snel mogelijk in het vliegtuig springen. Generosa Ammon, wier welgestelde Wall Street-echtgenoot Ted Ammon
op mysterieuze wijze was doodgeknuppeld in de Hamptons, was
net getrouwd met haar schimmige vriendje, een elektricien. Het stel
was plotseling opgedoken in het dorpje in Surrey.

Ted Ammon had een landhuis gehad in het dorp, 15 kilometer
buiten Guildford, en blijkbaar gebruikte Generosa dat nu voor haar
wittebroodsweken.

De schandelijke Ammon-saga hield New Yorkers al in de ban
sinds Ted in oktober was vermoord, een maand na de aanslagen op
het World Trade Center. Het verhaal had een prikkelende onder-
breking gevormd in een krant die nog bol stond van de artikelen
over 11 september.

Ted Ammons hoofd was ingeslagen terwijl hij in bed lag te slapen, ten tijde van een verbitterde strijd over de voogdij van de
geadopteerde tweeling van het echtpaar en Ammons vermogen van
50 miljoen dollar. Omdat Ted overleden was voordat de schei-
dingspapieren waren getekend, had Generosa alles in haar zak kunnen steken. Iedereen vermoedde dat Danny Pelosi, de elektricien,
Ted had vermoord. (Pelosi zou twee jaar later voor de moord worden veroordeeld.)

Ook al was ik de voor de hand liggende keuze om naar Engeland
te sturen, toch was ik trots dat Jack mij had gevraagd. Het groot-
maken van de krant was Jacks allesverterende passie geworden. Ik
wilde bewijzen dat ik net zo gemotiveerd was als hij.

Ik had mijn telefoon gepakt en de laatste stoel op een vlucht naar
Londen weten te bemachtigen, was naar huis gestormd om wat kleren in een tas te smijten en vervolgens met een taxi naar JFK
gescheurd. Zeven slapeloze uren later was ik op Heathrow gearriveerd, waar ik rechtstreeks naar een autoverhuurbalie was gestoven
en twee uur lang met een opengevouwen kaart op mijn schoot door
de regen was gescheurd.

En nu bleef die verrekte kroeg nog 'zevenenvijftig minuten' dicht.
Opgesloten in de Punto gaf ik mijn plan te douchen op en ik belde
Geoff, een fotograaf van het nieuwsagentschap in Zuidoost-Engeland dat ons had getipt over Generosa en Danny. Via de telefoon
leidde hij me naar een nabijgelegen landweggetje: ik moest uitkijken
naar een lange, smalle oprijlaan met hekken ervoor. Er moest een
bordje op de hekken hangen met COVERWOOD HOUSE, PRIVÉTER-
REIN.

Ik was al ter plaatse toen hij met zijn oude, gedeukte witte Landrover aan kwam rijden. We stapten uit onze auto's en schudden elkaar de hand als spionnen in een roman van John le Carré.

'Wat is het plan? Rijden we gewoon verder?' vroeg ik.

'Nee, kun je niet lezen? Ik kan me niet veroorloven gearresteerd te worden. Je zult ze moeten bellen.'

Hij vertelde dat hij het stel de avond ervoor vanaf het landweggetje was gevolgd en ze in Guildford had aangeklampt. Opmerkelijk genoeg had Danny hem zijn mobiele nummer toegestopt, dat hij nu aan mij doorgaf. Zonder te weten wat ik moest zeggen toetste ik het in.

'Ja?' klonk een Long Island-accent na een paar keer overgaan.

'Hallo, Danny? Met Bridget Harrison. Heb je een paar minuutjes voor een babbeltje?'

'Een babbeltje? Ken ik je ergens van?'

'Eh... niet echt. Maar als je even naar me toe komt, leg ik het allemaal uit. Ik sta, eh.. ik sta aan het begin van de oprijlaan.'

'Mijn oprijlaan? Wie ben je?'

'Een verslaggever van de *New York Post.*'

'Jezus christus, stelletje bloedhonden. Laat ons toch eens met rust!' Hij hing op.

Ik drukte de herhaaltoets in.

'Wat moet je?' brulde hij.

'Ik vroeg me gewoon af hoe het gaat met jou en Generosa, op jullie huwelijksreis.' Ik blikte wanhopig naar Geoff.

'Zeg dat je niet weggaat voor ze hierheen komen om te praten,' siste hij.

'Danny, ik blijf hier staan tot je naar het hek komt,' zei ik.

'Je doet maar wat je niet laten kunt. Maar als je ook maar één voet op mijn terrein zet, laat ik je achter de tralies gooien.' De verbinding werd weer verbroken.

Ik draaide me naar Geoff toe. 'Hij is niet erg toeschietelijk.'

'Geen zorgen, hij komt wel. Zij wil ons hier niet hebben, maar hij kan de aandacht gewoon niet weerstaan.'

Geoff was een degelijk type in een beige parkajas. Hij deed al twintig jaar verslag in de regio, en ik putte moed uit zijn aanwezigheid.

Tot hij abrupt aankondigde dat hij ervandoor moest om zijn vrouw bij Safeway op te halen. 'Ik heb in elk geval mijn foto al,' zei hij opgewekt. 'Veel succes.'

In mijn eentje achtergebleven op de druilerige landweg stampte ik met mijn voeten om warm te blijven. Ik tuurde zorgelijk de oprijlaan af in de hoop een teken van leven te zien. Stel dat Jack me hier helemaal naar toe had gestuurd en ik niets wist los te peuteren?

Ik begon lichtelijk in paniek te raken. Ik liep naar de hekken en probeerde ze open te duwen, maar ze zaten op slot. Moest ik via de struiken naar het huis klauteren? Wat zou Lois Lane doen?

Toen hoorde ik ineens een auto naderen.

Er kwam een groene Jaguar de oprijlaan af rijden. Onder de banden knapten twijgjes. De hekken rammelden en zwaaiden langzaam open. Danny Pelosi zat achter het stuur.

Vlug stapte ik naar voren om de weg te blokkeren, biddend dat de speculaties dat Pelosi een psychopaat was die Ted Ammon in koelen bloede had afgemaakt niet op waarheid berustten.

Hij minderde geen vaart; de lage motorkap kwam recht op me af. Terwijl ik als aan de grond genageld bleef staan, doemde Jacks gezicht voor me op. Als ik omkwam tijdens deze opdracht, zou hij mensen op mijn begrafenis dan vertellen dat hij altijd al verliefd op me was geweest? Was zijn aandacht een paar gebroken botten waard? Een halve meter voor mijn knieën kwam Pelosi met krijsende banden tot stilstand. Hij boog opzij en gooide het passagiersportier open.

'Instappen, als je wilt praten.'

Danny had een grauwe huid en rusteloos heen en weer schietende rattenoogjes. Zijn pikzwarte haar was achterovergekamd; bij zijn slapen was het dunner. Maar hij had een sierlijke Romeinse neus, en ik begreep wel hoe een wanhopige, ongelukkig getrouwde vrouw als Generosa had kunnen vallen voor de man die haar leidingen en pijpen onderhield.

In de auto draaide hij zich met een charmante glimlach naar me toe. 'Luister. Generosa en ik zijn gewoon hier om de kinderen op school te laten wennen. Kun je ons niet met rust laten? De tweeling heeft al een hoop meegemaakt. Er wordt gezegd dat Ted misschien homo was.'

Niet weer die dooddoener.

Ik vroeg hem wat hij en Generosa hadden gedaan sinds ze hier waren aangekomen.

'Ach, je weet wel, niets bijzonders. We proberen een zo normaal mogelijk leven te leiden. We nemen de telefoon niet op, praten niet met advocaten. We zijn uit eten geweest in Guildford, hebben wat oude kerkjes bezichtigd.'

Het idee dat iemand als hij kerken bezocht was zo ongeloofwaardig dat ik in de lach schoot.

Hij wierp me een venijnige blik toe, maar zijn toon bleef zoet. 'Weet je, als dit allemaal achter de rug is, kunnen we hier in Engeland een mooie toekomst opbouwen. Engeland heeft wel iets weg van het platteland ten noorden van New York City. Ik was altijd al van plan hier op een dag naartoe te verhuizen.' Hij blikte onrustig uit het raam.

Ik wist dat hij loog.

'En hoe zit het met Teds dood?'

Vorsend nam hij me op. Zijn donkere ogen stonden nu kil.

'De politie verdoet zijn tijd als ze denken dat ik of Generosa daarachter zitten. Wij hebben er niks mee te maken. Begrepen?' gromde hij.

Ik knikte, geschrokken van de plotse dreiging in zijn stem.

'En nog iets: als je ooit nog voet zet op mijn terrein, laat ik je oppakken. En nu opsodemieteren.'

Hij boog zich over me heen om het portier open te smijten, en heel even dacht ik dat ik een elleboogstoot in mijn gezicht zou krijgen. Ik krabbelde naar buiten, en hij reed door de hekken achteruit de oprijlaan weer op. Onder de wielen spatte bevroren modder omhoog.

Verdomme. Ik had Pelosi te pakken gehad, en nu was hij me weer ontglipt. Ik had moeten weigeren uit te stappen tot hij me iets had verteld wat ik niet al wist. Nu had ik in plaats van een primeur alleen een nat pak gehaald.

Er zat niets anders op dan terug te gaan naar het café.

Aan de Slaughtered Lamb was duidelijk jarenlang niets gedaan. De wanden van de kleine gelagkamer waren vaalbruin van de nicotineaanslag. Er stonden rode fluwelen krukken rond hoge tafeltjes van donker glanzend hout. In een hoek zaten twee mannen in sleetse tweedpakken, met grote glazen bier en pakjes Rothman. Het stonk er naar verschaalde rook en schoonmaakmiddel.

Een pezige barkeeper die zo te oordelen nooit in de buitenlucht kwam stond een vaatwasser uit te ruimen. Ik vroeg hem of er nog een kamer vrij was.

'Allemaal,' antwoordde hij zonder op te kijken.

Toen hij klaar was met de glazen, leidde hij me via de achteruitgang naar een laag prefabgebouw dat zo uit de film *Psycho* leek te komen. Vijf verveloze genummerde deuren, elk met een raam ernaast met kanten vitrage ervoor. Hij opende nummer 1, en ik keek in een muffe kamer met twee eenpersoonsbedden, bedekt met verschoten groene spreien in dezelfde kleur als de wanden. Op een formica kaptafel in de hoek stonden een stokoude televisie en een koelkastje. Achterin zat een krap plastic douchecelletje.

'Is er toevallig ook een internetverbinding?' vroeg ik optimistisch, al had ik mijn kop wel tegen de muur willen beuken bij het zien van de misère.

'Er zit een telefoonaansluiting. Kun je daar niet inpluggen? Nou, als het zo in orde is. Ik moet terug naar de bar.'

'O, voordat u weggaat... Ik vroeg me af of u misschien iets weet over dat huis op de heuvel. Coverwood? Of weet iemand anders misschien iets?'

'Nee.'

'Ik ben verslaggever. Ik ben overgekomen uit New York om er een artikel over te schrijven. Er woont een Amerikaans echtpaar dat...'

'Sorry, ik kan je niet helpen.' En daarmee was hij vertrokken.

Verslagen zakte ik neer op het bobbelige matras. Ach, in elk geval had ik Pelosi gesproken. Ik belde de redactie om het te vertellen.

Steve kwam aan de lijn. Hij klonk opgejaagd en weinig geïnteresseerd in mijn nieuws.

'Ze zijn uit eten geweest in Guildford? Pizza? Zoek uit of ze fooi hebben gegeven. Kennen de dorpsbewoners ze? Zoek uit of ze personeel hebben dat je aan de tand kunt voelen. Waar zitten de kinderen op school? Je moet uiterlijk 17.00 uur rapporteren. Er is een hoop gaande vandaag.' Hij hing op.

Ik legde mijn hoofd in mijn handen. Misschien was ik gewoon niet uit het juiste hout gesneden voor dit vak. Het kon me geen zier schelen of Danny en Generosa een pizza hadden gegeten en of ze een fooi hadden gegeven. En waar moest ik in vredesnaam hun personeel vinden? Het enige wat ik kon bedenken was overal in het dorp aanbellen. Ik pakte mijn notitieblok en stapte weer naar buiten, de regen in.

Peaslake bestond uit een verzameling oude boerenhuisjes en naoorlogse bungalows langs drie wegen in de kom van een vallei, met de kroeg en het dorpsplein in het midden. Wellicht kon ik de schoonmaakster opsporen die op Coverwood House werkte, bedacht ik.

Maar dit was geen aflevering van *Miss Marple*.

'Tabloid? Je vraagt naar iemands privéleven. Ik vrees dat ik je niet kan helpen,' werd er gezegd, waarop de deur in mijn gezicht werd dichtgesmeten. Bij elk huis kreeg ik dezelfde reactie. Het was alsof ik mezelf voorstelde als nieuw lid van de plaatselijke nazipartij.

Hoe zou Sarah het in haar tabloiddagen hebben aangepakt? Ze zou het lef hebben gehad bij Coverwood House op de deur te bonken en te eisen Generosa persoonlijk te spreken, privéterrein of niet. Ik besloot de heuvel weer op te rijden. Ik parkeerde een paar honderd meter van de oprijlaan, negeerde de zeurende vermoeidheid in mijn lijf en dook de bosjes in.

De dik begroeide bodem helde omhoog, naar waar ik vermoedde dat het huis stond. Ik klauterde door het struikgewas. Mijn jeans en schoenen sopten meteen van de regen die aan de takken en doornen hing. Ik was tot op het bot verkleumd en was helemaal alleen in het donker. Maar in elk geval kreeg ik geen deuren in mijn gezicht dichtgesmeten.

Uiteindelijk zag ik achter de bomen het pand opdoemen. Het was een groot, grijs tudorbouwsel met hoge, lelijke schoorstenen erop. Het licht achter de ramen priemde door de winterse middagschemering. De Jaguar stond op het grindpad voor de deur.

Ik probeerde te bedenken wat ik nu moest doen, behalve me met bonkend hart achter een boom verschansen. Kon ik ook de moed opbrengen het gazon op te sluipen en door de ruiten naar binnen te gluren? Laat staan op de deur te bonzen?

Ineens hoorde ik een autoportier dichtslaan, gevolgd door het starten van een motor. De felwitte lichtbundel van de koplampen zwiepte langs de bomen.

In paniek liet ik me op de modderige grond vallen, als een uitzinnige marinier. Banden knerpten over de natte oprit en verdwenen in de richting van de weg. Toen drong het tot me door. Wat deed ik hier verdomme op mijn buik in dit stomme bos? Ik had in het laantje moeten posten, paraat om ze te achtervolgen. Verdomme.

Een reportage als deze kon je vanuit zo veel verschillende invalshoeken benaderen. Waarom koos ik steevast de verkeerde? Het was nu tegen zessen plaatselijke tijd, drie uur voor de deadline in New York, en het enige wat ik had was het korte gesprek met Pelosi.

Ik zou weer terug moeten naar de kroeg, proberen daar toch nog iets los te krijgen.

De Slaughtered Lamb was volgelopen, bleek toen ik de gelagkamer in stapte. Het groepje oudere mannen met de bierglazen en asbakken was aangewassen tot tien, en voor het raam zat een jonger stel gin-tonic te drinken. De barkeeper tapte een Guinness voor een man van middelbare leeftijd in wandellaarzen, die met een briefje van vijf pond bij de bar stond. Ik liep schuchter op hem af.

'Hallo,' zei ik opgewekt.

De man nam me op alsof ik zojuist in zijn bier had gespuugd.

'Avond.'

'Eh... ik vroeg me af of u misschien iets weet over dat huis op de heuvel, Coverwood.'

Geen boe of ba.

'Eh... er schijnt een Amerikaans stel te wonen... Hebt u onlangs misschien iemand gezien?'

'Het staat het grootste deel van het jaar leeg, meer weet ik niet,' zei de man.

'Vraag het maar aan dat tafeltje daar. Dat zijn de stamgasten,' zei de barkeeper.

Wat? Werd hij ineens behulpzaam?

Voor de tiende keer die dag zette ik me schrap, en ik liep naar het tafeltje met oude mannen.

'Dag, heren, eh... ik hoor dat u hier vaker komt. Ik vroeg me af of u iets van Coverwood House weet?'

Er daalde een vijandelijke stilte neer.

'Hoezo?'

'Eh... nou, ik ben schrijver voor een Amerikaanse krant, en ik probeer contact te krijgen met dorpsbewoners.' Na de kille reacties aan de deuren hoopte ik dat 'schrijver' wat beter klonk dan 'verslaggever'. Maar nee.

Een van de mannen zette zijn glas met zo'n dreun neer dat het bier over de rand kolkte. 'Ik heb al gehoord dat jij hier rond liep te snuffelen. Overal aanbellen, iedereen lastigvallen.'

Het was alsof de hele kroeg meeluisterde.

'Eh...'

'Luister goed, niemand hier weet iets over dat huis, en als ze wel iets wisten, zouden ze het jou niet aan je neus hangen. Wat mensen thuis doen is hun eigen zaak. Jullie persmuskieten zijn hier niet welkom.'

Alle ogen in de zaak waren nu op mij gericht.

'Ik heb gehoord dat je hier zelfs een kamer hebt genomen,' zei een andere man beschuldigend.

'Ja, dat klopt. Wil iemand misschien nog iets drinken?' probeerde ik.

'Daar zorgen we zelf wel voor.'

Ik droop af. De barkeeper haalde zijn schouders op. Ik bestelde een dubbele gin-tonic, nam mijn glas mee naar mijn bedompte kamer en schakelde mijn laptop aan. Ik zou het moeten doen met de paar flarden die ik had.

Vrolijke weduwe Generosa Ammon en haar elektricien-minnaar-echtgenoot Danny Pelosi hebben zich in Engeland verschanst, naar eigen zeggen om rustig te genieten van hun wittebroodsweken...

Het kostte me een uur om mijn nogal inhoudsloze verhaal te schrijven, en nog eens een uur om uit te puzzelen hoe ik online kon komen om het in te sturen. Pas toen realiseerde ik me dat ik sinds mijn vertrek uit New York niets meer gegeten had. Ik besloot me nog een keer in de kroeg te wagen. Ik mocht dan de melaatse van het dorp zijn, ik kon mezelf in elk geval op een warme maaltijd trakteren voor ik naar bed ging.

'Sorry, de keuken sluit om negen uur,' zei de barkeeper toen ik om de kaart vroeg. Het was acht minuten over.

'Kunt u heel misschien een uitzondering maken? Ik heb de hele dag nog niets gegeten.'

Nee, dat kon niet. Ik dineerde met een zak chips.

Weer terug op mijn kamer ging ik op bed liggen en staarde mistroostig naar het plafond. Zouden er werkelijk mensen zijn die plezier hadden in dit werk? Al die jaren dat ik ervan had gedroomd journalist te worden... om in mijn uppie in een somber dorp te eindigen waar ik chips zat weg te werken in een kroeg vol mensen die me wegkeken. Ja, Sarah had aldoor gelijk gehad. Tabloid-reporter was de meest belabberde baan die er bestond. En ik was er niet eens goed in.

De inmiddels vertrouwde angst bekroop me weer eens. Stel dat ik mijn hele leven totaal had verknald? Als het niet om mijn stomme Lois Lane-droom was geweest, was ik misschien in Engeland gebleven en zou ik nu getrouwd zijn. Dan zou ik op dit moment thuiskomen van een heilzaam uurtje yoga en achter het fornuis kruipen om voor mij en Angus het avondmaal te bereiden. Oké, yoga was saai en koken kon ik niet, maar dat zou ik onderhand wel geleerd hebben.

In plaats daarvan zat ik vast in een of andere afgrijselijke kroeg, zonder vriendje, en morgen zou mijn zoveelste slappe artikel verschijnen in een krant die een dag later in de vuilnisbak zou liggen. Goed, ik had mijn column. Maar hoelang kon ik nog doorgaan met grappen en grollen over mijn sneue liefdesleven? En misschien had Sandy, de producent met wie Janis Spindel een afspraakje voor me had geregeld, wel gelijk gehad. Stel dat mannen juist afknapten op mijn stukjes?

Ik dacht terug aan drie weken eerder, toen ik naar Engeland was gekomen voor de zoveelste gezapige Kerstmis thuis met mijn vader en moeder, mijn oudere, eveneens ongetrouwde, broer Andrew en mijn jongere zus Jacqui, die als schilder in haar eentje op een woonboot woonde. Net als alle voorgaande jaren waren we met ons vijven geweest.

Op kerstavond was mijn moeder in de tuin bezig geweest haar nieuwe vogelvoederbakje te vullen. Ze had gewezen naar een spar die naast ons vervallen, verwaarloosde houten speelhuis stond.

'Die boom heb ik van het Australische toeristenbureau gehad

toen hij nog piepklein was. Ik heb hem geplant met het idee hem naar binnen te halen bij de eerste kerst dat we een kleinkind zouden hebben,' had ze weemoedig gezegd.

De boom was al ruim twee meter hoog.

'Hmmm, ik betwijfel of je hem nu nog door de achterdeur krijgt,' had ik gegrapt terwijl we ernaar hadden staan staren. Maar ik had het gevoel gehad dat ik tekortschoot.

Ik sloot mijn ogen om de deprimerende groene wanden van de kamer buiten te sluiten. Misschien moest ik maar eens onder ogen zien dat ik waardeloos was in mijn werk en naar huis teruggaan, ook al waren al mijn vrienden inmiddels aan hun tweede kind toe...

Mijn mobieltje blèrde door mijn slaap. O nee, het was vast Steve die zijn beklag wilde doen over mijn verhaal.

Ik nam op en mompelde hallo.

'Bridget, met Jack.'

Ik schoot overeind, op slag klaarwakker.

'Hoe gaat het daar in je vaderland? Het zal daar inmiddels wel laat zijn.'

'Hallo, prima. Nee, het is nog voor middernacht.' Ik viel even stil. 'Sorry, mijn verslag was nogal slap. Ik heb mijn uiterste best gedaan, maar...'

'Ik heb het gelezen, het is goed zo. Ik weet dat je je best doet. En die uitspraken van Pelosi waren geweldig. Wat een eikel is dat toch.'

'Hij zei dat ze de kinderen hier op school wilden laten wennen. Ik weet bijna zeker dat het een superdure kostschool is hier in de buurt, Cranleigh. Ik wilde er morgen eens heen om te kijken of de tweeling daar inderdaad zit.'

'Ja, dat zou een mooi vervolg zijn. Weinig medewerking in het dorp, hè?'

Ineens drongen de tranen zich op. 'Jack, ze háten me.'

Hij grinnikte. 'Jou? Bridget Harrison, de sexy columnist van de *New York Post*?'

'Nee, echt. Ze kunnen me wel schieten.' Ik lachte mee. Had hij me echt sexy genoemd?

'Misschien heb je ze niet genoeg drank gevoerd.'

'Ik heb het aangeboden. Dacht dat ze misschien wel te porren waren voor een paar gratis rondjes, maar ze moesten er niets van weten. Ze konden wel voor zichzelf zorgen. Met mijn Engelse accent bereik ik hier niet zo veel.'

We zaten allebei te gniffelen, en ineens vond ik het niet zo erg meer dat ik in mijn eentje aan de verkeerde kant van het universum in een muffe pensionkamer zat.

'Trouwens, om je even te waarschuwen,' zei ik. 'Ik zit in het Bates

Motel, dus misschien haal ik de ochtend niet. Dan moet je een vervanger sturen.'

'Niemand kan jou vervangen, Bridget.'

Ik begon helemaal te gloeien. Had hij dat écht gezegd?

'Goed, ik moet verder. Ga zo door, hè? Probeer zo veel mogelijk over die school te weten te komen.'

Ik klemde mijn telefoon tegen mijn borst. Misschien was ik er toch nog niet aan toe New York de rug toe te keren.

Blanke columnist, single

'Hé, jij bent toch Bridget Harrison, die columnist van de *Post*?' vroeg een vent in een zwart hemd die in de Hog Pit naast me aan de bar een rondje tequila stond te bestellen.

'Ja, klopt!' Goh, als het zo doorging moest ik binnenkort handtekeningen gaan uitdelen.

'Dan heb ik een vraagje.'

Ik stak mijn hand in mijn tas om een pen te pakken.

'We zijn allemaal benieuwd wanneer je nou eindelijk eens een beurt krijgt?' Hij knikte naar een tafeltje aan de andere kant van de rokerige ruimte, waar een stel gasten grijnzend hun flesjes Bud naar me ophief.

'O, eh... binnenkort,' stamelde ik voordat ik terugvluchtte naar de achterzaal.

De Hog Pit, een ruige cowboybar op de hoek van 13th Street en 9th Avenue, lag twee minuten lopen bij ons vandaan. Het was een lichtbaken in het zich nog steeds ontwikkelende Meatpacking District. 's Avonds togen Fi, Pom, Sacha en ik geregeld naar het café om een potje te biljarten.

Fi liep rond te paraderen in de superstrakke heupjeans waarin ik haar uit kon tekenen. Haar zonnebankbruine buik werd voor een groot deel vrijgelaten. Ze probeerde te bepalen vanuit welke hoek ze het beste kon schieten. Ik plantte de flesjes Corona met een dreun op tafel.

'Een stelletje gasten hiernaast vroeg me net waarom ik nooit een beurt krijg in mijn column.'

'En, heb je gezegd dat je verliefd bent op de enige man over wie je niet kunt schrijven?' zei Fi. Ze boog voorover, en haar spaghetti-topje zakte omlaag, zodat je een glimp van haar pronte borsten in een dure kanten beha kon zien.

'Nee, dat heb ik nou net niet gezegd,' snoof ik terwijl ik de keu van Pom overnam.

Het was laat in het voorjaar, en het leven in de stad begon geleidelijk aan weer zijn normale beloop te krijgen. Nog steeds blikten mensen verschrikt om zich heen als er een brandweerwagen voorbijkwam, en bij zuidenwind kon de bijtende geur van Ground Zero ineens vanuit het niets opdoemen, maar de bedrijvige, ambitieuze New Yorker had wel iets beters te doen dan zich eindeloos door Osama te laten koeioneren.

Dankzij mijn korte gastoptreden in *To Live and Love in New York* was mijn column populairder dan ooit. Maar hoe prettig de lezers het ook vonden zich te herkennen in mijn beproevingen als single in de stad, ze bleven net als ik hunkeren naar romantiek.

Beste Bridget,
    Mijn huisgenoten en ik slaan je column geen enkele keer meer over sinds we hem een paar maanden geleden hebben ontdekt. Ik heb zelfs mijn homovrienden eraan verslingerd gekregen! Het is alsof je mijn leven beschrijft. Mislukte koppelpogingen door goedbedoelende mensen, overal vrienden die zich in het huwelijk en op kinderen storten, de meest bizarre afspraakjes. Zorg alsjeblieft dat je snel een leuke vent vindt, zodat we weten dat er ook voor ons nog hoop is.

Beste Bridget,
    Ik volg je avonturen inmiddels al een jaar, en het verbaast me dat je nog steeds geen vriend hebt. Te oordelen naar je stukjes en je foto ben je een redelijk intelligente, normale vrouw, ook al is je uiterlijk nogal alledaags. Als het jou niet lukt, wie dan wel?

Beste Bridget,
    Laten we ons er niet langer tegen verzetten. Ik verlang wanhopig naar een jongere vrouw, en jij bent simpelweg wanhopig. Ik ben al 45 jaar getrouwd, en mijn vrouw maakt geen gebruik meer van mijn diensten als vroeger. Ik heb haar verteld dat het je zo tegenzit in de liefde, en ze leeft met je mee. We hebben er uitvoerig over gepraat en ze heeft ermee ingestemd dat ik jou mijn lichaam aanbied.

Beste Bridget,
    Ik kan me gewoon niet voorstellen dat er bij de New York Post *geen geschikte vrijgezellen werken die maar al te graag met je uit zouden gaan. Soms word ik verdrietig van je column, en ik zou het heel fijn vinden als je eindelijk eens een leuke man ontmoette die je zou waarderen en met je wilde trouwen.*

Ja, ja, soms was het net alsof ik mijn moeder hoorde praten.
    Frustrerend genoeg zou een relatie met een collega, het moeten

verzwijgen van je verliefdheid, een ideaal onderwerp voor mijn column zijn geweest, maar ik kon er niet aan beginnen. Na mijn reisje naar Guildford had ik me een slag in de rondte gewerkt om Jack te imponeren, maar het was duidelijk dat hij stijf stond van de stress. Nog steeds bleven de aan 11 september gerelateerde verhalen binnenstromen, de Amerikaanse troepen waren Afghanistan inmiddels binnengevallen, en in het Midden-Oosten was het geweld hevig opgelaaid. En, zo bracht ik mezelf in herinnering, hij was tegenwoordig mijn directe chef. Ook al had mijn column geen barrière gevormd, hem laten weten dat ik stapelgek op hem was leek onmogelijk.

Toch had ik het op een zondagavond, na een drankdoordrenkte middag met Fi, niet meer uitgehouden. Ik had haar gesmeekt of ze hem wilde bellen om te vragen of hij zin had een borrel te komen drinken. Zelf had ik het niet gedurfd.

En die drankdoordrenkte zondagmiddagen kwamen met steeds grotere regelmaat voor. Hoewel ik me allang thuis voelde in New York, vond ik het nog steeds vreselijk in het weekeinde alleen wakker te worden en geen plannen te hebben. De laatste tijd begon ik zelfs de zondagse lunches met mijn ouders in Ealing te missen.

Fi en ik gingen sinds kort vrijwel elke zondag lunchen bij Felix, een lawaaierige Braziliaanse bistro op West Broadway, waar in de loop van de namiddag de luidsprekers voluit gingen en iedereen op tafel begon te dansen. En na een paar stevige bloody mary's vond ik het vaak ineens een briljant idee om Fiona tot zulke beschonken telefoontjes aan te zetten. Ze had Jack een keertje in Langan's ontmoet, toen ik haar daarheen had gesleept om hem te beoordelen, en hij was goedgekeurd. Maar helaas had hij het duidelijk een minder goed idee gevonden op zondagavond af te spreken met twee bezopen Engelse meiden – aan de vooravond van weer een slopende week bij de *Post* – en had hij de uitnodiging telkens beleefd afgeslagen. Volgens Fi was Jack ervan overtuigd dat zíj verliefd op hem was, in plaats van ik.

In de tussentijd deed ik verwoede pogingen op andere mannen te vallen. De redding diende zich uiteindelijk een paar weken na de wanneer-krijg-je-nou-eens-een-beurt-confrontatie in de Hog Pit aan... althans, dat dacht ik.

Op een zondagmiddag zag ik een man in een hoekje van Felix staan. Hij viel op een vertederende manier uit de toon bij de Europese kliek, in zijn corduroy broek en slobberige trui.

Hij had mooi roodachtig haar en donkere sproetjes. Ik liep op hem af om nonchalant 'hallo' te zeggen. Christian bleek aan Yale te hebben gestudeerd en was nu hoogleraar Engels aan Columbia, hoewel hij pas 31 was. In mijn zucht naar intelligente mannen was ik meteen overstag.

Hij zei dat hij op een Franse vriend stond te wachten. Ik dikte mijn Engelse accent wat aan en probeerde hem te imponeren met mijn passie voor Shakespeare; ik prees *The Tempest* en *Macbeth* de hemel in. Tot mijn verbazing vroeg hij om mijn telefoonnummer. De week daarop nodigde hij me uit voor een pianorecital in de beroemde literaire salon van het Algonquin Hotel.

Om eerlijk te zijn stond een pianorecital niet boven aan mijn lijstje van favoriete bestemmingen voor een eerste afspraakje, maar vergeleken met veel andere ontmoetingen verliep de avond als een droom. Christian was attent en behoorlijk geestig als hij eenmaal op gang kwam. Terwijl ik tijdens het recital in het donker steelse blikken wierp op zijn ernstige gezicht, overtuigde ik mezelf ervan dat het me prima beviel hier met hem te zitten, en niet met Jack.

Aan het eind van de avond bracht Christian me naar het metrostation op Times Square.

'Oké, nou, tot ziens dan maar,' zei ik. 'Bedankt voor de leuke avond.' Ik bleef staan in de hoop een zoen te krijgen.

'Ik bel je nog wel,' zei hij alleen maar.

Ontgoocheld keerde ik terug naar huis, waar Pom en Sacha nieuwsgierig zaten te wachten om te horen hoe het afspraakje was verlopen. Toen ik vertelde dat een knuffel was uitgebleven, hielden ze me voor dat het in New York normaal was een paar keer met iemand uit te gaan voor er iets lichamelijks gebeurde.

En tot mijn vreugde kwam er daarna een hoos van prachtig verwoorde, flirterige e-mailtjes van Christian binnen, dus vroeg ik hem op de man af of hij me eens mee uit eten wilde nemen in Carroll Gardens, de buurt waar hij woonde.

Hij koos het knusse bistrootje Patois op Smith Street uit, en daar vergastte ik hem op mijn kennis van de laatste ontwikkelingen in Israël. (Ik had de hele dag de internationale persberichten door zitten nemen.) Tegen de tijd dat hij een tweede fles wijn bestelde, begon ik me voor te stellen hoe we op zondag tegen elkaar aan zouden kruipen en diepzinnige gesprekken zouden voeren boven de *The New York Times*.

Toen we weer naar buiten liepen, hoopte ik dat er iets zou gebeuren, maar ik probeerde niet al te gretig over te komen.

'Ik zou maar eens moeten proberen een taxi te krijgen, hè?' opperde ik.

'Je kunt er bij mij thuis een bellen, als je wilt.'

Yes!

Zijn tweekamerflatje lag volgestouwd met boeken. Terwijl ik me opmaakte voor een zinderende nacht van intellectueel liefdesspel, ging hij op de bank zitten en begon door de gouden gids te bladeren. Ik streek naast hem neer en trok mijn denimjasje uit. Hij pakte zijn telefoon, toetste een nummer in en bestelde een taxi.

Als patiënten bij de dokter zaten we naast elkaar te wachten.

'En, moet je morgen vroeg beginnen?' vroeg hij na een poosje.

'Valt wel mee, rond tienen.' Kon ik nóg duidelijker maken dat ik viste naar een uitnodiging om te blijven?

Maar binnen een paar minuten stond de taxi voor de deur, zoals altijd wanneer je wilt dat het lang duurt. Hij gaf me een droog afscheidskusje op mijn wang.

Toen ik thuiskwam, stonden Pom en Sacha net op het punt naar bed te gaan. Ze waren geschokt me te zien.

'Nou ja, het kan ook goed zijn om de spanning langzaam op te bouwen,' zei Sacha sceptisch vanuit de badkamerdeur.

Goed? Wat was er goed aan constant liggen woelen en draaien in bed, aldoor naar mijn telefoon liggen loeren?

'Toe nou, wat vinden jullie? Moet ik hem bellen en zeggen dat we naar de Hog Pit gaan?' vroeg ik voor de derde avond op rij, terwijl we na ons werk aan de keukentafel zaten.

'Ik weet het niet, Bridge,' antwoorde Pom bedachtzaam. 'Je vorige afspraakje is pas vier dagen terug.'

'Maar ik wéét dat we elkaar leuk vinden, dus waarom zouden we zo'n kat-en-muisspelletje spelen?'

'Omdat hij nog niet heeft gebeld,' vond Pom.

'Er zal best een theorie bestaan dat je iemand moet bellen als je dat wilt,' zei Sacha.

Ik besloot dat Sacha het het beste wist. Ik koos zijn nummer, maar hij nam niet op. Ik sprak een berichtje in. De dag daarna liet ik nog een paar luchtige boodschapjes achter.

Ondertussen schreef ik een column over de kwelling tevergeefs te wachten op een eerste zoen. Ik veranderde Christians naam in Alex, zijn baan van hoogleraar in natuurfotograaf (dat beroep had altijd al tot mijn verbeelding gesproken). Na mijn ervaringen met Sandy en Sanjay had ik besloten Christian niet te vertellen dat ik mijn liefdesleven breed uitmat in de krant. Ik wist dat hij zichzelf te veel als intellectueel beschouwde om zijn handen te bevuilen aan de *New York Post*. Brad, de redactiechef van de zondagse bijlage, gaf het stukje de geestige titel *Met getuite lippen het bos in gestuurd*. De e-mailtjes met wijze raad stroomden binnen.

Beste Bridget,
   Als je het mij vraagt lijdt die man aan *faalangst*, zoals zo veel New Yorkers. Zelf ben ik de tel kwijtgeraakt, zo vaak heb ik afspraakjes gehad. Volgens mij heeft hij gewoon een vurige zoen nodig om te ontbranden, en zul jij het initiatief moeten nemen.

Beste Bridget,
   Ik heb het gevoel dat deze man ofwel a. te verlegen is, b. te onvolwassen, c. suiker in zijn tank heeft, als je snapt wat ik bedoel. Als man die keer op keer ziet welke rituelen zich bij afspraakjes ontvouwen, ben ik van mening dat hij je tijd en energie niet waard is. *Zoek verder!*

Beste Bridget,
   Met alle respect, maar ik heb je column het afgelopen jaar gevolgd, en het lijkt erop dat je compleet de plank misslaat met hoe je jezelf aan de New Yorkse normen probeert aan te passen. Inwoners van deze stad verbeelden zich graag dat ze iets bijzonders hebben. Bied jezelf vooral *niét* op een presenteerblaadje aan.

Ik hield op Christian te bellen telkens als ik van plan was iets buitenshuis te gaan doen, maar de week daarop bracht het lot me naar een housewarming van een kennis twee straten bij hem vandaan. Dus had ik hem per e-mail uitgenodigd, hem voorhoudend dat het er zou wemelen van de 'leuke Engelse meiden', en deze keer reageerde hij wel. Eenmaal op het feest was hij zo charmant en spraakzaam – voornamelijk tegen de andere gasten – dat ik me ternauwernood kon inhouden Sacha en Fi trots een por te geven zodra hij ons de rug even toekeerde.
   'Wie was Jack ook alweer?' fluisterde ik zelfvoldaan.
   Toen we na middernacht eindelijk vertrokken en mijn huisgenoten in een taxi naar Manhattan sprongen, stelde ik Christian voor nog ergens iets te gaan drinken. Bij hem om de hoek zat een kroeg, en we vonden een plekje aan de bar.
   Ik nestelde mijn benen tussen zijn knieën. Hij leek zich op zijn gemak te voelen, maar zodra hij zijn eerste drankje op had, smoorde hij een geeuw.
   Ik nam ook mijn laatste slok, en vervolgens zaten we naar onze lege glazen te staren. Kijk, dit is nou het moment bij uitstek om te vragen of ik bij je wil blijven slapen, wilde ik zeggen. Hij vroeg niets.
   Mezelf eraan herinnerend dat ik een zelfverzekerde, vrijgevochten vrouw was, oefende ik in gedachten een brutaal 'Dus neem je me nu mee naar huis?' Maar het enige wat ik wist uit te brengen was: 'En?'

'Ik heb een heel leuke avond gehad. Die Britse vrienden van je zijn ontzettend aardig,' zei hij.

Ja, ja. Maar wat vind je van mij?

Ik boog me naar hem toe en legde aanhankelijk mijn hoofd tegen zijn borst. Hij klopte op mijn rug.

'Nog eens hetzelfde?' De barkeeper pakte onze lege glazen op.

'Nee, bedankt,' zei Christian.

Ik gaf het op. 'Nou, dan moest ik maar eens terug,' zei ik nadrukkelijk.

'Oké, laten we maar gaan.'

Op straat zag ik een vrije taxi langsrijden, en ik stak met tegenzin mijn hand op. Toen trok Christian me plotseling tegen zich aan.

'Heel erg bedankt voor het geweldige feest,' zei hij terwijl hij zijn armen om me heen sloeg.

Ik keek hem aan, dacht aan het 'vurige zoen'-advies van een lezer, en drukte schaamteloos mijn mond op de zijne. Hij nam mijn hoofd in zijn handen en begon me – eindelijk! – te kussen.

'God,' bracht ik uit toen we even ademhaalden. 'Voor iemand die zo gereserveerd is, ben je behoorlijk sensueel als je eenmaal op dreef komt.'

'Sensueel.'

Sensueel? Allemachtig, had ik echt dat vreselijk foute woord gebruikt?

Christian stapte achteruit en keek gegeneerd om zich heen.

'Niet te geloven dat ik als een scholier op straat sta te zoenen,' mompelde hij.

'Nou, het hoeft niet op straat,' fluisterde ik terwijl ik probeerde mezelf een houding te geven.

'Luister, je kunt maar beter naar huis,' zei hij, en hij hield de eerstvolgende taxi aan.

Onderweg zat ik aan één stuk door te vloeken.

In de loop van de week daarop droogden Christians e-mailtjes op. Zijn telefoon werd nooit opgenomen als ik belde; een paar keer om nonchalant voor te stellen ergens iets te gaan drinken. Ik begreep er geen snars van. Zó erg was die 'sensueel'-opmerking toch niet geweest? Vijf dagen later mailde hij eindelijk terug.

Bridget, hoi, sorry dat ik zo lang niet heb gereageerd. Bedankt voor alle uitnodigingen. Ik zat in Chicago, en daarna liep mijn verjaardag wat uit. Ik hoop dat je leuke dingen hebt gedaan deze week. Het beste, tot ziens.

'Het beste'? Het béste? Bij het lezen van die woorden besefte ik dat het over was. Het feit dat ik niet voor zijn verjaardag was uitgenodigd was ook een vrij duidelijke aanwijzing.

'Tot ziens' liet zich vertalen als 'donder op, ik moet je niet meer'. In eerste instantie kon ik het amper bevatten. Toen realiseerde ik me dat ik waarschijnlijk nog nooit zo klungelig met een man was omgegaan. Mijn frequente telefoontjes en wanhopige versierpogingen stonden in New York gelijk aan zelfmoord. In de twee weken dat ik Christian kende, had ik hem vrijwel dagelijks achternagezeten, tegen al Paula's adviezen in. En als ik het zelf nog niet doorhad, wreven mijn lieve lezers het me wel in.

Beste Bridget,
  Een tip voor je. Nooit, maar dan ook nooit een hele rits boodschapjes achterlaten op zijn antwoordapparaat. Laat het jagen maar aan hem over. Tenminste, als je niet als stalker wilt worden bestempeld.

Beste Bridget,
  Heb je eindelijk een afspraakje, moet je hem zo nodig bespringen. Sufkop!

Beste Bridget,
  Het spijt me dat ik het moet zeggen, maar je bent slachtoffer van het Derde Afspraakje-Syndroom. Deze man vond het kennelijk best spannend een nieuwe meid te ontmoeten, maar je hebt hem afgeschrikt. Ik bedoel het niet beledigend, maar als je het tot het vierde afspraakje had gered, was hij bang geworden dat hij aan je vastzat, zeker omdat je er zo openlijk voor uitkwam hoe leuk je hem vond. Hij wilde waarschijnlijk geen vaste vriendin.

Nee, welke man wilde dat nou eigenlijk wel?

Mijn volgende gooi naar romantiek deed ik niet in een Braziliaans café, maar op het platteland van Argentinië. Eind mei werd Sacha door Palu, een bevriende advocaat, uitgenodigd voor een vakantie bij zijn familie op de ranch op Las Pampas, de vlakke, droge streek van veehouderijen.

Toen Sacha vertelde dat het om vier dagen luieren, wijn drinken en paardrijden ging, eiste ik dat ze me meenam. Goed, mijn enige ruiterervaring had ik opgedaan op een ezeltje op het strand in Western Super Mare, toen mijn opa en oma nog een caravan hadden gehad. Maar ik had er al mijn hele leven over gefantaseerd als een cowgirl over de velden te galopperen.

Het was kort dag om vrij te krijgen bij de *Post*, maar de volgende dag klampte ik Jack aan in zijn kantoor.

'Jack, ik weet dat ik het niet hoor te vragen, maar zou ik drie dagen vrij kunnen krijgen? Ik ben uitgenodigd om in Argentinië te gaan paardrijden.' Ik was zo opgewonden dat ik vergat verlegen te zijn. Ik stond praktisch op en neer te springen van opwinding in zijn deuropening.

Jack hield zijn hoofd schuin en nam me vanachter zijn bureau grijnzend op. 'Rustig aan, je lijkt wel een Muppet,' zei hij. 'Ik neem aan dat je nog verlofdagen hebt staan, dus ga je gang. Veel plezier.'

'Jack, ik hou van je!' zei ik zonder erbij na te denken, en ik ging ervandoor.

Op Palu's ranch was het alsof Sacha en ik een sprookje binnenstapten. Op de vloer van de witte villa lagen koele leisteentegels. Onze slaapkamer had luiken en bood uitzicht op een schaduwrijke, weelderige tuin. Maar het was niet alleen de plek die me beviel. Palu had een groep Argentijnse vrienden uit Buenos Aires uitgenodigd, onder wie Caco, een zwijgzame, donkerharige jurist die onderzoek deed naar de rol van de banken in Argentiniës economische ineenstorting.

De volgende dag trokken we via een lommerrijke weg vanaf de villa de velden in, waar het vee van Palu's familie stond te grazen. Als nieuweling in de groep had ik het oudste en sloomste dier gekregen, maar terwijl ik onder een saffierblauwe hemel over de weiden met wilde bloemen reed, zachtjes deinend in het zadel, kwam ik tot de conclusie dat ik een geboren ruiter was.

Althans, totdat Palu zijn paard plotseling in galop bracht en de hele bups erachteraan ging, mijn oude knol inbegrepen. Het kreng stoof het veld over alsof het de favoriet was voor de Kentucky Derby. Verschrikt zat ik te hobbelen in mijn zadel. Op de een of andere manier voelde hij aan dat ik geen idee had hoe ik hem kon laten afremmen. Met uitgestrekte hals probeerde hij de andere dieren bij te houden. Ik kiepte half opzij, klampte me uit alle macht vast aan zijn manen. Mijn moeders woorden echoden door mijn hoofd. 'Paardrijden is levensgevaarlijk. Doe altijd een helm op en sluit van tevoren een ongevallenverzekering af.' Kom, toe nou, ik was een drukbezette reporter en columnist. O, verdomme.

Opeens dook Caco met zijn grote zwarte hengst naast me op. Hij moest hebben gezien dat mijn leven aan een zijden draadje hing.

'Geen paniek, ik zit vlak naast je, oké?' riep hij. 'Ik grijp de teugels wel als het nodig is.'

En daarmee was het pleit beslecht.

Tegen etenstijd kon ik mijn ogen niet meer van Caco afhouden. Hij was de stilste van de groep; hij beweerde dat zijn Engels niet al te best was. Terwijl wij allemaal lol zaten te trappen, glimlachte hij al rokend om onze grapjes. De gesteven witte overhemden en rijbroeken die hij droeg, wakkerden mijn passie alleen maar aan.

De volgende dag zaten Sacha en ik op onze paarden kwijlend toe te kijken hoe hij in een van de velden de wilde pony's bijeendreef. Hij had de hengst in volle galop gebracht, en zijn witte overhemd werd door de wind tegen zijn borst gedrukt.

'O, Bridge, het is net Mr. Darcy uit *Pride and Prejudice,*' mijmerde Sacha.

Ja, we leefden in een sprookje.

Zoals een Darcy-personage betaamt, was Caco vriendelijk, maar bleef hij gereserveerd en wat koel, ondanks mijn zichtbare gehunker. Maar op de laatste dag stelde Palu een ritje bij zonsondergang voor en liet hij vallen dat Caco had aangeboden iemand op zijn paard mee te nemen, omdat iedereen erbij wilde zijn en we dan een paard tekortkwamen.

'Ik wil wel!' riep ik voordat iemand me die kans door de neus kon boren. Die avond reden we onder de vuurrode hemel over de pampa, en deze keer zat ik in het zadel van de zwarte hengst, terwijl Caco moeiteloos achter me op de blote romp balanceerde. Hij gaf mij de teugels en hield zich vast aan mijn heupen. Ik leidde het paard de lagune in, waar zich in het avondlicht wilde flamingo's verzamelden.

Zo onopvallend mogelijk maakte ik grote ogen naar Sacha, die haar paard naast ons het water in voerde.

'Jullie lijken wel een wandelende condoomreclame,' fluisterde ze giechelend. Ik was blij dat Caco de domme grijns op mijn gezicht niet kon zien.

Op weg terug naar de villa vroeg hij of ik zin had om een stukje te galopperen.

'O, graag,' piepte ik. Ik zou nog in volle draf mijn benen voor hem hebben gespreid als hij dat had gevraagd.

Hij stak een van zijn sterke, gebruinde armen om me heen om de teugels te pakken. De andere legde hij om mijn middel.

'Klaar?' vroeg hij. Toen gaf hij het paard een schop, en we schoten het veld over. De flamingo's stoven op terwijl we langs de lagune zweefden; de zon zakte in een zee van kleuren achter de horizon. Het schoot door me heen dat ik letterlijk de zon tegemoet reed, met mijn leven in Caco's handen.

Weer bij de stallen hielp hij me uit het zadel. Mijn benen trilden van opwinding.

'Alles in orde, prinses?' vroeg hij.

Ik was sprakeloos.

Na het eten merkte ik dat Caco zijdelings naar me zat te kijken, en op het moment dat iedereen een plekje zocht in de hangmatten op de veranda, kroop ik brutaalweg naast hem. Het was een heldere avond, de hemel was zuiver zwart. We lagen samen naar de sterren te staren, en hij wees het Zuiderkruis aan. Toen alle anderen naar bed waren, begon hij me te zoenen.

De volgende dag moesten Sacha en ik terug naar New York en terug naar de werkelijkheid. Maar als mijn lezers naar romantiek verlangden, hadden ze zich niets beters kunnen wensen.

Caco en ik hadden elkaars e-mailadres opgeschreven, en hij had gezegd dat ik snel weer naar hem toe moest komen, wanneer ik maar wilde. Glunderend bij de gedachte dat ik mijn hoogstpersoonlijke Mr. Darcy had gevonden zat ik bij de *Post* achter mijn bureau, en ik begon vol goede moed aan mijn column.

VAKANTIELIEFDE OF MEER?

Lukt het ooit een vakantieromance in stand te houden, of moet je zoiets gewoon als een mooie herinnering koesteren? Wanneer ik tegenwoordig mijn computer aanzet, hoop ik steevast op een e-mailtje van een man met wie ik maar een paar dagen ben omgegaan, en die 8.000 kilometer verderop woont.

Caco's mailtje bleef uit, maar de adviezen van lezers stroomden binnen.

Beste Bridget,
Ik heb net je column gelezen en ik vind dat je ab-so-luut contact moet houden met die man. Ik ben pas in Thailand geweest, en daar heb ik iemand uit Israël ontmoet. We zijn maar 24 uur samen geweest, maar na thuiskomst heb ik de moed verzameld hem te bellen. Sindsdien bellen we elkaar elke dag, en hij komt me binnenkort opzoeken!

Beste Bridget,
Ik wil je graag mijn mening geven over je recente artikel. Verban deze Argentijnse advocaat/gaucho alsjeblieft tot het verleden en pak je leven weer op. Anders zet je jezelf voor schut. Al zou dat niet de eerste keer zijn.

Beste Bridget,
Alleen al in New York wonen duizenden kinderen, dieren, bejaarden en gehandicapten die dagelijks lijden onder een gebrek aan liefde en zorg. Ik stel voor dat je wat tijd steekt in de projecten die voor hen zijn opgezet. Dan zul je gegarandeerd genezen van je belachelijke dwangneurose naar romantiek te zoeken zodra je je deur uit stapt.

De week nadat mijn column over Caco in de *Sunday Post* was verschenen, zat ik op de redactie op een opdracht te wachten, toen Jack mijn toestel belde en vroeg of ik zin had mee te gaan lunchen. Verbaasd zei ik ja, en ik propte het broodje dat ik al had gekocht in een la. Eenmaal beneden trof ik hem rokend aan bij zijn vaste pilaar. Hij stelde voor naar de saladebar op 6th Avenue te lopen.

We zigzagden tussen de pauze-vierende menigte door, en opnieuw voelde ik die nerveuze opwinding bij het besef dat ik alleen was met hem. Waarom had hij me mee uit lunchen gevraagd? Dat had hij nog nooit gedaan.

'En hoe gaat het aan jouw kant van de redactiezaal?' vroeg ik.

'Net zo hectisch als anders.'

We liepen Café Europa in en sloten aan in de rij van kantoorpersoneel in driedelig grijs, mensen die net als wij naar buiten waren gerend om iets te kopen wat ze achter hun bureau konden wegwerken.

Jack gaf me een schaaltje gemengde rauwkost aan. Zijn gezicht stond ineens wat onzeker. 'Nou, je hebt zo te lezen een mooie vakantie gehad,' merkte hij op.

'Ja, het was niet slecht. Nog bedankt dat ik vrij kon krijgen.'

'Ik heb je column gezien. Die Argentijn, die advocaat of wat hij ook is. Je lijkt behoorlijk verkikkerd op hem.'

Het verbaasde me dat hij ook maar enigszins geïnteresseerd was. 'O, Mr. Darcy. Nou ja, je weet wel, dat paardrijden, die stoere mannelijkheid. Ik heb nou eenmaal een zwak voor dat soort dingen.'

Jack keek naar zijn schoenneuzen. 'Dus je gaat terug naar Argentinië om hem op te zoeken?'

Was hij nu een beetje rood geworden? Mijn eigen wangen begonnen te gloeien.

'Ach, hij woont aan de andere kant van de wereld, dus ik betwijfel het,' antwoordde ik zachtjes.

Toen keek hij me recht aan met zijn ernstige, lichtblauwe ogen. En in die rij voor de saladebar besefte ik dat hij ondanks al mijn bevliegingen, afspraakjes en avonturen nog steeds de enige man was die ik echt wilde. En dat hij de enige man was die ik niet kon krijgen.

Held gezocht en niet zomaar een

Als je van iemand houdt – oké, of als je langdurig verliefd bent op iemand – zul je op een zeker moment over je angst heen moeten stappen en in actie komen. Voor mij kwam dat moment terwijl ik midden op West Broadway stond en een taxi door de plassen op me af zag komen razen.

'O jee,' was het enige wat ik wist uit te brengen voordat de zijspiegel tegen mijn pols ramde, het passagiersportier tegen mijn knieën stootte en ik achterover op straat viel. Ik hoorde piepende remmen, zag regendruppels, en toen werd mijn blik vertroebeld door zwarte vlekken en gaf ik mezelf over aan het noodlot en, zo hoopte ik, de hemel.

Toen ik bijkwam zag ik Fi's ogen boven me hangen, zo groot als schoteltjes. Ze stond over me heen gebogen. Om ons heen werd nijdig geclaxonneerd, wat waarschijnlijk betekende dat ik niet in de hemel was.

'O, god, Bridget, ben je gewond? Kun je me horen? Je was er bijna geweest. Is je hoofd nog heel? Kun je bewegen?'

Ik wilde een grapje maken, maar ik kon de woorden niet vinden. Mijn kop suisde, mijn knieën tintelden, mijn rug voelde beurs aan op het harde, natte wegdek.

'Urg.' Ik probeerde overeind te gaan zitten. Het was alsof ik ineens honderd jaar ouder was.

'Hé, alles in orde?' vroeg een voorbijganger.

'Verdomme, ga eens opzij!' riep een minder sympathieke man vanuit een bestelwagen.

'Val dood!' schreeuwde Fi terwijl ik haar arm vastgreep en ze me hielp naar de stoep te strompelen.

'Sorry, sorry allemaal,' zei ik uitermate Brits, de automobilisten en het kleine opstootje van toeschouwers erop wijzend dat het mijn eigen schuld was. En dat was ook zo.

Ik had de onhebbelijke gewoonte vlak voor aankomend verkeer de straat over te schieten, altijd zo uitgekiend dat ik op het laatste moment de overkant bereikte. En normaal gesproken werkte dat prima in Manhattan, waar de meeste straten eenrichtingsverkeer hebben. Vanavond had ik voor een truck langs willen stuiven op weg naar de metrohalte, waarbij ik even had vergeten dat West Broadway tweerichtingsverkeer heeft.

De taxichauffeur die vanaf de andere kant was gekomen stond op de stoep te vloeken. Hij was zo geschrokken dat hij zijn sleutels in zijn wagen met draaiende motor had laten zitten. Er kwam een agent aan – zoals altijd gebeurt in Manhattan twee tellen nadat er iets is gebeurd – die me vroeg of ik een aanklacht tegen de taxichauffeur wilde indienen. Ik zei nee.

Fi nam het over, propte me in een andere taxi om me naar huis te brengen. Ik inspecteerde mijn arm en realiseerde me hoeveel geluk ik had gehad. De dikke zilveren armband die ik droeg, had de volle klap van de zijspiegel opgevangen. Er zat nu een fikse deuk in, maar mijn pols was nog heel.

Sacha en Pom zaten in Londen, dus thuis vulde Fi de ketel voor een kop thee terwijl ik met ijs op mijn pols op de bank zat. Daarna stopte ze me in bed.

De volgende ochtend werd ik pas laat wakker. Ik draaide me om en kreunde. Mijn knieën klopten en waren opgezwollen. Mijn hele lichaam voelde aan als een ontstoken kies. Ik trok de dekens over me heen en probeerde weer in slaap te vallen. In plaats daarvan lag ik naar de bakstenen wand van mijn piepkleine slaapkamertje te staren. Het was stil in het lege appartement. Ik werd bekropen door een troosteloos gevoel.

Ik stond me voor op de stoere ik-sla-me-overal-doorheen-houding die ik me in New York had aangemeten, maar nu besefte ik plotseling hoe kwetsbaar ik eigenlijk was. En het ergste was nog wel dat nu ik eindelijk een excuus had de geknakte bloem te spelen, er niemand was voor de rol van held. Niemand die zich aan mijn bedrand schaarde, in tranen van dankbaarheid omdat ik het had overleefd. Na twee jaar in New York was er nog steeds niemand die niet zonder me kon.

Ik draaide me weer om, kromp ineen toen mijn knieën langs de dekens schuurden. Mijn blik viel op de gedeukte zilveren armband op mijn nachtkastje. Angus had hem me een keer als kerstcadeautje gegeven. Ik hees mezelf uit bed en viste mijn mobieltje uit mijn tas. Ik had hem al meer dan een halfjaar niet gesproken, maar zijn nummer stond in mijn geheugen gegrift.

Terwijl de telefoon overging, bereidde ik me erop voor te vertellen hoe zijn armband me op wonderbaarlijke wijze het leven had gered. Maar ik werd doorgeschakeld naar zijn voicemail. Mijn hart sprong op bij het horen van zijn vertrouwde stem.

'Angus, met Bridget, vanuit New York. Ik wilde alleen even zeggen dat ik gisteren ben aangereden door een taxi. Nou ja, mijn arm in elk geval. Alles is in orde, hoor, maar ik dacht dat je wel zou willen weten dat jouw armband me heeft gered. Wat zeg je daarvan?' Ik merkte dat ik overdreven opgewekt klonk. 'Oké, hoe dan ook, ik, eh... ik hoop dat met jou alles goed gaat. Hoe is het met India? Hier gaat alles prima. Nou ja, ik leef in elk geval nog, ha ha. Tja, dat was het eigenlijk. Ik spreek je binnenkort nog wel.'

Ik liet mijn mobieltje op bed vallen. Waar was ik mee bezig? Dacht ik soms dat hij op het eerstvolgende vliegtuig zou springen om me op te zoeken? Ik voelde tranen opwellen. Me vermannend pakte ik mijn telefoon weer op en ik belde Fi, stond erop dat we iets gingen drinken om te vieren dat ik het ongeluk had overleefd. Ze reageerde sceptisch, maar ik hield voet bij stuk: het enige wat ik nodig had was een borrel en wat gezelschap.

We spraken af in Pastis, de bruisende Franse bistro op 9th Avenue, waar we, zoals de traditie was, perzikbellini's en Franse toast bestelden. Een paar uur en meerdere perzikbellini's later, kwam de onvermijdelijke vraag.

'Fi, wil je Jack alsjeblieft bellen om te vertellen dat ik ben aangereden door een taxi?'

'O, nee, niet weer, hè? Ik zweer dat hij denkt dat ík verliefd op hem ben.'

'Toe nou, Fi, doe het voor mij.'

In de loop van de middag was het tot me doorgedrongen dat ik maar naar één ding verlangde: dat Jack wist dat ik gewond was en dat hij het zich aantrok. Het idee zelfs maar één meelevend woord van hem te horen was me meer waard dan een hele vloedgolf aan telefoontjes van wie dan ook; niet dat iemand anders belde.

Ineens drong het tot me door. Als ik een fractie van een seconde sneller West Broadway was overgestoken, was ik onder de wielen van de taxi beland. In plaats daarvan zat ik in Pastis champagnecocktails te drinken. Waarom verspilde ik in vredesnaam mijn korte tijd op aarde – en waarom verveelde ik mijn vrienden – door het eindeloos van een afstand hunkeren naar Jack?

Ik griste Fi's telefoon van het tafeltje en toetste zelf zijn nummer in.

Ook zijn toestel schakelde over naar de voicemail.

'Jack, met Bridget. Ik bel alleen even om te zeggen dat ik gisteravond door een taxi ben aangereden. Het gaat prima, en ik kan morgen gewoon komen werken, hoor, maar... nou ja, ik wilde gewoon even je stem horen, eerlijk gezegd.'

Ik hing vlug op. Fi en ik staarden allebei naar het toestel.

'Dat werd eens tijd,' mompelde Fi.

Voor de tweede keer binnen 24 uur had ik gevoel dat ik mezelf had overgeleverd aan het noodlot.

Twee minuten later ging Fi's mobieltje. We schrokken allebei van het geluid.

Fi nam op, glimlachte toen. 'Ha, Jack.' Ze gaf haar telefoontje aan mij.

'Hoi, ik heb net je berichtje gehoord. Gaat het wel? Waar ben je aangereden? Moet je niet naar een dokter?'

Tot mijn vreugde klonk Jack oprecht bezorgd.

'Nee, alles is prima, ik ben alleen flink geschrokken. Ik had behoefte opgevrolijkt te worden, meer niet. Ik vertel je de sappige details wel op kantoor.' Nu al voelde ik me omhuld door een warme, gelukzalige gloed... en lichtelijk gegeneerd omdat ik zo dramatisch had gedaan.

'Waar ben je?'

'Fi en ik zitten in Pastis te vieren dat ik het overleefd heb. We gaan zo door naar de Hog Pit.'

'Dan kom ik ook,' zei hij.

Een halfuur later zat ik op een barkruk in de Hog Pit zorgelijk mijn gele knieën te inspecteren toen Jack binnenkwam. Hopelijk zag het er ernstig genoeg uit. Hij had een blauw tennisshirt en een canvas broek aan, en zijn haar zat warrig. Hij zag er schattiger uit dan ooit.

Inmiddels behoorlijk aangeschoten wierp ik mijn armen om hem heen voordat ik mezelf kon inhouden. Hij pulkte me van zich af, nam me onderzoekend van top tot teen op.

'Weet je zeker dat je niks mankeert? Heb je je hoofd gestoten? Je weet toch wel wat de symptomen van een hersenschudding zijn, hè? Heb je last van duizeligheid?'

Alleen als ik jou zie, zei ik bijna, maar bij wijze van uitzondering ging mijn mentale klefheidsdetector op tijd af.

De rest van de avond hingen we met ons drieën aan de bar. Ik baadde in zijn aandacht, was hyperactief van geluk. Toen hij aanbood me naar huis te brengen, overdreef ik mijn mankheid zodat ik me aan hem vast kon houden. Terwijl we 14th Street overstaken, verbaasde ik me er opnieuw over dat mensen zo'n effect op elkaar konden hebben. Door simpelweg naar de Hog Pit te komen voor een paar biertjes had hij een nachtmerrieachtige ochtend laten overgaan in een droom van een avond. Wat de gevolgen ook waren, ik moest hem eindelijk eens opbiechten wat ik voor hem voelde.

De grote stap

Hoe vertel je een man die bekendstaat om zijn gesloten, ondoorgrondelijke karakter, dat je al twee jaar verliefd op hem bent? Hoe maak je je baas duidelijk dat je hem ook dolgraag als vriend zou hebben?

Het zou lef vergen. Maar dat had verhuizen naar New York ook gedaan, hield ik mezelf voor.

In mijn notitieblok schreef ik een drieledig aanvalsplan.

1 Met hem flirten om te zien of hij terugflirt.
2 De lichamelijke barrière afbreken, zodat hem aanraken niet meer op een sprong in de Grand Canyon lijkt.
3 Regelen dat je alleen met hem bent en kijken hoelang hij blijft hangen.

Zo moeilijk kon het niet zijn. Op deze manier, dacht ik, zou ik erachter komen of Jack ook op mij viel, of dat het allemaal een meelijwekkend hersenspinsel van me was.

Een week na mijn Taxi-Ongeluk, het aanvalsplan diep in mijn zak gestoken, zat ik strategisch opgesteld aan de bar in Langan's naast Paula, met één haviksoog op de deur gericht.

Paula had sinds kort een verhouding met Paul, een stevig gebouwde Australiër van de *Post*, die was overgevlogen om de productiekant van de krant te reorganiseren. Ze waren elkaars tegenpolen; hij een zwijgzame, bierdrinkende, dartsspelende Aussie, heel anders dan zij met haar nooit stilstaande mond en extravagante uiterlijk. Maar Paul haalde de lievige trekjes van Paula naar boven, die vlak onder de dure kleding en grove opmerkingen schuilgingen. Vaak zag je ze samen naar buiten gaan om koffie te halen, Paul stilletjes glimlachend terwijl Paula ratelde over een of ander maf feest waar ze naartoe had gemoeten.

Terwijl ik getuige was van de opbloeiende kantoorromance, begon ik te hopen dat je toch iets met een collega kon beginnen zonder dat alles in het honderd liep. Paul en Paula waren zelfs een van de maar liefst zeven stelletjes van de *Post*. We brachten allemaal zo veel tijd door op kantoor dat het onvermijdelijk was dat er relaties ontstonden. Waarom zou dat niet ook voor Jack en mij gelden?

'Weet je,' onderbrak Paula op dromerige toon mijn gedachten, 'ik betwijfel of ik het wel aankan, dit jaar weer naar de Hamptons. Het enige wat ik wil is met Paul naar de Catskills en rustig barbecuen.'

Ze had een piepklein houten huisje gekocht in de bergachtige streek drie uur ten noorden van de stad, waar je nog een boerderij op de kop kon tikken voor onder de $ 150.000. Een koopje, want voor een eenkamerflatje in Manhattan werd doodleuk een half miljoen gevraagd.

'Je moet eens een weekeindje langskomen,' vervolgde ze. 'Jij, Jeane, Dina... Jack misschien...'

Ik keek onrustig in mijn glas, vroeg me af of ze iets in de gaten had. Ik voelde de verleiding haar in vertrouwen te nemen, maar ik mocht het nog zo goed met haar kunnen vinden, roddelen was en bleef haar vak.

Precies op dat moment zwaaide de deur open, en Jack kwam op ons aflopen.

Ik stelde het Plan in werking. 'Hallo, spetter, hoe heb je het gehad vandaag?' vroeg ik brutaal.

Geen blik van afschuw bij het 'spetter'. Tot zover ging het goed.

'Ach, het zit er weer op. Hoe is het met je taxiwonden?'

Ik trok mijn mouw op om met mijn nog steeds bloederige schaafwonden te pronken.

'Jek, je hoeft het niet te laten zien.' Hij draaide zich naar de bar en bestelde een Maker's Mark.

'We hadden het er net over een keertje met wat collega's naar Paula's nieuwe stulpje te gaan,' was mijn volgende waagstuk.

'O, dat lijkt me wel wat,' zei Jack schouderophalend.

Wauw. Er kwam nu al vaart in het Plan.

'Jongens, het zou zo leuk zijn. Paul heeft een of ander geflipt Australisch recept; hij steekt een bierblikje in de kont van een kip en braadt hem dan onder een emmer,' zei Paula, met weer die zwijmelende blik.

'Paulita, jij bent zo verliefd dat het eng is. Heeft Paul je gehypnotiseerd of zo?' vroeg Jack.

'En jij begrijpt nog niet dat een vrouw verliefd op je is als ze zich aan je voeten werpt,' was haar repliek.

Ik slikte haast mijn rietje in. Steels blikte ik van de een naar de ander, maar ze leken het geen van beiden te hebben gemerkt.

Al na één drankje kondigde Jack aan dat hij de stad in ging. Hij moest mijn kant op, dus ik bood aan samen met hem een taxi te nemen. In Langan's was de sfeer ongedwongen geweest, maar toen we samen achter in de wagen zaten, werd Jack merkbaar stiller. Rustig blijven, houd je aan het plan, hield ik mezelf voor terwijl we 7th Avenue over hobbelden.

Jack luisterde zijn voicemail af, gooide toen zijn hoofd in zijn nek en fronste zijn voorhoofd.

'Alles in orde, schat?' Ik probeerde niet te blozen bij het 'schat'. 'Soms lijk je zo gespannen, alsof je op het punt staat te ontploffen.'

'Echt?' Hij draaide zich naar me toe. Zijn frons maakte plaats voor een droevig lachje. 'God, wat is er toch met me gebeurd? Hoe heb ik zo'n streberige, verkrampte man in driedelig grijs kunnen worden?'

Ik lachte. 'Nou, je valt best mee. Je rookt en drinkt te veel voor een driedelig grijs.'

'Nee, ik moet het onder ogen zien, ik ben een enorme sukkel. Soms sta ik zelfs midden in de nacht op en ga ik lopen ijsberen. Ik ren rondjes om mijn bed van de zenuwen. Ik wil het iedereen zo graag naar de zin maken, maar er is altijd wel iets, mensen die klagen over hun salaris, hun roosters, hun taken.'

'O, daar moet je je geen zorgen om maken. Reporters doen niets liever dan klagen. Roddelen en zeuren hoort bij hun levensinstelling.'

'Heeft iedereen bij de *Post* een hekel aan me?' vroeg hij op wanhopige toon.

'Jack, doe niet zo maf! Niemand heeft een hekel aan je. Je bent een fantastische chef. Je bent recht door zee. Je slikt allerlei onzin van de hoofdredactie en reageert je niet af op je mensen. Iedereen vindt het fijn om voor je te werken.'

Uit het raam zag ik de straatnummers snel dalen in de richting van 14th Street, waar ik uit zou moeten stappen. Hoog tijd voor de volgende stap.

'Dus je duikt zo je bed in?' vroeg ik terwijl we de oranje markies van Western Beef aan het eind van mijn straat naderden.

'Ik weet het niet. Ik heb geen plannen...'

'Heb je zin om mee naar boven te gaan voor een kop thee?' Ik had het gevoel alsof ik hem had gevraagd me ter plekke de kleren van mijn lijf te rukken.

Zijn telefoon ging over. Vloekend nam hij op, toen luisterde hij ingespannen. Het was kennelijk de *Post*.

'Luister, er wordt niks geplaatst voordat de juristen er met de stofkam doorheen zijn gegaan, en houd je aan wat zij zeggen. Laat ze ook naar de koppen en bijschriften kijken.'

Ik legde mijn hand op de deurkruk, twijfelend of ik op hem moest wachten. Hij zat nog steeds aan zijn mobieltje gekluisterd en staarde uit het raam. Hij leek me te zijn vergeten.

'Ja ja, ik weet wat de baas zegt, maar die bedenkt zich wel als we worden aangeklaagd,' zei hij ongeduldig. 'Laat mij eerst maar even weten wat de jurist zegt. Wie heeft er vanavond dienst?' Hij knikte. 'Mooi.' En hij hing op.

Hij draaide zich weer naar me toe. Zijn gezicht zag er opeens getergd en vermoeid uit, veel ouder dan de 29 die hij was.

'Eerlijk gezegd ben ik op,' zei hij.

Verdomme, verdomme, verdomme. In mijn eentje stampte ik briesend de trap op. Toch had ik vanavond een kant van Jack gezien die ik nog niet kende. Zijn plotse blijk van kwetsbaarheid maakte hem nog innemender.

Een week daarop bekokstoofde ik vol goede moed opnieuw samen met hem een taxi vanaf Langan's te nemen. Deze keer was het vrijdagavond, we hadden allebei een paar borrels op, en ik wist dat Pom en Sacha de stad uit waren.

'Oké, vanavond ga je mee voor een kop thee. Geen smoezen. Je hebt onze hippe loft nog nooit gezien, toch?'

'Nee, en ik ben razend benieuwd naar dat Britse meidenhol,' zei hij terwijl hij achter me aan de taxi uit stapte. Onderweg naar boven probeerde ik mijn zenuwen te bedwingen. Ik installeerde hem aan de keukentafel, liep naar het fornuis en vulde de waterketel.

'Goh, jullie hebben het wel getroffen met dit huis,' zei hij vanaf het bankje dat Pom onlangs had bekleed met een pluizige koeienprintstof. 'Ik neem aan dat dit niet jouw werk is?' Hij hield een kussen omhoog.

'Nee, dat heeft Pom gedaan. Ze is heel handig in dat soort dingen.' Ik ratelde over hoe Pom degene was die de loft had gevonden, en hoe ze me had gered uit de klauwen van twee afgrijselijke Franse valutahandelaren (waarbij ik het detail dat Lucian bij me in bed was gekropen voor me hield).

Ik liep naar de andere kant van de kamer om een cd op te zetten. Het werd Macy Gray. Met trillende handen haalde ik hem uit het doosje.

Terwijl ik terugliep, woog ik mijn opties af. Ik kon een stoel tegenover hem nemen, als een oude bekende, of ik kon o-zo-doorzichtig bij hem op de pluizige bank neerstrijken.

Doorbreek de lichamelijke barrière, stond er in het Plan. Dus ik plofte naast hem neer en legde pardoes mijn hoofd op zijn rechterknie. Aarzelend legde hij zijn hand op mijn arm.

'Ah, dat ligt lekker,' loog ik. Ik had me nog nooit zo ongemakkelijk gevoeld.

Het refrein van *I Try* zweefde vanuit de stereo naar ons toe.

Gatver, Macy was aan het kwelen over een man en vrouw die elkaar maar niet krijgen. Veel te toepasselijk, een vooral véél te klef. Ik hoopte maar dat hij niet naar de tekst luisterde.

In gedachten bereidde ik mijn bekentenis voor. Dat ik hem niet meer uit mijn kop had kunnen zetten sinds ik na die onthoofding in Erminia met hem had staan praten, dat hij me uit een diepe depressie had gered in het duistere Guildford. Dat ik er na al onze ontmoetingen zeker van was dat we een bepaalde band hadden en dat ik hem na mijn bijna-doodervaring met de taxi alleen maar had willen vertellen wat ik voor hem voelde.

'Jack,' begon ik. 'Ik moet je iets vragen...'

'Ja?'

Ik haalde diep adem. Daar gingen we. 'Nou, soms vraag ik me af of...'

Er werd een sleutel in het slot gestoken.

Nee!

Jack trok vlug zijn hand terug. Ik schoot overeind.

Het 'of wij misschien meer zijn dan gewoon vrienden' ging ten onder.

De deur zwaaide open. Het was Sam, een ex uit een ver verleden uit Londen die voor een vrijgezellenweekeinde in New York was en bij ons op de bank sliep. Ik was zo verdiept geweest in mijn Plan dat ik het was vergeten.

'Hé, alles goed?' Sam kwam stralend op ons af waggelen. Kennelijk had hij het nodige op. 'Ah, heerlijk, er staat theewater op.'

'Sam, dit is Jack, een bevriende collega van me. Jack, Sam, een ex uit mijn studietijd,' zei ik.

Verdomme, waar werd nou zo op gehamerd? Nooit het woord 'ex' in de mond nemen ten overstaan van een potentiële nieuwe vriend.

Over de tafel heen schudden ze elkaar de hand.

'Zo, dus jullie hebben stiekem een afspraakje na kantoortijd?' grapte Sam.

'Doe niet zo absurd,' snauwde ik.

Sam begon in de vriezer te rommelen, op zoek naar brood om te roosteren. Ik zette een kopje thee voor Jack neer in de hoop zijn blik te vangen, maar hij zat ineens vreselijk opgelaten om zich heen te kijken. Ik overwoog hem mee te vragen naar mijn slaapkamer maar verwierp het idee, aangezien de ruimte uit niets anders bestond dan een bed.

Sams toast sprong uit het apparaat, en hij ging met een bord, een pakje boter en een potje Marmite aan tafel zitten. Jack rookte zijn sigaret op, nam twee slokjes thee en zei toen dat hij maar eens naar huis moest.

Mijn teleurstelling onderdrukkend liep ik met hem mee naar de deur.

'Bedankt voor de thee. Tot maandag,' zei hij met een vluchtige omhelzing.

Zodra hij de trap af was gelopen, draaide ik me ziedend naar Sam toe. 'Sam, hoe haal je het in je botte kop zoiets te zeggen!'

'Sorry, het floepte er zo uit. Jullie zaten allebei zo betrapt te kijken. Probeer je een of andere getrouwde vent van je werk te naaien?'

'Hij is niet getrouwd!' riep ik.

Nu ik columnist was bij de *Post* belandde mijn naam van lieverlee in allerlei adressenbestanden, en de laatste tijd werd ik voor de meest uiteenlopende evenementen uitgenodigd. Maar anders dan mijn collega's van de roddelrubriek Richard Johnson, Paula en Chris, stond ik maar zelden op de lijst voor de echt spectaculaire feesten. Mijn uitnodigingen waren eerder voor cursusavondjes sushi maken of voorlichtingsbijeenkomsten over de nieuwste vibrators. Maar als ik een excuus nodig had om ergens heen te gaan, kon ik me meestal wel op mijn mailbox verlaten.

Dagelijks speurde ik de berichtjes af, op zoek naar gelegenheden die geschikt leken om Jack mee naartoe te vragen. Op een dag kreeg ik een uitnodiging voor de geboortedag van de New York Knicks in The Park. Er zou champagne worden geschonken, en de spelers van het team zouden aanwezig zijn. Jack – een fervente Yankees-fan – hield van sport. Het was een poging waard.

Heb je zin om mee te gaan als mijn partner? Misschien krijgen we het team te zien! mailde ik hem.

Prima, laten we maar een kijkje gaan nemen, schreef hij terug.

Ineens vroeg ik me af waarom ik nooit eerder de moed had gehad hem mee uit te vragen.

We zouden elkaar bij Langan's treffen, en zoals gebruikelijk was ik er eerder dan hij. Steve Dunleavy zat verderop over een drankje gebogen. Aan de andere kant van de bar zat Adam, een jonge ontwerper uit Australië die was uitgewisseld met de zusterkrant uit Sydney, een fles Heineken te koesteren.

Adam zag me binnenkomen en wenkte me. 'Hé, hoe is het? Zin om straks iets te gaan doen?' vroeg hij.

'Eerlijk gezegd ga ik al naar een feestje met Jack.' Ik glunderde bij het horen van mijn eigen woorden.

'O, ik heb straks een fuif in de East Village. Misschien moeten we onze krachten bundelen,' opperde hij.

Nee!

'Dat van ons is in de West Side, en ik kan er niet onderuit,' zei ik in de hoop dat Adam niet had opgemerkt hoe klein Manhattan was.

Jack zag er wat opgejaagd uit toen hij binnenkwam. Misschien was hij wel net zo nerveus over ons eerste afspraakje als ik. Hij bestelde een dubbele Maker's Mark. Gelukkig; hij was in elk geval van plan het op een zuipen te zetten.

'Kom op,' zei hij nadat hij zijn borrel in één teug achterover had geslagen. 'Ik heb geen zin om hier te blijven plakken.'

'Mooi, zullen we dan maar het centrum in gaan?' vroeg Adam.

Omdat het nog vroeg was, namen we bij gebrek aan betere voorstellen een taxi naar de Hog Pit. Adam vroeg Jack of hij een potje wilde biljarten. Jack stemde in, leek er niet mee te zitten dat ons afspraakje werd gedwarsboomd. Maar ja, het was ook heel goed mogelijk dat hij niet doorhad dat dit een afspraakje wás. Om van Adam af te komen, stelde ik voor ergens iets te gaan eten.

'O, lekker, ik verga van de honger,' zei Adam.

Dus belandden we met ons drieën in een groot, met schrootjes bekleed restaurant dat Markt heette, een van de pioniers in het Meatpacking District. Jack zat nog steeds whisky weg te klokken alsof het water was. Ik dronk driftig mee.

'Spannend dat we zo naar The Park gaan,' zei Adam. 'Als ze dat thuis horen, dat ik de New York Knicks de hand heb geschud!'

Tandenknarsend bedacht ik dat Jack en ik misschien simpelweg niet voor elkaar bestemd waren.

The Park, deels restaurant, deels cocktailbar, was gevestigd op 10th Avenue en 19th Street. De zaak zat stampvol superslanke vrouwen in blote topjes en mannen in luchtige shirts, trainingsbroeken en teenslippers. De zomer zat eraan te komen. We wurmden ons naar de zaal achterin, waar het Knicks-feest werd gehouden. Het was er een drukte van belang, en zoals de uitnodiging had beloofd zaten er diverse beroemde spelers aan een tafeltje achter een emmer met Moët & Chandon. Er hing een hele kliek vrouwen om hen heen, zogenaamd druk kletsend.

Jack keek alsof hij het liefst meteen weer rechtsomkeert zou maken, maar bood galant aan iets te drinken te halen. Zodra hij buiten gehoorsafstand was, draaide ik me naar Adam toe.

'Luister, Adam, het was heel gezellig met jou erbij, de hele avond, maar ik moet het dringend ergens over hebben met Jack, iets... eh... over het werk. Zou je ons misschien een poosje met rust kunnen laten?'

Adam keek overdonderd. 'Eh, ja ja, tuurlijk, geen punt.'

Jack was koud terug met onze drankjes, of Adam kondigde aan dat hij ervandoor moest.

'Wat heeft die nou ineens?' vroeg Jack verbaasd.

Ik heb gezegd dat hij moest oprotten zodat ik jou mijn eeuwige liefde kan verklaren, dacht ik.

Maar nu we eindelijk alleen waren, begon ik me opgelaten te voelen. We nipten aan onze glazen, Jack wierp me een vluchtige blik toe en glimlachte. We stonden allebei te tollen op onze benen door de hoeveelheid drank die we op hadden. Ineens leek dit de verkeerde plek om het heikele onderwerp aan te snijden.

'Ik geloof dat wij het hier ook wel gezien hebben, hè?' zei hij uiteindelijk.

'Ja, lijkt me ook.'

We wandelden terug over 10th Avenue.

'Heb je zin om nog ergens iets te drinken?' vroeg hij zonder een greintje enthousiasme. Het was duidelijk dat we geen van beiden meer alcohol konden hebben.

'Ja hoor, waarom niet,' reageerde ik moedeloos.

Eenmaal in het Meatpacking District stapten we de eerste de beste zaak binnen die we tegenkwamen: Rhone, een pretentieuze, gedempt verlichte zaak met in het midden een bar van grijs beton met metalen krukken eromheen die eruitzagen als camerastatieven. Achter een tafeltje in een hoek stond een dj oorverdovende techno te draaien. We hesen ons op twee ongemakkelijke krukken, en ik legde mijn voorhoofd op het koude beton om mijn hoofd helder te maken. Jack bestelde nog een whisky, en ik vroeg om een cosmo. Mijn Plan was zo in de soep gelopen dat het bijna komisch was.

In het gedempte licht zaten we met onze glazen in onze handen, met op de achtergrond het gedreun van de muziek. Onze knieën raakten elkaar, maar dat merkte ik amper. Jack en ik, misschien was gewoon een absurd idee.

Hij leek net zo verslagen als ik. 'Nou, bedankt, in elk geval heb je me een avondje van kantoor weten te houden.' Hij kwam maar met moeite boven het kabaal uit.

'Graag gedaan,' mompelde ik.

Hij zuchtte. 'Het is tegenwoordig zó idioot druk op de redactie. Ik leid de laatste tijd een diep tragisch bestaan. Ik ben al voor tienen op kantoor, zit daar tot 's avonds laat vast. Ik heb het gevoel dat ik thuis alleen nog maar op de bank neerzak met een dvd, dromend van een vrouw.'

'Dromend van een vrouw? Jij? Ik heb je nog nooit met iemand gezien. Vertel eens, van welke vrouwen droom je zoal? Ken ik ze?

Misschien kan ik iets voor je regelen,' lalde ik.

Jack boog zijn hoofd en staarde in zijn whisky. Ik zette me schrap voor de naam die hij zou noemen. Toen hoorde ik de woorden waarvan ik nooit had geloofd dat ze ooit uit zijn mond zouden komen.

'Als je het eerlijk wilt weten, Bridget, ik droom van jou.' Zijn schouders zakten omlaag alsof hij een gevecht opgaf. Toen hief hij zijn hoofd weer op en richtte zijn blik op mijn uitpuilende ogen.

'Bridge, ik droom al van je sinds ik je die eerste keer op kantoor zag staan.'

Gebeurde dit echt? Mijn mond viel open en klapte weer dicht. Dit was zo'n moment dat je je hele leven bijblijft. 'Ik geloof mijn oren niet. Ik bedoel, je weet toch wel wat ik voor je voel, hè? Je weet toch dat ik al maanden verliefd op je ben? Dat weet je toch?'

'Ik wist het niet zeker.'

We vielen stil.

'Het is zo gek,' zei hij na een paar tellen. 'Ik heb hier in gedachten zo vaak op geoefend. Op de een of andere manier hoopte ik dat het wat romantischer zou zijn.'

'O, maar dit ís ook romantisch. Ik kan me niets romantischers voorstellen,' riep ik uit. Ik gleed van mijn kruk en sloeg mijn armen om hem heen.

Hij draaide zich naar me toe, trok me tegen zich aan, en ik drukte mijn gezicht in zijn hals, snoof zijn geur van schone was en tabak op. Mijn hart bonsde tegen zijn ribbenkast. Ik ging op mijn tenen staan en kuste hem op zijn lippen. We aarzelden even, allebei van slag door de plotse intimiteit. Toen legde hij zijn hand op mijn wang. De blèrende muziek doofde, de wereld bleef stilstaan. Eindelijk, na al die maanden piekeren, smachten en hopen, stonden Jack en ik als bezetenen te zoenen.

Hoezo plan?

······················

We stonden elkaar aan de bar schaapachtig grijnzend aan te kijken. Toen leek hij ineens te worden overmand door verlegenheid. 'Kom op, we moeten weg uit deze akelige tent,' zei hij.

Hij pakte me bij de hand, en we slopen de zaak uit als een stel dieven dat de plaats van de misdaad verlaat. Op straat bleven we lopen. Langs andere late drinkers die ronddoolden op zoek naar taxi's, langs vuilniswagens die al aan hun dienst waren begonnen. De immer aanwezige dampen van het Meatpacking District dreven door de warme lucht. Jack mocht zijn grootse romantische moment dan niet in een oorverdovende technobar hebben gepland, in mijn opzetje was geen plaats geweest voor de stank van rottend vlees.

Ik woonde maar een paar honderd meter bij Rhone vandaan, en automatisch liepen we in een soort verblufte stilte naar mijn huis. We hielden elkaars hand stevig vast, alsof we elkaar wilden geruststellen over de plotseling veranderde omstandigheden. Ik realiseerde me dat ik geen actiepunt had opgenomen in het Plan voor wat er nu ging gebeuren.

Bij mijn voordeur bleef hij staan, pakte ook mijn andere hand en keek me aan. Hij leek in elk geval bij zinnen te zijn gekomen.

'Wat wil je doen?' vroeg hij.

Ik had geen idee. Wilde ik hem mee naar boven nemen en hem suf neuken na al die maanden vol verlangen? Of zou dat te ver voeren op deze toch al overweldigende avond? Ergens wilde ik niet dat mijn eerste vrijpartij met Jack in een onbeholpen dronken gedoe zou verzanden. Maar ik moest er ook niet aan denken hem te laten gaan. En trouwens, wat wilde híj?

'Ik denk dat we allebei wel een kop thee kunnen gebruiken,' zei ik ten slotte.

Opnieuw leidde ik hem de metalen trappen naar mijn appartement op. Toen ik op de eerste overloop achteromkeek, stak hij zijn hand uit en streelde mijn knieholte.

'Weet je hoe vaak ik dit al heb willen doen?' vroeg hij.

Ik glimlachte. 'Wat? Mijn kuit aaien?'

'Ja, Bridget Harrisons kuit aaien.'

Op onze verdieping bleef ik staan om mijn sleutels te pakken. Hij draaide me naar zich toe en we kusten elkaar weer. Het neonlicht in de hal was verblindend fel, maar dat stoorde ons niet. Terwijl ik in zijn armen tegen de deur aan geleund stond, besloot ik dat een benevelde vrijpartij helemaal niet zo'n slecht idee was.

'Kom op, laten we naar binnen gaan,' fluisterde ik, met één hand nog steeds op zoek naar mijn sleutel.

We hielden op met zoenen. Ik rommelde nog wat verder. Hij verschoof zijn gewicht en keek naar zijn voeten. Het neonlicht was wel érg fel.

'Nee, hè.'

'Wat is er?'

'Ik ben mijn sleutels kwijt.'

Het was echt waar, het was geen trucje. Ik hoopte maar dat hij dat niet dacht. Ik bonkte op de deur, maar Pom en Sacha sliepen dwars door het kabaal heen.

'Nou, ga dan mee naar mijn huis. We pakken wel een taxi.'

We renden de trap weer af, de straat op. Hij hield een wagen aan en opende het portier voor me, en we schoven over de leren bank naar binnen. Om de sfeer vast te houden, leunde ik naar hem toe om hem opnieuw te zoenen, maar mijn tanden stootten tegen de zijne terwijl we door de kuilen op Gansevoort Street honkebonkten.

'Verrekte taxi's,' zei ik met een vuurrood hoofd.

'Een drama om in te vrijen.' Hij pakte mijn hand vast en kneep erin.

De portier van Jacks gebouw zei beleefd goedenavond. Ik haakte mijn arm door die van Jack en hoopte maar dat ik er niet uitzag als een of andere dronken sloerie.

Jack opende zijn voordeur met zijn sleutel – in één vloeiende beweging opgeduikeld – en liet me voorgaan. Zijn appartement was niet groot, maar heel ruimtelijk door het hoge plafond. Aan één kant van de woonkamer zat een goed geoutilleerde open keuken, aan de andere kant, bij het raam, een zitgedeelte. Langs een van de zijwanden stonden boekenkasten met keurig gerangschikte geschiedenisboeken, een grote tv en een enorme cd-collectie. De zithoek bestond uit een brede leren bank en een groene glazen salontafel met een jarenzestigbollamp erboven. Op een volle asbak op tafel na was alles smetteloos schoon.

Jack liep naar de keuken en haalde twee hoge glazen tevoorschijn. Hij deed er ijsblokjes in en vulde ze met water uit de kraan.

Ik bleef opgelaten bij de voordeur staan, mijn tas nog aan mijn schouder. 'Sorry van die sleutels. Onvoorstelbaar suf van me. Vind je het echt niet erg dat je met me opgescheept zit?'

'Ik kan me niets fijners voorstellen,' zei hij. 'Kom op, dan gaan we naar bed.'

Ook zijn slaapkamer was onberispelijk. Er stond een groot, laag bed met duur uitziende roomwitte lakens erop naast een rij inbouwkasten. Ik was al een keer eerder bij Jack thuis geweest, toen een groep *Post*-collega's met hem mee was gegaan na een zware avond doorzakken in Langan's. Ik had stiekem zijn slaapkamer in gegluurd, me afvragend of ik daar ooit terecht zou komen. Het was ongelooflijk dat het nu zover was.

Jack liet me de badkamer zien. 'Ik heb geen extra tandenborstel, maar je mag de mijne wel gebruiken als je wilt,' zei hij.

Pfff, dus toch geen smetvrees, dacht ik opgelucht. 'Eh... heb je misschien ook een T-shirt voor me?' vroeg ik voor alle zekerheid.

Ik trok de badkamerdeur achter me dicht en plensde wat koud water over mijn gezicht om me ervan te verzekeren dat ik niet droomde. Ik keek in de spiegel boven de wastafel. Mijn ogen waren bloeddoorlopen, maar mijn wangen hadden een mooie, rozige gloed.

'Wauw, ik sta mijn tanden te poetsen in Jacks badkamer,' zei ik tegen mezelf.

Ik ging zitten om te plassen, me nog steeds afvragend of het op seks uit zou draaien. Ineens werd ik er zo nerveus over dat ik verstarde. Al dat gedoe, dat gefrunnik met condooms leek me veel te ingewikkeld. Ik deed de kraan open. Jack dacht onderhand waarschijnlijk dat ik van mijn stokje was gegaan, of dat ik te bang was om naar buiten te komen.

Toen ik eindelijk van het toilet af durfde, zag ik dat Jack in zijn boxershort en T-shirt op zijn pieper de wekker stond te zetten. Ik trok mijn kleren uit waar hij bij was en schoot het fris gewassen, vaalgele T-shirt aan dat hij voor me had klaargelegd.

Hij liep naar de badkamer; ik kroop in bed. De lakens waren zacht en glad. Ik deed mijn slipje uit en gooide het op de stapel kleren. Meteen schoot ik weer overeind, griste het terug en trok het opnieuw aan voor het geval dat hij me te vrijpostig zou vinden.

Een paar minuten later kwam hij de slaapkamer weer in lopen, en hij ging op de rand van het bed zitten. De brede glimlach waarmee hij op me neerkeek, veranderde zijn hele gezicht. Ineens zag hij er open en ontspannen en jongensachtig ontwapenend uit. Hij veegde een haarlokje van mijn voorhoofd.

'Hé, stoot,' zei hij. 'Ik kan er gewoon niet bij dat je hier bent.'

'Allemachtig, wat een avond.'

Hij kwam naast me liggen en trok me tegen zich aan, en onze armen en benen verstrengelden zich voor het eerst. Zijn huid voelde zacht aan. Ik drukte mijn gezicht in zijn hals en ademde zijn heerlijke geur in.

Plotseling vloeide alle energie uit me weg. Ik had het gevoel dat ik dagen achtereen zou kunnen slapen.

'Gaat het goed?' Hij streek door mijn haar.

'Ja hoor,' zei ik, om prompt buiten westen te raken.

De ochtend daarop werd ik wakker van het geluid van kletterende hangertjes en het geruis van stomerijhoezen. Ik deed één oog open. Jack stond voor zijn kast, gedoucht, geschoren en gekleed in kostuum en overhemd tussen zijn dassen te zoeken. Onder de warme dekens rolde ik me nog half verdoofd op mijn andere zij. Nu stond hij in de badkamer voor de spiegel zijn das te strikken terwijl hij de *The Wall Street Journal* las, die balanceerde op de wastafel.

Ik probeerde rechtop te gaan zitten. Mijn hoofd bonkte. Mijn mond was zo droog als de Kalahari. 'Urgh, hoe laat is het?' mompelde ik.

Hij kwam naar het bed, ging zitten en drukte een kus op mijn kruin. 'Halftien. Ik moet ervandoor. Maar blijf jij nog maar een poosje lekker liggen. Je hoeft toch pas over een paar uur te beginnen, hè?'

'Oké,' zei ik weifelend.

'Ik zie je wel op kantoor.' Hij stond op en haastte zich de trap af. Ik hoorde de benedendeur dichtslaan.

Ik liet me weer omvallen. Goed, dat was nogal kort. Maar hij had geen haast om bij me weg te komen, hij had gewoon haast. Hoopte ik. En hier lag ik dan, prinsheerlijk in Jacks bed. Bij Jack thuis. Het was geen droom geweest.

Ik rekte me uit en herinnerde me hoe hij in Rhone in zijn glas had zitten staren. Dat zalige, volmaakte moment waarop hij had gezegd dat hij van me droomde. Jack leek zo gesloten en gereserveerd, en dan kwamen ineens als een donderslag bij heldere hemel die emoties naar buiten die hem kwetsbaar en adembenemend maakten.

Hij was zo anders dan de talloze gladde, ijdele mannen die ik in New York had ontmoet. Hij mocht dan niet gemakkelijk te doorgronden zijn, ik wist dat hij door en door deugde. Hij kon zijn gevoelens verbergen, en goed ook, gezien zijn onthullingen van gisteravond, maar ik was ervan overtuigd dat hij nooit zou liegen.

Ik tintelde van geluk. Ja, Lois Lane had haar Clark Kent gevonden.

Om klokslag elf uur kwam ik door de matglazen deuren op de negende verdieping van 1211 Avenue of the Americas binnen. Het eerste wat ik zag was de achterkant van Jacks hoofd. Hij zat aan zijn bureau, verdiept in e-mailtjes, websites en teletext, de lijst na te lopen voor het ochtendoverleg. Als een andere krant ons voor was geweest met een artikel, of een foto of uitspraak had die wij niet hadden, of als we een ontwikkeling helemaal hadden gemist, zou de baas willen weten waarom.

Met gebogen hoofd liep ik de zaal door, mijn best doend niet te glunderen. Daar zat mijn Jack, met al die mensen die van hem afhankelijk waren, die zijn aandacht opeisten. Nog maar een paar uur geleden had ik hem helemaal voor mezelf gehad, zijn armen om me heen, had ik zijn T-shirt gedragen, in zijn bed gelegen.

Inmiddels had ik een laag uitgesneden witte blouse aan met een sexy turkooizen rokje, door Pom en Sacha uitgekozen na een lichtelijk hysterisch feestontbijt, waaronder ik in geuren en kleuren over gisteravond had verteld. Normaal gesproken droeg ik platte schoenen naar kantoor, voor het geval ik op reportage werd gestuurd en een eind moest lopen, maar vandaag had ik mijn kokette beige Hollywould-hakjes aan. Ik schoof achter mijn bureau, op veilige afstand van zijn werkplek, en vroeg me af of hij me een mailtje zou sturen of even langs zou wippen. Misschien zou hij me vandaag hoogstpersoonlijk een opdracht komen geven.

Maar na het ochtendoverleg was het Michelle, zijn assistente, die door de zaal op me af kwam benen met de nieuwslijst.

Michelle, een brildragende vrouw met sluik blond haar, was een geslepen bureauredacteur met een snijdend gevoel voor humor. Met haar pas dertig jaar was ze snel opgeklommen binnen de rangen van de *Post*. We hadden altijd een soort meiden-onder-elkaar-verstandhouding gehad. Ze maakte graag grapjes over Jacks verkrampte gedrag, en ik praatte gewoon graag over Jack.

'Hé, jij daar,' zei ze met haar vage Long Island-accent, en ze wees met haar pen mijn kant op terwijl ze de lijst bestudeerde. 'Jij doet "jonge held".'

Ik pakte mijn pen en notitieblok.

'Een vrouw uit Queens komt gisteravond thuis van een feestje. Haar bezopen ex is kwaad omdat ze op stap is geweest, dus hij ramt de deur in, stormt haar slaapkamer binnen en begint op haar in te slaan met een honkbalknuppel. Gezellig, hè? Dan wordt haar achtjarige dochter, die in de kamer ernaast ligt te slapen, wakker, ziet dat mama wordt afgetuigd, loopt naar de keuken, pakt een broodmes van dertig centimeter, gaat terug en jaagt dat bij die vent in zijn rug.'

Ik schreef alles op.

'De Shack zit erbovenop, Dan is ter plekke, jij redigeert.'

'En die vriend?'

'O, die is de pijp uit,' zei Michelle op haar kenmerkende laconieke toon. Ze nam me met samengeknepen ogen op. Ondanks mijn pogingen mezelf op te doffen, liet mijn kater zich niet wegmoffelen. 'Wat heb jij gisteravond uitgespookt? Je ziet er niet uit.'

Ik voelde mijn mondhoeken omhoogtrekken. Het liefst had ik van de daken geschreeuwd wat er gisteren was gebeurd, maar ik wist dat ik het risico niet kon nemen. Een lopend vuurtje ging nog traag vergeleken bij de roddels binnen de *Post.*

'O, gewoon tot laat doorgezakt.'

'Ja, zo zit er daar nog een.' Ze knikte in de richting van de stadsredactie. 'Jack is verdacht opgewekt vandaag. Volgens mij is hij nog dronken.'

Ik deed alsof het me niet boeide, maar mijn hart begon sneller te kloppen. Opgewekt? Kwam dat door mij?

Michelle beende weer weg, en ik ging aan de slag met het artikel, belde de reporters bij de Shack om de details van de steekpartij op te vragen en nam contact op met Dan, die probeerde een interview met het meisje te krijgen. Jack bleef aan zijn kant van de zaal, maar ik controleerde om de paar minuten mijn e-mail, hopend op een berichtje.

Pas nu bedacht ik dat we eigenlijk helemaal niet hadden gepraat over wat er was gebeurd. Hoewel hij er vast niet van uitging dat het iets eenmaligs was. O god, ik hoopte maar van niet.

Net toen ik de hoop had opgegeven en me op de tekst begon te concentreren, dook Jack op bij de rij dossierkasten die mijn bureau van het gangpad scheidde. Ik keek blozend op.

'Heb je "jonge held" al ingeleverd?' vroeg hij op zijn formele werktoon. Hij haalde een pen tevoorschijn, schreef iets op een velletje papier dat op de kast lag en liet het op mijn bureau vallen.

Je ziet er schitterend uit vandaag, stond er in zijn krabbelige handschrift. Ik trok het vlug naar me toe, en voelde dat ik van oor tot oor zat te grijnzen.

Ook hij was rood geworden, en zijn ogen twinkelden.

'Het is over vijf minuten klaar,' antwoordde ik.

Om 18.30 uur was mijn artikel goedgekeurd door Michelle. Ik mailde Jack om te zeggen dat ik met Paula naar Langan's ging en liep met mijn hoofd in de wolken naar 47th Street, waar ik nagelbijtend ging zitten wachten tot hij klaar zou zijn. Hij verscheen kort voor achten, maar hij had de hoofdredacteur bij zich, van wie ik wist dat hij graag rustig samen met Jack aan de bar een borreltje dronk. Ze raakten diep in gesprek verwikkeld, en het was onmogelijk Jacks blik te vangen.

Pas toen zijn baas eindelijk vertrok, kwam Jack naar ons toe lopen. Maar met Paula – die een schandaal van mijlenver kon ruiken – tussen ons in, waren we gedwongen over koetjes en kalfjes te praten.

Kort daarop kondigde Jack aan dat hij uitgeput was. 'Ik denk dat ik er maar eens een eind aan brei,' zei hij.

Wát? Ik had de hele dag wanhopig naar hem verlangd, en nu ging hij zomaar weg? Of was dat een geheime boodschap?

Betekende 'een eind eraan breien' niet dat hij naar huis ging? Maar hij snapte toch wel dat ik niet tegelijk met hem de deur uit kon gaan? Bovendien had Paula net een drankje voor me besteld.

Hij gaf ons allebei een kus op de wang.

'Nou, tot ziens dan maar,' zei ik met verstikte stem, en ik keek toe terwijl hij door de deur verdween. Mijn teleurstelling groeide uit tot verontwaardiging. Paula was zich nergens van bewust en bleef doorkwetteren, maar ik hoorde niet meer wat ze zei.

O nee. Misschien was het voor hem toch gewoon een eenmalig avontuurtje geweest; niet dat er veel avontuurlijks was gebeurd. Eerst was hij er vanochtend tussenuit geknepen, en nu flikte hij het weer.

'Bridge, is alles oké? Je kijkt alsof iemand je net heeft verteld dat je hond dood is gereden,' merkte Paula op.

'Ja hoor, ik moet alleen even bellen,' zei ik. Ik rende naar buiten, inmiddels trillend van woede, viste mijn mobieltje op en koos zijn nummer.

'Hallo?' Hij zat in een taxi.

'Jack, met mij. Ik kan er gewoon niet bij dat je zomaar bent weggegaan.'

'O, sorry, ik dacht dat je een avondje op stap was met Paula.'

'Wat? Ik heb er de hele dag naar uitgekeken je weer te zien.'

Allemachtig. Hoe kon zo'n intelligente vent zo dom zijn? Ik probeerde het opnieuw. 'Dus je gaat naar huis?'

'Ja, dat was ik wel van plan... tenzij je nog ergens af wilt spreken.'

Mijn hart sprong op. 'Wacht maar op me in de Hog Pit. Ik kom er zo snel mogelijk aan,' zei ik.

Een halfuur later rende ik ons buurtkroegje binnen. Hij zat op een rustig plekje aan de bar een drukproef te lezen. Ik stoof op hem af, ging toen vol in de remmen. 'Eh... hallo.' Ik staarde naar mijn voeten.

'Hé, kom eens hier.' Hij nam me in zijn armen. 'God, je hebt geen idee hoe vaak ik vandaag naar je toe wilde komen en je vast wilde grijpen.'

'Jack, ik begrijp jou niet.' Ik liet mijn kin op zijn schouder rusten. 'Hoe kun je zomaar weglopen alsof het je geen moer kan schelen, en tien minuten later zo lief tegen me zijn?'

'Jaren ervaring,' antwoordde hij. 'Ik heb gezworen nooit aan een relatie met een collega te beginnen, of voor jou te vallen. Het is een behoorlijk penibele situatie zo. Vanavond dacht ik echt dat je misschien gewoon naar huis wilde.'

'Ja, ik wil met jóú naar huis,' zei ik.

Die avond, in Jacks grote, comfortabele bed, bedreven we voor het eerst de liefde. In het schijnsel van zijn kleine bedlampje keek hij dromerig en teder in mijn ogen. Dit was het heerlijke moment waarop ik zijn onverdeelde aandacht had. Waarop hij met elke vezel van zijn wezen verdiept was in mij, en alleen in mij. Waarop de rest van de stad en de *Post* naar de achtergrond verdwenen.

Vissen uit de bedrijfsvijver

Het was half augustus, een klassieke broeierige New Yorkse zomer, en ik stond druipend van het zweet op metrostation Times Square met een elektronische thermometer te zwaaien.

'Vlug, afdrukken, nú, hij staat op 40 graden!' schreeuwde ik tegen mijn fotograaf Luis terwijl ik het instrument met een stuk plakband op de muur probeerde te bevestigen.

Er kwam weer een metro het station in denderen. De deuren gingen open, er dreef een vlaag koele, airconditioned lucht naar buiten, en de thermometer kukelde van de muur.

'Verdomme,' vloekte ik toen de cijfers weer naar 37 zakten. 'Heb je geknipt toen hij op 40 stond?'

Luis tuurde op het schermpje van zijn digitale camera. 'Je hand zat ervoor,' zei hij. 'We moeten het opnieuw doen.'

'Ik ben het zo zat.' Op natuuruitstapjes tijdens mijn studie had ik het altijd leuk gevonden metingen te doen, maar dit ging te ver. Zelfs mijn onderbroek plakte aan mijn billen.

Die ochtend was Steve Marsh met een brede grijns op zijn gezicht aan mijn bureau verschenen, altijd een veeg teken. Tijdens het ochtendoverleg was iemand met het dolkomische idee gekomen dat ik metrostations moest zoeken waar de temperatuur de 40 graden oversteeg (hoewel de rijtuigen airco hebben, zijn de ondergrondse perrons berucht om hun benauwdheid).

'Noem het "smelten in de metro"!' had Steve geopperd. 'Of "tunnels naar het vagevuur"!'

Woest had ik de thermometer uit zijn hand gegrist. Dit kon maar beter niet van Jack af komen. Ik was net hersteld van de voorgaande week, toen ik op Times Square had staan posten met een decibelmeter (en een kater) om te kijken of het gekrijs van remmende taxi's meer lawaai maakte dan het geronk van de bussen.

Tja, zo ging dat bij een tabloid. De ene week werkte je aan een exclusief voorpaginaverhaal, de volgende maakte je een kleuterschooluitstapje. Helaas kwamen die weken met voorpagina's minder vaak voor in mijn geval.

Drie uur later kwam ik de redactie weer op. Ik zag eruit alsof ik had meegedaan aan een wet-T-shirtverkiezing. Tegen mijn borst hield ik een zompig notitieblok vol wereldschokkende uitspraken van oververhitte forenzen. 'Ze moeten hier eens airco installeren.' 'Ik stik de moord!' 'Dit is gewoon niet uit te houden!'

Mijn telefoontje ging. Jacks nummer verscheen op het schermpje. Ik nam op, paraat hem de volle laag te geven over mijn haperende carrière, maar hij gaf me de kans niet.

'Kan ik je over vijf minuten even buiten spreken?' zei hij kortaf voordat hij weer ophing.

Meteen nerveus pakte ik mijn toegangspasje en liep naar de liften. In het voorbijgaan blikte ik naar Jacks werkplek. Hij zat aan zijn bureau te rommelen, stak zijn sigaretten in zijn zak.

Beneden op het plein, in de klamme buitenlucht, wachtte ik op hem bij zijn vaste pilaar. Hij beende voor me langs 47th Street op, en ik volgde hem. Tussen de gebouwen op 46th Street door liep een smalle doorgang, en daar bleef hij staan. Toen ik bij hem was, greep hij me bij mijn middel.

'Wat is er...?' bracht ik uit terwijl hij zijn mond op mijn lippen perste en hij me tegen de muur drukte. 'Jezus, ik was even bang dat ik ontslagen zou worden,' zei ik, maar ik vergaf hem meteen alles. 'Wat heb jij ineens?'

'Niks, helemaal niks.' Hij streek mijn haar uit mijn gezicht en hield het naar achteren, alsof hij me beter wilde bekijken.

'Ik kwam net uit het middagoverleg, zag jou helemaal bezweet langslopen, en ik moest en zou je gewoon zoenen.'

'O, en waar was je tijdens het ochtendoverleg, toen ze besloten me de metrotunnels in te sturen?'

'Ik zweer dat dat niet mijn idee was.'

Ik sloeg mijn armen om hem heen. 'Ik vertrouw je voor geen cent.'

'In elk geval loop jij lekker buiten.' Hij pakte een sigaret en stak hem met een behendige beweging aan. 'Wij hebben net een halfuur zitten debatteren over hoeveel we precies van Britneys linkerbil kunnen afdrukken zonder ellende te krijgen. Ze zijn er nog steeds niet uit.'

Ik lachte.

'Wat werken we toch met een stel i-di-o-ten!' Met de hand waar de sigaret in zat beukte hij zogenaamd tegen zijn slaap. 'Noem jij nou eens één collega die niet gestoord is.'

'Ik?'

'Jij bent de allerergste.'

Ik kuste hem. Dit was de Jack die alleen ik te zien kreeg, en niet al

te vaak. De onbezonnen, komische Jack die mijn hart deed ver-
krampen van liefde.

'Ik moet weer verder,' zei hij met een zucht. 'Zorg dat ik je verhaal als eerste krijg, oké?'

Ik hielp hem de sigaret op te roken en we liepen op gepaste
afstand van elkaar terug naar ons gebouw.

Inmiddels gingen Jack en ik drie maanden heimelijk met elkaar om,
en bij de *Post* leek niemand het door te hebben. Onze eerdere
paranoia over het hebben van een kantoorrelatie leek nu overdreven. Goed, hij was en bleef mijn baas, maar er waren nog drie andere nieuwsredacteuren tegenover wie ik me moest verantwoorden.
Iedereen wist al dat Jack en ik goed met elkaar konden opschieten,
en blijkbaar viel het niet op dat er iets was veranderd. En zolang we
allebei netjes onze plicht deden, kon toch niemand ons iets verwijten?

We hadden al een routine ontwikkeld. 's Avonds gingen we ieder
apart het centrum in, ofwel om ergens te gaan eten, of, wat vaker
gebeurde, om op zijn bank neer te ploffen en iets te bestellen. Jack
was haast dwangmatig netjes in huis, maar tot mijn blijdschap
klaagde hij er niet over dat ik altijd zo'n rommel bij hem maakte.
Als ik langs was geweest, was zijn salontafel bedolven onder de
volle asbakken, etensverpakkingen en whiskyglazen die zich tot
diep in de nacht hadden opgehoopt. Mijn kleren – en zijn geleende
T-shirt en sokken – lagen over de vloer van zijn slaapkamer verspreid.

'Bridge, jij bent het schrikbeeld van de smetfobiepatiënt,' zei hij
dan berispend, en hij schudde zijn hoofd om het spoor van vernie-
lingen dat ik achterliet. 'Nee, je bent sowieso een schrikbeeld.'

Ik nam wraak door mijn onderbroek naar zijn hoofd te gooien.

Tijdenlang was ik dichtgeklapt als Jack tegenover me stond, maar
tegenwoordig kon ik geen seconde mijn mond houden. Hij was ontzettend slim en had overal een antwoord op, wat een dwaze vragen
ik ook stelde. Zodra zich een gedachte aan me opdrong, wilde ik die
eruitflappen om zijn mening te horen. Hij begreep altijd waar ik
heen wilde, vaak al voordat ik het zelf doorhad, hoewel ik vermoedde dat hij soms maar met een half oor naar mijn geratel luisterde.

's Avonds in bed lag ik in zijn armen door te kakelen, tot hij me
de mond snoerde om te vrijen en ik me weer kon koesteren in zijn
onverdeelde aandacht. Ik was eraan gewend geraakt hem 's ochtends al snel kwijt te raken aan zijn getob over kantoor. Maar hij
trok me steevast even onder de dekens vandaan voor een zoen
voordat hij de deur achter zich dichttrok.

Met zijn wat eigenaardige uiterlijk en starre gewoonten was Jack niet zo knap, artistiek of charmant als Angus, maar ik wist nu al dat ik hem geen drie maanden zou kunnen missen. Ik kon amper drie uur zonder hem.

Toch had ik moeite met bepaalde dingen. Hij was zo anders dan de vriendjes die ik voorheen had gehad. Die hadden allemaal openlijk over hun emoties gepraat, Jack sloot zich eerder af. Angus had vaker bij een film zitten janken dan ik, en we konden zomaar een uur aan de telefoon zitten omdat hij onzeker was over een familiekwestie of zijn werk. Jack gebruikte de telefoon alleen om vlug iets te regelen, nou ja, in elk geval wanneer ik hem belde.

Jack hield zijn gevoelens het liefst achter slot en grendel, op een enkele vlaag van uitbundigheid of angst na. Bij anderen herkende hij de behoefte zich te uiten dan ook niet snel. En ik had er juist behoefte aan, veelvuldig.

Precies op het moment waarop Jack en ik elkaar eindelijk hadden verteld wat we voor elkaar voelden, hadden Pom, Sacha en Fi ook een belangrijke beslissing genomen: ze zouden terugkeren naar Engeland. Ze begonnen heimwee te krijgen, en waren het zat zonder vriendjes te zitten.

Alle drie hadden ze New York als een avontuur beschouwd, voordat ze thuis carrière zouden gaan maken, en als het meezat een gezinnetje te stichten. Ik besloot maar niet te piekeren over het feit dat zij al plannen maakten om zich te nestelen, terwijl ik op hun leeftijd pas naar Amerika was afgereisd.

Pom was de laatste die vertrok. Ze wilde haar grote droom gaan verwezenlijken: een eigen lingerieboetiekje openen. Zonder het zelfvertrouwen dat ze had opgedaan in deze keiharde stad had ze dat nooit aangedurfd, zei ze.

Haar vlucht was geboekt voor de donderdag na de week van mijn smelten-in-de-metro-artikel. Ik was wat eerder van kantoor weggeglipt, en we zaten in de keuken onder ons allerlaatste kopje thee herinneringen op te halen aan alle avonden dat we hier samen sushi hadden zitten eten. Ik dacht aan Sacha die hier had rondgetrippeld in haar zijden boxershort; aan Fi die met een zak geroosterde kikkererwten binnen was komen stormen, eisend dat we alles lieten vallen omdat ze haar verhaal kwijt moest; of die keer dat we in de East Village op straat een sofa hadden zien staan en er bloody mary's op hadden zitten drinken totdat we twee gasten die langssliepen hadden weten over te halen hem naar ons adres te zeulen.

Ik hielp Pom haar tassen naar beneden te dragen. In de klamme hitte vielen we elkaar in de armen, terwijl de lucht in de verte een vuurrode gloed kreeg.

'Pom, je weet dat ik het hier niet had overleefd zonder jou,' fluisterde ik met een brok in mijn keel.

'In New York moet je vriendinnen hebben,' zei ze met haar meisjesachtige hoge stem. 'En hopelijk blijven we zelfs in Londen in ons hart New Yorkers.'

Ze keek op naar de stoffige ramen van haar geliefde appartement, dat bol stond van haar artistieke uitingen en doe-het-zelf-projecten.

'Onvoorstelbaar dat het voorbij is. Maar je weet wat ze zeggen: er is nooit een geschikt moment om New York te verlaten, maar als je dan gaat, weet je zeker dat je er verstandig aan doet.'

Ze bleef uit het raampje zwaaien tot de taxi 9th Avenue overstak. Toen ik haar hand naar binnen zag gaan, had ik het gevoel dat ik opnieuw moederziel alleen was in een vreemde stad. Wanneer zou ík naar huis gaan? Mijn eigen vier maanden hier waren al op twee jaar uitgelopen. Mijn vriendinnen waren vertrokken. Mijn familie bevond zich aan de andere kant van de wereld. Mijn baan grensde vaak aan het belachelijke, en ik was geen stap dichter bij het stichten van een gezin.

De rottende stank van het Meatpacking District in de hete zonsondergang deed me verlangen naar de zwoele, grassige geur van de zomeravonden in mijn ouders tuin in Ealing. Ik sjokte de trap naar ons lege appartement weer op, zakte neer op de bank en barstte in tranen uit.

Snikkend greep ik mijn telefoon, en ik belde Jacks mobiele nummer. De deadline naderde, dus het was een moeilijk tijdstip om hem te bereiken, maar ik hoopte dat hij op zou nemen.

'Jack, ik zit vreselijk in de put,' bracht ik moeizaam uit. 'Pom is net vertrokken. Dat was het, iedereen is terug naar huis.'

'Jezus, ik dacht dat er iets heel ergs was gebeurd,' was zijn reactie.

'Het ís ook heel erg.'

'Maar je ziet ze toch nog wel?'

Zijn zakelijke toon werkte ontnuchterend. 'Je hebt gelijk. Ik zie ze gewoon nog. Sorry.'

'Oké, ik spreek je nog wel.'

De verbinding werd verbroken.

Krijg de pest, foeterde ik. Wanneer Jack zijn aandacht op me richtte, was het alsof ik in een hemels zonlicht baadde. Wanneer hij niet in staat was begrip voor me op te brengen, kon ik hem wel wurgen.

Die avond belde Jack me op. Hij zat bij een vriend thuis in de Upper West Side en leek mijn verdriet van eerder compleet te zijn vergeten. Hij vertelde dat een stel van zijn vroegere klasgenoten net terug was gekomen van een wereldreis, en hij wilde dolgraag dat ik ze leerde kennen.

Kan het je dan niet schelen dat al míjn vrienden weg zijn, had ik willen schreeuwen. Ik stond op het punt te zeggen dat ik geen tijd had, gewoon om hem te treiteren. Maar met thuis blijven zitten had ik mezelf meer dan hem.

Dus werd ik een halfuur later binnengelaten in een elegant appartement op Central Park West, met uitzicht op Central Park. Jack had op een deftige New Yorkse school gezeten, en veel van zijn vrienden waren van rijke komaf. Jason, de gastheer, had doordringende blauwe ogen en een roodachtig bruine huid van de Thaise zon. Ik kwam binnenstuiven, gekleed in een speciaal uitgezocht denimrokje van Earl en een laag uitgesneden T-shirt.

'Leuk je te ontmoeten,' zei Jason. 'Dus Jack heeft eindelijk een vrouw aan de haak geslagen. Het kan zo'n eenling zijn, we begonnen ons al zorgen te maken dat hij homo was.'

Jack zat in zijn kenmerkende houding op de bank: sigaret in de ene hand, glas whisky in de andere. Zijn ogen waren bloeddoorlopen van het werken en drinken, maar zijn schouders waren ontspannen en hij wierp me vanaf de andere kant van de kamer een warme glimlach toe. Ik probeerde hem vernietigend aan te kijken.

'Moet je dat toch eens zien,' zei hij. 'De mooiste vrouw ter wereld. Ik ben smoor- en smoorverliefd op haar.'

'Ik naai hem alleen maar omdat ik promotie wil,' bromde ik, maar mijn wangen gloeiden van plezier. Wat had het voor zin kwaad op hem te zijn?

Later die avond leunde ik uit een van de enorme ramen van het appartement en snoof de zoele stadslucht op. Boven de duistere vlakte van het park rezen de elegante appartementencomplexen van 5th Avenue op als de geschilderde achtergrond van een Woody Allen-film. Minuscule, glinsterende raampjes, waarachter de duurste vierkante meters ter wereld schuilgingen. In het zuiden deed Midtowns ansichtkaartpanorama van kantoorpanden en hotels de lucht oranje-paars oplichten. Het nimmer aflatende getoeter van taxiclaxons dreef van straat omhoog.

Achter me hoorde ik Jack met twee vrienden over de *Post* praten, en hoe we de oplageverschillen zouden inhalen, tot onze verkoopcijfers gelijk waren aan die van de *Daily News*.

'Dit is de laatste slag in de grote krantenoorlog, en wij gaan hem winnen,' zei hij hartstochtelijk.

Ik keek uit over Manhattan. Ik had een baan bij een flitsende krant, ik woonde in de mooiste stad op aarde. Ik had zelfs de meest historische dag meegemaakt. Ik had een vriend die met hart en ziel van die krant en die stad hield... en van mij. Trots keek ik achterom naar Jack. De meiden mochten dan naar Engeland zijn vertrokken, de helft van mijn vrienden in Londen mocht dan getrouwd zijn, ik mocht dan over de lulligste onderwerpen moeten schrijven, ik had New York.

Niet geschikt voor publicatie

Ik staarde naar het lege beeldscherm. Dat zat ik al de halve dag te doen.

Is New York geen paradijs als je een knappe, slimme, succesvolle vriend hebt, als je niet meer naar die deprimerende blind dates hoeft?

Nee! Brave stelletjes? Wie wilde daar nou over lezen?

Ik moest vandaag mijn wekelijkse stukje inleveren, en ik kreeg niets uit mijn vingers. Ik had een heimelijke verhouding met mijn baas (wat de meesten al genoeg kopzorgen zou opleveren) terwijl ik voor mijn vak over mijn liefdesleven schreef in de krant waar we allebei bij werkten. Erger nog, in mijn column stak ik juist de draak met alles wat er misging op romantisch gebied. Maar hoeveel zelf-spot ik ook had, ik kon moeilijk ook Jack belachelijk maken.

Tot nu toe had ik de netelige kwestie weten te omzeilen door de beproefde methode van negeren. Ik had inmiddels twee nieuwe huis-genoten, Alice en Claire, die vier jaar eerder in New York waren komen wonen. Alice was de jongste van de glamoureuze Sykes-twee-ling, waar ik ooit zo'n angstig ontzag voor had gehad. Claire was een nuchterder, chaotischer type, maar ook zij werd in New York als een prinses benaderd. Zowel Alice als Claire hadden carrière gemaakt in de pr en waren deel van het meubilair op beau monde-feesten, waar-door een schat aan make-up, haarproducten en prulletjes uit alle geschenktasjes die op presentaties werden uitgedeeld zijn weg vond naar ons adres. Maar zelfs zij hadden zo hun onzekerheden.

Claire ging om met een New Yorker die Chris heette. Hij wei-gerde met haar samen te gaan wonen, hoe wanhopig graag zij ook een nestje wilde bouwen. Alice was single en hunkerde naar een vriend. Ik schreef over hun drama's in plaats van de mijne.

Ook andere onderwerpen kwamen aan bod: de obsessie van New Yorkers met het Britse accent, waardoor zelfs de meest kies-keurige mensen er plompverloren van uitgingen dat je betrouwbaar en deftig was; de ochtend waarop ik een kamer had geboekt in het chique hotel Thompson en naakt had geposeerd voor Circe, een bevriende fotograaf, gewoon om het eens mee te maken (het kantoor had er weken over gesmiespeld, terwijl Jack vol afschuw had gezwegen); mijn ergernis om het pas ingestelde rookverbod in de horeca, omdat het tegen de alles-moet-kunnen-houding van de stad indruiste, en omdat Langan's plotseling leeg bleef.

Ik wist echter dat ik niet eeuwig kon blijven doen alsof ik single was terwijl ik een vriend had.

Zet er dan een punt achter, hield ik mezelf voor. Wat was er tenslotte belangrijker: Jack, naar wie ik twee jaar had gesmacht, of een column van 700 woorden in een zondagse tabloid met mijn naam en een heel foute foto van me erbij?

Maar de ijdelheid won het keer op keer. Ik was niet alleen verslaggever, maar ik had een eigen column – een column! – in een echte krant. Ik kreeg brieven van lezers; af en toe werd ik op straat herkend. Jack had een topfunctie waar hij gelukkig mee was, dus waarom zou ik mezelf mijn baantje ontzeggen?

Toen we die avond bij hem op de bank lagen, Jack op zijn rug met zijn shirt halfopen en zonder stropdas, ik met mijn hoofd op zijn borst, sneed ik het thema voor het eerst aan.

'Schat, ik kan mensen niet blijven wijsmaken dat ik single ben terwijl ik een vaste relatie heb.'

Onder me voelde ik Jacks lichaam verstarren.

'Maar het loopt toch prima met die andere onderwerpen?' Hij stak zijn arm uit om zijn Camel Lights van de salontafel te pakken.

'Je weet dat het over mijn zoektocht naar een vriend hoort te gaan.'

Jack kreunde. 'Waarom, o waarom, ben ik zo stom geweest me uitgerekend door een columnist te laten strikken?'

'Hé!' Ik gaf hem een por tussen zijn ribben. 'Heb je enig idee hoeveel gasten me mailen of ik met ze uit wil? Er zit een heel aardige moordenaar bij die me wekelijks vanuit de Sing-Sing-gevangenis ingekleurde tekeningen en gedichtjes stuurt. Je mag in je handen knijpen met mij.'

'Dat doe ik ook.' Hij zuchtte gekweld. 'En je weet dat ik je er nooit van zou weerhouden te doen wat je graag wilt.'

'Dus als ik schreef dat ik een vriend had zonder prijs te geven dat jij het bent, vind je het wel goed?'

Jack kon geen kant op, dat wisten we allebei. Hij was te ruimhartig om te zeggen dat ik de column op moest geven. Maar het idee dat zijn privéleven wekelijks in zijn eigen krant zou worden uitgesponnen bezorgde hem nachtmerries.

Hij stak een sigaret op en blies traag de rook uit. 'Ik zal je gewoon moeten vertrouwen,' zei hij.

Ik hoopte maar dat ik mezelf kon vertrouwen.

De volgende dag ging ik al om zes uur 's ochtends naar kantoor, en ik beschreef wat een dilemma's het opriep als je verliefd werd op een goede vriend. Ik vertelde over ene Aaron, een televisieproducent die ik al tijden van een afstandje had aanbeden, en over mijn twijfels het hem op te biechten. In een paar weken zette ik alles op papier zoals het in werkelijkheid was gebeurd, vanaf de avond waarop Sam ons had betrapt tot aan onze uiteindelijke gedenkwaardige avond in Rhone, tot en met de uitdaging ineens de vriendin te zijn van iemand die je al lang kende. Ik hoopte vurig dat alleen de titels Jack zouden doen huiveren.

Als hij niet kijkt, zit ik hem met mijn ogen uit te kleden.

Hij heeft mijn kuit gestreeld... Moet het daar ophouden?

Logeerbibbers, badkamerblues.

Hé! Waar blijft mijn nog-lang-en-gelukkig?

Er werd massaal gereageerd.

Beste Bridget,
    Ik heb je voor het eerst gezien in dat programma 'Leven en Liefde in New York'. Tjonge, wat een waardeloze figuren zaten daartussen. Ik ben zo blij dat je de stap hebt gezet met Aaron. En joehoe! Hij lijkt jou ook heel leuk te vinden. Ik heb iets soortgelijks meegemaakt met een man van mijn tai chi-cursus. Uiteindelijk kun je beter eerlijk uitkomen voor je gevoelens.

Beste Bridget,
    Hè, hè, dat werd tijd! We hebben vandaag tijdens de brunch zitten juichen voor je. Zet 'm op, meid! Die scène waarin die ex van je opduikt en doodgemoedereerd brood gaat staan roosteren... gíllen! Hou die Aaron vast, wie weet is het een blijvertje.

Beste Bridget,
    Pfff, Aaron, al durf ik te wedden dat dat niet zijn echte naam is. Dat wachten, dat hunkeren, en nu is het eindelijk gelukt! Het mocht onderhand wel eens, een opbeurend verhaal na al die ellende. Trouwens, ik woon in Florida bij mijn 92-jarige moeder, ze is verslaafd aan je column. We popelen om te horen hoe het verdergaat...

Wist ik het zelf maar.

Ik stuurde de e-mailtjes door aan Jack, die deed alsof hij ze grappig vond. Maar ik wist dat hij misselijk was van zorgen over waar hij zich mee had ingelaten. Zijn enige troost was dat niemand wist wie Aaron was. Althans, dat dachten we.

Het liep alweer tegen 11 september. Het was amper te geloven dat er al twaalf hele maanden waren verstreken sinds die bizarre dag. De stad bereidde zich voor op een grote herdenking – niet dat ook maar iemand het was vergeten – en alle New Yorkse kranten stelden een themanummer samen. Brein achter dat van ons was Dave Boyle, de geniale fotoredacteur die van de *Sun* in Londen was overgehaald en geholpen had met de metamorfose van de *Post*. Aan het eind van de zomer had Jack me voor zes weken aangewezen om te assisteren met het schrijven van artikelen voor de bijlage, vermoedelijk vooral om de precaire toestand te omzeilen waarin ik dagelijks aan hem verantwoording moest afleggen. Het had bij mijn opdrachten gehoord baby's op te sporen die op 11 september waren geboren, die we moesten verzamelen voor een fotoreportage met hun ouders. Ik belde alle ziekenhuizen en kraamklinieken af en wist tien moeders te traceren die hadden liggen bevallen op het moment dat de torens afbrandden. De man van een van hen had vanaf de afdeling verloskunde in St. Vincent's Hospital gezien hoe het tweede vliegtuig zich in de zuidelijke toren boorde. Hij vertelde hoe doodsbang hij was geweest een kind op de wereld te zetten, terwijl het eruitzag alsof die wereld aan het vergaan was. Maar een jaar later zag hij zijn jonge zoon als symbool van hoop... er was toch nog iets goeds voortgekomen uit die verschrikkelijke dinsdag.

Ook interviewde ik de enige brandweerman die op de gevoelige plaat was vastgelegd toen hij de trap in de noordelijke toren beklom en burgers langs hem heen naar beneden stormden. De verlegen, sproeterige, 29-jarige Mike Kehoe had er nog steeds moeite mee dat hij tot lichtend voorbeeld van 11 september was gebombardeerd. Zoals de meeste brandweerlieden voelde hij zich opgelaten onder alle aandacht, terwijl zo veel van zijn kameraden waren omgekomen. Op aandringen van Dave Boyle toog ik meerdere keren naar Mike Kehoe's rustige buurtje in Staten Island om te proberen hem over te halen. Uiteindelijk zwichtte hij; ik zou de enige in Amerika zijn die hem mocht interviewen. Het leven in de kazerne kon zwaar worden als hij de naam kreeg uit te zijn op roem, zei hij.

Toen ik met mijn notitieblok op schoot bij hem op de bank zat, liet hij me dozen vol brieven zien die hij van uit de hele wereld had ontvangen, die overliepen van dankbaarheid voor zijn heldhaftigheid. *Beste brandweerman, bedankt voor het redden van al die levens,* luidde de tekst veelal.

Hij bladerde erdoorheen, nog steeds overdonderd.

'Honderden anderen hebben die dag precies hetzelfde gedaan als ik. Als die foto een paar tellen eerder of later was genomen, zou je met iemand anders zitten te praten,' zei hij bedeesd. 'We gingen die toren in, wisten tot de 27e verdieping te komen en gingen weer terug toen we de via de radio de order kregen te evacueren.' Luttele minuten daarop was de toren ingestort.

'Hoe kun je mij een held noemen? Hoe zit het dan met de collega's die het er niet levend van af hebben gebracht?'

De schijnbaar onoverkomelijke berg puin op Ground Zero was inmiddels opgeruimd. Op de vrijgekomen, met beton afgewerkte vlakte zou de herdenkingsdienst worden gehouden. De nabestaanden waren allemaal uitgenodigd daar samen te komen. Ze zouden de namen van de overledenen hardop voorlezen en vervolgens rozen neerleggen in de krater die het restant vormde van de funderingen van het World Trade Center. Om 8.46 uur, het tijdstip waarop het eerste vliegtuig was ingeslagen, zouden de kerkklokken luiden, en nogmaals om 10.29 uur, het moment waarop de tweede toren was ingestort.

Gedurende de nacht ervoor zouden doedelzakbands van vijf gemeentelijke instellingen, waaronder de politie en brandweer, stoeten vanuit de vijf stadsdelen van New York naar Ground Zero leiden. Inmiddels had ik met zo veel getroffen gezinnen contact gehad dat ik aanbood de reportage over de tocht vanuit Manhattan te verzorgen, samen met Jeane, een van mijn favoriete collega's. Na afloop van de dienst zou ik dan de uitspraken van de gezinnen die ik kende doorbellen. Ik wilde erbij zijn om mijn steun te betuigen.

Die ochtend stapte ik al om vier uur bij Jack uit bed en nam een taxi naar 74th Street, waar ik met Jeane had afgesproken. Het was nog donker toen ik haar met haar blonde haar en pezige postuur in de lege straat zag staan, sigaret in de ene hand, notitieblok en telefoon in de andere.

'Rokertje?' bood ze aan terwijl ik naderde. Ze gaf me haar pakje.

We tuurden de uitgestorven 5th Avenue af. De stoplichten sprongen van groen op rood en weer op groen, zonder auto's om tegen te houden.

Ik huiverde, ook al was het niet koud.

'We zijn ze toch niet misgelopen, hè?'

Jeane keek op haar horloge. 'Nee. Ze zijn om twee uur vanaf Broadway en 220th Street vertrokken. Ze kunnen hier nog niet zijn.'

Jeane, een van onze meest gewiekste verslaggevers, was haar carrière jaren geleden bij de roddelrubriek begonnen. Ze was bij de *Post* weggegaan om in Chicago te gaan trouwen, maar was deze zomer teruggekomen. Nog voordat ik haar had ontmoet en gezien had hoe bedreven ze mensen aan het praten wist te krijgen, had ik al uit de verhalen opgemaakt dat ik haar mocht. Zij was degene die zwanger was teruggekeerd van een uitwisselingsprogramma van News Corporation met Australië, naar verluidde nadat ze in Sydney met een briljante maar losbandige reporter op een biljarttafel had liggen neuken. Ze ontkende met klem dat haar dochter op die manier was verwekt, maar bij het horen van de anekdote had ik teruggedacht aan mijn eerste dag bij de *Post*, toen Anne Aquilina het over 'kleine Kate' had gehad, en ik geen idee had gehad wie ze bedoelde. Ik vond het heerlijk om samen met Jeane op pad te gaan. Ze was een doorbijter, liet zich nooit uit het veld slaan.

Er was nog steeds geen teken van de doedelzakspelers. We streken in het donker op een bankje neer.

'Je had gisteravond een afspraakje met Jack, hè?' zei ze plotseling. Overrompeld keek ik haar aan.

De avond tevoren hadden we allemaal in Langan's gezeten, nadat we de puntjes op de i hadden gezet voor de bijlage. Jack en ik waren tien minuten na elkaar weggeglipt om ergens te gaan eten.

Ik nam een haal van mijn sigaret.

'Kom op, zeg het nou maar eerlijk. Ik zag wel hoe jullie naar elkaar zaten te kijken. En jullie waren allebei ineens vertrokken. Hebben jullie een verhouding?'

Ik wist dat ik niet uit de school mocht klappen, maar Jeane kon je op een slinkse manier het gevoel geven dat het heel spannend zou zijn haar alles te vertellen.

'Bridge, je weet dat ik dol ben op Jack. Ik hou verder mijn mond, hoor.'

En daar, terwijl we in het duister op de stoet zaten te wachten, leek het ineens zo onbenullig om er nog langer een geheim van te maken.

'Jack en ik gaan al een paar maanden met elkaar om. Op kantoor weet niemand ervan.'

Jeane joelde. 'Ik wíst het! Ik wíst het! Ik heb Jack nog nooit zo zien stralen.'

'Echt?' Jack stralen? Door mij!

'Ah, ik hoor iets,' zei Jeane. Ons gesprek viel stil terwijl de kreunende flarden van de doedelzakken langzaam door de dageraad filterden, begeleid door het lage bonzen van de drums.

Het geluid kwam dichterbij, en ik huiverde opnieuw. Het was de klank van verdriet, van brandweeruitvaarten.

De stoet kwam in de schemering in zicht. Achter de doedelzakspelers liepen al honderden mensen. Sommigen hielden de Amerikaanse vlag vast of een kaars. Anderen droegen spandoeken waarop stond WIJ ZULLEN NOOIT VERGETEN.

Jeane en ik keken zwijgend toe hoe ze naderbij kwamen en sloten toen met onze notitieblokken aan. Ja, er waren veel belangrijker zaken in New York dan mijn column en mijn relatie met Jack.

Ons kleine geheimpje...
waarvan iedereen weet

Ik staarde naar mijn beeldscherm. Kon ik schrijven over hoe het was om op je 32e op vakantie te gaan en je te verlekkeren aan je zeilinstructeur, waar je ouders bij waren nota bene? Of zou dat gemeen zijn tegenover Jack?

Ik was net terug van een reisje naar Turkije, waar ik me overdag op het strand had liggen vergapen aan Mark, een lange, atletische man uit Surrey die zeilbootjes onderhield en windsurfers het water in hielp. Vanachter mijn boek en zonnebril had ik gebiologeerd naar zijn soepele, goudbruine, gespierde rug zitten loeren terwijl hij allerlei nautische instrumenten over het zand torste. Het was onversneden lust. Vergeleken met Jack was hij beresaai om mee te praten. Maar hé, wat romantiek hoorde nou eenmaal bij een vakantie. Ik zou het Jack ook niet hebben misgund als hij op het strand zijn ogen flink de kost had gegeven; niet dat hij ooit vrij kon nemen om naar het strand te gaan.

Elke ochtend was ik in mijn roze bikini naar Mark toe gestapt om te vragen naar de windrichting in verband met mijn middelmatige surfkwaliteiten. Bemoedigend genoeg leek Mark gecharmeerd van me; totdat ik hem uitnodigde voor een zeiltochtje en mijn moeder besloot ook mee te gaan.

Een paar tellen later was mijn vader in een kano naast ons bootje opgedoken, zijn videocamera in de aanslag.

'Bridgie, kijk deze kant eens op!' had hij geroepen, en mijn moeder had uitbundig naar de lens gewuifd. Terwijl mijn kop zo rood als een boei was geworden, had ik Mark aan het roer zien grinniken.

Ik was midden in de nacht uit Turkije teruggekomen, na een reis van 18 uur. Ik was met een hol, vermoeid gevoel mijn slaapkamer in gekropen. Er had een pakje op mijn kussen gelegen. Ik had mijn tassen neergegooid en het opengescheurd. Er zat een prachtige halsketting in, een vierkante oranje ambersteen in een zilveren zetting.

Welkom thuis, ik heb je vreselijk gemist. Hou van je, J, stond er op het briefje. Overmand door emoties had ik ernaar zitten staren, en Mark was ineens een vage herinnering geworden. Het was te laat geweest om Jack nog te bellen, dus was ik gaan slapen met de ketting om mijn hals.

Om halfnegen de volgende ochtend was ik wakker geworden van de telefoon.

'Schat, laat me erin. Ik sta bij je voor de deur.'

Ik was in mijn T-shirt naar de deur gestormd, en had Jack in zijn nette pak onder de neonlamp op onze overloop zien staan. Ik was hem in de armen gevlogen.

'Ik had het gewoon niet aangekund je de hele dag op kantoor te zien lopen zonder je fatsoenlijk te verwelkomen.' Hij had me mijn kamertje in gedragen en zijn kleren uitgegooid.

Toch, dacht ik nu ik voor mijn computer zat, zou mijn onnozele vakantiebevlieging stof kunnen zijn voor een mooi stukje. En ik was vast niet de enige dertiger die nog steeds spontaan verliefd kon worden op het strand. Jack zou het heus wel begrijpen.

De column werd geplaatst met als titel OP ZOEK NAAR VAKAN-TIEROMANTIEK – SAMEN MET PA EN MA.

Toen Jack het las, trok hij zijn wenkbrauwen op en deed er lacherig over. Maar ik merkte dat hij gekwetst was.

'Ik zie dat je dat deel over je thuiskomst hebt overgeslagen,' merkte hij op.

'Ik wil niets over ons privéleven onthullen,' zei ik schuldbewust.

'Daar heb je anders tot nu toe geen moeite mee gehad.'

Drie weken later trokken we voor ons weekeindje bij Paula en Paul naar het noorden van de staat. Om twee uur die nacht sloop ik stilletjes met mijn gympen aan mijn blote voeten en mijn Puffa-jack over mijn pyjama over het binnenplein van het Catskills Hunter Motel. Er hing een herfstachtige kou in de lucht, maar gelukkig was alles stil op de twee etages kamers die rond de binnenplaats liepen. Ik hoopte dat iedereen buiten westen was van de drank of in elk geval sliep.

'Ga je naar je vriendje?'

Nee! O, ffft. Het was Jeane maar.

Ze stond over een balkon geleund in het donker een sigaret te roken. Geen wonder dat Jeane altijd de mooiste primeurs kreeg. Ze leek een clandestiene activiteit gewoon te kunnen ruiken. Ik trok mijn jack steviger om me heen en klom de trap naar haar verdieping op.

'Geef mij er ook eentje,' fluisterde ik, en ze stak me haar pakje toe. 'Jeetje, ik dacht dat ik door de mand was gevallen.'

Met een zucht gaf Jeane me een vuurtje. 'Bridge, ik moet je waarschuwen. Iedereen weet inmiddels dat jij en Jack iets met elkaar hebben.'

Onthutst keek ik haar aan. 'Maar jij was de enige die...'

'Ik heb het niet doorverteld, ik zweer het.'

'Hoe weten ze het dan?'

'Omdat jullie je gedragen als een stel verliefde pubers.'

'Wat? Valt het zo op?'

'Jep. Paula en Michelle beweren nu dat ze het hebben zien aankomen vanaf de dag dat jij uit Londen arriveerde, en dat ze zich al afvroegen waarom het zo lang duurde. Maar maak je niet druk. Iedereen roept dat Jack nog nooit zo'n goed humeur heeft gehad.'

Het lukte me niet een brede grijns te bedwingen.

Dit late oktoberweekeinde waren we met een groepje collega's naar de Catskills afgereisd, een uitje dat ons al lang in het vooruitzicht was gesteld door de pas gedomesticeerde Paula. In het buitenhuisje zouden we Pauls verjaardag vieren. Jack en ik waren samen hierheen gereden, maar meteen na aankomst hadden we ons in aparte kamers verschanst, en we negeerden elkaar angstvallig. Ach, misschien maakte het ook niet uit als iedereen het wist.

'Jeane, ik weet dat het raar klinkt, maar ik denk dat hij wel eens de ware kan zijn voor me.'

'O, o,' zei ze met een ondeugend lachje.

'Nee, serieus. Ik ben twee jaar lang ziekelijk verliefd op hem geweest, en nu we eindelijk samen zijn kan ik geen moment zonder hem. Ik snak de hele tijd naar zijn aandacht. Zelfs op feestjes is hij de enige met wie ik wil praten. Het is zo maf.'

'Nou, je had het slechter kunnen treffen. Jack is een schat, ook al kan hij op kantoor nog zo lopen kafferen. En ik heb hem nog nooit zo vrolijk meegemaakt.'

Weer voelde ik die warme gloed. We waren op stap met allemaal bevriende collega's. Waarom zouden we ons nog langer verstoppen?

Jeanes ogen twinkelden. 'En het mooiste is natuurlijk dat iedereen alles over hem heeft kunnen lezen in je column.'

Wát? Mijn maag verkrampte. 'Nee toch? Denken ze dat het over hém gaat?'

Ze boog zich over het balkonhek naar me toe. 'Bridget, we werken voor een tabloid. Roddels en schandalen zijn onze specialiteit. Je hangt al twee jaar lang de vuile was over je liefdesleven buiten. Dacht je soms dat de mensen achterlijk waren?'

Er voer een misselijkmakende rilling door mijn lijf, het gevoel dat je bekruipt wanneer je doodsbang bent om betrapt te worden en dan wordt ontmaskerd.

'Ik bedoel, het was zo grappig toen je schreef dat hij al die tijd van je had lopen dromen. Wie had dat nou kunnen weten? En o, toen je vertelde hoe moeilijk het was iets te beginnen met een goede vriend, omdat hij naar huis had gewild om zijn kwijnende kamerplant te verzorgen, terwijl hij een romantisch avondje met jou had kunnen hebben. Ik bedoel, wat hebben we dáár om gelachen. Dat was Jack ten voeten uit.'

Ik werd nog misselijker. Ik zag voor me hoe de reporters de column aan elkaar doorgaven, giechelend en gniffelend om alles wat ik over Jack had gezegd. Hij zou het besterven als hij het hoorde.

'En hoe vatte hij het op dat je wel trek had in die zeilinstructeur?' vroeg Jeane.

Nee, daar wilde ik nu niet over praten. 'Jeane, wat vind jij dat ik moet doen? Moet ik mijn column opgeven?

Ze piekte haar sigaret over het balkon. 'Ik weet het niet, Bridge. Je hebt een behoorlijke reputatie opgebouwd in New York. Het lijkt me moeilijk zoiets op te geven. Je moet maar gewoon hopen dat Jack het blijft slikken. Al zou ik het knap van hem vinden als hij dat kon.'

'Maar het was nog tot daar aan toe toen niemand wist dat het over hem ging. Als iedereen op kantoor het leest...'

'Misschien moet je dat eerst eens aan hem vertellen.'

'Wat, en hem nog zenuwachtiger maken dan hij al is?'

'Ja, nee, maak hem alsjeblieft niet zenuwachtiger, daar worden we allemaal de dupe van.'

Jacks kamerdeur zat niet op slot, en hij had het licht in de badkamer aan gelaten zodat ik iets kon zien wanneer ik binnenkwam. Hij lag in bed, met een arm boven de dekens, schijnbaar midden in een levendige droom. Zijn ogen waren gesloten, zijn ademhaling was diep. Ik bleef in de schemering naar hem staan kijken. Zijn vertrouwde rode wangen en verwarde haren zagen er zo vertederend uit dat ik me overmand voelde door liefde, gevolgd door een enorm schuldbesef omdat ik hem had verraden.

Waaraan had hij dit verdiend? Nergens aan. Ik trok mijn jack uit, schopte mijn gympen uit en ging op de rand van het bed zitten. Hij bewoog zich, stak automatisch zijn arm uit om mijn middel te zoeken.

'Schat, waar bleef je nou? Ik was al bang dat je het verkeerde kamernummer had,' mompelde hij terwijl hij me onder de dekens trok, tegen zijn warme lichaam aan.

'Ik wilde zeker weten dat iedereen sliep.'

Ik drukte mijn gezicht in zijn nek, en onze armen en benen verstrengelden zich. Al snel viel hij weer in slaap, en we veranderden van houding. Ik lag op mijn rug met mijn arm om zijn schouders naar het plafond te staren. Het akelige gevoel in mijn maag was heviger dan ooit.

Als je het weet, dan weet je het... of niet?

Eigenlijk is het zo stom. Wanneer je single bent en snakt naar een vriendje, verbeeld je je dat al je problemen opgelost zullen zijn wanneer je er eentje vindt. Niet meer in kroegen wachten op vreemden die je misschien dumpen omdat je niet van honden houdt of geen lang haar hebt. Niet langer e-mailtjes van twee zinnen afspeuren naar cryptische tekenen van hoe graag iemand je mag. Niet meer duizend rationele verklaringen verzinnen voor waarom een vent je niet meer heeft gebeld.

Dan – trompetgeschal! – krijg je eindelijk een vriend... en begin je je over heel andere dingen zorgen te maken. Is hij wel de Ware, en als ik mezelf die vraag stel, betekent dat dan dat hij het niet is? Waarom lijkt hij meer enthousiasme op te brengen voor een spelletje poker met zijn maten dan voor een etentje met mij?

Ja, je mag dan op zondagochtend onder de pannen zijn, en je hoeft je seksuele talenten niet langer te verspillen aan mannen die er moeite mee hebben tijdens het vrijen op je naam te komen, nu heb je een andere kwestie waarop je je onzekerheid los kunt laten.

Een mooi voorbeeld hiervan speelde zich in de winter van 2002 af in onze loft in 14th Street. Alice, de enige vrijgezel in ons huishouden, sleepte zich wekelijks van de ene rampzalige date naar de andere. Een advocaat met wie ze drie weken lang was omgegaan belde plotseling een uur van tevoren af omdat hij – zo vertelde hij haar later zonder er doekjes om te winden – een andere vrouw had ontmoet met wie het had geklikt 'zoals je maar eens in je leven overkomt'. Daarna was er de pretentieuze schrijver die op onze koeienprintbank ingespannen lag te luisteren naar Alice, puur om zijn aangemeten Britse accent op te kunnen vijzelen. Hij werd opgevolgd door een 41-jarige reclameman die zich uit zelfbescherming in zijn slaapkamer opsloot, omdat hij anders de straat op zou gaan om tien gram cocaïne te scoren. Wanneer ze geen afspraakje had en zich eenzaam voelde, dronk Alice zich een stuk in de kraag en stommelde door het huis, haar hoofd tegen de muur beukend, ervan overtuigd dat ze gedoemd was voor eeuwig alleen te blijven.

In de tussentijd kletterde Claire in de keuken met potten en pannen, vloekend omdat Chris na twee lange jaren nog steeds niet had gevraagd of ze bij hem in wilde trekken. De 35-jarige Chris had een weddenschap van $ 40.000 gesloten met zijn broer Cromwell dat hij niet voor zijn veertigste zou trouwen. Was dat de reden dat hij zich niet wilde vastleggen? Of lag het aan háár? En die weddenschap zou hem toch sowieso een worst moeten wezen?

Wat mijzelf betrof: je had de kerstlampjes in mijn slaapkamer kunnen voeden met de hysterische hersenenergie die vrijkwam door al het getob en gepieker. Niet lang nadat we uit de Catskills waren teruggekeerd, had Jack me na het werk in Langan's opgezocht. Er had een diep gekwetste uitdrukking op zijn verhitte gezicht gestaan.

'Ik kom net uit een overleg met de hoofdredacteur, en hij vroeg of hij me voortaan Aaron moest noemen. Hij kwam niet meer bij van het lachen.'

Mijn bloed stolde.

'Hij zei dat zijn vrouw verzot is op je column.'

'Wauw, Cols vrouw? Echt?' De ijdelheid nam het over.

Jack had zijn hoofd in zijn handen gelegd, heen en weer geslingerd tussen woede, trots en gelatenheid. 'Je boft maar dat ik zo gek op je ben.'

Ik had hem spontaan vastgegrepen en hem een zoen gegeven. Het had me niet uitgemaakt of iemand ons zag. Maar onder de oppervlakte was mijn angst toegenomen.

Een slaapverwekkende column of de hele stad laten meegenieten van mijn relatie? Onze privézaken buiten de publiciteit houden of het hele kantoor laten weten wat er speelde? Het was die eeuwenoude vraag: wat kwam er op de eerste plaats: je persoonlijke leven of je carrière?

Ook andere dingen begonnen te knagen. Jack was Amerikaans staatsburger. Als ik met hem trouwde, zou ik dan voorgoed in New York moeten blijven? Wat zouden mijn ouders ervan vinden als hun kleinkinderen aan de andere kant van de wereld opgroeiden? Niet dat Jack had gezegd dat hij kinderen met me wilde of zoiets. Hij was twee jaar jonger dan ik. Hij stond er nog niet eens bij stil.

Maar naarmate mijn nervositeit over de toekomst toenam, werd ook mijn onzekerheid groter, en dat begon ik uiteraard op Jack af te reageren. De trots die ik had gevoeld wanneer ik hem op de redactie zo daadkrachtig zag handelen, veranderde in ergernis om zijn succes. Ik moest hem delen met de *Post*, en de *Post* was nog steeds zijn grote liefde. Als ik het offer bracht mijn vaderland de rug toe te keren, zou ik dan niet altijd tweede viool blijven spelen? Was de *Post* belangrijker voor hem dan ik?

Bovendien was het probleem met een kantoorromance dat je je

geliefde de hele dag door zag, ook op momenten dat hij geen aandacht aan je kon besteden.

Emotioneel was het bij Jack hollen of stilstaan. Pas als we het na een slaande ruzie goedmaakten, zei hij hoeveel hij van me hield. Dus bleef ik ruzies uitlokken. Ik werd elke week cholerisch over zijn pokeravondje, of als hij te moe was om bij Alice, Claire en mij te komen eten, of als hij kortaf deed aan de telefoon.

Hij begreep maar niet wat me mankeerde. Hij hield meer van mij dan van wie dan ook, en dat wist ik, dus wat zat me zo dwars? Omwille van mijn geluk onderging hij zelfs de vernedering van mijn column. Waarom konden we niet gewoon vrolijk doorgaan zoals het ging? Maar ja, hij was geen vrouw, geen vrouw die kampte met die aloude druk.

Op een middag werd ik op kantoor gebeld door Kathryn, mijn voormalige huisgenoot uit Londen.

'Bridge, hoe is het? Het spijt me dat ik zo lang niks van me heb laten horen. Raad eens? Ik heb groot nieuws.'

In gedachten maakte ik een snelle berekening. Nee, ik wist het zeker. De vorige keer dat we elkaar hadden gesproken was Kathryn single geweest. Ze kon onmogelijk verloofd of zwanger zijn.

'Ik heb twee weken geleden een man leren kennen, en ik weet dat hij de ware is!' zong ze.

Dat wíst ze? Hoe dan?

'Er was die vrijdag een feest bij de Royal Academy, en ik liep naar binnen en… nee, niet lachen… het was alsof hij in een bundel licht stond.'

Geen bliksemflits?

'Nou, misschien was het gewoon de zon die door de dakkoepel viel, maar, Bridge, hij had een surrealistische aureool om zich heen, en ik werd vanzelf naar hem toe getrokken. Hij heet Ben, hij is acteur. We zijn die avond samen naar huis gegaan, en sindsdien zijn we geen nacht meer alleen geweest. Hij is fantastisch.'

Ik probeerde geen sceptische opmerking te maken. Kathryn was er net zomin als onze huisgenoot Tilly het type naar om telkens wanneer ze een vent ontmoette te roepen dat ze verliefd was.

'Bridge.' Ineens klonk ze verrassend serieus. 'Je weet hoe irritant en bekrompen en naïef we anderen altijd vonden als ze zeiden: "Je weet het zodra je hem ziet." Maar volgens mij klopt het. Wanneer je de ware tegenkomt, voel je het tot in je tenen. Het leven lijkt ineens zo eenvoudig.'

Na afloop van het gesprek voelde ik een irrationele golf van woede. Niet nog zo'n verrekte preek over de liefde. 'Je weet het zodra je hem ziet.' 'Het leven lijkt ineens zo eenvoudig.'

Dus hoe zat dat dan met Jack en mij? Bij ons was nooit iets eenvoudig.

Een paar dagen na Kathryns telefoontje stelde Jack voor 's avonds bij hem thuis te gaan koken, iets wat we nooit deden. Ik had sinds mijn aankomst in New York nog geen ei gebakken. Door Pierre en Roman was ik meteen verslaafd geraakt aan de ophaal- en bezorgmaaltijden, en bij ons thuis zorgde Claire altijd voor het eten.

Ik liep die dag met een lichtere tred dan gewoonlijk over de redactie, en ik zat constant naar de klok te loeren, hunkerend naar het moment waarop we samen in de supermarkt als een knus stelletje ons mandje zouden vullen. Maar om halfzeven kreeg ik het onvermijdelijke telefoontje.

'Schat, het spijt me, maar ik moet blijven voor de bespreking van de tweede editie.'

De eerste editie van de krant moest om halfacht 's avonds op weg zijn naar de drukker, waarna de avondploeg het overnam. Bij het overleg over de tweede editie werd besproken welke wijzigingen moesten worden doorgevoerd voor de versie die om elf uur de deur uit moest.

Als Jack moest blijven, betekende dat dat er een belangrijk verhaal aankwam, waardoor de indeling van de krant zou moeten veranderen. Ik wist dat hij geen kant op kon.

'O, het maakt niet uit. Ik ga wel iets met Alice en Claire doen, en dan zie ik je als je klaar bent,' zei ik, mijn teleurstelling zo goed en zo kwaad als het ging de kop indrukkend. 'Het lijkt me sterk dat je mij zonder toezicht in jouw blinkende keuken wilt loslaten.'

Heimelijk hoopte ik dat hij me zou tegenspreken, maar in plaats daarvan maakte hij haastig een einde aan het telefoontje. 'Oké, ik bel je wel als het erop zit.'

Om halfelf belde hij weer; hij zat nog steeds op kantoor. Ik zei dat ik mezelf wel bij hem binnen zou laten en in bed op hem zou wachten. Om één uur die nacht lag ik nog steeds alleen, naakt en ziedend. Die rotzak. Waar bleef hij? Waarom ging ik om met een vent die meer aan zijn werk hechtte dan aan mij?

Om kwart voor twee sloeg eindelijk de buitendeur dicht, en ik hoorde hem de trap op komen rennen. Vlug draaide ik me om, en ik deed alsof ik sliep, hoewel ik wist dat er een hele toestand moest zijn geweest als hij zo lang had moeten blijven.

Hij trok zijn kleren uit en kroop in bed. Toen rook ik zijn whiskyadem.

'Schat, ben je nog wakker? Het spijt me vreselijk. Ik kwam maar niet weg uit Langan's.'

Wát? Had ik op hem liggen wachten terwijl hij aan de boemel was geweest met zijn vrienden?

'Rot op,' bromde ik.

Hij sloeg zijn arm om mijn blote middel. 'Wakker worden, schat. God, ik wilde de hele avond alleen maar naar huis, naar jou toe. Maar ik kon er niet onderuit. Iedereen wilde na de tweede editie een borrel gaan halen. Ik moest wel mee.'

Geeft niets, ik begrijp het wel. Ik ben blij dat je er eindelijk bent. Dat had ik kunnen zeggen, want ik begreep het ook best.

'Was daar gewoon lekker gebleven,' beet ik hem in plaats daarvan toe.

Jack trok zijn arm terug. Ik voelde aan dat hij wanhopig naar het plafond lag te staren; of was hij kwaad?

De volgende ochtend probeerde hij nog eens te zeggen dat hij er spijt van had. Ik zweeg hem dood.

Net toen hij beneden de deur uit wilde lopen, kreeg ik spijt. Ik sprong uit bed, rende de trap af en greep hem vast. Nu was ik degene die excuses maakte.

Zichtbaar opgelucht kwam hij mee terug naar boven, trok zijn kleren uit en stapte weer in bed, zeggend hoeveel hij van me hield. Hij arriveerde die ochtend een halfuur te laat op zijn werk. Ik zag het als een zeldzame overwinning.

De dag daarop begon ik voorzichtig aan een stukje over een onderwerp waar ik al een poosje over liep te peinzen: dat de lange werkdagen in New York het niet alleen vrijwel onmogelijk maakten een partner te vinden, maar dat als je eenmaal een vriend had, het vrijwel onmogelijk was tijd voor elkaar te maken.

Ik beschreef hoe Aaron en ik altijd overwerkten en dan uitgeput in bed vielen. Hoe we ons in het weekeinde alleen maar volgoten met drank, omdat we te afgemat waren om te profiteren van alles wat de stad te bieden had. Het kon me niet schelen dat iedereen bij de *Post* wist dat het over Jack en mij ging. Ze wisten allemaal dat het ook voor hen opging.

Het lijkt wel alsof iedereen in New York veel te hard werkt. Terwijl bezoekers van heinde en verre champagne komen drinken in het River Café of uren rond te dolen door het Metropolitan, zouden wij, degenen die minstens tien uur per dag op kantoor doorbrengen net zo goed in een boerengehucht kunnen wonen.

Soms heb ik het idee dat Aaron en ik de ene helft van de tijd dronken zijn, en de andere helft met een kater zitten. De voornaamste klacht van mijn huisgenoot Claire is dat slechte ochtendadem en hoofdpijn de pijlers van haar seksleven zijn.

Die zondag ging ik vroeg in de avond van huis om bij Jack naar *The Sopranos* te kijken. Toen onze relatie nog pril was geweest, was de zondagavond heilig geweest voor Jack; hij wilde een poosje alleen zijn voordat de zware werkweek weer losbarstte. Maar sinds kort brachten we de zondagavonden samen door.

Ik belde aan en liet mezelf met de sleutel binnen. Hij zat op de bank voor zich uit te staren. Naast hem lag de *Sunday Post*. Hij stond op ploffen, zag ik aan zijn gezicht.

Aarzelend liep ik op hem af. 'Is alles oké, lieverd?'

Hij sprong overeind en gooide de krant op de salontafel. Hij lag open bij mijn column. GEEN SEX AND THE CITY, stond erboven.

O nee. Op de een of andere manier had ik mezelf weten wijs te maken dat hij de kop niet zou zien. Om eerlijk te zijn was ik er zelf ook bij ineengekrompen.

'O, toe nou, zo erg is het niet,' zei ik, en ik klonk uiterst oprecht.

'Niet érg? Bridge, je hebt echt geen flauw benul, hè? Iedereen op kantoor leest jouw stukjes. Zelfs mijn familie leest ze.' Hij keek me aan, en even stonden zijn blauwe ogen treurig en smekend, alsof hij niet begreep waarom ik het niet begreep.

Ik voelde een felle steek van schuld.

'Week in week uit krijgt iedereen allerlei gênante details over me opgedist. Wanneer ik op maandagochtend binnenkom, zitten mensen achter mijn rug te gniffelen en noemen ze me Aaron.'

'Maar je hebt nooit gezegd dat je het vervelend vond dat ik een column schrijf,' zei ik zwakjes.

'Dat ik geen bezwaar maak betekent nog niet dat ik het leuk vind.' Hij liet zich weer op de bank zakken en legde zijn hoofd in zijn handen. 'Schat, soms wou ik dat je een andere baan zocht,' verzuchtte hij.

'Zoek zelf een andere baan!' schreeuwde ik. Het mooie aan schuldbesef en onzekerheid is dat je er kwaad en defensief van wordt.

'Omdat jij meneer de redactiechef bent en ik maar een onbeduidend verslaggevertje, moet ík ineens een andere baan zoeken? Is mijn werk soms minder belangrijk dan dat van jou? Kan ik zomaar opzijgeschoven worden?'

'Nee, nee, natuurlijk niet.' Hij schudde zijn hoofd, besefte dat hij in discussie was met iemand die niet voor rede vatbaar was.

'Heb je enig idee wat ik allemaal heb opgeofferd om naar New York te kunnen komen?' tierde ik.

'Alsjeblieft, Bridget, zo zwaar heb jij het niet gehad hier. De meeste mensen zouden heel wat overhebben voor de kansen die jij hebt gekregen,' zei hij op irritant nuchtere toon.

'Ben je soms mijn vader?' riep ik.

Jack stak een sigaret op.

'Weet je wat, ik ga naar huis,' zei ik.

Ik bleef staan waar ik stond, keek hem vernietigend aan. Elk moment kon hij opstaan om me vast te pakken, sorry te zeggen, en me te smeken niet weg te gaan.

Hij leunde achterover op de bank. Niet de juiste reactie.

'Oké, nou, ik ben weg.' Ik bleef nog even dralen, gaf hem een laatste kans, stormde toen naar de deur.

Nog steeds geen protest. Met tranen in mijn ogen stampte ik de hal in. Mijn trots dwong me naar de liften te lopen. Maar ik wist dat ik niet opgewassen was tegen een ellendige nacht thuis, wachtend tot hij zou bellen. Of niet zou bellen.

Ik marcheerde weer naar binnen. Hij zat nog steeds op de bank te roken, zag er afgetobd uit. Hij keek op alsof het hem niet uitmaakte of ik er wel of niet was.

Ineens werd ik bang. Ik ging naast hem zitten en sloeg mijn arm om zijn schouders. 'Schat, het spijt me. Ik weet dat het een nachtmerrie voor je is, en ik waardeer het heel erg dat je zo tolerant bent.'

'Laten we er maar over ophouden. Het maakt me niet uit, het doet er niet toe,' zei hij vlak.

We hadden ruziegemaakt. Ik had zijn aandacht weer. Maar we wisten allebei dat mijn column een wig tussen ons had gedreven.

Knakworst en solitair
·····································

'Hij is er vast niet. Zeker niet vandaag, na wat er is gebeurd,' zei ik
tegen *Post*-fotograaf Robert Kalfus. We stonden op 206th Street, ik
had net op de bel gedrukt en we luisterden naar het gedempte
geluid ergens ver weg op de begane grond van het woonhuis.

'Je weet het nooit,' zei Robert schouderophalend. Hij verschoof
zijn camera op zijn schouder en stampte met zijn voeten om warm
te blijven. Robert had, zo liet hij niet na me te vertellen telkens wanneer we samen een klus hadden, samen met twee collega's op 10
augustus 1977 in Brooklyn in het appartement van seriemoordenaar
Son of Sam ingebroken en de wereldberoemde foto's van het griezelige onderkomen genomen. Hij verbaasde zich nergens meer over.

Ik drukte opnieuw op de bel. Het was kwart over tien in New
York. Thuis in Ealing zou mijn familie onderhand in de eetkamer
aan de kerstlunch schuiven. Mijn broer Andrew en mijn zus Jacqui
trokken knalbonbons open terwijl mijn moeder het elektrische mes
in het stopcontact deed en mijn vader de videorecorder controleerde om zich ervan te verzekeren dat de kersttoespraak van de koningin werd opgenomen.

In Queens was het min twintig graden, de straten waren bedekt
met smoezelige sneeuw. Ik rilde. Ik stond op het punt de redactie te
bellen om te zeggen dat we bot hadden gevangen.

Ineens schoof achter het matglazen ruitje in de deur een schaduw
voorbij. Robert en ik wisselden een blik uit. Ik probeerde een over-
tuigende openingszin te bedenken.

Er knarste een sleutel in het slot, gevolgd door het frunniken met
de ketting, en toen deed een magere oude man met een smal,
gegroefd gezicht langzaam open.

'Meneer Russo?'

'Ja?' Hij hield zich aan de deurpost in evenwicht.

'Goedemorgen, meneer, we zijn van de *New York Post.*'

Hij keek ons niet-begrijpend aan, met ogen die opaak waren
geworden van ouderdom.

'Eh... We komen in verband met het ongeluk. Ik vroeg me af of we even met u konden praten.'

Hij trok zijn bordeauxrode vest om zich heen terwijl de kille kerstlucht zijn gang in drong.

'Jullie kunnen maar beter binnenkomen,' zei hij vlak, en hij schuifelde de gang weer in. We sjokten achter hem aan. Robert deed de deur achter ons dicht.

Mike Hechtman had me deze opdracht gegeven toen ik me vanochtend om halftien telefonisch had gemeld, me er nog steeds over verwonderend hoe onwennig het was voor het eerst op eerste kerstdag wakker te worden zonder het gewicht van een oud paar kousen vol cadeautjes op het voeteneind van mijn bed.

'Je moet naar Queens. Ouder echtpaar, 39 jaar getrouwd. Zij ging gisteravond een pizza ophalen voor hun kerstavonddiner en werd op Francis Lewis Boulevard door een auto aangereden. Over de motorkap gevlogen, op slag dood. De bestuurder is doorgereden.'

'Wat een gezellig kerstverhaal,' had ik opgemerkt. 'Wat is het adres?'

'206th Street. Robert gaat er vanaf kantoor naartoe. Hé, zoek uit wat die ouwe vent met de cadeautjes voor zijn vrouw doet, oké?'

In de krap bemeten woonkamer van de Russo's deed het winterse licht zijn best om door de oude vitrages heen te komen, maar de woning was feestelijk versierd. In een hoek stond een klein dennenboompje met gouden engelenhaar. Langs een van de wanden hing als een streng vaantjes een koord met kerstkaarten, en er waren zilveren slingers van schilderij naar schilderij gespannen. Boven op de oude tv stonden de Jozef, Maria, schapen en koeien van een kerststal rond een kribbe, en overal waren snoezige kerstfiguurtjes neergezet. Rudolf het rendier zat midden op de bank, met naast zich drie elfen met felgroene kniebroeken en rode hoedjes met belletjes eraan. Tegen de onderkant van de kerstboom leunde een pluchen kerstman, een tweede was boven op een boekenplank geposteerd.

'Martha is er vorige week een hele dag mee zoet geweest,' zei meneer Russo terwijl we het allemaal in ons opnamen. Toen viel hij stil en keek verward. 'Ik moet even gaan zitten,' zei hij.

We liepen naar een tafel in het ontbijtnisje naast de kamer. Robert liet zijn camera op het versleten kleed zakken, en ik ging zitten en diepte mijn notitieblok op uit mijn tas.

'Eh... we vinden het heel erg wat er met uw vrouw is gebeurd,' zei ik. 'We vroegen ons af hoe u eronder bent.'

'Toen ze na een uur nog niet terug was, zei ik tegen mezelf: "Er is iets gebeurd." Even later stond de politie voor de deur. Ze gaven me haar handtas met haar creditcards en alle spulletjes er nog in.'

Ik maakte een aantekening.

'Ze ging alleen even de straat op om een pizza te halen. Ze wilde die mensen niet belasten met bezorgen omdat ze zelf nog kon rijden. Zij was degene die ons eten regelde.'

Ik staarde naar mijn blok. Waar was zijn familie? Er hoorde toch iemand te zijn die hem opving?

'We zouden vandaag naar Martha's zus op Long Island gaan,' vervolgde hij alsof ik hardop had gedacht. 'Maar met die sneeuw zeiden ze dat het te glad was op de weg om me te komen halen.'

Er daalde een stilte neer. Meneer Russo leek niet te weten wat hij verder nog moest zeggen. Net zomin als ik.

'Dus wat doet u nu met het kerstdiner?'

'O, ik weet niet.' Hij blikte achterom naar de keukendeur. 'Er liggen wat knakworstjes in de koelkast. Als ik trek heb warm ik er wel een op, en dan doe ik een spelletje solitair.'

Nee. Ik knipperde met mijn ogen. Ik mocht niet gaan zitten grienen. Ik mocht me niet voorstellen hoe meneer Russo na ons vertrek eenzaam en alleen in het verlaten huis zou achterblijven, de keuken in zou schuifelen en er weer uit met een knakworstje op een bord, omgeven door zijn kerstversieringen.

'Ik heb haar tien keer ten huwelijk gevraagd, en elke keer zei ze nee. Pas de elfde keer zei ze ja.' Zijn stem klonk ineens weer opgewekt.

Ik knikte en slikte mijn tranen weg.

'Dit bent u met uw vrouw?' Robert pakte een zwart-witfoto van het houten dressoir, die naast een pot met kunstsneeuw bespoten hulst stond. Er stond een jonge meneer Russo op, in uniform, met zijn arm om een vrouw met een fris gezicht en krullend haar. Ze keek naar hem op. Het was een klassiek jarenvijftigechtpaar.

'We hebben elkaar 40 jaar geleden ontmoet op een fuifje in Valley Stream. Ze danste graag op Sinatra-liedjes.' Er verscheen een weemoedige glimlach op zijn gezicht. 'Doobie-do-be-do, doobie-do.'

'Is het goed als we een kiekje nemen van u met die foto?' vroeg Robert.

Hij gaf meneer Russo het lijstje aan, en de oude man staarde ernaar alsof hij probeerde te bevatten wat hij zag.

'Ik zat tijdens de Tweede Wereldoorlog in de luchtmacht. We waren dol op dansen. Doobie-do...' Zijn stem stierf weg en hij keek naar Robert.

De camera flitste, en nog eens, en nog eens. Meneer Russo knipperde tegen het felle licht. Toen stond hij op, liep naar de bank en pakte de rendierknuffel op.

'Dit is Rudolf. Hij is mijn vriend. Martha heeft hem voor me mee-gebracht.'

Meneer Russo kneep in Rudolfs buik, en een harde elektronische versie van *Jingle Bells* vulde de kamer. Hij knikte op de maat van de muziek mee, zijn ogen stralend als van een kind dat het liedje voor het eerst hoort. Tot het deuntje ophield en er weer een stilte viel.

'Ze was dol op dansen,' zei hij zacht.

'Meneer, wat dacht u van een foto van u op de bank met Rudolf?' opperde Robert.

De oude man ging zitten en trok Rudolf en de elfen in een rijtje naast zich, alsof ze alle vijf zaten te wachten op een kerstspecial op televisie. Robert knielde voor hen neer en drukte achter elkaar af.

Ineens betrok meneer Russo's gezicht. Het leek nu pas tot hem door te dringen dat er twee vreemden in zijn huis rondliepen. 'Anders nog iets?' vroeg hij.

Ik stond op van de tafel. We hadden voldoende. Misschien was ons ongenode gezelschap erger voor hem dan helemaal geen gezel-schap. Of probeerde ik mijn geweten te sussen omdat we hem in de steek lieten? Wanneer wij eenmaal weg waren, zouden we nooit meer terug hoeven komen. Hij zou in alle eenzaamheid achterblij-ven. En ik zou genieten van een late, knusse Kerstmis met een glas wijn en cadeautjes van Jack.

'Meneer, ontzettend bedankt voor uw medewerking. We vinden het echt heel erg voor u,' zei ik, maar het klonk minder gemeend dan ik het bedoelde. We schuifelden naar de deur van de woonka-mer.

'We komen er zelf wel uit, hoor,' zei Robert. 'Bedankt dat u de tijd voor ons hebt genomen. Als er iets is wat we kunnen doen...'

Meneer Russo bleef met Rudolf en de elfen op de bank zitten.

'Prettige kerstdagen,' flapte ik er onnadenkend uit.

Buiten viel een ijzige regen. Ik stapte naast Robert in de auto en trok het portier met een klap achter me dicht. Ik boog mijn hoofd, klem-de mijn notitieblok op mijn schoot vast. Ik voelde weer tranen opkomen, en ik drukte mijn vinger en duim in mijn ooghoeken om ze tegen te houden.

Robert slingerde zijn camera op de achterbank en wilde de wagen starten. Hij keek opzij en haalde zijn hand van de sleutel. 'Hé, gaat het wel?'

Ik knikte. Mijn gezicht was vertrokken en rood. Robert zou den-ken dat ik een groentje was dat nergens tegen kon. Ik wilde zeggen dat ik nog nooit eerder was ingestort tijdens een reportage.

'Het spijt me. Ik heb zelfs niet gehuild toen ik bezig was met al die 11 september-verhalen. Maar dit was... allemachtig, wat vreselijk zielig.'

Robert opende het handschoenenvakje en haalde er een plastic zakje met koekjes uit. 'Ook eentje? Ik heb ze vanmorgen gebakken.' Hij hield het zakje voor mijn neus.

Ik pakte er een, glimlachte even. Wat hielden fotografen er toch maffe gewoonten op na. Ik stak een stukje in mijn mond. Het smaakte naar ei en was heel zoet.

'Achterin heb ik nog wat viskoekjes liggen als je echt trek hebt. Ook zelf gemaakt.'

'Nee, nee, dank je.' Met mijn mouw veegde ik mijn wangen droog. 'Het gaat alweer, sorry. Ik zal de redactie maar eens bellen. Op naar de volgende.'

We kwamen vroeg in de middag terug op kantoor, en ik bleef even staan bij de bureauredactie om te vragen hoeveel tekst ze wilden hebben. Mike zat aan één kant van de afdeling, Jack aan de andere. Hij zat op zijn scherm kopij na te lezen.

'Mooi, dus je hebt die ouwe sok toch nog te pakken gekregen. En, heeft hij haar cadeautjes nog opengemaakt?' Mike begon te grinniken. 'Wedden dat hij nooit meer pizza bestelt!' Mike werkte al meer dan 40 jaar bij de krant. Hij kon overal de humor van inzien.

'Ik heb niet naar de cadeautjes gevraagd,' zei ik met verstikte stem.

Jack draaide zich om in zijn stoel en nam me bezorgd op. Het liefst had ik me in zijn armen geworpen, maar ik deed alsof ik hem amper opmerkte.

'Mike, het was echt vreselijk zielig,' mompelde ik.

'Geef ons zo maar een intro,' zei Jack voordat Mike nog een geintje kon maken.

Ik rende de zaal door, die vandaag praktisch leeg was, en ging achter mijn computer zitten zonder hem aan te zetten. Ik hield mezelf voor dat dit nu eenmaal mijn werk was. Een intro betekende 500 woorden bij een foto; mijn stukje zou het hoofdartikel op de pagina worden. Het stelde niks voor. Ik had het al zo vaak gedaan. Ooit had ik er alleen maar van kunnen dromen verslaggever te zijn, en nu was ik er een.

Mijn telefoon ging. Het was Jack. Vaak trok hij zich terug in zijn kamertje als hij me belde, ook al zaten we maar tien meter uit elkaar.

'Schat, gaat het wel?'

'Sorry, ik weet niet waarom dit verhaal me zo raakt. Misschien ligt het aan de kerstdagen, dat ik niet bij mijn familie ben. Of omdat ik besef dat die oude man de rest van zijn leven helemaal alleen is.'

'Het is ook nogal een droevig voorval, zelfs voor deze stad.'

'Jack, ik weet gewoon niet of ik het nog wel aankan.'

'Bridget, je weet dat je je pas zorgen moet gaan maken als dingen je níét meer raken.'

'Meestal raakt het me niet.'

'Dat is niet waar,' zei hij zacht. 'Jemig, ik wou dat ik de klok een paar uur vooruit kon zetten zodat we naar huis konden om samen kerst te vieren. Ik vraag me af wat Tilly's kinderen aan het uitspoken zijn.'

'Ik ook.' Ik glimlachte weer. Tilly en Andrew waren samen met hun inmiddels tweeënhalfjarige tweeling Odessa en Ruby, overgekomen voor een kort weekje New York. En nu ik zelf een vaste vriend had, vond ik het niet meer zo'n eng idee dat Tilly een gezin had. Ik vond het warempel leuk om met kinderen te spelen, had ik ontdekt. In New York kwam je die nauwelijks tegen. Jack en ik hadden zelfs een avondje op ze gepast. We hadden bij mij thuis kerstcadeautjes zitten inpakken bij de boom, met op de achtergrond een Elvis-cd. Die vredige avond, terwijl hij vanaf de bank zijn hoofd had geschud om mijn broddelwerk en de meisjes lagen te slapen, had ik gehoopt dat dit een voorbode was van onze toekomst.

Ik legde de telefoon neer. Hoe vaak had ik niet zitten jengelen dat ik zo alleen was? Mensen als meneer Russo hadden echt niemand. Het werd tijd dat ik ging waarderen wat ik had, want van het ene op het andere moment kon alles je worden afgenomen.

Die avond wandelden Tilly, Andrew, Jack en ik na het eten samen door de West Village naar zijn appartement. De temperatuur was de hele dag door gedaald, en de ijzige regen van die ochtend was weer in sneeuw veranderd. Op straat was het stil, op het kraken van onze voetstappen op de glinsterende grond na.

Terwijl we Washington Street overstaken, hield ik Jack tegen, legde mijn gehandschoende handen op zijn schouders en drukte mijn gezicht tegen zijn wang. Onze ogen waterden van de kou, en mijn tranen vermengden zich met de zijne. Ik bleef hem vasthouden, luisterde naar zijn ademhaling in de tintelende winterse stilte.

'Jack, ik weet dat ik soms onuitstaanbaar ben, maar ik hou van je.'

'Het is dat je het zelf zegt. En ik hou ook van jou.'

Oorlog en geen vrede

Jack en ik zaten proestend van het lachen in Voyage, een intiem restaurantje bij hem in de buurt, waar we op maandagavond geregeld
gingen eten.

Aan het tafeltjes naast ons zat een homostelletje te kissebissen of
Irak al dan niet massavernietigingswapens bezat. Een van de mannen zwiepte woest met zijn vork waar een stuk worst aan zat, en
plotseling schoot dat over de tafel, pal in de schoot van zijn partner.

'In die paleizen van Saddam Hoessein vind je alleen maar een stel
hoeren en vergulde badkuipen,' zei hij op het moment dat het
hompje het luchtruim koos. Splets.

Zijn vriend sprong nijdig overeind, smeet zijn servet neer. 'Waag
het niet met varkensvlees naar me te gooien! Je weet dat we het niet
kunnen riskeren dat die zot hier binnen 42 minuten een kernraket
heen kan sturen!'

Jack en ik gierden het uit.

Het was half maart. President George W. Bush pleitte voor een militaire interventie in Irak, en het leek alsof de hele stad in discussie
was over of we al dan niet ten strijde moesten trekken. Er ging geen
avond voorbij of het netelige onderwerp stak de kop op. En in het
door 11 september verwonde New York was er geen gulden mid-
denweg. Ofwel je vond Bush een oorlogszuchtige idioot die op het
punt stond alle welwillendheid te verspelen waarmee we na de terroristische aanslagen door de rest van de wereld waren overspoeld,
ofwel je vond het hoog tijd dat Amerika eens terugsloeg.

Jack, die stilletjes voor de 'interventie' was, en ik die er faliekant
op tegen was, hadden er zelf ook vaak onenigheid over. Uiteraard
wist iedereen bij de *Post* al maanden dat er een oorlog uit zou breken. Maar het stak me dat de krant waarvoor ik werkte zo sterk pro
militair ingrijpen was.

'We zijn patriottisch, de krant van de helden, dus wat verwacht
je nou?' zei Jack steevast. 'Iedereen is altijd zo tegen Amerika

gekant, maar ze vergeten dat wij de wereld meer vooruit hebben geholpen dan welk ander land dan ook.'

'Ja hoor,' snoof ik dan. Wat mijn overtuiging ook was, als ik er met Jack over in de clinch raakte, wist hij me altijd in een hoek te drijven.

Het was zo'n heikel punt dat ik meerdere columns had gewijd aan hoe vrienden en geliefden over de oorlog bekvechtten, mezelf en Aaron inbegrepen. De meest recente heette HET HELSE ETENTJE.

Slechter had het niet uit kunnen komen.

Niet alleen staan mijn vriend en ik als het op de oorlog aankomt lijn-recht tegenover elkaar, maar mijn ouders komen zeer binnenkort naar New York om kennis met hem te maken. Ik vrees voor een ramp.

Mijn vader en moeder zijn typische Britten: tegen ingrijpen in Irak. Aaron is promilitair en stiekem een beetje een republikein.

Nergens krijg je hem zo mee op de kast als door te zeggen dat de Ver-enigde Staten zich arrogant opstellen tegenover andere landen. Laat dat nou toevallig mijn moeders stokpaardje zijn.

Uiteraard had ik lichtelijk overdreven. Goed, mijn ouders hadden inderdaad gebeld dat ze een weekeindje naar New York wilden komen, want werd het niet eens tijd dat ze Jack ontmoetten? Ook al woonde hij aan de verkeerde kant van de oceaan, ze wisten onderhand dat hij geen bevlieging van me was.

En in werkelijkheid was ik apetrots op Jack en wist ik dat mijn ouders met hem weg zouden lopen. Mijn moeder zou vast de mond vol hebben van hoe schandelijk de oorlog was, maar Jack zou de discussie diplomatiek naar het standpunt van de krant leiden, niet zijn persoonlijke visie. En trouwens, mijn moeder mocht dan een uitgesproken mening hebben, ik vermoedde dat hij het grappig zou vinden dat ze zo op me leek. Bovendien zag mijn moeder er fantas-tisch uit voor haar leeftijd, dus hopelijk zou hij denken dat ik ook mooi oud zou worden, voor het geval we zover kwamen.

'Niet met varkensvlees gooien!' De tranen rolden over Jacks wan-gen terwijl we die avond hand in hand vanuit Voyage terugliepen naar zijn huis. 'Dat riep hij echt, hè?'

'Ja, nou ja, ik vond het niet zo gek wat hij over die paleizen zei.'

Jack kneep in mijn hand. 'Schat, begin er nou niet weer over.'

'Oké.' Ik sprong op om hem een kus op zijn wang te geven. 'Als jij je yankeepropaganda maar voor je houdt wanneer mijn ouders hier zijn, anders krijg jij misschien ook een kotelet in je smoel.'

'Beloofd,' zei hij nog nalachend.

'O, trouwens...' voegde ik eraan toe, me herinnerend dat ik Jack nog iets moest vragen. Alle oorlogsdreiging ten spijt zou Amerika's culturele hoogtepunt, de uitreiking van de Oscars, dit weekeinde gewoon doorgaan. Alice en Claire zouden de feestjes in Los Angeles afschuimen. Claires pr-bedrijf sponsorde een van de evenementen, en op het laatste moment had ze ineens een overgeschoten vliegticket gekregen, en ze had mij gevraagd of ik zin had om mee te gaan. Ik was nog nooit in Los Angeles geweest, laat staan voor zo'n snoepreisje.

'Claire zei dat ze een plekje overheeft voor me op haar hotelkamer in Los Angeles. Ze logeren in het Four Seasons in Beverly Hills. Denk je dat ik vrijdag vrij zou kunnen nemen om erheen te gaan?'

Goed, het wás een beetje kort dag, maar Jacks reactie was wel erg fel. Hij liet mijn hand los en draaide zich met een ruk naar me toe. Zijn ogen spuwden vuur, alsof ik hem net had verteld dat ik de hoofdredacteur om zeep had geholpen.

'Ben je wel lekker? Ben je soms vergeten dat je zogenaamd verslaggever bent? Ze vallen dit weekeinde Irak binnen! We moeten alle hens aan dek hebben op kantoor.'

Ik deinsde achteruit. Zijn woorden raakten aan mijn diepste onzekerheid. 'Zogenaamd' verslaggever? Wat bedoelde hij? Ik geneerde me omdat ik het had gevraagd en werd defensief. Ik koos de gemakkelijkste optie: verontwaardiging.

'O, kom op, zeg. Je redt het best een paar dagen zonder me. Ik ben nog nooit in Los Angeles geweest, en die oorlog is heus niet binnen drie dagen voorbij.'

'Snap je het dan niet? Ik kan niemand vrij geven. Vooral jou niet.'

We waren inmiddels bij hem thuis gearriveerd. Hij smeet de deur achter ons dicht, stampte de keuken in en schonk een glas whisky in voor zichzelf. Ik had hem nog nooit zo kwaad gezien, maar ik kon er niet over ophouden.

Het stak me dat Jack zich zo liet opfokken door de wereldgebeurtenissen. Het maakte me weer eens duidelijk hoeveel hij van zijn werk hield. Meer dan van mij?

'Alleen omdat jij zo geilt op die oorlog, hoef je niet te denken dat iedereen er zo veel lol in heeft.'

Hij goot zijn whisky achterover en schonk meteen een tweede in, hield zich vast aan het aanrecht alsof hij steun zocht.

'Ga dan maar. Ga maar naar die verrekte Oscars. Doe maar wat je niet laten kunt, Bridge. Je drijft toch altijd je zin door.'

'Dus je vindt het goed?' vroeg ik behoedzaam.

'Nee, ik vind het niet goed.'

'Maar ik wil niet gaan zonder jouw goedkeuring.'

'Nou, het spijt me, maar die krijg je niet.'

'Jezus, wat ben jij onredelijk.'

Dat was de druppel. Er leek iets in hem te knappen. Hij draaide zich naar me toe alsof ik plotseling zwakbegaafd was geworden.

'Onrédelijk? Ik? Bridge, ik moet elke week weer van alles over mezelf lezen in de krant: je vrienden komen over uit Engeland en je wou dat je nog vrijgezel was, ik drink te veel, je wordt in Turkije verliefd op je zeilinstructeur, je wilt Valentijnsdag niet met me vieren omdat je het een klef gedoe vindt, je wisselt nog steeds flirterige e-mailtjes uit met die paardenfiguur in Argentinië. Mensen lachen me achter mijn rug uit, en nu vraag je mij, als jouw chef, om vrije dagen terwijl er verdomme een oorlog dreigt?'

God, had ik al die dingen echt opgeschreven? Hmmm, misschien moest ik wat inbinden. 'Oké, dan blijf ik wel hier. Maar verwacht niet dat ik te genieten ben dit weekeinde.'

'O fijn,' zei Jack sarcastisch 'Nee, dat zou te veel gevraagd zijn.'

Op donderdag 20 maart begonnen de Verenigde Staten Bagdad te bombarderen. Alice en Claire gingen de dag daarna naar Los Angeles; volgend jaar kwam er weer een Oscar-uitreiking, zeiden ze sussend tegen me. Alsof ik daar iets aan had.

Die zaterdag marcheerde ik het kantoor binnen, dat tjokvol zat met medewerkers die hadden aangeboden extra diensten te draaien, waardoor ik me nog schuldiger voelde. Ik schoof achter mijn bureau en ging zitten pruilen. Inmiddels was de militaire 'bevrijdingsoperatie' in volle gang.

De verslaggeving werd verdeeld over de drie fronten: land, zee en lucht. De bewegingen van de Amerikaanse en Britse troepen werden op de voet gevolgd door de internationale persbureaus, en de televisiereportages schetterden over de redactie. Ik kreeg de opdracht te rapporteren over de grondstrijd, waartoe ik als een bezetene moest schrijven en aldoor moest bijlezen, intussen luisterend naar de binnenkomende berichten van tientallen journalisten die meereisden met militaire eenheden, die hun bevindingen doorgaven vanaf tanks, vliegdekschepen en luchtmachtbases. Jonathan Foreman, onze voormalige filmrecensent, stoof nu in een tank door de woestijn met de 3e infanteriedivisie, en onze correspondent uit Albany, Vince Morris, zat bij de mariniers. De redactie stelde uitgebreide grafieken samen, plattegronden, fotomontages, allemaal om te verzekeren dat onze berichtgeving over de oorlog helderder en informatiever was dan die van alle andere dagbladen.

Aan de andere kant van de zaal zag ik Jack heen en weer rennen, nauwgezet elk nieuw verhaal, elke nieuwe foto en elk verslag bijhoudend, en ik was enorm trots op hem. Hier waren we, allebei bezig aan een enorme, historische gebeurtenis. Maar toen hij naar me toe kwam om me instructies te geven, won mijn kleingeestigheid het en staarde ik stug naar mijn scherm.

Aan het eind van de dag, nadat de eerste deadline erop zat en ik mijn artikel had doorgegeven, verscheen hij weer aan mijn bureau. Zijn ogen waren bloeddoorlopen; hij zag er gesloopt uit.

'Fijn dat je dit weekeinde bent gebleven. Je hebt het geweldig gedaan,' zei hij.

'Graag gedaan.'

'Zullen we iets afspreken voor straks?' vroeg hij zacht. 'Ik ben óp. Ik zou het liefst gewoon lekker thuis op de bank neerploffen met jou.'

'Ik heb het druk,' zei ik bits. Wat? Waarom zei ik dat? Het enige wat ik wilde was dat hij me vastpakte, en het was niet zijn schuld dat hij dat hier niet kon doen. Ik wierp hem een wanhopige blik toe, hopend dat hij het zou begrijpen.

Zijn gezicht was rood geworden. Hij begreep er niets van.

'Goed dan,' zei hij. 'Fijn weekeinde nog verder.'

Hij beende weg.

Een paar minuten later liep ik naar de liften. Hij zat geconcentreerd over een drukproef gebogen. Toen ik beneden kwam bleef ik bij zijn pilaar op het plein sigaretten staan roken in de hoop dat hij naar buiten zou komen. Hij kwam niet. Dus uiteindelijk sjokte ik naar Times Square en pakte een taxi naar huis. De rest van de avond zat ik naar CNN te kijken, vloekend op de oorlog, op Amerika, op Bush... maar vooral op mezelf.

Pas de vrijdag daarop, om halfvijf 's middags, hadden we eindelijk weer contact.

Ben je vanavond thuis? Ik denk dat we eens moeten praten, stond er in zijn e-mailtje.

We hadden de hele week nauwelijks een woord gewisseld. Hij had zich een slag in de rondte gewerkt op kantoor. Ik had me een slag in de rondte gezopen bij Langan's, het aloude vluchtpatroon wanneer het op het werk tegenzat. Af en toe drong het tot me door dat ik tegenwoordig meer dronk en rookte dan ik ooit had gedaan. Maar ja, ik was een Engelse in een stad waar de cafés nooit sloten, en niet alleen was dit land in oorlog verwikkeld, ik lag zelf in oorlog met mijn vriend. Wat kon ik anders? Zodra Jack en ik het goedmaakten, zou ik de wodka-tonic en Marlboro Lights opgeven.

Hij kwam om vijf over acht bij Langan's binnen. Ik zat aan de bar te wachten en gaf hem een kus.

'Wat wil je drinken, schat?' vroeg ik opgewekt. Met een beetje geluk kon ik hier een gezellig avondje in de kroeg van maken.

'Ik wil hier eigenlijk niets drinken.'

Oké, dus niet. 'Nou, de dames zijn nog steeds in Los Angeles. Wil je met mij mee naar huis?'

'Oké.'

In de taxi hadden we het veiligheidshalve maar over de oorlogs- verslaggeving van de krant. Maar vanuit mijn ooghoeken zag ik met toenemende angst hoe de straatnummers daalden naar 14th Street. Waarom had ik deze week niet gewoon mijn excuses aange- boden? Zó druk had Jack het nou ook weer niet gehad.

Eenmaal bij mij voor de deur ging ik hem voor, denkend aan de avond waarop hij op de trap mijn kuit had gestreeld na die eerste magische, dronken zoen in Rhone. Deze keer was hij zwijgzaam, en zijn handen zaten stevig in zijn zakken.

Het was koud in het appartement. Ik liep naar het raam van de lange kamer om de luxaflex dicht te doen. Jack bleef bij de voor- deur staan.

'Hé, ga zitten,' zei ik. 'Wil je wat drinken? Whisky, een biertje, thee?'

Jack trok zijn jas uit, legde hem over de leuning van een stoel en ging op de bank zitten. 'Doe maar een glas water.'

Dat was een slecht teken. Water betekende: 'Ik wil nuchter blij- ven, ik wil dit snel afwikkelen. Ik blijf niet lang.'

Ik vulde toch maar de ketel en zette hem op het vuur. Ik wilde iets warms. Ik trok het kastje boven de gootsteen open en haalde er een uit Engeland meegebracht doosje theezakjes uit. Theezetten werkte kalmerend.

En nu rekte het tijd tot aan het Gesprek.

Aan de andere kant van de kamer boog Jack zijn hoofd om een sigaret aan te steken. Hij had de drukproeven van de krant van morgen gepakt en zat ze door te nemen. Ik vroeg me af of hij zich vanavond wel op de inhoud kon concentreren. Hem kennende waarschijnlijk wel. Maar ineens ergerde dat me niet meer.

Het water kookte. Ik vulde mijn mok met heet water, haalde het theezakje op en neer en deed er melk uit de koelkast bij. Daarna liep ik naar hem toe, zette mijn beker en zijn glas water op tafel en ging aan het andere uiteinde van de bank zitten.

Hij stopte de proeven weer in zijn tas en maakte zijn half opge- rookte sigaret uit. Hij keek naar het raam alsof hij ergens moed uit wilde putten. Toen draaide hij zich naar me toe.

'Bridge, ik hou dit niet meer vol.'

Daar had je het. Eén kort zinnetje dat mijn hele wereld over- hoophaalde.

Hij keek me aan. Zijn ogen stonden ondraaglijk treurig, maar ook vastberaden.

'Ik weet het.' Iets anders kreeg ik niet over mijn lippen.

Ik wilde zeggen dat ik een complete idioot was geweest om mijn onzekerheid op hem af te reageren, dat ik onnoemelijk veel van hem hield. Maar aan zijn toon hoorde ik dat dat riedeltje me vanavond niet zou redden. Ik wist niets te bedenken.

We zaten een paar tellen stilletjes voor ons uit te kijken.

'Bridge,' zei hij toen moeizaam, 'je weet dat ik van je hou. Ik heb met hart en ziel van je gehouden, met elke vezel in mijn lijf. Ik wilde niets liever dan jou gelukkig maken.' Hij veegde een traan uit zijn oog. 'Maar wat ik ook doe, je bent nooit tevreden. En ik kan niet meer.'

Aangeslagen staarde ik naar mijn schoot.

'Ik bedoel, denk jij dat verliefd zijn zo'n pijn moet doen?' vroeg hij.

Er liep een rilling over mijn rug. Jack en ik deden elkaar inderdaad vaak pijn, maar ik kon me niet eens voorstellen dat ik verliefd zou zijn op iemand anders, iemand van wie ik misschien 'makkelijker' zou kunnen houden. Ik wilde alleen verliefd zijn op hem.

'Maar, het is toch niet alleen maar ellende geweest?' bracht ik uit.

'Nee, nee, natuurlijk niet.' Weer keek hij ontzettend verdrietig. 'Het was juist een droom. Je was de liefde van mijn leven... dat ben je nog steeds. Maar we proberen het, krijgen bonje, proberen het opnieuw en krijgen weer bonje...' Hij pauzeerde. 'Het komt erop neer dat het niet meer vanuit mijn hart komt.'

De woorden raakten me als een vuistslag. Even dacht ik dat ik zou overgeven. Ik sloeg mijn handen voor mijn gezicht om mijn tranen te verbergen. Zijn hart was zo moeilijk te veroveren geweest. Wat er ook op de redactie gebeurde, we hadden de zekerheid dat we verzot waren op elkaar. En nu was dat ineens veranderd.

Ik riep de goden van zelfbehoud aan, omdat alle andere het lieten afweten. Ik verafschuwde mijn twistzieke, redeloze gedrag tegenover Jack. Per slot van rekening was ik altijd lief en aardig tegen mijn vrienden. Tegen Angus had ik nooit zo vitterig gedaan. Er was iets aan Jack, zijn gereserveerde houding, zijn gesloten aard, wat het slechtste in me boven bracht. Misschien was het onvermijdelijk dat we uit elkaar gingen, misschien was het ook maar beter zo.

'Nou ja, er zaten wel een hoop dingen fout,' zei ik, al wist ik niet of ik het meende.

Hij leek opgelucht dat ik het met hem eens was. Hij pakte zijn sigaretten en stak ze in zijn zak. Hij wilde nu al weg. Opeens denderden we af op het eind van onze relatie.

De telefoon ging. We schrokken allebei op. Ik nam op om het rinkelen te laten stoppen.

'Hé, Bridget, ik ben er! Net op JFK geland, ik neem nu een taxi. Ik heb Joseph bij me, ik ben zo benieuwd wat je van hem vindt!'

O nee, dat was me helemaal ontschoten. Mijn oude studiegenoot Stephen kwam vanavond logeren. Op weg naar huis vanuit Nieuw-Zeeland maakte hij een tussenstop in New York. En ramp boven ramp had hij zijn negen maanden oude kind bij zich.

'O, eh... leuk. Het adres is West 14th Street. Bel maar aan...'

Ik legde neer. 'Mijn vriend Stephen. Ik was vergeten dat hij hier kwam logeren met zijn baby...' Op elk ander moment had ik erom kunnen lachen.

'Ik ga er maar eens vandoor,' zei Jack. Hij stond op en verstarde toen. 'Ik bedenk me ineens... je ouders. Komen die ook nog?'

Mijn ouders. O help, mijn ouders. Het etentje.

'Ja, die komen vanavond laat aan.'

'Verwachten ze nog steeds dat we uit eten gaan, morgen?'

'Ja.' Ik verbeet een snik.

'Wil je dat ik toch met jullie meega?'

'Nee. Dat heeft volgens mij weinig zin.'

Hij liep naar de deur. Ik liep mee. Hij deed hem zelf open.

'Red je het wel, Bridge?'

'Jep.'

Hij draaide zich om en liep de trap af.

Ik deed de deur achter hem dicht, liep terug naar de bank en zakte neer op het plekje waar hij had gezeten. Ik staarde voor me uit, de tranen biggelden over mijn wangen. Het was onmogelijk te bevatten dat hij niet meer van mij was.

Ik zat nog steeds in dezelfde houding toen drie kwartier later de bel ging. Ik stond op, plakte een glimlach op mijn gezicht en deed open. Vanuit een draagband om Stephens borst kirde een volmaakte, blonde baby met blauwe ogen me toe. Precies wat ik kon gebruiken.

Schoonouders zonder schoonzoon

Mijn ouders hadden een kamer geboekt in het Chelsea Savoy, een aangenaam toeristenhotelletje naast het beroemdere Chelsea Hotel. Ik stond als verdoofd in de lift met spiegelwanden, op weg naar de vijfde verdieping. Ze hadden me de avond tevoren vanaf het vliegveld gebeld, kort nadat Stephen was gearriveerd, en ik was niet in staat geweest ze het nieuws over de telefoon te vertellen.

Mijn moeder deed de deur open, glimmend van opwinding. Ze zag er heel jeugdig uit in haar mooie groene paisleypakje. Ze had gouden oorhangers in en een bijpassend collier om. Ik kon zien dat ze zich had uitgesloofd. Verdomme, als ik Jack bij me had gehad, had hij in elk geval kunnen zien dat ik ook sierlijk oud zou worden.

'Hallo, ma, wat zie je er prachtig uit.' Ik gaf haar een kus.

'Dit heb ik vandaag bij Express gekocht. Wat een geweldige winkel, en allemaal zo voordelig.' Haar blik dwaalde over mijn schouder.

'Dat is een zaak voor tieners, hoor, ma,' zei ik.

Ik liep naar mijn vader toe, die aan het bureautje over zijn bril heen zat te turen en wat bonnetjes in zijn portefeuille opborg. Ik gaf hem ook een zoen. Nu had ik er niet alleen spijt van dat zij Jack niet zouden leren kennen, maar ook dat Jack hén niet zou leren kennen. Hoe ik me tijdens mijn puberteit ook tegen ze had verzet, ik was enorm trots op ze.

'Zeg, we hebben een tafel gereserveerd in een heel leuk bistrootje dat we zagen op 7th Avenue. Zou Jack het daarmee eens zijn?' vroeg mijn moeder, die nog steeds verwachtingsvol naar de deur stond te kijken. 'Komt hij hierheen?'

Ik pakte een toeristisch foldertje van het bureau en bladerde er nonchalant doorheen. 'Eh... eerlijk gezegd denk ik niet dat Jack het redt.'

Mijn moeder trok een verbaasd gezicht. Mijn vader keek op van zijn bonnetjes.

Ik had een fractie van een seconde om te bedenken wat ik ging zeggen. Ineens wilde ik net doen alsof hij weg was in verband met een of ander noodgeval van de krant. Maar dat zou al te sneu zijn geweest.

'Eigenlijk...' Ik deed mijn best mijn stem kalm te houden. 'Eigenlijk gaan we niet meer met elkaar om.'

'O.' Mijn moeder nam me op, bezorgd en teleurgesteld tegelijk. 'Sinds wanneer?'

'Ach, dat valt moeilijk te zeggen.'

'Gisteravond,' kreeg ik er domweg niet uit.

'Het leek ons gewoon beter even wat afstand te nemen.' Understatement van de eeuw. 'Maar hoe dan ook, dat Franse zaakje klinkt goed. Hoe heet het? Ik verga van de honger.'

'Le Singe Vert,' antwoordde mijn moeder op opgewekte toon, maar ik merkte dat ze het niet meende. Ze hadden net zozeer naar de kennismaking met Jack uitgekeken als ik.

'"Vert" betekent toch groen, hè?'

'Ja, de groene aap.'

Mijn ouders pakten hun jas, en we liepen zwijgend de gang naar de liften in. In de hal leken ze te aarzelen of ze verder moesten vragen. Ik realiseerde me dat ze waarschijnlijk wel zagen hoeveel moeite het me kostte me groot te houden. Ouders kenden je altijd beter dan je dacht.

Om ze gerust te stellen begon ik te kwetteren dat we het zo druk hadden op de redactie met de berichtgeving over Irak. Terwijl we over 7th Avenue naar het restaurant wandelden, hield ik me bij dat veilige onderwerp, aanzienlijk veiliger, bedacht ik, nu Jack er niet bij was om de knuppel in het hoenderhok te gooien.

'Hoe wordt de oorlog in Engeland opgevat?'

'O, iedereen is mordicus tegen,' zei mijn moeder. 'Ik bedoel, het is ook absurd. Tony Blair is de enige die erachter staat, en hij heeft al zijn geloofwaardigheid verloren. De meeste mensen vinden George Bush een volslagen debiel.'

Nou, gelukkig hoefde Jack dat niet te horen.

Le Singe Vert was inderdaad een knusse bistro, met rijtjes vierkante tafeltjes met wit damast erop. Niet te formeel, huiselijk. Ideaal voor een kennismakingsetentje met de kersverse schoonzoon.

'Hallo, we hebben vanmiddag gereserveerd op naam van Harrison,' zei mijn vader beleefd tegen de hoofdober.

'Ja! Harrison, tafeltje voor vier.'

'Er is er eentje afgevallen,' zei ik.

De ober bracht ons toch naar een tafel voor vier. We gingen zitten en keken zwijgend toe hoe hij het overtollige couvert weghaalde. Ik vroeg me af of ik een dubbele wodka-tonic kon bestellen zonder mijn ouders de indruk te geven dat ik aan de drank was. O, wat maakte het ook uit. Ik bestelde er eentje. We pakten onze menukaarten op.

'Zin om die reuzentournedos voor twee te bestellen?' vroeg mijn vader aan mij. 'Die is vast gigantisch.'

'Mmmm, klinkt goed,' zei ik terwijl ik de kaart dichtsloeg. Ik kon de puf niet opbrengen zelf iets uit te kiezen.

Het gesprek viel stil, zoals dat vaak gebeurt wanneer er een taboeonderwerp in de lucht hangt en iedereen doet alsof zijn neus bloedt.

Ik probeerde ze af te leiden. 'Dus Stephen logeert bij me met zijn baby. Hij is op doorreis vanuit Nieuw-Zeeland.'

'Stephen, die studiegenoot van je? Heeft die ook al een kind?' vroeg mijn moeder. Ze klonk bijna gekwetst. Ze hadden Stephen altijd een beetje als een verloren zaak beschouwd.

'Ja, ik heb nog nooit iemand zo zien veranderen door het vaderschap. Hij is zo mild geworden, onvoorstelbaar. Het was eigenlijk een ongelukje, maar ze hebben besloten het te houden. Zij moest voor haar werk terug naar Londen, maar je zou moeten zien hoe trots Stephen is omdat hij in zijn eentje voor een baby van negen maanden kan zorgen. Mijn hele appartement ligt bezaaid met luiers.'

'Het schijnt dat Nancy er nog een heeft gekregen,' vertelde mijn moeder over een andere studiegenoot van me. 'En Natasha gaat in juni trouwen.'

Het was als dat moment met Kerstmis, wanneer ze me de jaarlijkse nieuwsbrieven van hun oude kennissen gaf, die altijd bol stonden van deugdzame verhalen over bruiloften en foto's van kleinkinderen. Waarom kon er in die van mijn ouders niet gewoon staan: 'Nou, het was weer een prachtig jaar voor ons tegendraadse nageslacht. Onze oudste zoon Andrew van 36 is nog steeds een vrijgezelle arts. Onze jongste, Jacqui, woont met haar 31 alleen met haar hond op een woonboot. En onze lieve middelste, Bridget, die binnenkort 33 wordt, zit nog steeds in Amerika. Ze schrijft gênante verslagen over haar seksleven en haar zoveelste relatie is zojuist op de klippen gelopen.'

'Jep, van ons vrijgezellen blijven er steeds minder over,' zei ik. 'Zelfs Kathryn heeft iemand ontmoet met wie ze denkt te gaan trouwen. En Tilly is hier met kerst geweest met haar tweeling. Snoezig waren die. Jack en ik hebben nog een dagje opgepast...' Bij het uitspreken van zijn naam viel het gesprek stil.

O god. Die heerlijke avond. Maar dit was niet het moment om te denken aan die keer dat we onder de kerstboom hadden zitten doen alsof we jonge ouders waren. Of, dacht ik nu, was ik de enige die daarover had gefantaseerd?

Er werden vier gasten naar het tafeltje naast ons gebracht. Ik blikte op en merkte dat twee van hen elkaar aanstootten en in mijn richting knikten. Waar keken ze in godsnaam naar?

De ober kwam aanlopen met onze drankjes, en terwijl hij ze neerzette leunde een van het viertal, een man, naar mij toe.

'Hé, sorry dat ik stoor, maar jij bent toch Bridget Harrison, hè? Van de *Post*?'

'Eh... ja,' zei ik blozend. Wauw, ik was herkend waar mijn ouders bij waren! Dat was in elk geval een schrale troost op deze tragische avond. 'Ja, ik zit gewoon rustig te eten met mijn vader en moeder, die zijn over uit Engeland,' antwoordde ik glimlachend, en ik gebaarde naar mijn ouders.

De man zei hun gedag, en ze glimlachten terug. Toen raakte hij opeens nog meer opgewonden. 'O, god! Is dit dat etentje waar je vorige week over hebt geschreven? Waarbij je Aaron voorstelt aan je ouders?' Pas nu viel hem op dat er geen Aaron bij ons zat. Hij keek richting toilet, alsof hij verwachtte hem daaruit te zien komen.

'Eerlijk gezegd is hij er niet bij vanavond,' zei ik monter. 'Hoe dan ook, fijne avond nog.' Ik greep naar mijn wodka-tonic.

'Wat leuk dat ze weten wie je bent,' zei mijn moeder, zichtbaar ontsteld over de gulzigheid waarmee ik de drank achterovergoot.

'Het gebeurt de hele tijd,' loog ik.

Het eten werd gebracht. Ik stak een stukje vlees in mijn mond en probeerde te kauwen. Het leek wel alsof ik een stuk nat hout tussen mijn kiezen had.

'Nog plannen voor de zomer?' vroeg mijn moeder.

'Niet echt,' antwoordde ik. Niet méér, was het eerder.

Twee uur later kwam ik thuis met het gevoel alsof ik in een droogtrommel had gezeten. Stephen zat op de bank gezellig naar *Will & Grace* te kijken, met hummeltje Joseph tegen zijn borst.

'Hoort dat kind onderhand niet in bed te liggen?' vroeg ik terwijl ik naast hem neerplofte.

'Hij heeft last van jetlag,' zei Stephen dromerig. De baby bewoog zich, opende even zijn ogen en gaapte vertederend. Stephen glunderde.

'Bridge, ik weet dat je eigenlijk niet in de stemming bent om dit aan te horen, nu het net uit is met je zoveelste vriendje. Maar kinderen krijgen, het is niet uit te leggen, het verandert alles. Ineens is er niets belangrijkers meer in je leven.'

Goh, dat had ik nou nog nooit gehoord. Ik streek voorzichtig met mijn hand over Josephs blonde haarplukjes. 'Weet je wat het is,

Stephen? Ik wil best graag kinderen. Ik denk zelfs dat ik, uitgerekend ik, er eindelijk juist aan toe ben. Maar ik wil geen kind met de verkeerde man, en, nou ja, ik lijk niemand te kunnen vinden die geschikt is. Ik dacht dat Jack de ware was, maar kennelijk is dat niet wederzijds. Of misschien ligt het ook allemaal aan mezelf. Ik weet het gewoon niet.'

'Als je het maar niet te lang uitstelt,' zei Stephen.

Tandenknarsend hield ik mezelf voor dat hij het lief bedoelde.

Die nacht werd ik gekweld door zo'n lichamelijke pijn in mijn borst dat ik me afvroeg wat de biologische verklaring voor een gebroken hart was.

Toen ik de volgende ochtend wakker werd voelde ik me prima, totdat ik me herinnerde wat er was gebeurd en de pijn weer toesloeg.

De zondag verliep in een waas. Ik nam mijn ouders mee naar het Metropolitan, waarna ze er tot mijn opluchting tussenuit knepen om oude vrienden in Brooklyn op te zoeken.

Die avond at ik samen met Stephen en Joseph afhaalpasta, en ik dronk het grootste deel van de fles wijn op die ik uit onze kast had opgediept. Telkens als ik me voorstelde dat Jack nu thuis op de bank zat, leek mijn hart ermee op te houden, zo'n zeer deed het. Ik hoopte dat hij zou bellen, maar dat gebeurde niet. Dus belde ik hem zelf.

'Hallo?' zei hij kortaf.

'Eh... hallo, met mij.'

'O, hallo.' Hij klonk zelf ook wat verstikt.

'Ik dacht dat we misschien nog even moesten praten. Voordat we morgen weer aan het werk moeten...'

Hij zweeg. Het was alsof er niets te zeggen viel.

'Hoe was het etentje met je ouders?'

'Leuk. Ouderwets gezellig zelfs.'

'Mooi, nou, dan zien we elkaar morgen wel,' zei hij, en hij hing op. Aan zijn stem te horen zou hij nog liever de man met de zeis tegenkomen.

De volgende dag kwam ik als een zombie de redactie binnen, en met mijn blik strak op de vloer gericht liep ik rechtstreeks door naar mijn bureau. Daar bleef ik de hele dag zitten, ineengedoken achter mijn computer stukjes over de oorlog schrijvend.

Jack waagde zich niet ver van zijn werkplek. Ik zag twee keer zijn achterhoofd bewegen en dwong mezelf weg te kijken. Pas nu herinnerde ik me die aloude wijsheid: werk en privé gescheiden houden. Tja, voor het geval het tot een scheiding kwam.

Mijn ouders hadden gevraagd of ik die avond samen met hen bij hun vrienden Anne en David wilde komen eten, die in Carroll Gardens woonden. Ik kon er niet onderuit. Mijn vader en Anne hadden samen in Oxford gestudeerd. Beide echtparen waren al meer dan 35 jaar getrouwd.

Anne en David waren kort na hun huwelijk naar Amerika verhuisd. Nu, terwijl ik boven de gegrilde garnalen zat die David had klaargemaakt, bedacht ik me opeens hoe eenvoudig het zou zijn geweest te trouwen en in New York te blijven. Opa en oma konden binnen zeven uur hier zijn om de kleinkinderen op te zoeken. Jack en ik hadden naar Brooklyn kunnen verhuizen, en op een dag had hij misschien garnalen kunnen grillen... nou ja, of ze ergens bestellen.

Ja, waarom had ik me zulke zorgen gemaakt om de toekomst? Jack had altijd gezegd dat zolang we van elkaar hielden, we ons overal doorheen konden slaan. Waarom was ik zo geobsedeerd geweest over waar het toe zou leiden, in plaats van te genieten van wat we hadden? O, die prachtige parels van inzicht achteraf.

Op de automatische piloot sloeg ik me door het etentje heen, tot de wijzers van de keukenklok zich eindelijk naar elf uur hadden gesleept. Toen loog ik dat ik afschuwelijk vroeg moest beginnen de volgende dag.

'O, maar voordat je weggaat,' zei Anne, 'we hebben gehoord dat het uit is met je vriend. Wat is er gebeurd?'

Ik schoot tegen de rugleuning van mijn stoel alsof ze me met een speer had gestoken. 'Zullen we het dan eerst even over jouw seksleven hebben?' wilde ik terugkaatsen, maar dat kon ik natuurlijk niet maken. Mijn moeder keek schaapachtig in haar koffiekopje. Ik had háár wel met een speer willen steken, want zij had het blijkbaar aan haar vriendin doorgebriefd.

'Tja, hoe zal ik het zeggen?' zei ik met moeizaam bedwongen tranen, 'het liep gewoon niet lekker. We zijn collega's, en daardoor werd de druk te groot, denk ik.'

Vier paar ogen werden op me gericht, wachtten tot ik zou uitweiden.

'Het was lastig met mijn column en zo,' zei ik, wetend dat dat helemaal niet de reden was geweest. Kennelijk keek ik zo opgelaten dat ze medelijden met me kregen.

'Ach, weet je wat het is?' zei Anne vriendelijk. 'Alle vrouwen van onze leeftijd smachten gewoon naar kleinkinderen.'

'Ik denk dat dat nog wel even kan gaan duren,' zei ik schor.

Met een aanloopje de afgrond in

'New York. Een grabbelton is het. Wat een variatie. Keuze te over!' meende de kalende man die naast me aan de bar drie martini's had besteld. 'Zo veel vrouwen om mee uit te gaan. Ook al valt er eentje af, er blijven er nog massa's over!'

Om zijn gelijk te bewijzen liet hij triomfantelijk zijn blik door de zaak glijden. Voor ons zat een kliekje van New Yorks elite gratis drankjes achterover te gieten, hard in elkaars oren schreeuwend. Volmaakt gekapte vrouwen wierpen hun gladgeföhnde haar over hun op de sportschool gestroomlijnde schouders, gekleed in Matthew Williamson, Marc Jacobs en Stella McCartney. Mannen in trendy overhemd-pantaloncombinaties zaten hen weinig subtiel op te nemen.

'Ik bedoel, als je dit soort vrouwen voor het uitkiezen hebt, waarom zou je het dan bij eentje houden?' merkte hij op.

'O, ik weet niet. Om kleine dingen, zoals kameraadschap. Liefde. Kinderen,' opperde ik terwijl ik mijn wodka-tonic aan mijn mond zette. Waarom voerde ik eigenlijk zo'n gesprek met een willekeurige kroegloper? Of beter gevraagd: waarom zat ik op dit chique feest in een krap T-shirt met de koddige leus PRATEN KOST EXTRA op mijn borsten?

Want dit was de langverwachte opening van Soho House New York. De van oorsprong Britse privéclub, die in Londen populair was bij media- en reclamemensen die na sluitingstijd van de cafés nog wat wilden drinken, had de bovenste vier verdiepingen van een pakhuis in het Meatpacking District laten renoveren, heel handig pal tegenover ons huis. Al maanden werd er druk gespeculeerd over de komst; New Yorkers waren ervan overtuigd dat een besloten club nooit zou aanslaan in Manhattan, waar de cafés sowieso tot vier uur 's ochtends openbleven. Desondanks wilde iedereen uiteraard lid worden.

Alice' zus Lucy en Lucy's zachtaardige, sympathieke echtgenoot Euan zaten in de ballotagecommissie en hadden geregeld dat Alice,

Claire en ik naar binnen mochten. Maar zoals gebruikelijk zag ik er te midden van de groten der aarde uit alsof ik een verkeerde afslag had genomen vanaf een vrijgezellenfeest in de Hog Pit. T-shirts met leuzen waren niet geschikt voor plechtige recepties.

Mijn nieuwe vriend de uitgaansexpert stond nog steeds in mijn oor te tetteren. 'Kameraadschap? Wie heeft daar nou tijd voor? Ik bedoel, je hebt in deze stad zelfs geen tijd om liefdesverdriet te hebben.'

Precies op dat moment zag ik Jack aan de andere kant van de bar staan.

Hij stond iets te bestellen, aangeschurkt tegen de ranke, bruine schouders van een lange vrouw in een gele halterjurk met lovertjes. O nee, was hij hier met haar? Ik keek terwijl hij een stapeltje dollars neerlegde, zich naar haar toe draaide en iets tegen haar zei terwijl de barkeeper twee whisky's inschonk. Nee! Nee! Nee!

Ineens keek hij op, recht in mijn onthutste ogen.

Hij schonk me een kort, zuinig glimlachje. Ik greep mijn glas zo hard vast dat het bijna brak.

Hij pakte de glazen op en stapte achteruit. Pfft, de opdringerige lovertjesjurk bleef staan. Pas nu zag ik dat hij zijn vriend Mark bij zich had. Samen kwamen ze door de menigte heen op me af.

Het was inmiddels zes weken geleden dat Jack en ik het hadden uitgemaakt, en de pijn was er geen seconde minder om geworden. Wanneer ik 's ochtends op de redactie binnenkwam, was zijn achterhoofd nog steeds het eerste wat ik zag. Hij moest langs mijn bureau als hij de verslaggevers van de zaken- of roddelrubriek wilde spreken. Op zulke momenten greep ik steevast naar mijn telefoon en deed alsof ik een belangrijk gesprek voerde. Soms moesten we wel met elkaar praten over de opdrachten die ik had gekregen. Maar hij was weer helemaal de oude Jack: op zijn hoede, emoties ferm achter slot en grendel.

'Hé! Hé, Mark, leuk je te zien!' zei ik overdreven opgewekt toen ze naast me stonden.

Ik zag Jack naar mijn T-shirt kijken terwijl hij zich naar me toe boog om me een kus te geven. O nee.

'Ik had jou hier niet verwacht,' zei ik voordat hij een vernietigende opmerking kon maken.

'We blijven ook maar heel even.' Zijn stem klonk verstikt. 'We wilden gewoon even een kijkje nemen voor we gingen eten. En jij?'

'Ik ben hier met de meiden. De drank is gratis, dus wij blijven vast tot sluitingstijd plakken.'

Mark leek te beseffen dat hij onzichtbaar was geworden, veinsde dat hij een bekende zag en excuseerde zich.

Alleen achtergebleven staarden we elkaar aan. Verbazingwekkend hoe ik bij iemand tegen wie ik nooit mijn mond had kunnen houden ineens mijn tong leek te hebben verloren.

'Fantastische tent, hè?' Ik keek de afgeladen, lawaaierige zaal in. Hij werd verdeeld door glazen deuren die de bar van de lounge scheidden, die vol stond met banken waarop mensen onderuitgezakt naar het feestgedruis zaten te kijken.

'Ja, die renovatie is heel goed geslaagd.'

We deden alsof we het nieuwe tinnen plafond bewonderden.

'En hoe is het met je?' probeerde ik op intiemere toon, al had ik liever geroepen: 'Schat, mis je me? Want ik mis jou zo vreselijk!'

'Prima. Ik overweeg een nieuw appartement te zoeken.'

Prima? Het ging príma met hem. En hij keuvelde over appartementen?

'Iets specifieks in gedachten?'

'Ik weet het niet. Ik denk dat ik wel in de West Side blijf.'

Mark kwam weer bij ons staan. Jack keek op zijn mobieltje hoe laat het was.

'Bridge, we hebben gereserveerd, dus we moeten ervandoor.' Hij blikte naar Mark. 'Zullen we maar?'

'Tot ziens,' zei ik.

Ze liepen naar de liften. Ik draaide me weer naar de bar. Dit feest kon nu nog maar twee kanten op: absolute ellende of Absolut wodka.

Ik bestelde nog twee gratis drankjes, zag toen tot mijn opluchting dat Alice en Claire in een dronken hoop op een van de banken in de lounge beroemdheden lagen aan te wijzen. Alan Cumming scharrelde rond, Ethan Hawke, Salman Rushdie. Ik ging naar ze toe en plofte tussen hen in.

'O, o, Jack-aanval,' zei Alice bij het zien van mijn gezicht. Ze had me thuis al menig uur plichtsgetrouw zitten troosten. En ze kwam altijd met hetzelfde wijze advies dat ze van haar moeder had gekregen, die een akelige scheiding had doorgemaakt. Wanneer je eenmaal de bodem van de put hebt bereikt, kun je alleen nog maar omhoog. Je kunt ofwel je tijd verspillen met kniezen, of je vermant je en pakt de draad weer op.

Vanavond voelde ik beslist meer voor kniezen. Toen hoorde ik iemand mijn naam roepen.

'Bridge, Bridge? Hé, ik dacht al dat jij het was!'

Ik keek op en zag een oude vriend van Sacha, die wel eens bij ons thuis was komen eten. Ik herinnerde me dat hij naar Los Angeles was gegaan om zijn geluk als scenarioschrijver te beproeven.

'Milo!' Ineens voelde ik me een ietsepietsje beter.

Claire stootte me aan. 'Mílo? Wie heet er nou Milo?' fluisterde ze veel te hard.

'Maf ja, maar het is wel een lekker ding,' fluisterde Alice al even goed hoorbaar terwijl hij op me afkwam.

'Uit de weg, dames,' zei ik met dubbele tong, en ik kwam wankelend overeind.

'Hé, Bridge. Gaaf T-shirt.' Hij staarde naar mijn borsten. Het was alsof de beschermheilige van de gebroken harten me een engel had gestuurd.

Milo was inderdaad een lekker ding, hij had me altijd aan de acteur Vince Vaughn doen denken. Ik had Sacha zelfs een keer opgebiecht dat ik wel een oogje op hem had, ook al had ze me gewaarschuwd dat hij nogal een rokkenjager was. Maar hé, een rokkenjager was precies wat ik vanavond nodig had.

Milo had meteen in de smiezen dat we alle drie al flink in de bonen waren, en bestelde nog een rondje. Na een halfuurtje hield hij hof op onze bank met zijn arm om me heen, verhalen vertellend over de vrouwen in Los Angeles. Ik vond alles best, als het me maar van Jack afleidde.

'Jullie denken dat New York erg is, maar in Los Angeles verwacht iedere vrouw dat je haar aan een filmrol zult helpen, anders kun je het wel schudden.'

'Dus dan is het handig dat je scenarioschrijver bent, neem ik aan?' grapte ik.

'O, Bridge, altijd je woordje klaar, hè?' zei hij. 'Ik was altijd zó gek op je tijdens die etentjes bij jullie thuis.'

'Echt?' riepen Claire en Alice in koor, en ze stootten elkaar enthousiast aan.

Een uur later stond ik de minibar in Milo's hotelkamer te inspecteren.

Hij logeerde in 60 Thompson, het chique hotel in SoHo waar ik het jaar daarvoor naakt had geposeerd voor Circe. Ik had ermee ingestemd mee te gaan voor een slaapmutsje, meer niet. Maar zoals dat gaat met slaapmutsjes in fijne hotels, duurde het niet lang voordat we over zijn bed rolden.

'Weet je,' zei ik tussen twee nogal slecht gecoördineerde zoenen door, 'ik heb hier een keer naakt geposeerd voor een heel sexy fotoreportage.'

'O ja?' Milo keek gepast wellustig en geïntrigeerd.

'Een vriend van me is fotograaf, en ik wilde schrijven over hoe het was om bloot gefotografeerd te worden.'

'Toe dan, doe eens voor.'

Ik stond op, trok in één keer mijn T-shirt en beha uit, stapte uit mijn broek en slipje. Geen diepe put van treurigheid meer voor mij! Met zwaaiende armen stommelde ik achterwaarts naar de transparante gordijnen. 'Oké, eentje ging zo.' Ik wikkelde mezelf in de kriebelige, roomkleurige stof als een ballerina met een evenwichtsprobleem.

'Ga door,' zei Milo.

'En een andere ging zo.' Ik maakte me los uit het gordijn en tuimelde op de grond. Ik duwde me op mijn knieën weer overeind, met mijn kont in de lucht, en greep de metalen poten van het nachttafeltje beet alsof ik me op een kapseizend schip bevond. Zoals mijn hoofd tolde had dat ook net zo goed zo kunnen zijn.

Milo zakte gniffelend in de kussens. Ik klom op zijn nog steeds aangeklede lichaam.

Ik maakte zijn knoopjes los en rukte het hemd van zijn lijf. Hij smeet het in een bedreven beweging op de grond. Ik legde mijn duizelende hoofd op zijn schouder.

Terwijl ik me tegen hem aan nestelde, voer er een huivering door me heen. Geen geur van tabak of schone was, alleen de kwalijke reuk van niet te identificeren aftershave. Zijn borst was ook anders. Hariger en meer getaand. Ik lag me in mijn nakie vast te klampen aan een vreemde, besefte ik met een golf van ontzetting. Hij was Jack niet.

Zich nergens van bewust dook Milo boven op me, terwijl ik probeerde langs de sterretjes in mijn ogen heen te kijken. Ik hield mezelf voor dat ik in een schitterende kamer lag met een schitterende man die mij altijd al leuk had gevonden, had hij gezegd. En ik was weer vrij, dit was precies wat ik hoorde te doen. Ik gaf mezelf over aan de helikopterwieken in mijn hoofd en besloot er verder niet over na te denken.

De volgende ochtend werden we allebei aan een andere kant van het bed wakker. Mijn kop dreunde zo erg dat ik bang was over te geven zodra ik me bewoog. Met samengeknepen ogen zag ik mijn kleren over de grond verspreid liggen. O god, ik had écht naakt voor hem geposeerd. En toen had ik seks gehad die ik me nauwelijks kon herinneren. Ik zou nu willen sterven aan alcoholvergiftiging.

Ik kneep mijn ogen dicht en dacht aan Jack. O, hoe had ik het zo vanzelfsprekend kunnen vinden wakker te worden in zijn heerlijke, veilige, vertrouwde bed? Verdomme, ik haatte hem. Hoe had hij me terug kunnen werpen in de slangenkuil van het leven als single in New York? Hoe had hij kunnen zeggen dat hij van me hield om me vervolgens hiertoe te degraderen? Oké, ik was waarschijnlijk nog steeds dronken, en vergat mijn eigen sleutelrol in de breuk.

Op de wekkerradio op het nachttafeltje waaraan ik me die nacht had vastgeklampt was het 11.07. Het was zondag. Volgens het nieuwe rooster moest ik om één uur 's middags beginnen. Met een broodje en een koffie-infuus zou ik het misschien redden. Michelle nam vandaag waar voor Jack, godzijdank.

Ik stak een been onder de dekens vandaan en zocht met mijn tenen naar de vloer. Ik zette de andere voet ernaast en kwam voorzichtig overeind. Stapje voor stapje schuifelde ik naar de badkamer. Zonder de fout te maken in de spiegel te kijken reikte ik in de marmeren douchecabine, zette de kraan op 'koud' en stapte onder de straal. Het ijzige water dat over mijn kruin kletterde bracht meteen verlichting. Ik waste mijn haar, stapte onder de douche vandaan, pakte een hotelborstel en poetste mijn tanden. Zo, ik voelde me iets beter.

Ik had al mijn kleren al aan toen Milo wakker werd. Hij ging zitten, wreef in zijn ogen en staarde me aan alsof hij zich probeerde te herinneren wie ik was.

'Hé, ga je weg?' vroeg hij toen.

'Ik moet naar mijn werk,' zei ik terwijl ik naar de deur liep.

'Werk?'

'Ja, suf, hè? Nou, bedankt voor de leuke avond. Tot ziens.'

'Ja, tot ziens.' Hij liet zich weer op het matras vallen.

Ik trok de deur achter me dicht en stommelde beschaamd de vaag verlichte gang door. Hoe had ik het ene moment zo intiem kunnen zijn met iemand, en het volgende moment zo onverschillig gedag kunnen zeggen? Zou ik ooit gewend raken aan deze eendagsaffaires?

Vol zelfverachting wachtte ik op de lift.

'Bridget, kom nog even terug.' Hij was wakkerder nu, stond in de gang met een handdoek om zijn middel op zijn hoofd te krabben.

Aarzelend draaide ik me om.

'Hoe laat moet je beginnen?' vroeg hij.

'Eén uur.'

'Dan ga je nog nergens heen.' Hij trok me de kamer weer in, het bed op. Ik protesteerde toen hij mijn T-shirt omhoog begon te sjorren.

'Hé, ik moet weg.'

'Bridge.' Hij leunde op zijn elleboog en keek me aan. 'Ik kan me niks meer herinneren van vannacht, behalve dat jij in de gordijnen vastzat, wat geen fraai gezicht was. Maar ik wil deze ochtend wel in mijn geheugen prenten.'

Ach, wat maakte het ook uit dat Milo een rokkenjager was, of dat hij Jack niet was? Blijkbaar vond hij me nog steeds leuk. En ik zou vroeg of laat over Jack heen moeten zien te komen. Misschien was dit toch wat ik nodig had, de armen van een andere man om me heen, welke man dan ook.

Twee uur later rolde ik op 1211 Avenue of the Americas uit een taxi. Mijn T-shirt zat nu binnenstebuiten. Hoewel ik al tien minuten te laat was, nam ik nog even de tijd om langs het eettentje op 47th Street te wippen om een broodje en koffie te halen. Terwijl ik de hoek omsloeg, voelde ik me lichter dan ik in zes weken had gedaan. Dus seks met vreemden in hotelkamers was zo gek nog niet. Toen keek ik op en zag ik Jack. Hij kwam vanuit het zaakje waar ik naartoe op weg was mijn richting op lopen, met een bruine papieren zak met een beker koffie erin.

'Wat doe jij nou hier?' vroeg ik met een vuurrood hoofd.

'Ik neem voor Michelle waar.' Hij keek voor de tweede keer binnen 24 uur naar mijn T-shirt en werd ook rood.

'Laat geworden vannacht?' vroeg hij.

Ik voelde mijn hart weer ineenkrimpen, wilde mezelf weer in zijn armen werpen, zeggen hoeveel pijn het deed hem te moeten missen.

'Nogal, ja. Is het druk boven?'

'Niet echt.' Hij liep verder.

'Jack.'

Hij bleef staan en keek droevig achterom.

'Heb je zin om volgende week een keer iets te gaan drinken?'

'Goed, hoor.' Zo te horen had hij nog liever zijn kiezen laten trekken.

Mijn ontmoeting met Milo was inmiddels drie dagen geleden, en ik zat achter mijn computer in een poging er een stukje over te schrijven. Per slot van rekening was ik vast niet de enige die de multi-emotionele sensatie had ervaren voor het eerst na een breuk met iemand anders te vrijen. Maar dan zou Jack het lezen, en de rest van kantoor, en mijn ouders natuurlijk. Was zes weken te kort om al met iemand anders in bed te duiken? Had hij het ook gedaan? O, nee toch!

Ach, jammer dan. Ik was Jack al deels door mijn column kwijtgeraakt. Waarom zou ik me nu nog inhouden?

Zoals ik al eerder heb gezegd, is seks voor vrijgezelle vrouwen gecompliceerder dan we graag willen geloven. Voor de eerste keer met een ander naar bed gaan nadat het is uit gegaan met je vaste vriend ligt nog ingewikkelder.

Het is alsof je weer op je ski's gaat staan nadat je eraf bent gekukeld. Een ijskoude oceaan in loopt op de eerste dag van je vakantie. Oesters eet

nadat je een zware voedselvergiftiging hebt opgelopen, hoor ik van meer-
dere vrienden.

Het is een enorme omschakeling, van het regelmatig in bed liggen met
iemand die zo vertrouwd is dat je zijn hele lichaam op je duimpje kent,
naar in het diepe springen en het met iemand anders doen.

Al tijdens het schrijven wist ik echter dat ik geen nieuwe oceaan in
wilde rennen of oesters wilde eten na een voedselvergiftiging. Een
ochtend anonieme seks in een hotelkamer mocht me dan van mijn
kater af hebben geholpen, mijn gebroken hart was er niet door
geheeld. Er was geen man op aarde die me over Jack heen kon helpen. En wanneer hij mijn column las, zou hij dat vast beseffen. Of
niet?

Een week later liep ik op zondag over Washington Street in het
Meatpacking District met mijn gloednieuwe roze, gebloemde Diane
von Furstenberg-jurk aan in mijn mobieltje te praten. Het was een
warme, vroege zomeravond.

'Ik weet het, ik weet het, ik moet het gewoon doen,' zei ik.

Ik had Becky aan de lijn, een Engelse die rond dezelfde tijd als ik
naar New York was verhuisd, zij het onder andere omstandigheden.
Zij was al 21 dagen na de eerste kennismaking met een New Yorker getrouwd, en had een zielsgelukkig huwelijk. Weinig verrassend
wendde ik me vaak tot haar voor advies.

'Maar ik hou van hem,' pruttelde ik.

'Oké, als het niks wordt, kom dan daarna bij ons langs. Josh zit
toch basketbal te kijken. Ik kook vanavond.'

O, hoe had ik ooit het regelmatige, voorspelbare echtelijke leven
kunnen versmaden?

Jack had voorgesteld iets te gaan drinken bij The Other Room
op Perry Street, een rustig buurtkroegje dat ongeveer tussen onze
adressen in lag. Het vooruitzicht alleen met hem te zijn bezorgde me
een belachelijk blij gevoel.

Ik dacht terug aan de blik in zijn ogen toen ik hem de zondag
tevoren tegen het lijf was gelopen. Hij moest het er net zo moeilijk
mee hebben als ik. Hij zou het vast nog een keertje willen proberen.
Wie weet kwam het allemaal toch nog goed.

Hij stond me voor de deur op te wachten, een sigaret in zijn
hand. Ik gaf hem een kus en liep naar binnen om twee biertjes te
halen, waarmee we in het zonnetje op een bankje gingen zitten.

'Ik heb vandaag je column gelezen. Die over voedselvergiftiging,'
zei hij zacht.

O, die verrekte column. Moest hij daar per se nu over beginnen?

'Ja, nou ja, je weet hoe het is, ik moet die ruimte ergens mee vullen...' Ik viel stil. Ineens had ik het akelige voorgevoel dat dit helemaal misging.

Toch haalde ik diep adem en bereidde ik me voor op de speech die ik elke avond sinds we uit elkaar waren gegaan in mijn hoofd had gerepeteerd. 'Luister, Jack.' Ik keek vluchtig opzij. 'Ik weet dat ik het verpest heb. Ik heb al mijn onzekerheid over dertig worden en in een ander land wonen en de zorgen over mijn werk op jou afgereageerd... en ik weet dat ik stompzinnige en tactloze dingen in mijn column heb geschreven.'

O, o, zag ik hem nu verstarren? Ik durfde niet te kijken.

'Ik weet dat ik zonder enige reden gemeen tegen je was en ruzie zocht om aandacht te trekken. Maar ik hou van je, en eerlijk gezegd ben ik er kapot van dat het uit is. En we waren heel vaak onvoorstelbaar gelukkig. Ik denk gewoon dat het stom zou zijn om weg te gooien wat we hadden...'

Had ik die jurk maar niet aangetrokken. Afgewezen worden in een felroze, diep uitgesneden Diane von Furstenberg zou zo gênant zijn. En voordat ik klaar was en naar Jack kon kijken, wist ik al wat hij ging zeggen.

Hij keek droevig maar vastberaden. Hij had al afstand genomen.

'Weet je, al mijn vrienden zeggen dat we zo'n mooi stel vormden,' zei hij. 'Als ze vragen waarom we uit elkaar zijn, kan ik het niet eens uitleggen. Soms vraag ik me af waarom we het eigenlijk hebben gedaan.'

Hoop? Was er nog hoop?

Hij liet zijn hoofd zakken. 'Bridge, ik hield oneindig veel van je.'

Oei, hij gebruikte de verleden tijd.

'Maar het spijt me, ik denk niet dat ik het aankan weer iets met je te beginnen. Dat weekeinde dat we het begin van de oorlog versloegen; ik heb me nog nooit zo rot gevoeld. Ik denk gewoon niet dat er een weg terug is.'

En dat was het. Jacks besluit stond vast.

'Maar goed, ben je nog naar Soho House geweest?' vroeg hij. 'Dat dakterras waar je mag roken, dat wordt nog eens mijn favoriete plekje in New York.'

Ik klemde mijn hand om mijn bierglas om te voorkomen dat ik het in mijn wanhoop naar zijn hoofd zou gooien. Laat het maar aan Jack over om zich emotioneel af te sluiten en vrolijk verder te babbelen.

'Ik denk niet dat het veel zin heeft nog een drankje te halen,' zei hij zodra onze glazen leeg genoeg waren. We stonden op van het bankje, pakten elkaar even opgelaten vast, en hij liep Perry Street uit.

Terwijl ik hem nakeek, boog hij zijn hoofd om een sigaret aan te steken, en de rook kringelde achter hem aan. Ineens herinnerde ik me de eerste keer dat ik hem met zijn vriend Mike op Broadway had zien lopen, terwijl Angus in de Leica Gallery bezig was geweest.

De tranen stroomden over mijn wangen. Daar stond ik dan. Ik had naar Jack gesmacht, hem eindelijk gekregen en was hem weer kwijtgeraakt. En hoe ik me er ook tegen verzette, hoeveel spijt ik ook had, het was net als bij Angus definitief.

Tien mannen voor Kerstmis

Na je 35e een man vinden: de zakelijke aanpak.
Mannen zijn als schoenen: zo vind je het passende paar.
Waar is de Ware: als daten beter is dan trouwen.
Klik me aan, wis me niet: internetdaten: leer van mijn fouten.
Zelfhulpboeken over daten. Ze belandden allemaal op mijn bureau. Als de maar niet aan de bak komende columnist van de *Post* trok ik ze als een magneet aan. En welk boek je ook opensloeg, het advies was steevast hetzelfde. De boer op moest je. Met op de bank hangen en herhalingen van *Sex and the City* kijken vond je geen man.

Terwijl ik verder bladerde, drong zich echter een vraag op. Als je jezelf dwong om afspraakjes te maken – waarvan de meeste onvermijdelijk slecht zouden verlopen – verhoogde je dan werkelijk de kans de juiste man te ontmoeten? Of zou je alleen maar nog ontmoedigder en gedeprimeerder raken dan je al was?

Het was inmiddels een halfjaar geleden dat Jack en ik uit elkaar waren gegaan, en die tijd was in een verdoofde roes verstreken. De laatste weken had ik gemerkt dat hij zich in zijn kamertje terugtrok en aan de telefoon zat te lachen. En soms zag ik hem zich verdacht vroeg naar buiten haasten. Niet dat ik hem in de gaten hield of zoiets.

Ik had Paula, Jeane en Michelle verboden me te vertellen of hij een nieuwe vlam had, want ik wist dat ik het beter niet kon weten. In de tussentijd hield ik mezelf voor dat een nieuwe vriend zoeken de beste manier was om over hem heen te komen.

Paula, die inmiddels ook gebroken had met Paul – ze verschilden toch te veel van karakter, had ze gezegd – herinnerde me er dagelijks aan dat een frisse relatie me er het snelst weer bovenop zou helpen.

'Schat, geloof me, het is misschien niet leuk, maar op een dag moet je gewoon het hoofdstuk afsluiten,' zei ze terwijl ze op het plein aan een sigaret stond te trekken. 'Soms kan ik mezelf wel wurgen, en vaker nog Paul, wanneer ik hem op kantoor zie. Maar we vertikken het allebei een andere baan te zoeken.'

Net zoals Jack en ik. Dus ik beraamde een plan. Het had zijn voordelen columnist te zijn.

'Dames, ik heb een missie bedacht,' zei ik op een oktoberavond tegen Alice en Claire, terwijl Alice haar vermaarde worst-met-erwtjespasta en wodkasaus op tafel zette. 'Ik ga een experiment uitvoeren voor mijn column. Elke week tot aan Kerstmis een afspraakje, om te zien of ik een nieuwe vriend kan vinden!'

Claire en Alice keken me aan alsof ik had aangekondigd in bikini naar de noordpool te skiën.

'O nee, maar Bridge, blind dates zijn een verschrikking,' zei Alice. 'Weet je nog, al die vreselijke afspraakjes die ik afgelopen winter heb gehad?'

Na een van die onfortuinlijke episodes had Alice tot haar schrik ontdekt dat haar hele kin schraal was, doordat haar blind date tijdens het zoenen met zijn prikkerige sikje langs haar gezicht was geschuurd. Ze had er zelf haast een soort stoppeltjes aan overgehouden. De volgende avond had ze naar een diner vol modellen en modeontwerpers gemoeten en had ze haar toevlucht moeten nemen tot zware toneelschmink.

Inmiddels had Alice iets met een 35-jarige Engelse fotograaf die ze via haar broer had ontmoet, en ze was stapelverliefd. Maar dat zij wonderbaarlijkerwijze uit de slangenkuil was opgevist, betekende niet dat dat mij ook zou overkomen, zei ik tegen haar.

Uiteraard had ik nog een andere optie: teruggaan naar Londen. En soms wilde ik er zo wanhopig graag vanaf Jack elke dag op het werk tegen te komen, dat ik de telefoon oppakte om een enkeltje Londen te boeken. Maar ik kon het idee niet aan New York met een gebroken hart te verlaten.

En ik moest erkennen dat hoe langer ik weg was uit Engeland, hoe minder aanlokkelijk het werd. Wat moest ik daar doen? Rondkeutelen in mijn huis in Shepherd's Bush, getrouwde vrienden bellen of ze naar de film wilden, om telkens te horen dat ze geen oppas konden krijgen? In New York was in elk geval de halve stad single. Hoe had die vent in Soho House het ook weer genoemd? Een grabbelton! Het was tijd dat ik ervan ging profiteren.

Van de reservebank af, noemde ik mijn column.

Het mag dan lijken alsof mijn liefdesleven één grote aaneenschakeling van blessures is, maar de opening van het honkbalseizoen heeft me geïnspireerd daar verandering in aan te brengen.

In naam van het grote spel heb ik besloten de theorie op de proef te stellen dat hoe vaker je slaat, hoe meer kans je maakt een homerun te scoren.

Zoals mijn stapel zelfhulpboeken voorschreef, duikelde ik afspraakjes op via websites, vrienden die mannen kenden die best gekoppeld wilden worden en alle andere denkbare wegen. Ik begon ook de tientallen aanbiedingen die ik van lezers had ontvangen uit te pluizen. De meesten klonken net als ik.

Beste Bridget,
Hallo, ik heet Mike. Ik ben een 29-jarige muzikant uit New Jersey. Ik lees je column al een poosje en begrijp precies hoe zwaar je het hebt. Door mijn drukke werk heb ik zelf ook niet veel geluk gehad, en de vrouwen die ik ontmoet zijn te kieskeurig om zich te binden. Het zou ontzettend leuk zijn als je iets met me wilde drinken, al was het maar om bij elkaar uit te huilen.

Beste Bridget,
Ik ben 29, Aziatisch-Amerikaans, 1,67 lang, slank en gespierd. Ik ben advocaat en doe aan stijldansen. Ik hou van jazz, taarten bakken en zingen. Ik zou het leuk vinden je een keertje te ontmoeten voor een kop koffie/borrel.

Beste Bridget,
Ik ben een 58-jarige weduwnaar. Mijn vrouw is zo'n twee jaar terug na 28 jaar huwelijk overleden. Ik ben 1,82 en weeg 77 kilo; ik kan nog steeds tijdens het douchen mijn voeten zien. Ik zou best eens een keer met je op stap willen, en hé, stel dat de vonk overslaat...

Beste Bridget,
Het zal wel te veel gevraagd zijn enige diepte in het onmetelijke zwarte gat van je geesteloze persoonlijkheid aan te treffen. Maar ik ga woensdag waarschijnlijk naar The Mercury Lounge. Zin om mee te gaan?

Mijn eerste afspraakje was niet met een lezer, maar met ene Nathan, een 29-jarige documentairemaker die ik die zomer vluchtig op een feestje had ontmoet. Hij had me toen al mee uit gevraagd, maar indertijd had het idee van een romantisch etentje met iemand anders dan Jack me alleen maar tot zelfmoordgedachten gedreven.

We hadden afgesproken in Bar 6, een gezellig café in Franse stijl op 6th Avenue, en dankzij zijn interessante baan was ik er zeker van dat we genoeg gespreksstof zouden hebben. En dat had hij ook. Ik vroeg hem waar hij mee bezig was, en het halfuur daarop was hij ononderbroken aan het woord.

Hij vertelde me over het alternatieve filmfestival in Duitsland waar hij heen was geweest, en vervolgens dat hij naar Los Angeles was gegaan voor een gesprek met zijn impresario, die volgens hem niet genoeg zijn best deed voor hem. Ik liet af en toe een 'o' of 'juist' vallen, en stelde wat relevante vragen. Dat was mijn hoofdregel bij dates: luisteren en interesse tonen.

Toen zei hij dat hij een film over China wilde maken.

'O, dat is interessant. Ik denk erover een reis te maken naar Tibet.'

'Gaaf,' zei hij, voordat hij weer twintig minuten over zijn film doorratelde. 'Zeg, ik verga van de honger. Zullen we ergens iets gaan eten?'

Dat was Paula's hoofdregel voor dates: niet uit eten gaan als je er bij de borrel al geen speld tussen krijgt. Hoe leuk hij ook is.

Ik verzon dat ik naar een verjaardag van een vriendin moest. Toen we even later de zaak uit liepen, trok hij me plotseling een portiek in. Ik dacht dat hij wilde zoenen.

'Luister, ga even zitten,' zei hij.

We streken neer op een betonnen rand, en ik vroeg me af wat er mis was met de barkrukken waar we zo-even nog hadden gezeten.

Hij keek me ernstig aan. 'Ik ben ook bezig met een film over mijn verblijf in Jeruzalem. Ik was vlak bij een café waar een zelfmoord-aanslag werd gepleegd.'

En waarom vertel je mij dat, wilde ik roepen. In plaats daarvan zocht ik naar een passende reactie.

'Ik was er samen met mijn vriendin,' vervolgde hij voordat ik iets kon zeggen. 'We zijn drie jaar lang smoorverliefd geweest. We zijn geen van beiden gewond geraakt, maar sindsdien is het nooit meer hetzelfde geworden. Ik maak een film over al onze emoties, en wat ik voor haar voel en wat zij voor mij voelt sinds het is gebeurd.'

'Misschien moet je daar met haar over praten. Neem maar van mij aan, mensen van wie je houdt in je creatieve uitingen betrekken kan je duur komen te staan.'

'Denk je?'

'Nee, ik weet het.'

Ik hield een taxi voor hem aan, en me uitvoerig bedankend voor mijn wijze woorden stapte hij in.

Met een glimlach liep ik de paar straten terug naar huis. In elk geval was ik niet de enige zielenpoot in deze stad die nog zo geobsedeerd was door zijn ex.

Met dat feit werd ik opnieuw geconfronteerd bij mijn volgende afspraakje. Greg was 35, barkeeper en een oude schoolgenoot van Becky's man Josh. Ze waren elkaar tijdens het uitlaten van de hond tegen het lijf gelopen, en hij had Josh gevraagd of hij misschien leuke vrouwen kende. We ontmoetten elkaar in Temple, een gedempt verlichte bar met veel pluche en chroom op Lafayette, waar zalige martini's en de lekkerste popcorn van de stad werden geserveerd. Als altijd gefascineerd door alles wat met alcohol te maken had – want met een straffe martini wist je tenminste waar je stond – hoorde ik hem al knabbelend uit over zijn werk, en ik begon te denken dat het best aardig liep. Tot hij ineens zomaar met zijn hand tegen zijn voorhoofd begon te slaan. Verschrikt vroeg ik of het wel goed ging.

'Luister, ik wilde het je eigenlijk niet vertellen, maar dit is zo'n leuk gesprek dat ik wel moet.'

Wat? Had hij genitale herpes? Was hij op de vlucht voor justitie?

'Mijn knipperlichtrelatie is een maand geleden uitgegaan...'

Ah, dat verhaal. Mannen dachten dat die verklaring ze overal van vrij zou pleiten.

'Ja?' zei ik terwijl ik een handje popcorn in mijn mond stopte.

'Nou, ze is zwanger van me.'

De popcorn kwam weer naar buiten en belandde in mijn martini.

'Jezus. Nou ja, heb je het er met haar over gehad?' Ik schakelde weer in therapeutenstand.

'Ja, maar ze vindt me maar een lapzwans. En dat ben ik ook. Ik weet gewoon niet of ik eraan toe ben me te binden, laat staan om vader te worden.'

Ik vroeg me af of ik hem Stephen moest laten bellen, zodat ze een gesprek van man tot man konden voeren over de geneugten van het vaderschap. Dan kon ik mooi naar het toilet ontsnappen, en daar uit het raam klimmen.

Mijn volgende blind date, een 42-jarige Wall Street-handelaar, zei dat hij een vrouw in een restaurant nooit met haar rug naar de muur zou laten zitten, omdat het in vroeger tijden aan de man was de deur in de gaten te houden. Toen ik opperde dat vrouwen graag zagen wat er om hen heen gebeurde, keek hij ontzet.

'Ik wil niet dat een vrouw naar andere mannen kijkt als ze met mij is.'

Ik wist meteen dat het nooit iets zou worden.

Michael was een blonde Duitse fotograaf die me was aanbevolen door een verstandig klinkende lezer, die me ook een foto van hem had gestuurd. Hij vroeg me naar Café Noir in SoHo te komen, en ik kwam een uitgekiende vier minuten na de afgesproken tijd binnen. Onmiddellijk zag ik een stoot met lang, blond haar aan de bar staan, naast een groep andere mannen. Met een tevreden lachje liep ik op hem af.

'Hé, Michael.'

Hij keek om. 'Nee.'

'Ik wil Michael wel spelen als je wilt,' zei degene naast hem. Zijn maten barstten allemaal in lachen uit.

'Ha ha!' lachte ik vrolijk mee. Het ergste aan een blind date was dat anderen konden zien dat je niet wist met wie je had afgesproken. Nu was ik de sukkel die helemaal opgedoft in een café op een vreemde zit te wachten en probeert niet aldoor naar de deur te kijken.

Ik perste me naast de mannen aan de bar en bestelde een Corona. Aan het andere uiteinde zat een stelletje met een fles wijn, dat me medelijdend opnam. Ik wierp ze een vernietigende blik toe, haalde mijn telefoon tevoorschijn en deed alsof ik het druk had met het sturen van sms'jes.

Een half uur later zat ik er nog steeds.

'Nog iets drinken?' vroeg de barkeeper.

'Hé, schat, als hij je laat stikken, mag je wel bij ons komen zitten,' zei een van de mannen naast me.

Nee, er was toch iets nóg erger dan dat mensen wisten dat je op een blind date was... dat ze wisten dat je een blauwtje had gelopen.

Ineens schoot me iets te binnen. Had Café Noir geen heel lange glaswand? O, nee, zat ik in de verkeerde zaak? Ik durfde het niet ten overstaan van iedereen aan de barkeeper te vragen, dus ik rende naar het toilet en belde het inlichtingennummer. Café Noir zat een paar straten verderop. Ik bleek in een vrijwel identiek uitziende bar te zitten die 203 Lounge heette, zo trendy dat de naam niet eens op de gevel stond.

Tien minuten later had ik de juiste Michael gevonden, en hij vatte het enorm sportief op. Hij zei dat hij twee weken geleden een lunchafspraakje had gehad, en dat het meisje nooit was komen opdagen. Toen vertelde hij me dat hij niets 'zwaars' wilde met een vrouw, wat betekende dat hij niets 'zwaars' wilde met mij.

Mijn volgende kandidaat vond ik op nerve.com, de artistiekerige internetsite die zich specialiseert in erotische fotografie. De contactadvertenties daarvan waren onontbeerlijk geworden voor New Yorkse singles die op jacht waren. In Matteus' beschrijving stond dat hij 39 was, van Nederlandse komaf, en op zijn foto leek hij als twee druppels water op Owen Wilson. Hij schreef dat hij hield van zijn uitzicht op de Hudson, van Egyptische katoen en Monty Python, dus ik wist dat ik hem als Britse wel aan zou spreken.

Op een ijskoude novemberavond ontmoetten we elkaar in Mala-
testa, een rustig Italiaans restaurant bij hem om de hoek. En bij
wijze van uitzondering bleek de foto met de waarheid te stroken.
Zodra hij binnen kwam lopen, zag ik een paar vrouwen hem van
top tot teen opnemen, altijd een gunstig teken. Ik zat ons afspraakje vergenoegd uit, me een wilde nacht tussen zijn Egyptische lakens
voorstellend.

Toen hij voorstelde me 'zijn huis te laten zien', nam ik aan dat we
minstens nog even zouden praten voordat we tot die wilde nacht
overgingen. Maar we waren zijn lift nog niet in gestapt, of hij begon
me te zoenen. Hij schonk hij me een indringende ben-je-zover-blik
die me zo tegenstond dat ik mijn ogen dichtkneep.

Terwijl we zijn appartement in liepen, besefte ik dat ik heel wat
meer had moeten drinken om de moed op te brengen met mijn nog
steeds breekbare hart met weer een vreemde in bed te duiken. Maar
het kwam wel goed, hield ik mezelf voor. Ik had gewoon nog wat
tijd nodig om op te warmen.

Michael had heel andere ideeën.

Hij duwde me naar zijn slaapkamer, zijn mond op mijn nek
geklemd. Met een grissende beweging trok hij mijn delicate zwarte
Ghost-bloesje uit; alle knopen sprongen eraf.

'Hé, rustig aan,' zei ik terwijl ik ze koortsachtig bijeenveegde.

'Kom hier,' commandeerde hij, en hij sprong als een oversekste
chimpansee op zijn bed.

Dit was niet het soort voorspel waarop ik had gehoopt. Ik lag nog
niet naast hem, of hij sjorde plompverloren mijn broek uit, stroopte
mijn sokken af en gooide alles op de grond. Plichtmatig begon ik
zijn overhemd open te maken, terwijl hij over zijn eigen blote borst
en buik streek... een detail dat ik probeerde te negeren.

Toen rolde hij op zijn rug. 'Trek mijn broek uit!' beval hij.

Hmmm, dit was ietwat autoritair, maar oké.

Ik stak mijn hand uit om zijn rits open te doen, worstelde met zijn
riem en schoof vervolgens de band omlaag. Zijn onvertrouwde
erectie bolde verontrustend op onder een zwarte slip. Met gemaakt
enthousiasme grijnsde ik ernaar. Hij mocht niet denken dat ik egoïs-
tisch was.

'En nu mijn onderbroek!' blafte hij.

Dat was de druppel. 'Hou op met dat gecommandeer,' snauwde
ik.

'Gecommandeer? Ik probeer alleen de boel op gang te helpen,'
snauwde hij terug.

'Nou, geef me wat tijd,' mompelde ik.

Hij draaide zich snuivend van me af, alsof ik de meest belabberde bedpartner ter wereld was. Verloren zat ik naast hem, praktisch in mijn blootje. Het idee überhaupt nog iets te doen begon me steeds meer tegen te staan.

'Luister, als je me zo behandelt ben ik weg,' zei ik.

'Ga dan maar.'

'Oké.'

Hij negeerde me terwijl ik mijn kleren bijeenraapte. Hij negeerde me toen ik op handen en knieën op zoek moest naar een verdwaalde sok. Het vroor dat het kraakte buiten, maar nadat ik er tevergeefs naar had gespeurd besloot ik hem op te offeren, samen met de blouseknoopjes.

Toen ik me aan had gekleed, stampte hij in zijn onderbroek naar de deur om me uit te laten.

'Nou, bedankt voor het gezellige etentje,' zei ik.

'Weet je, op mijn leeftijd heb ik geen zin meer in vrouwen met problemen,' was zijn reactie.

Terwijl ik via Greenwich Street naar huis liep, herinnerde ik me mijn aanvankelijke verklaring voor waarom iedereen single bleef in Manhattan: je kon eenvoudig een avondje met iemand op stap gaan en er halverwege tussenuit knijpen, want je was nooit ver van huis. Goed, ik mocht dan de zoveelste mislukte date achter de rug hebben, het was in elk geval maar tien minuten lopen van mijn toevluchtsoord op 14th Street. Met slechts één sok in de vrieskou en een knooploze blouse onder mijn jas, was ik nog nooit ergens zo blij om geweest.

Al met al wist ik acht afspraakje te ritselen in de weken voor Kerstmis, en het laatste was het meest geslaagd, met een schrijver die David heette. We gingen op een vrijdagavond eten in Odean, en bezochten daarna een optreden in de Knitting Factory. Toen ik die zondag naar mijn werk moest, waren we nog steeds bij elkaar. Maar ik begon twijfels te krijgen over David op het moment dat ik me realiseerde dat hij niet zozeer opgewonden raakte van mij, als wel van het vooruitzicht dat ik in mijn column over hem zou schrijven. En hoewel ik van zijn gezelschap had genoten, wist ik vrij zeker dat ik niet verliefd op hem zou worden.

Dat was nu precies wat het zo lastig maakte na je dertigste aan de bak te komen. Niemand wilde het risico nemen dat hij zijn tijd verdeed. Mijn missie had me in elk geval één ding geleerd. Elke keer dat ik van huis vertrok omdat ik met een man had afgesproken, had ik een lichtere tred. Stel dat?

En hoewel ik wist dat de meeste dates op een mislukking uit zouden draaien, bestond er nog altijd die minieme kans dat er een voltreffer tussen zou zitten. Ja, ergens tijdens mijn experiment had ik de hoop herontdekt. En telkens als ik thuiskwam, had ik weer een nieuw verhaal te vertellen.

Beste Bridget,
    De zondagse Post *koop ik alleen om over jouw nieuwste avonturen te lezen. Het is alsof je naar de Formule 1-wedstrijden zit te kijken: je bent niet nieuwsgierig wie er wint, maar zit te wachten tot er iemand over de kop slaat. Zelf heb ik ook aardig wat blind dates meegemaakt, dus ik begrijp je frustraties.*

Beste Bridget,
    Vandaag heb ik mijn 20e afspraakje. Ja, ja, twintig mannen van wie er praktisch geen enkele de moeite waard was. Net als die van jou, maakten sommigen het overduidelijk dat ze alleen maar een avondje lol wilden, en anderen worstelden nog om over hun ex heen te komen. Veel waren smeerlappen, sommigen domweg saai. Maar laat de volgende twintig maar komen. Stug doorzoeken, daar gaat het om.

Beste Bridget,
    Bedankt voor je verhalen, we weten allemaal hoe het is. Dankzij jou is ons leven als single in New York iets draaglijker.

Beste Bridget,
    Mag ik zo brutaal zijn naar je lengte en kledingmaat te vragen? Ik ben veertig, werkzaam in de muziekindustrie, en redelijk aantrekkelijk.

Met de kerstdagen reisde ik af naar Ealing, waar ik gebukt ging onder mijn jaarlijkse schuldgevoel. De kleinkinderboom achter in de tuin groeide vrolijk door. Ik wist dat mijn ouders hoopten dat ik snel naar Engeland terug zou keren, zeker nu duidelijk was geworden dat het tussen mij en Jack niet meer goed zou komen.

Op tweede kerstdag bracht mijn moeder me naar Heathrow, en toen we bij de vertrekhal tot stilstand kwamen, kon ze zich niet langer inhouden.

'Bridgie, we zijn zo trots op wat je allemaal doet in New York, maar je wordt er niet jonger op. Net zomin als wij.'

'Ik weet het,' zei ik mistroostig. Het leek al eeuwen geleden sinds ze me voor het eerst op het vliegveld hadden afgezet, die grauwe februariochtend waarop ik de foto van Angus en mij in mijn tas had gehad.

'Weet je, we hebben je nooit onder druk willen zetten, maar denk je dat je daar ooit de man van je dromen zult tegenkomen?'

Terwijl ik voor de zoveelste keer de Atlantische Oceaan overvloog, besefte ik wat het antwoord was op mijn moeders vraag. Zolang New York een honingpot bleef voor intelligente, succesvolle vrouwen, zolang die vrouwen in aantal nog steeds de beschikbare mannen overtroffen, zouden New Yorkse mannen zich blijven gedragen als kinderen in een snoepwinkel. De Ware zat er wellicht tussen, maar we zouden altijd single blijven.

Toch sprong mijn hart weer op terwijl de taxi vanaf JFK het schitterende, winters sprankelende panorama van Manhattan naderde. Ik glimlachte bij de gedachte aan wat ik hier allemaal had: een baan bij een New Yorkse krant, een scala aan restaurants en cafés waar je blijkbaar elke week tot aan Kerstmis met een andere man kon afspreken, een appartement vol ontwerperskleding en uitnodigingen voor exclusieve feesten (ook al waren die allebei tweedehands). Het leven was nergens zo spannend als in New York. Deze stad was niet alleen voor mannen een snoepwinkel.

De platgetreden paden af

Precies een jaar nadat Jack en ik uit elkaar waren gegaan, liep ik over Washington Street de zo bekende route naar zijn adres. We hadden afgesproken deze zaterdagmiddag een beetje bij te kletsen, en ik nam aan dat hij er inmiddels op vertrouwde dat ik niet in een felroze Diane von Furstenberg-jurk zou opduiken om hem te smeken of hij het nog eens met me wilde proberen.

Jack had een nieuw appartement gekocht – een elegante loft in een pas gerenoveerd gebouw in de West Village – en bij het inpakken in zijn oude woning had hij wat jassen gevonden die ik in zijn kast had laten hangen. Hij had ze mee kunnen brengen naar kantoor, maar het idee dat hij een grote tas vol troep op mijn bureau zou laten vallen hadden we verworpen, want we hadden de tongen op kantoor al genoeg in beweging gebracht. Dus had hij voorgesteld dat ik naar zijn oude huis zou komen, waarna hij me, als me dat leuk leek, zijn nieuwe onderkomen zou laten zien.

Het was een zonnige lentedag, en inmiddels was het Meatpacking District onherkenbaar veranderd. De meeste bedrijven die daadwerkelijk iets met de vleeshandel te maken hadden, waren uitgekocht en hadden plaatsgemaakt voor hypermoderne kantoren, kapsalons en dure winkels. Pal tussen de oude pakhuizen naderde de bouw van het lelijke, met metalen gevelplaten beklede hotel The Gansevoort zijn voltooiing. De Hog Pit, ooit een baken in de duistere buurt, werd nu omringd door nieuwe, trendy cafés. New York veranderde voortdurend. Net als wij.

Bij Jacks gebouw herkende de portier me niet meer, en de lift was gerenoveerd. Het appartement waar we hadden gelachen, gedronken, gerookt en gevreeën zou binnenkort tot het verleden behoren. Jack was zelfs, tot zijn onvoorstelbaar irritante zelfbehagen, gestopt met roken.

Ik bleef opgewekt terwijl ik mijn spullen bijeenzocht en mijn blik voor het laatst door de woning liet dwalen. De boeken, cd's en foto's waren al ingepakt. We liepen de zon weer in, wandelden naar zijn nieuwe adres alsof we gewoon oude vrienden waren die een eindje kuierden.

'En, hoe gaat het met de dames?' vroeg hij.

'Nou, Claire heeft het eindelijk uitgemaakt met Chris. Ze gaat terug naar Engeland,' antwoordde ik. 'En Alice is zwanger.'

Geschokt draaide Jack zich naar me toe. Om eerlijk te zijn was Alice zelf net zo geschokt geweest, toen ze er drie maanden geleden achter was gekomen.

'Alice zwánger? Ik wist niet eens dat ze een vriend had.'

'Je hebt het afgelopen jaar ook geen contact met ze gehad. Ze heeft van de zomer een fotograaf ontmoet, Chris, niet lang nadat wij uit elkaar zijn gegaan. De baby was niet echt gepland, maar ze wisten dat ze bij elkaar wilden blijven, dus ze hebben besloten het kindje te laten komen.'

Jack krabde op zijn hoofd. 'Het lijkt wel alsof iedereen de laatste tijd kinderen krijgt,' zei hij. 'Het enige wat ik nog doe met mijn vrienden is rondhangen in speeltuinen.'

'Hopelijk word je niet voor pedofiel aangezien,' grapte ik.

Hij negeerde mijn opmerking.

'Hoe weten mensen het nou zo snel?' vroeg hij.

'Geen idee. Sommigen weten het meteen, anderen niet. Sommigen willen door naar het volgende stadium, dus ze wagen de stap wanneer de relatie goed lijkt te lopen. Anderen, zoals Alice, geven zichzelf over aan het lot. En de hopeloze idealisten onder ons proberen vol te houden, wachten op die blikseminslag. Ik begin langzaam te beseffen dat er geen goede of verkeerde manier is. Mensen verschillen gewoon, ook in hoe en wanneer ze zich nestelen.'

Hij bleef staan en keek me aan. 'Ik geloof er nog steeds in dat je moet wachten op degene die je wereld op zijn kop zet, die al je twijfels wegneemt.'

'Ik ook.'

We glimlachten naar elkaar. Kennelijk hadden we nog steeds iets gemeen.

Jacks nieuwe appartement had een grote woonkamer met open keuken. De enorme ramen boden een schitterend uitzicht op de Village. De woning was nog leeg, en de mooie, donkere houten vloer was afgedekt met plastic.

'Als dat maar geen tropisch hardhout is,' zei ik terwijl ik mijn teen onder het zeil stak.

'O, daar gaan we weer, een milieupreek.' Jack was al verdiept in een stapel rekeningen. Het was net als vroeger.

Ik begon rond te neuzen, bekeek zijn balkon, zijn kasten en badkamer, en de ruimte waarvan hij een werkkamer wilde maken. Uiteindelijk wilde ik zijn slaapkamer zien, en hij leidde me naar een lege ruimte achter in het appartement, met een klein raam dat uitkeek op een smalle straat. We stonden samen in de deuropening.

'Hmmm, lekker donker. Fijn als je een kater hebt.'

'Ik denk dat ik het bed daar neerzet. Wat vind jij?' Met zijn armen maakte hij duidelijk tegen welke wand het moest komen.

Ik overdacht waar zijn grote, gerieflijke ledikant het beste zou uitkomen, en terwijl ik dat deed, werd ik overvallen door een vreemde sensatie. Hier stond ik Jacks toekomst in te kijken, wetend dat ik er geen deel van zou uitmaken. In het bed waar ik ooit in had geslapen lagen al andere vrouwen, niet dat ik wilde weten wie dat waren. Ongetwijfeld zou er binnenkort eentje hier samen met hem wakker worden. Het drong tot me door dat ik dat feit had geaccepteerd.

We liepen terug naar de woonkamer, en opnieuw bedacht ik dat de ruimte waarin Jack en ik onze passie en liefde hadden beleefd op het punt stond ontmanteld te worden, en in plaats daarvan zouden al zijn dromen, hoop en opwinding hier een nieuwe plek krijgen. En ik zou er niet bij zijn.

Op dat moment wist ik dat ik de slotfase van mijn relatie met Jack had bereikt. Ik had zijn toekomst zonder mij onder ogen gezien. Ik moest hem loslaten.

De volgende dag schreef ik voor het laatst over Aaron.

Het pad dat je volgt om jezelf los te weken van een grote liefde zit vol bulten en kuilen, en ik ben meer dan eens gestruikeld.

Mannen hebben de neiging eroverheen te hollen zonder om te kijken. Vrouwen slepen zich er eerder vertwijfeld over voort, zeker als ze omringd zijn door vriendinnen die gaan trouwen en zwanger worden.

Een van de stappen die je moet nemen, is het leren omgaan met de akelige pijn die je overvalt wanneer je plotseling wordt herinnerd aan een indringend moment, goed of slecht, dat je met iemand hebt gedeeld. Een andere stap is het omgaan met een ex wanneer de dynamiek tussen jullie is veranderd. Een andere stap is het leren genieten van nieuwe ontmoetingen. Maar de grootste stap is het leren aanvaarden van de toekomst, niet alleen je eigen, maar ook die van hem.

Wat ik probeer te zeggen is dit: wanneer het uit raakt met iemand van wie je werkelijk hebt gehouden, met wie je je voorgesteld had oud te worden, is het niet zozeer de breuk zelf die pijn doet, de jaloezie, of zelfs de pijnlijke herinneringen. Het is accepteren dat je hem uiteindelijk los zult moeten laten.

Deel drie

Een huisje aan de kust

Uit de schijnwerpers
·······································

'Hallo, hallo, spreek ik met de *New York Post*? Met mevrouw Livingston. U hebt een bericht ingesproken over een drilmonster?'

'Ah, mevrouw Livingston, fijn dat u terugbelt. Ja, ik ben verslaggever bij de *New York Post*, en ik schrijf een artikel over het drilmonster in het meer achter uw huis. Het zal best griezelig zijn, hè?'

Dit was de elfde keer – ik had het geteld – dat ik een volslagen vreemde aan de lijn had en zei: 'Hallo, ik schrijf over het drilmonster in het meer.'

Ik begon me af te vragen of ik mijn illustere carrière als tabloid-reporter eindelijk beu werd.

Het was een maand na mijn openbaring in Jacks nieuwe appartement. Een lokale broodschrijver in het dorpje Little Egg Harbor in New Jersey had via de AP-berichtendienst doorgegeven dat er in het meer een vreemd, geleiachtig groeisel was gevonden.

Een inwoner had het over 'het drilmonster' had, en een van onze redacteuren zag wel brood in het onderwerp.

Nu wilde hij een *Post*-achtige versie van het verhaal hebben, vol sciencefictionreferenties en met een grote foto van doodsbange dorpsbewoners die naar het drilmonster staarden, naast een afbeelding van het originele filmaffiche van *The Blob*. De opdracht was mij ten deel gevallen.

Die ochtend had ik via internet het dorp verkend, alle wegen die naar de oever leidden opgeschreven, en ik had een documentalist van ons archief gevraagd de telefoonnummers van iedereen die er in de buurt woonde af te drukken, zodat ik het rijtje af kon bellen.

Maar zoals zo vaak het geval was met dit soort geruchten, hadden de meeste inwoners van Little Egg Harbor geen idee over welk monster ik het had, als ze de telefoon al opnamen.

De deadline naderde met rasse schreden, en de redacteur begon ongeduldig te worden. Ik had een 'ooggetuigenverklaring' nodig van deze vrouw, en haar uitspraak moest passen in het artikel.

'Zeg, mevrouw Livingston, beschrijft u dat vreemde verschijnsel eens. Het is gigantisch groot en mysterieus en felgekleurd, begrijp ik?'

'Nou, mijn man is gisteren met een boot het water op gegaan en heeft geprobeerd het kapot te slaan met een roeispaan. Wij hebben namelijk gehoord dat het een soort dode algen zijn.'

Nee, daar had ik niks aan.

'Zou u zeggen dat het net iets uit een sciencefictionfilm is?'

'Ach, dat weet ik niet, hoor.'

Ik besloot de vraag anders te verwoorden. 'Zou u dan zeggen dat het meer sciencefictionachtig is dan wat u normaal gesproken in dat mooie meertje ziet?'

'O, dat zeker. Ik heb nog nooit eerder zoiets gezien, en mijn man ook niet, en die is al vijftig jaar zeeman. Ja, ergens is het best griezelig, net iets uit een sciencefictionfilm.'

Bingo! Ik bedankte haar en smeet de hoorn op de haak.

Ik riep het bestand op met het drilmonsterinterview dat ik uit de plaatselijke milieubeweging had weten te wringen. Ik had genoeg materiaal, ternauwernood. Nu probeerde ik een inleiding te verzinnen.

Bewoners van een rustig dorpje in New Jersey worden geteisterd door een Blob-achtig wezen in hun meer...

Hmmm, misschien was dat wat overdreven, zelfs voor de *Post*. Zeker aangezien de meeste inwoners er niet eens van gehoord hadden.

Op zoek naar inspiratie keek ik de rommelige redactiezaal in, naar de rijen reporters die aan hun computers zaten te typen of aan de telefoon aantekeningen maakten.

Aan het bureau naast me zat Todd, een stevige 33-jarige verslaggever met een geitensikje, in de hoorn te blèren tegen een stagiair die naar een verkeersongeluk in Queens was gestuurd.

'Ho, ho. Even terug naar het begin. Hoeveel mensen zaten er precies in de bestelbus, en hoeveel stonden er bij de bushalte?' zei hij met een geërgerde zucht. 'Juist, vijf in de bus, een dood, acht bij de halte, drie afgevoerd naar het ziekenhuis? En die vent met die bloedende voet, wat ging er door hem heen toen hij die bestelbus op zich af zag komen?'

'Maar er kwam een enorme bus op hem af denderen. Hij moet toch iets gezien hebben...' Vanaf zijn plek rolde Todd met zijn ogen naar me, en ik giechelde.

Ineens drong het tot me door. Ik zat al vier jaar op deze smeerpijperige krantenredactie. Ik zat te lachen om een dodelijk verkeersongeluk en schreef over schimmel in het meertje van een oude vrouw.

Ik probeerde me weer op mijn drilmonsterinleiding te concentreren, maar ik kon alleen nog maar denken aan wat Pom twee jaar geleden had gezegd, toen ze me vanuit de taxi op 14th Street gedag wuifde. 'Er is nooit een geschikt moment om New York te verlaten, maar als je dan gaat, weet je zeker dat je er verstandig aan doet.'

Ik had lang genoeg overwogen of ik al dan niet terug zou gaan naar Londen. Mijn moeder had gelijk: de man van mijn dromen zou ik in New York nooit tegenkomen. Morgen zou ik mijn ouders bellen om te zeggen dat ik naar huis kwam.

'Hé, Bridge.'

Bij het horen van Jacks stem schoot mijn hoofd omhoog. Hij stond aan mijn bureau. 'Als je klaar bent met dat drilmonster, wil je dan even naar mijn kamer komen?'

O nee, had ik een of ander verhaal verknald?

Een halfuur later zat ik in een stoel tegenover hem.

'Ik wil je een aanbod doen,' zei Jack.

'O ja?'

'We hebben deze zomer twee reporters nodig om in de Hamptons roddels te verzamelen voor het *Hamptons Diary*, een soort dagboek van wat er allemaal speelt op het eiland. We hebben een woning gehuurd in Sag Harbor, dat drie maanden als uitvalsbasis kan dienen. Heb jij misschien interesse?'

'Roddels? Goh, ik weet niet of ik daar wel iets van zou bakken.'

Jack nam me vermoeid op.

De Hamptons was een verzameling kustdorpjes op het oostelijke puntje van Long Island, het schiereiland ten oosten van New York waar veel beroemdheden en rijkelui een tweede huis hadden. 'Ik bedoel,' vervolgde ik, 'ik ben nog nooit eerder in de Hamptons geweest...'

'Bridge, ik zou het je niet vragen als ik niet dacht dat je er geknipt voor was.'

Oké, dus misschien zou ik mijn ouders toch niet bellen.

Drie weken later nam ik samen met collega-reporter Dan Kadison en fotograaf Thomas Hinton mijn intrek in een klein huisje aan een lommerrijke straat in Sag Harbor, een voormalig walvissersdorp aan de baai van Long Islands vermaarde South Fork.

Hiervandaan moesten wij verslag doen van de wederwaardigheden van de sterren die vakantie vierden op de vijftig kilometer lange strook van Long Island, met pittoreske koloniale stadjes als Southampton, Bridgehampton, Easthampton en Montauk, en vol statige duinvilla's, boerderijen en gehuchten ertussenin. Dit was de plek waar de meest welgestelde New Yorkers hun zomers doorbrachten, waaronder zich klinkende namen bevonden als Steven Spielberg, Sarah Jessica Parker en Matthew Broderick, Gwyneth Paltrow en Chris Martin, Richard Gere, Kim Catrall, John Bon Jovi, Jerry Seinfeld, Martha Stewart, Paris Hilton en Sean Combs.

Het *Hamptons Diary* moest van Memorial Day, eind mei, tot aan Labor Day, begin september, dagelijks twee kolommen vullen, en de *Post*-lezers zouden ze net zo verslinden als de roddelrubriek.

Die eerste avond in ons nieuwe onderkomen buffelden Dan en Thomas zich in de keuken af om de telefoon- en internetverbindingen op te zetten en een faxapparaat en een printer te installeren, waardoor de kleine, zonnige kamer geleidelijk aan in een kantoor veranderde. Terwijl zij zwoegden, ging ik met mijn laptop in de tuin zitten.

Na diep ademgehaald te hebben begon ik aan mijn allerlaatste column. Anderen verklaarden me misschien voor gek omdat ik hem opgaf, maar ik wist dat ik deze zomer geen tijd zou hebben voor romantiek. Het was nu mijn opdracht over andere mensen te schrijven, niet over mezelf. Ik had al te lang toegegeven aan mijn ijdelheid. En de volgende keer dat ik verliefd werd – als dat ooit nog lukte – mocht niets me belemmeren.

Hij was een beleggingsexpert met groene ogen die de zomer in Martha's Vineyard doorbracht en beweerde voor een 'superavond' te kunnen zorgen. Ik was een groentje dat juist vanaf de boot uit Londen New York binnen was gekomen. We ontmoetten elkaar in de Whiskey Bar, en ik dacht dat hij mijn eerste Amerikaanse vriendje zou worden. Ik had nog geen flauw benul van hoe het toeging in deze metropool.

Het lijkt eeuwen geleden sinds dat eerste afspraakje, en indertijd kon ik nog niet bevroeden dat ik de drieënhalf jaar daarop mijn liefdesleven met de hele stad zou delen.

Maar terwijl ik me door een gruwelijk etentje in Rue 47 heen sloeg, waarbij de beleggingsexpert aldoor naar de deur bleef blikken in de hoop dat Cindy Adams binnen zou komen (hij had gehoord dat ze er wel eens kwam), en ik naar zijn Bud Light blikte, wensend dat ik een hele fles wijn voor mezelf kon bestellen, vroeg ik me af: overkomt iedereen dit nu? Al snel kwam ik erachter dat dat zo was.

Het leven in New York is als een achtbaan. Er zijn genoeg avonden geweest waarop ik onderuitgezakt achter in een taxi op weg terug was naar huis, me in wanhoop afvragend of ik de rest van mijn leven eenzaam en alleen zou blijven. Momenten waarop ik me de grootste sukkel ter wereld voelde omdat ik zogenaamd de slimme en gevatte columnist was, maar nog steeds zelf bot ving en voor niemand iets speciaals betekende.

Maar er zijn net zo veel dagen geweest waarop ik heb hardgelopen langs de West Side Highway, of op een dakterras of in het park zat met vrienden en mijn geluk wel uit kon schreeuwen, omdat ik hier zo vrij als een vogel was.

In ellende of euforie, er zijn twee dingen die ik heb geleerd met het schrijven van deze column: overal schuilt humor in, en wat je ook overkomt, je bent nooit de enige.

Nu ik geen lezers meer had die hun ervaringen met me deelden, moest ik dat laatste zelf goed zien te onthouden.

Hoogtij in de Hamptons

....

'Hé, wij staan op P. Diddy's privélijst. We zijn maar met zijn drieën. Je hebt je zaakjes niet op orde, man.'

'Ik hoor bij Nick Carter van de Back Street Boys, wij zijn v-i-p.'

'Paris staat met haar limo aan het begin van de oprijlaan. Ze weigert in de rij te gaan staan.'

'Al zat Madónna daar in haar limo. Iedereen moet achter aansluiten.'

Het was een vertrouwd tafereel van nijd en frustratie in de Hamptons. Dan en ik liepen de oprijlaan van een landgoed op Middle Lane Highway op, naar Sean 'P. Diddy' Combs jaarlijkse 4 juli-feest, ter gelegenheid van Onafhankelijkheidsdag.

Driehonderd van New Yorks meest invloedrijke mode- en muziekfiguren stonden als vee tegen elkaar geperst, gekleed in allerlei witschakeringen. Achter ons was de smalle weg in Bridgehampton volgelopen met toeterende Hummers, Mercedessen, Porsches en stretchlimo's.

'Vorig jaar stuurden ze mensen weg omdat ze geen witte veters in hun schoenen hadden,' zei Dan.

'O jee.' Terwijl we naar het begin van de rij opstoomden, keek ik naar mijn sjofele blauwe tas waarin mijn notitieblok, perskaart, wegwerpcamera, pen en telefoon zaten. Hier bovenaan heerste massahysterie. Een leger krachtpatsers stond onbewogen naar hen te loeren, en een blond meisje met een klembord en een walkietalkie keek zo gestrest dat ze elk moment aan een hartaanval kon bezwijken.

'Stacy!' riep Dan. Ze keek achterom. Met zijn rijzige gestalte, rommelige zwarte haar en donkere montuur zag je Dan niet gemakkelijk over het hoofd.

De jonge vrouw maakte zich los uit het gedrang om ons te begroeten. 'Jongens, geef me nog een paar minuten, oké? Dit is krankzínnig! Die beveiligers denken volgens mij dat ze zijn ingehuurd om een proefverlof van misdadigers te begeleiden. Diddy kan elk moment aankomen met zijn helikopter, met een kopie van de Onafhankelijkheidsverklaring, en de helft van de gasten staat nog op de oprijlaan.' Ze viste twee zilveren polsbandjes uit haar zak, gaf die aan ons en schoof haar walkietalkie voor haar glanzend gestifte mond.

'Rode loper, *Hamptons Diary* staat hier voor me. Regel een ritje, snel. Over.'

Drie minuten later kwam er een golfkarretje de oprijlaan af scheuren, en Dan en ik snelden eropaf terwijl een uitsmijter met zwiepende armen achter ons aan kwam, alsof hij probeerde een stel kippen te vangen.

'Hé, jullie! Niemand mag verder!' schreeuwde hij.

'Die lange en dat meisje mogen door!' riep Stacy tegen hem. 'Ze zijn van de *Post*.'

Na vier jaar in New York mocht ik dan eindelijk alle versperringen passeren, zoals op mijn perskaart stond.

Inmiddels was ik al een maand in de Hamptons, en ik was erachter gekomen dat Manhattans zomertuin niet bepaald een oord van rust en vrede was. Je ellebogen gebruiken om feesten en clubs binnen te komen, net als knokken om het strand te bereiken of duwen en trekken om een tafeltje in de betere restaurants te krijgen, het hoorde allemaal bij het ontspannen weekeindje weg.

Het strijdgewoel begon op vrijdagochtend, wanneer de snelweg richting Long Island volstroomde en de negentig kilometer lange reis vanuit New York wel zes uur kon duren, tenzij je een privéjet of helikopter had, natuurlijk. Vervolgens slibten de plattelandswegen dicht met dure bolides, gingen de prijzen met veertig procent omhoog, van parkeren tot dagelijkse boodschappen, en vulden de straten zich met een zomerbevolking die bestond uit het soort New Yorkers dat vond dat als ze het zich konden veroorloven in de Hamptons te verblijven, ze het goddelijke recht hadden zich niet door anderen te laten frustreren, waardoor juist iedereen gefrustreerd raakte.

Op 4 juli, het grote, drie dagen lange feestweekeinde, was het drukker dan ooit, en op zijn typische aandachttrekkerige manier had Sean 'P. Diddy' Combs besloten een enorm feest te geven, als lancering van zijn campagne om te gaan stemmen tijdens de naderende presidentsverkiezingen in november.

Dat stemmen kon de meesten gestolen worden. Het enige wat ze wisten was dat tijdens P. Diddy's feest van vorig jaar Bruce Willis en Leonardo di Caprio om drie uur 's middags met een helikopter vol mooie vrouwen waren geland, hun kleren hadden uitgetrokken en in het zwembad hadden liggen ronddartelen.

Dan en ik sprongen van het golfkarretje op de rode loper, waarnaast achter een hek een groep fotografen net zo ongeduldig op de beroemdheden stond te wachten als de beroemdheden op de oprit wachtten om naar binnen te mogen. 'Hé, man, wat gebeurt daar allemaal?' 'Wie staan daar nog?' 'Wanneer mag Paris Hilton er nu door?' 'Hoe laat komt P. Diddy zelf?' De meesten van hen kende ik al. We schuimden allemaal hetzelfde circuit af.

Matt Heine, een pr-man uit New York die deze dag mede had georganiseerd, kwam op ons af hobbelen. 'Jongens, dit wordt he-le-maal te gek! Beyonce en Jay-Z zijn er al. En voorganger Al Sharpton, Aretha Franklin, LL Cool J. Paris en Nick kunnen elk moment arriveren. Als er iets is, geef je maar een gil.'

De immer opgewekte en gebruinde Matt hoorde bij een zwerm persmensen en evenementenorganisatoren die tijdens de zomer naar de Hamptons trokken om clubs, recepties en liefdadigheidsgala's te promoten. In de Hamptons vertoonden de feestgangers een gedrag dat schapen in de schaduw stelde. De geruchten rond een club of café konden een zaak een zomerlang maken of breken. En dankzij de macht van de *New York Post* kon het *Hamptons Diary* helpen die geruchten op gang te brengen.

De festiviteiten van vanavond vonden plaats in een enorme koepelvormige tent, waar al honderden in het wit gehulde gasten rond zes bars drentelden die gratis champagne schonken, en rond een sushiband waar bordjes tonijnrolletjes vanaf rolden. Overal lagen witte leren kussens verspreid, en Aretha Franklin had zich als een Cleopatra op een bank geposteerd.

Dan spoedde zich naar het landhuis – een modern, kitscherig bouwwerk met opzichtige pilaren en een roze verlicht zwembad – waar Beyonce hof scheen te houden. Ik bleef bij de rode loper staan om de anderen te zien aankomen. Het was mijn missie uitspraken van de beroemdheden te noteren, rampen en drama's op te snuffelen, en te rapporteren wie er met wie omging.

Een ster op een feest aan de praat krijgen klinkt evenwel makkelijker dan het is. Al snel kreeg ik de rasta-bokser Lennox Lewis in het oog. Hij kwam voorbij met een drankje in zijn hand. Ik viste mijn notitieblok op en rende achter zijn boven iedereen uittorenende postuur aan.

'Hallo, meneer, meneer Lewis, ik ben van de *New York Post*. Wat vindt u van het feest?'

Meneer Lewis liep door alsof hij doof was.

'Hé, Lennox, heb je even?' Ik versnelde mijn pas om hem bij te houden.

Hij keek me zijdelings aan alsof er een vlieg in zijn blikveld vloog, en toen weer weg, alsof, nee, hij had zich vergist.

'Meneer Lewis, bent u van plan weer de ring in te gaan?'
Hij liep door.
'Dat zal wel nee betekenen,' zei ik tegen zijn rug.

Twee minuten later kwam Zijne Diddy-heid met zo veel bombarie binnen dat je zou denken dat de Messias was teruggekeerd op aarde. Getooid met een witte gleufhoed, een wit linnen pak en behangen met diamanten paradeerde hij de zaal door, op de voet gevolgd door tv-ploegen, lijfwachten en devote discipelen. Hij straalde alsof hij de grootste egotrip van zijn leven meemaakte, terwijl ik vragen op hem afvuurde die ook werden genegeerd. In de tussentijd had ik al flarden opgevangen van het meest besproken onderwerp in de Hamptons: waar gaan we hierna naartoe?

Dan dook naast me op. 'Ik geef het tien minuten. De politie staat voor de deur.'

Verderop zag ik hoe een stel chagrijnig uitziende agenten zich een weg door de glitterende menigte baande. Ik rende terug naar de oprit om Matt te zoeken, die de gezagdragers stond te smeken het feest niet op te breken. Sorry, zeiden ze, maar er was nooit een vergunning afgegeven. De muziek stond te hard, ze werden overstelpt met klachten van omwonenden die niet konden slapen, en er stond een file van twintig kilometer naar het huis.

Dit feest waarvoor, zoals voor zo veel feesten in de Hamptons, kosten noch moeite waren gespaard, ging ten onder aan zijn eigen succes. We hoefden niet meer te hopen op naakte gasten in het zwembad.

Toch was de avond nog lang niet voorbij. Dan en ik renden tussen de bosjes door langs de oprit omlaag, en holden de halve kilometer over het landweggetje naar onze auto. (Geen Porsche of Hummer, maar een degelijke, bordeauxrode Pontiac die de kostenbewuste Anne Aquilina voor ons had geregeld.) Want na elk feest was er een afterparty waar we verslag van moesten doen.

Die van Diddy zou gehouden worden in de Star Room, een club op de hoofdweg tussen Easthampton en Bridgehampton, die deze zomer favoriet was doordat de eigenaren zoveel publiciteit hadden gemaakt. Dat het al $ 20 kostte om te parkeren, $ 20 entree en $ 400 voor een fles drank als je een tafeltje wilde, mocht de pret niet drukken, elk weekeinde verdrongen zich honderden belangstellenden voor de poorten.

Bij de ingang was het net zo chaotisch als op de oprijlaan bij Diddy's huis. Talloze mensen verdrongen zich ongeduldig voor de deuren. Met een knikje van de uitsmijter werden we doorgelaten, en we zetten ons schrap om een beter geklede versie van Dantes hel te betreden.

Een portier wees Paris Hilton aan, die met haar Back Street Boys-vriendje Nick Carter stond te zoenen. P. Diddy, die ons op de een of andere manier voor was geweest, hing in een hoek, omringd door zijn troepen, die op de tafels stonden te dansen. Lennox Lewis stond bij hem. Ik betwijfelde of hij was bijgedraaid. Maar inmiddels was het feit dat de fuif door de politie was opgebroken een beter verhaal dan welke uitspraak van een beroemdheid dan ook. We moest nog naar drie andere clubs en feesten, dus na een halfuurtje wurmden we ons terug naar de auto. Vijf minuten daarop kregen we een telefoontje van de portier van Star Room: de vozende Paris Hilton en Nick Carter stonden elkaar nu voor rotte vis uit te maken op het parkeerterrein, omdat hij dacht dat ze met een andere man had geflirt. We maakten rechtsomkeert.

Drie dagen later zat ik in mijn natte bikini op het strand te kijken hoe de zon richting Noyack Bay kroop. Hier waren de Hamptons veel kalmer. Er waaide een warme wind van het goudgetinte water, en boven me hingen roze sluiers in de lucht. De badgasten zaten zoals gebruikelijk in ligstoelen die over het brede strand verspreid stonden te genieten van de zonsondergang. Vlak bij me hadden twee vrouwen van middelbare leeftijd een draagbare barbecue aan-gestoken en een fles wijn opengetrokken. Iets verderop langs het water stond een man yogaoefeningen te doen. Er was nog iemand aan het zwemmen; een donker hoofd deinde op en neer in de glin-sterende golven.

Dit was de vredige periode na de deadline, wanneer ons stukje voor die dag was doorgestuurd. Als we nergens meer heen hoef-den, kon ik de fiets pakken naar Three Mile Beach, een strook langs de baai niet ver van ons huis. En hier, alleen aan de ruisen-de zee, begreep ik waarom er voor een postzegelgroot lapje grond in de Hamptons grif een vermogen werd betaald, en waarom je niet eens in de buurt van een strandhuis mocht komen tenzij je $ 50 miljoen in je zak had. Dit gedeelte van Long Island, waar het zachte licht de meest regenachtige middag nog in een caleidoscoop van zilvertinten kon omtoveren, was de mooiste plek waar ik ooit had gewoond.

Er kwam een jong stelletje mijn kant op lopen, met twee kleine kinderen in hun kielzog. De kinderen bleven bij de branding staan en spetterden met de stokken die ze bij zich hadden. De vader bleef hen in de gaten houden, maar de moeder keek achterom en lachte.

Ach, wat deed het ertoe dat de meeste vrouwen van mijn leeftijd inmiddels een gezin hadden? Dat waren andermans maatstaven voor succes. Ik rende als een bezetene door de Hamptons voor de

Post. Ik was naar New York verhuisd voor het avontuur, en dat was precies wat ik had gekregen.

Terwijl ik doezelend in het zand zat te genieten van de laatste zonnestralen, besefte ik voor het eerst dat er helemaal niets tragisch was aan alleen zijn.

Waar staat je Lear Jet?

Geld. In de Hamptons groeide het aan de bomen. Het was gezaaid in de gemanicuurde gazons voor de witte, houten zomerhuizen met tien slaapkamers. Het droop van het kasjmier om de door tennis getrainde schouders die in Easthampton over Main Street slenterden, en spatte van de glinsterende edelstenen aan de vingers van vrouwen in de chique restaurants. Het weerkaatste in de voorruiten van de Maserati's en Aston Martins langs de boulevards, en blikkerde in de patrijspoorten van de gigantische vijf etages hoge motorjachten die in de haven van Sag Harbor lagen.

In de Hamptons hoefde je je niet te schamen voor je rijkdom. Net zoals je je als vrijgezelle vrouw niet hoefde te schamen op jacht te zijn naar een rijke man.

Toen ik pas uit Londen was aangekomen – waar niet over geld werd gepraat, ook al wist iedereen wie het had – had de openhartigheid waarmee vrouwen in New York toegaven een bemiddelde man te willen me verbaasd. Per slot van rekening kon het aardig oplopen, zeiden ze, met etentjes, kappersbezoekjes, kindermeisjes, scholing voor de kinderen en zomerverblijven. In de Hamptons was die mentaliteit nog genadelozer. Als rijke man had je het voor het uitkiezen. Als armoedzaaier kon je beter naar Coney Island gaan om bruin te worden.

De dynamiek was eenvoudig te herkennen in zaken als Jean Luc East in Easthampton, een restaurant dat na het eten in een disco veranderde, waar de zomervierende singles van Manhattan van tafel doorschoven naar de bar.

Vrouwen zaten in kleine groepjes cocktails te nippen in designerjurken die als handschoenen om hun volmaakte lichamen pasten. Toenadering zoekende mannen kregen één enkele minuut de tijd om te bewijzen wat ze waard waren.

'Hé, leuk jullie te ontmoeten, ik ben John. Ik ben gisteravond aangekomen met de Lear Jet van mijn vriend...'

'Wat doe je voor werk? Ik zit in het vermogensbeheer. Tjonge, wat hebben wij een mooi jaar achter de rug. Ik heb voor de zomer een fantastisch strandhuis te pakken gekregen in Sagaponac. Op donderdag is het met mijn Ferrari maar twee uur rijden vanaf mijn penthouse in Tribeca...'

'Dus, dames, als jullie vanavond een lift naar huis willen: mijn chauffeur staat voor de deur.'

Vrouwen liepen voortdurend te pronken met hun bruine tint, getrainde lichamen en gemanicuurde nagels. In de Hamptons wilde iedere man een mooie vrouw aan zijn arm, en als ze het geld ervoor hadden kregen ze er ook een. De aanblik van ellenlange, superslanke jonge vrouwen met gedrongen, zelfingenomen kerels op leeftijd was hier zelfs zo alledaags als de Porsches op de parkeerterreinen. Misschien was ik cynisch, maar zonder botox en vette banksaldo's was de helft van de stelletjes volgens mij nooit op elkaar gevallen.

Er waren uiteraard verschillende niveaus van welvaart. Boven aan de ladder stonden de schathemeltjerijken, de beursbonzen, directeuren van multinationals en Hollywood-royalty die in hun paleizen van $ 45 miljoen met zeezicht zaten, de huizen die je langs het strand zag en waar je over fantaseerde. Zij vierden ontspannen vakantie, werden ingevlogen met een privévliegtuig, huurden cateraars om besloten etentjes te verzorgen en nipten rustig van cocktails die het personeel ze op het dek voorzette. Het was nergens voor nodig je in het verkeer te mengen, of je te verlagen tot knokpartijen om restauranttafeltjes, wanneer je je kon veroorloven alles naar je toe te laten brengen.

Dan had je de beau monde: de beroemdheden en vaste gasten van de Hamptons, die verslaafd waren aan een wekelijkse ronde benefietvoorstellingen, recepties en extravagante feesten. In die categorie vielen tv-presentators Kelly Ripa en Star Jones, Martha Stewart, Billy Joels ex Christie Brinkley, Alec Baldwin, Russell Simmons en Jason Binn, de jongensachtige uitgever van het daverend succesvolle *Hamptons Magazine*, dat maandelijks werd gevuld met kiekjes van iedereen die ter plekke was geweest. Bij deze groep hoorden ook de rijkeluiskinderen: Paris en Nicky Hilton, Alex von Furstenberg (zoon van modeontwerper Diane en stiefzoon van mediamagnaat Barry Diller), tijdschrift-erfgename Amanda Hearst, Johnson & Johnson-troonopvolger Casey Johnson, en al hun aanhang die zich in de viprooms verzamelden om op tafels te dansen, tequila achterover te gieten en zich te gedragen alsof hedonisme hun geboorterecht was. Op de zaterdagmiddagen in juli speelde het sociale leven zich af rond de grote, witte viptent bij de Mercedez-Benz Challenge, een polo-evenement in Bridgehampton, waar de uitgedoste horden elkaars outfit kwamen beoordelen, in de gaten hielden wie de nog exclusievere vipruimte naast de viptent binnen mocht, en uitzochten waar iedereen die avond naartoe ging. Later zou de meute zich in de tredmolen van feesten begeven, constant de evenementen besprekend waar ze net vandaan waren gekomen, wie ze daar hadden gezien, en waar ze hierna heen gingen.

Lager in de regionen had je de huizendelers. Twintigers uit New York, jonge bankiers, Joodse prinsessen en kinderen van iets minder welgestelde ouders, die $ 3.000 neertelden voor een plekje in een zomerhuis, zonder garantie dat je een bed had als je 's nachts thuiskwam. Het waren de mensen die zich steevast verzamelden voor zaken als Star Room, Resort, Jet East en Cabana, bereid $ 400 uit te geven voor een fles wodka, als dat ze zou verzekeren van toegang.

En dan had je het leger van ondernemers die 's zomers hun banksaldo spekten. Pr-mensen en promotors die zwoegden om hun clubs en zichzelf onder de aandacht te brengen, barkeepers die per avond $ 800 aan fooi binnenhaalden, tuinarchitecten die $ 55.000 per huis per seizoen rekenden voor maaien, wieden en snoeien, de tennisleraren, de personal trainers en de massagetherapeuten die allemaal $ 150 per uur opstreken, exclusief fooi. Halverwege de week stroomden de plaatselijke cafés in Sag Harbor vol met rouwdouwerig volk uit de jachthaven: jonge, gebruinde macho's uit Australië, Nieuw-Zeeland, Zuid-Afrika en Florida die zich elke avond bewusteloos dronken en steeds een andere meid meelokten naar het dek van hun jacht van 50 miljoen dollar. De jongens feestten non-stop door tot vrijdag, wanneer de booteigenaren kwamen en de bemanning zich tot zondagavond transformeerde van snaakse playboys tot geüniformeerde dekknechten.

Wie beweerde dat Amerika geen klassensysteem kende, zat ernaast. En Dan, Thomas en ik hielden nauwgezet bij wie waarbij hoorde.

Er stond een verzengende half-julizon aan de hemel, en ik stond te kijken naar de menigte die zich in de viptent bij de Mercedes-Benz Bridgehampton Polo Challenge verdrong. Rechts van me stormden volbloeden van miljoenen heen en weer over een ongerept groen veld, bereden door jonge Argentijnse polokampioenen, die voor de zomer als talentinjectie waren ingehuurd door rijke Amerikaanse teamcaptains.

Links van me, op een grasveld achter de tent, zat Paris Hilton verschanst in een SUV met verduisterde ramen, die omringd was door lijfwachten. Een groep fotografen stond haar op te wachten bij de ingang van de vipruimte, ongedurig als hazewindhonden in hun starthokken. Paris scheen bij de zoveelste bonje met haar vriendje Nick Carter een blauw oog te hebben opgelopen. Iedereen wilde er een foto van.

Mijn mobieltje ging over. Naar de SUV turend trok ik het tevoorschijn. Paris was nu uitgestapt, in een kanariegele zomerjurk. Ze wierp haar witblonde haar over haar schouders terwijl de fotografen op haar afstormden. Heimelijk vroeg ik me af of ze alle misère in haar leven niet gewoon verzon om aandacht te trekken.

'Hé, Bridge, met Heather. Hoe laat ben je vanavond klaar met dat dagboek?' Heather, een uitbundige blonde Australische, had twee maanden geleden Alice' kamer overgenomen, nadat Alice nog voor de komst van de baby bij Chris was ingetrokken.

'We moeten nog ongeveer honderd adressen af. Hoezo?'

'Ik ben dit weekeinde hier met een stel geflipte meiden die een kamer hebben. Ze gaan naar een gekostumeerd bal van een of andere vermogensbeheerder op Shelter Island. Zo te horen wordt het een knalfeest.'

'Komen er ook grote namen?' Mijn werk liet me nooit los.

'Ik betwijfel het. Ik dacht alleen dat je misschien wel even wat stoom wilde afblazen aan het eind van de avond.'

Vlug nam ik onze agenda door. Een benefiet in kunstgalerie The Guild Hall in Easthampton, een receptie van *Hamptons Magazine* voor hun covergirls Lauren Bush en Amanda Hearst in de Bridgehampton Tennis & Surf Club. Calvin Klein gaf een housewarming in zijn stulpje van $ 29 miljoen op Meadow Lane in Southampton. Voormalige Clinton-fondsenwerver Denise Rich had een inzamelingsavond georganiseerd in haar $ 600.000-huur-per-seizoen-landhuis in Southampton, ter nagedachtenis aan haar aan leukemie gestorven dochter.

'Heather, ik doe mijn best.'

Dan verscheen. 'Oké, ik heb Jessica Alba. En Paris' moeder, Kathy, staat daar te brallen over haar nieuwe realityshow. Paris en Nicky overhandigen de beker aan het eind van de polowedstrijd.'

'Mooi,' zei ik. 'Ik heb gehoord dat die ruzie tussen Paris en Nick in de Star Room de aanloop was tot de breuk. Mijn kennis die bij makelaar Corcoran werkt, heeft gebeld om te vertellen dat Howard Stern naast het net heeft gevist met een kustvilla van 20 miljoen dollar, op Further Lane in Easthampton. Kennelijk heeft een plaatselijke projectontwikkelaar hem overboden, terwijl hij dacht dat het kat in het bakkie was.'

Thomas, onze fotograaf, kwam bij ons staan. Hij veegde zijn voorhoofd af met een zakdoek terwijl hij zijn camera's met telelenzen over zijn schouders sjorde. 'Dit is gekkenwerk. Ik heb het hele-maal gehad met die Paris Hilton. Van dat zogenaamde blauwe oog is niets te zien. Ik kreeg net een telefoontje dat Chris Martin aan het surfen is bij Georgia Beach, voor het huis van Steven Spielberg, en dat Gwyneth op Main Street in Easthampton liep met een kinder-wagen en een ijsje kocht bij Babettes. Ik ga er even heen om te kij-ken of ik haar kan kieken.'

'Ja, laten wij ook maar gaan,' zei Dan. 'We hebben hier wel genoeg, en we moeten over een kwartier in The Guildhall zijn.'

We liepen terug naar de auto. Dan nam plaats achter het stuur, terwijl ik over de achterbank leunde en een bloemetjesjurk tevoor-schijn haalde die ik had meegenomen voor plechtiger gelegenhe-den. Ik trok mijn T-shirt uit en wurmde me in de jurk, verruilde mijn teenslippers voor mijn beige Hollywould-hakjes. Er was nooit tijd om je thuis om te kleden.

De drie uur daarop werkten we alle evenementen van ons lijstje af. Bij het huis van Denise Rich stonden vierhonderd mensen rond een zwembad te keuvelen; het pand was gebouwd in de stijl van een Spaanse villa. Uit ijssculpturen vloeiden appelmartini's en meloen-cosmo's. De tafels – verkocht voor $ 25.000 per stuk – waren voor het driegangendiner versierd met witte en roze rozen. Michael Bol-ton zou optreden. Alle vaste klanten gaven acte de présence, debat-terend over het tijdstip waarop ze door moesten naar Calvins feest. Op een zeker moment dook ik het toilet in, waar een beeldschoon meisje met een halterjurk van $ 400 waarvoor ik in Scoop in South-ampton had staan kwijlen, wanhopig in de spiegel stond te staren. Ze had het figuurtje van een ballerina, gladgeföhnd blond haar, per-fect geëpileerde wenkbrauwen en sneeuwwitte tanden.

'O, was er maar een pil tegen lelijkheid,' jammerde ze.

Soms waren de Hamptons net een andere planeet voor me.

In een file van Mercedessen, BMW's en Jaguars arriveerden we bij Calvin Kleins feest. Een leger van parkeerwachten liep zich de benen uit het lijf om de auto's voor de gasten weg te zetten. Het huis was opgetrokken in nepgotiek, en de enorme hal zag zwart van de mensen. De woonkamer erachter was ingericht met wit meubi-lair en bontspreien en keek uit op het strand. Ik zag Barbara Wal-ters, Martha Stewart, Christie Brinkley en fotograaf Bruce Webber rond een tafeltje staan, smullend van tonnetjes kaviaar. De drankjes werden geserveerd door gepolijste mannelijke modellen met blote torso's. Op het strand deinde een zee van oranje Chinese lampion-nen in de wind, en in het zand lagen witte kussens uitgespreid. Ook het enorme buffet werd bemand door praktisch naakte modellen, die kreeft en biefstuk uitdeelden. Rond een vuur lagen Barry Diller,

Diane von Furstenberg en Lauren Bush met haar moeder Sharon, die onlangs gescheiden was van de broer van de president, hun gezichten verlicht door de vlammen. In het duister drie meter verderop sloegen de golven op het strand.

Ik stond met mijn rug naar de oceaan naar het reusachtige, met torentjes versierde huis te kijken. Achter alle ramen brandde licht. Vanaf een terras kwam salsamuziek omlaag zweven. Een Outkastnummer bonkte in een grote tent naast het pand. Ik was inmiddels gewend geraakt aan alle weelde, maar ik wist dat wanneer de zomer erop zat, ik nooit meer dit soort avonden zou meemaken.

Euan, Alice' invloedrijke, altijd even sympathieke zwager, die een jaar terug een lidmaatschap van Soho House voor me had geregeld, kwam op me af snellen en wekte me uit mijn gemijmer.

'Hé, ik heb wat voor de *Post*. Ik stond net met Calvin te praten, en raad eens? Na afloop van het feest laat hij de hele boel slopen en iets nieuws neerzetten. Hij beweert dat het hier spookt en het nooit wat kan worden.'

Net voor middernacht zette Dan me eindelijk af bij ons huisje. We hadden besloten dat ik door moest naar het gekostumeerde bal op Shelter Island waarover Heather had gebeld, voor het geval daar nog een interessant gezicht opdook. Intussen zou hij het zaterdagrondje clubs voor zijn rekening nemen.

Ik rende naar mijn kleine zolderkamertje, stapte uit mijn gebloemde 'plechtige' jurk, schoot in een trainingsbroek en een T-shirt met een knalroze palmboom erop en bond mijn haar in staartjes. Mijn speciale vertolking van 'surfnimf' zou moeten volstaan.

Heather en haar vriendin Sara kwamen me tien minuten later met hun SUV ophalen. Ze waren verkleed als zeemeerminnen, droegen lange blonde pruiken en lovertjestopjes. Jammer dan. Ik had me de vorige kerst al eens als zeemeermin verkleed voor een foto-opname van de *Post*, en wat mij betrof was dat eens en nooit weer. Bovendien ging ik voor mijn werk naar dit feest.

Shelter Island lag midden in een baai tussen de noordelijke en zuidelijke uitlopers van Long Island. Vanaf de rand van Sag Harbor ging er een kleine veerboot heen en weer, en we scheurden over de landweggetjes om hem te halen. Eenmaal aan boord, voortschommelend over het water naar de overkant, zetten de meiden opgewonden de autoradio harder.

'Hé, ik vraag me af wat voor vent het is. Of hij rijke vrienden heeft,' zei Sara. 'Kennelijk gaat de veerboot normaal gesproken om één uur 's nachts uit de vaart, maar hij heeft hem helemaal afgehuurd, zodat mensen zo laat terug kunnen als ze willen.'

'Zo te horen nogal een patser,' zei ik.

Heather en Sara trokken een grimas.

'Je gaat toch niet lopen zeuren, hè, Bridge?' zei Heather, die haar mening nooit onder stoelen of banken stak. 'Je hebt een waanzinnige baan, je woont in het paradijs, je bent net naar Calvin Kleins housewarming geweest. Volgens mij begin je jaloers te worden op al dat geld!'

'Hoe kom je erbij,' bromde ik. 'Die rijke gasten zijn allemaal hetzelfde. Het enige wat ze willen is een pronkpoes die bij hun pronkwagens en pronkboten en pronkhuizen past. En wanneer je te oud wordt, word je net als al die andere dingen ingeruild voor een jonger exemplaar. Geloof me, ik heb de hele zomer niet anders gezien.'

Aangekomen op het adres van de vermogensbeheerder zagen we een lange oprijlaan omzoomd met brandende kaarsen. In de bomen erlangs bungelden gouden lantaarntjes. De oprit leidde naar een klassiek koloniaal pand met een elegante veranda met pilaren, gebouwd op een grassige landtong die recht afdaalde naar de weidse baai.

'Leuk optrekje,' fluisterde Heather. Ik moest toegeven dat het het mooiste huis was dat ik de hele avond had gezien.

Op de landtong was het feest al in volle gang. Een dj draaide klassieke disconummers, bedienden liepen rond met bladen champagnecocktails en stevige punch. Een groep mooie meisjes droeg hoelahoelapakjes en elfenvleugels. Ik zag verschillende gladiatoren en superhelden. Maar vergeleken bij de hysterische taferelen waar ik eerder vanavond getuige van was geweest, leek deze fuif ronduit kneuterig. Toch speurde ik om me heen naar iets of iemand waar ik in het *Hamptons Diary* over zou kunnen schrijven.

De anderen liepen naar de bar, en toen ik ervan verzekerd was dat er geen beroemdheden rondscharrelden, ging ik achter ze aan. Heather stond al te kwebbelen met een vent in een luipaardjasje en een afzichtelijk zilverkleurig, glinsterend broekpak met olifantspijpen, en een enorm medaillon op zijn borst.

Ik hoorde haar 'New York Post' zeggen, en ze stond naar me te wijzen.

'Ja, dat is Bridget Harrison,' zei ze. 'Bridge, kom eens, ik wil je aan iemand voorstellen.'

Nee hè. Ik had haar op de veerboot gevraagd tegen niemand te zeggen dat ik van de *Post* was. Binnensmonds vloekend plakte ik een glimlach op mijn gezicht.

'Bridge, dit is Evan, de gastheer. Hij is een grote fan van je column.'

'O, juist!' Nu veinsde ik bescheidenheid. 'Ik hoop dat je het niet erg vindt dat we zo komen binnenvallen.'

Hij was ruim 1 meter 80, had zandblond, door de zon opgelicht haar en diepbruine ogen. Hij zag er vertederend bespottelijk uit in zijn kostuum. Ik stak mijn hand naar hem uit.

Hij pakte hem vast. 'Wat ontzettend leuk je in levenden lijve te ontmoeten,' zei hij. 'Ik moet toegeven dat ik de *Post* nooit koop, maar ik las je stukjes altijd online. Dat ene waarin je schreef dat New Yorkse mannen net kinderen in een snoepwinkel zijn, daarmee sloeg je de spijker zo op zijn kop. Ik heb het zelfs doorgestuurd naar al mijn vrienden.'

'Nou, ik hoop dat het niet te verbitterd overkwam.' Ik schonk hem een koket lachje. Wat, stond ik te flirten? Stond ik te flirten met de vermogensbeheerder? Nee, nee, ik was gewoon vriendelijk tegen mijn gastheer.

'Volgens mij heb ik je er zelfs een mailtje over gestuurd, wat ik nog nooit eerder heb gedaan, maar ik kreeg geen reactie. Maar ja, je zult wel bedolven worden onder de reacties.'

'O, nee hoor, dat valt best mee. Ik bedoel, soms wel.' Ik had het ingetogen toontje weer aangenomen. 'Maar kennelijk werden mijn stukjes graag gelezen. Ik denk dat we allemaal zo'n beetje dezelfde ervaringen hebben in New York. Te veel keuze, te weinig tijd, iedereen is bang dat hij iets beters misloopt.'

'Hou maar op. Het is mijn levensverhaal.'

Heather sloeg haar ogen ten hemel en wandelde weg.

'Hoe ben jij trouwens verkleed?' vroeg ik speels, en ik trok aan zijn medaillon.

Hij keek naar mijn paardenstaartjes. 'Als Elvis Presley. En jij? Als Pippi Langkous?'

We meesmuilden naar elkaar, en er verschenen aantrekkelijke kraaienpootjes om zijn ogen. Zo te zien bracht hij veel tijd door in de buitenlucht.

Ineens bedacht ik hoe lief het van hem was al die kaarsjes langs de oprit te zetten, al die lantaarntjes in de bomen te hangen, tot ik besefte dat hij dat vast niet zelf had gedaan.

'Echt, het ziet er schitterend uit hier. Nogmaals bedankt dat we mochten komen,' zei ik. 'Ik ga maar eens kijken waar mijn vriendinnen zijn gebleven.'

Een poosje later, na meerdere glazen witte wijn, stonden Heather en ik op de landtong op de muziek te hopsen. Ik had mijn teenslippers uitgetrapt en genoot van het koele gras onder mijn voeten, en de wind vanaf de baai op mijn gezicht. Dit was het eerste feest in de Hamptons waarop ik zelf eens kon ontspannen.

Toen dook Evan naast me op.

'Hé, kom met me dansen,' zei ik, en ik bewoog me slingerend naar hem toe, vol wijn en enthousiasme.

'Ik dans nooit. Ik kan er niks van.'

'Gelul.' Ik greep hem bij zijn luipaardjas en trok zijn heupen tegen de mijne. Op de maat van de muziek wiegden we van voor naar achter. Het was eeuwen geleden dat ik voor het laatst had geslepen, en ik genoot ervan.

'Weet je, ik heb het heel erg naar mijn zin zo,' zei hij voordat hij zich excuseerde om wat vertrekkende gasten uit te zwaaien.

Vermoeid van het dansen, liep ik wat later terug naar ons tafeltje. Een knappe man in een lichtblauw overhemd en kakishort kwam naast me staan en stak me een glas toe.

'Wit toch, hè?'

In eerste instantie herkende ik hem niet. Toen zag ik dat het Evan was, ontdaan van de Elvis-outfit. Hij zag er ineens onvoorstelbaar sexy uit. Het goed gesneden blauwe overhemd was zichtbaar van dure kwaliteit, en de kleur benadrukte zijn diep gebruinde huid. Zijn ongedwongen maar zelfverzekerde houding maakte hem nog aantrekkelijker.

'Jij bent de enige hier met wie ik echt wil praten,' zei hij. 'Zullen we een plekje aan de baai zoeken?'

'Als ik de gastheer daarmee kan plezieren.' Nu wíst ik dat ik flirtte.

We liepen naar de rand van de landtong, een kleine houten steiger op waar een zeilbootje aan was vastgebonden. We gingen zitten en lieten onze voeten in het koele, zwarte water bungelen. Aan de andere kant van de baai zag je de lichtjes van de noordelijke uitloper.

Hij vroeg me hoe het was om voor het *Hamptons Diary* te schrijven, legde uit dat hij in het weekeinde maar zelden van het eiland af kwam en het sociale kringetje van Easthampton meed als de pest.

Ik vond hem nog leuker. We keerden terug naar het onderwerp van mijn column.

'Dus, mevrouw de voormalige columnist, denk je dat het überhaupt mogelijk is in New York een normale relatie te hebben?'

'Ik weet het niet. Iedereen hier is zo op zijn hoede. We hebben allemaal al zo vaak onze vingers gebrand. Niemand is bereid een gok te wagen. Iedereen heeft van die "losse" contacten. Je gaat met elkaar uit, maar er worden nooit plannen gemaakt, er wordt nooit over de toekomst gepraat, voor het geval je jezelf daarmee te veel blootgeeft. En áls je dan een relatie hebt, krijg je te maken met die obsessie dat alles perfect moet zijn.' Ik dacht aan de fouten die ik met Jack had gemaakt. 'Mensen zouden tevreden moeten zijn met wat ze hebben, in plaats van zich aldoor druk te maken over waar het aan ontbreekt. Dat is volgens mij het enige wat ik geleerd heb van het leven in deze stad.'

'Bridget, daar ben je!' Heathers stem kwam op ons af drijven. 'Ik loop je overal te zoeken. Sara wil weg, we moeten ervandoor.'

Ik greep mijn teenslippers. Evan sprong op en hielp me overeind.

'Wat zou je ervan vinden als ik je mailde?' vroeg hij.

'Mijn adres heb je al, hè?' Ik gaf hem een kus op zijn wang, wierp hem mijn charmantste glimlach toe en repte me vervolgens naar de auto.

'O god, Bridge, heb je met hem gezoend? Heb je gezoend met de stinkend rijke vermogensbeheerder?' vroeg Sara.

'Doe niet zo maf.'

'Hij is niet echt knap, maar hij leek me wel aardig,' zei Heather.

'Ik heb gehoord dat hij elke vrijdag met een seaplane vanuit Manhattan overkomt,' zei Sara. 'En hij schijnt ook vaak meiden mee te brengen, maar dat loopt nooit op wat uit omdat het allemaal geld-wolven zijn. Hij is op zoek naar een integer, nuchter type, de Ware.'

Terwijl ik uit het raampje staarde nam ik me plechtig voor dat als ik ooit nog iets van Evan hoorde, ik nooit maar dan ook nooit een tochtje met zijn watervliegtuig zou aannemen, of me zou laten impo-neren door zijn rijkdom.

Al moest ik toegeven dat de villa, de landtong en de baai zo hun charme hadden.

Dappere Britse in het paradijs

'O, o.'

Vanaf de andere kant van de keukentafel nam Dan me over zijn bril heen op. Ik zat dommig naar mijn beeldscherm te grijnzen, alsof ik net had gelezen dat ik de loterij had gewonnen.

'Wat schrijft hij?' Dan legde zijn stapel politieberichten van Southampton en Easthampton boven op de wirwar van papieren die al overal om ons heen lagen.

'Hij zegt dat hij in de lounge van British Airways zit te wachten op zijn vlucht. Hij gaat voor zaken naar Londen, maar hij kan alleen maar denken aan onze ontmoeting op zijn feest... En... wacht! Of ik zin heb om een keer op Shelter Island te komen eten, zonder menigten en notitieblok. Yes!' Ik stootte met mijn vuist in de lucht.

'Weet je zeker dat zo'n beursfiguur wel jouw type is?'

'O, zijn geld kan me niet schelen,' zei ik voornaam. 'Hij was zo nuchter en attent. Hij had zelfs onthouden wat ik dronk.'

'Nou ja, aangezien jij vrijwel altijd een glas in je hand hebt, is dat niet zo moeilijk.'

'Kop dicht.'

We richtten ons weer op de politieberichten die ik die ochtend bij de bureaus had opgehaald. Het was maandag, en na een met sterren bezaaid weekeinde van feesten, clubs en schandalen moesten we weer onderwerpen verzinnen voor de komende week.

De politierapporten meldden wie er de afgelopen zeven dagen in de Hamptons was gearresteerd. Daarnaast gaven ze een opsomming van alle inbraken, huiselijke onenigheid, geweldpleging, rijden onder invloed en andere voorvallen die hadden plaatsgevonden.

De misdaadcijfers in het gebied waren behoorlijk laag – een stel rijkelui op vakantie had natuurlijk wel iets beters te doen dan elkaar te beroven – maar we zochten nauwgezet naar eventuele incidenten waarbij namen of adressen van beroemdheden opdoken.

'59 Middle Lane,' las ik op van het derde vel dat ik oppakte. 'De beheerder, Kayne Mayne, meldt dat er meerdere malen is gerommeld met de elektronische hekken; wellicht poging tot inbraak.' Meteen herkende ik het adres. Dit was het huis waarin Wall Street-handelaar Ted Ammon drie jaar geleden dood was geslagen. Op slag herinnerde ik me de nachtmerrieachtige opdracht om in Guildford zijn weduwe op te sporen. Ik huiverde. Inmiddels was Generosa aan kanker overleden en haar tweede man, Danny Pelosi, was opgepakt voor de moord. Kayne Mayne was het kindermeisje dat nu voor de geplaagde tweeling van het stel zorgde. Er kon een hoop gebeuren in drie jaar.

'En deze? Van gisteravond,' zei Dan. 'Harper Simon. Op Montauk Highway bij een verkeerscontrole aangehouden in een Chrysler uit 1988. Toen de bestuurder het raam opendeed, rook de agent een sterke marihuanalucht. Agent zag vervolgens joint in vol zicht liggen naast de versnellingspook.'

'Harper. Wedden dat dat Paul Simons zoon is!' zei ik. 'Ik weet dat hij Harper heet. Wat is de geboortedatum?'

De leeftijd kwam overeen. Paul Simon had een afgelegen landgoed in Montauk, op vijftien kilometer ten noorden van Easthampton.

'Gisteravond heeft Paul Simon opgetreden bij een benefietconcert in het TalkHouse. Hij was vast op weg naar zijn vader en wilde van tevoren nog even opladen.'

Dan pakte zijn telefoon om de politie in Easthampton te bellen. We hadden al twee sappige onderwerpen in de pijpleiding.

Ik ging verder met dagdromen over Evan. En ik moest toegeven dat ik aardig in mijn nopjes was met mezelf. Hier zat ik, omgeven door al die macht en glamour, en iemand die bulkte van het geld had alle schone zeemeerminnen, elfjes en vlinders en hoelahoelameisjes op zijn feest afgewimpeld voor mij, in trainingsbroek en al!

En hoewel onze ontmoeting maar kort had geduurd, merkte ik dat mijn gedachten aan Evan al snel de steken van verdriet verjoegen die ik nog af en toe om Jack voelde; net zoals Jack mijn verdriet over Angus had verzacht. Misschien was drie keer scheepsrecht? Oké, dat was een beetje voorbarig, maar deze keer zou ik het niet verprutsen. En na drie jaar als columnist die over relaties schreef, moest ik onderhand wel een beetje verstand hebben van mannen.

Ik dacht terug aan al het advies dat de lezers me in de loop der jaren hadden gegeven.

Beste Bridget,
Om mannen aan te trekken moet je jezelf trouw blijven, niet obsessief verlangen naar een relatie.

Tja, dat was ik ten voeten uit. Twee dagen geleden had ik nog niet eens een vriend gewild. Maar ja, een vrouw kan van gedachten veranderen.

Beste Bridget,
    Mannen gaan het liefst om met vrouwen die een druk leven leiden, zodat ze haar rustig kunnen leren kennen zonder het gevoel te hebben dat haar wereld ineens alleen nog maar om hem draait.

Met het tijdrovende *Hamptons Diary* was er geen risico dat mijn wereld om iemand anders zou draaien dan om Paris Hilton.

Beste Bridget,
    Een vrouw die van het leven geniet en het een man niet misgunt dat hij dat ook doet, kan altijd op een telefoontje rekenen.

Om inderdaad drukbezet over te komen, wachtte ik tot de volgende dag voordat ik Evans uitnodiging aannam. Twee weken later zat ik weer op de veerboot naar Shelter Island, in een gloednieuw met kant afgezet T-shirt, Joe Jeans en roze Havaiana-teenslippers. Daaronder zaten mijn nieuwe witte La Perla-beha en -slipje, ragfijn, bijna doorzichtig. Puur om mijn zelfvertrouwen wat op te krikken, uiteraard.

Die ochtend had ik op het strand mijn bruine teint en sproeten wat bij laten kleuren, en ik was de hele middag in Easthampton winkel in, winkel uit gerend, op zoek naar een outfit die eruit zou zien alsof ik lukraak wat uit de kast had getrokken.

Ik mocht de auto meenemen, op voorwaarde dat wanneer Dan me nodig had ik binnen een halfuur terug kon zijn, want ik wist niet of de hoofdredacteur, of Jack, het wel zou goedkeuren dat ik ertussenuit kneep. Maar het mooie aan zelf rijden was dat ik niet dronken kon worden, een cruciale voorsprong voor dit eerste afspraakje, waarbij ik me niet zomaar zou laten versieren. Met dubbele tong praten, beschonken handtastelijkheden of blauw in bed duiken waren allemaal uitgesloten vanavond.

Ik besloot zeventien minuten te laat aan te komen bij Evan (vijftien kwam te gretig over, twintig was overdreven), maar ik kwam al vroeg van de veerboot, dus ik bleef een paar meter van de oprijlaan van zijn huis staan wachten, diep in- en uitademend en hopend dat hij niet ineens langs kwam lopen om zijn hond uit te laten. Iemand als Evan had vast een hond.

Om exact 19.46 draaide ik de poort door. Maar mijn handen trilden zo hevig dat de auto onverwacht zwenkte, tegen een stoeprand op botste en in een bloeiende struik verdween.

'Nee, nee!' Ik gaf een ruk aan het stuur, schoot de oprit weer op en bracht met bonkend hart de auto tot stilstand. Ik keek in de richting van het huis, dat honderd meter verder lag, of hij me had gezien of gehoord, stapte toen uit en schoot voorovergebogen om de auto heen om de schade op te nemen.

De heester was aan de onderkant geknakt, en de helft van de bloemen lag op de grond. Ik hees hem overeind, stampte met mijn voet de aarde eromheen aan, veegde het bewijsmateriaal bijeen en schoot de auto weer in.

Twee minuten later parkeerde ik onze tuttige Pontiac naast Evans enorme Mercedes SUV. Ik zat nog steeds koortsachtig gebladerte in het handschoenenvak te proppen toen hij de deur uit kwam, blootsvoets, in opnieuw een schitterend overhemd en een surfshort.

'Bridget,' zei hij terwijl hij het portier voor me openhield. 'Wat fijn je weer te zien.'

'Hé, hoi,' stamelde ik. Ik besloot voor me te houden dat ik zojuist in botsing was gekomen met zijn gewetensvol verzorgde groen.

Hij leidde me de voordeur door, een balzaalachtige kamer in die zeegrasgroen was geverfd en hoge witte plafonds had. Langs alle wanden stonden lage boekenkasten, en voor een grote gemetselde open haard stonden drie leren banken, elk met een chocoladebruine deken van kasjmier over de armleuning. In een van de kasten was een Bose-stereo ingebouwd, en aan de wanden hingen prachtige, ingelijste pentekeningen van zeilschepen. Aan de andere kant van de kamer kwamen openslaande deuren uit op een breed, aan de zijkanten afgeschermd terras dat direct op de blauwe baai uitkeek. De ondergaande zon wierp een gouden licht naar binnen.

Níét dwepen met hoe mooi het huis is, hield ik mezelf voor, hoewel ik me nu al voorstelde dat we ons voor het brullende vuur onder de kasjmieren dekens nestelden.

'Aardig dat je zo'n zonsondergang hebt geregeld,' zei ik terwijl ik het terras op liep om mezelf in het flatterende licht op te stellen.

'Ik heb wat rondgebeld. Iets drinken?'

'O, gewoon een biertje voor mij, maakt niet uit wat voor merk.'

'Ik heb een fles Puligny Montrachet opengetrokken, als je dat liever hebt.'

'O, oké dan. Als hij toch open is.'

Ik liep achter Evan aan de keuken in, die naast de woonkamer lag. Ik zag dat hij bezig was geweest met een salade van mozzarella en trostomaten, bestrooid met basilicum.

'Ik heb olijvenbrood voor je gebakken,' zei hij terwijl hij me een glas wijn aangaf.

'Je hebt bróód gebakken?' Ik stond versteld.

Hij glimlachte. 'Erg lekker. En ik hoop dat je van lamskroon houdt. Het is biologisch. Ik heb alles vanmiddag in het vliegtuig meegebracht vanuit de stad.'

'Goh, wat lief van je om al die boodschappen te doen. Ik heb al in geen jaren meer zelfgemaakt eten gehad.'

'Die boodschappen heb ik niet zelf gedaan, hoor. Mijn secretaresse heeft ze laten bezorgen.'

We liepen weer naar het terras, en hij nam een bord met olijven en chorizo mee als borrelhapjes.

'Heeft je secretaresse de worst ook gesneden?' grapte ik. Hij keek even beledigd, schoot toen in de lach.

We zaten op het terras naar de explosie van kleuren in de lucht te kijken. Er scheerde een motorboot voorbij, die een spoor van wit schuim in zijn kielzog achterliet. Ik had ervan gedroomd een huis aan zee te hebben. Dat hield ik voor me, voor het geval hij dacht dat ik uit was op het zijne.

Toen hij het indertijd had gekocht, vertelde hij, was het haast rijp geweest voor de sloophamer. Hij had alles binnen drie maanden laten restaureren. Hij had het land aan weerszijden erbij gekocht om er een natuurreservaat van te maken.

'O, wat fijn dat je zo milieubewust bent. Ik heb geografie gestudeerd.'

'Eerlijk gezegd ging het mij er vooral om dat er niet vlak naast me gebouwd kan worden,' zei hij. Hij wees naar het plekje waar zijn watervliegtuig elke vrijdag landde, na een vlucht van drie kwartier vanuit Midtown. Geen zes uur in de file staan voor hem.

Niét dwepen met het vliegtuig, bracht ik mezelf in herinnering. 'Handig,' zei ik.

We aten bij kaarslicht op het terras en keerden al snel terug naar wat Evans favoriete onderwerp leek: de problemen van daten in New York. 'Zo veel mannen, vooral uit de financiële sector, zijn tot vroeg in de dertig alleen maar bezig met geld verdienen. Ze hebben nergens anders tijd voor. Het enige wat ze interesseert is hun carrière.'

'Gaat dat ook voor jou op?'

'Eerst wel, ja. Maar nu ik 34 ben, realiseer ik me dat er belangrijker zaken zijn in het leven. Geld hebben is prettig, maar het maakt niet gelukkig.'

'Nee, nee, helemaal mee eens.' Ik zat peperdure wijn te nippen tegenover een miljonair in zijn kasteel in de Hamptons.

'Waarom kiezen rijke, slimme mannen die duidelijk intellectuele stimulans nodig hebben, uiteindelijk hun vriendinnen dan uit op hun uiterlijk?' Het was een vraag die me altijd geplaagd had.

'Ik weet het niet. Misschien omdat ze op kantoor zo onder druk staan dat wanneer ze 's avonds thuiskomen ze zich alleen maar willen ontspannen met iemand die er mooi uitziet.'

'Goh, mijn exen vonden het nooit "ontspannen" om 's avonds bij mij thuis te komen.'

'Nou ja, wie zit er ook op ontspanning te wachten? Ik droom van iemand die energiek en onafhankelijk is en niet over zich heen laat lopen. Een zielsverwant wil ik,' zei hij.

Ik vertelde dat mijn ouders al veertig jaar getrouwd waren, en dat ze toen ze de dag vierden waarop ze zich in Parijs hadden verloofd – waar mijn moeder destijds had gewerkt – terug waren gegaan om het bankje aan de Seine te zoeken waarop mijn vader haar een aanzoek had gedaan. Ik had ze gevraagd hoe ze hadden geweten dat ze zielsverwanten waren en had er een column overgeschreven.

'En, wat zeiden ze?'

'Mijn moeder viel op mijn vader omdat hij zo'n gestructureerd type was. Ze vertrouwde op zijn oordeel, en hij werkte haar niet op de zenuwen. Mijn vader viel op mijn moeder omdat ze zo spontaan met mensen omging, toegewijd was aan haar familie en goed kon naaien.'

'Nááien?' herhaalde hij vol ongeloof.

Hmmm, dat klonk niet zo romantisch als ik had bedoeld.

'Ik bedoel, wat ze zeiden was dat ze het over de echt belangrijke dingen eens waren. Ze respecteerden elkaars onafhankelijkheid, en ze hielden van dezelfde dingen, zoals reizen. En ze hadden allebei dezelfde instelling tegenover geld.'

Geld, oei. Misschien moest ik dat woord ook maar achterwege laten.

'Volgens mijn moeder is het geheim van een goed huwelijk dat je overal met elkaar over praat, en dat je erkent dat je je voor het leven hebt verbonden, dat je niet de handdoek in de ring gooit zodra je ergens onenigheid over hebt. Als je net getrouwd bent, zei ze, heb je geen idee hoeveel compromissen je moet sluiten.'

'Compromissen, jak, dat klinkt griezelig,' zei Evan lachend. 'Ja, wij egoïstische, New Yorkse singles zijn daar veel te eigengereid voor.'

'Tenzij je iemand ontmoet bij wie je wel ineens bereid bent compromissen te sluiten,' zei hij zacht. 'Ik denk dat veel stellen in New York ontstaan doordat de een denkt op de een of andere manier van de ander te kunnen profiteren. Dan wordt het gegarandeerd een bloedeloze relatie.'

Hij keek ernstig, en zijn bruine ogen leken te fonkelen in zijn gebronsde gezicht.

'Diep in je hart moet je het verschil weten tussen een gezellig avondje met iemand die je er op papier goed uit vindt zien... en met iemand bij wie je werkelijk de vonken voelt overslaan.'

We wisten allebei in welke categorie dít etentje viel.

Er stond een vollemaan boven de baai tegen de tijd dat we van tafel gingen, en hij stelde voor naar de waterkant te lopen om van het uitzicht te genieten. Op blote voeten wandelden we over het vochtige gras van de landtong naar de kleine houten steiger. De golven kabbelden tegen de romp van de zeilboot die eraan vastlag, en ik zag dat Evans vloot inmiddels was uitgebreid met een speedboot.

Hmmm... een speedboot. Ik in een Prada-bikini, mijn haren wapperend in de wind, door de branding zoeven en aanleggen voor een cocktail...

Ik voelde zijn handen op mijn schouders. Ik leunde tegen zijn lange, sterke lichaam aan, en hij liet zijn kin op mijn kruin rusten.

Mocht ik de regels voor ons eerste afspraakje niet een klein beetje aanpassen? Een zoen kon toch geen kwaad? Als ik aan het eind van de avond maar netjes naar huis ging. Veel tijd om erover na te denken kreeg ik niet. Hij draaide me naar zich toe en boog zich voorover om me te kussen, sloeg zijn armen om me heen. Een zoele, zilte bries streek vanaf het water door ons haar. Ik vroeg me af of ik ooit op zo'n mooie plek had staan zoenen.

'Weet je, ik had je nooit meer gezien als je die column nog steeds schreef,' zei hij.

'En dat is precies de reden waarom ik hem heb opgegeven.'

De volgende ochtend vroeg, terug in Sag Harbor, werd ik met vlinders in mijn buik wakker. Toen ik aan de keukentafel schoof en mijn laptop opendeed, zag ik dat er al een e-mailtje van hem binnen was.

Daar gaan we dan. Je bent net weg, en het is vast tegen alle regels in. Ik weet dat ik mijn gevoelens zou moeten beteugelen, maar ik kan me niet inhouden. Ik heb genoten van je gezelschap, ik ben verknocht geraakt aan je ondeugende glimlach en je Britse eerlijkheid. Ik wil je heel graag snel weer zien.

Van opwinding ging ik rondjes lopen door ons kleine tuintje, waar ik de hele fantastische avond weer als een film voorbij liet komen. Evan had Jacks intelligentie en humor, samen met Angus' nonchalante zelfvertrouwen. Misschien had het lot er de hand in gehad dat ik Jack en Angus kwijtraakte, zodat ik nu de volmaakte combinatie kon krijgen!

Hoewel Evan die week in Manhattan zat, bleven er dagelijks sms'-jes en e-mailtjes van hem binnenkomen.

Telkens dwong ik mezelf er beheerst op te reageren, me vast-houdend aan mijn voornemen Evan niet af te schrikken, hoe hap-pig hij ook leek.

Op een avond kwam er om middernacht een sms'je binnen waar-in hij schreef dat hij in slaap viel met mijn gezicht voor ogen. Voor de derde avond op rij wenste hij me 'mooie dromen'.

'Jij moet vaker de deur uit,' was mijn geestige antwoord.

De volgende dag stuurde hij me al zijn nummers, van zijn appar-tement in Tribeca, zijn huis op Shelter Island, zijn mobieltje, zelfs zijn Britse mobiele nummer, en hij smeekte me te bellen zodat hij mijn stem kon horen.

Sorry, geen tijd, ik ben bezig aan het wereldschokkende Hamptons Diary, sms'te ik terug.

En dat was ook zo. Op een ochtend had hij me vroeg te pakken gekregen, toen ik naar Bridgehampton was gescheurd na een tip van onze plaatselijke fotograaf, Doug Kuntz, dat er een Mexicaan-se bouwvakker bij het onderhoud aan een kapitale villa door het dak was gevallen en was omgekomen. Het adres was hetzelfde als dat van Richard Geres paleisachtige strandhuis, wat het verhaal extra sappig zou hebben gemaakt, maar toen ik uit de auto sprong om de agenten ter plekke aan te spreken, bleek het een andere woning te zijn.

'Heb ik je wakker gebeld?' vroeg Evan terwijl ik op de oprijlaan mijn mobieltje uit mijn tas griste. Hij nam niet eens de moeite te zeg-gen wie hij was.

'Eerlijk gezegd was ik net in gesprek met een hoofdrechercheur van het bureau Easthampton,' zei ik gewichtig.

Maar deze keer kon ik het niet weerstaan hem terug te bellen zodra ik weer in mijn auto stapte.

Een week en verschillende steeds suikerzoetere telefoongesprekken later stond ik omgeven door een nieuwe vloot van Bentleys met Evan aan de telefoon. Hij had gebeld terwijl ik op een met cham-pagne overgoten presentatie van luxe motorfietsen was, waar de Hamptonaars zich hadden verzameld om naar hun eigen smaak afgewerkte tweewielers te bestellen.

'Het is al een week geleden, ik kan niet langer wachten. Wanneer heb je tijd voor me?' vroeg hij.

Inmiddels verlangde ik er ook wanhopig naar hem te zien, maar ik had halsoverkop een vierdaagse reis naar Engeland moeten boe-ken. De huurders vertrokken uit mijn huis in Shepherd's Bush, en

het pand moest worden schoongemaakt voordat de schilders konden beginnen.

'Kun je daar geen mensen voor inschakelen?' vroeg hij verbaasd.

'Nee, ik moet van alles regelen.'

'Nou, wanneer ben je weer terug?'

'Zondagavond. Het was een goedkoop ticket, ik kan niet omboe-
ken.'

'En als ik nou een nieuw ticket voor je koop voor een eerdere
vlucht? Dan kunnen we in de stad afspreken en gaan we maandag
samen met mijn vliegtuig door naar Sag Harbor.'

Het vliegtuig! Nee, niks vliegtuig. Een ticket voor me kopen?
Eersteklas? Nee, wat had ik me nou voorgenomen? Nee, nee, nee.

'Echt, dat gedoe hoeft niet voor mij. Ik zou het heerlijk vinden je
zondag te zien, maar het kan nogal laat worden. Ik kom pas om
21.30 uur aan.'

'Dan pik ik je op het vliegveld op en gaan we nog ergens iets
eten.'

'Ik land op JFK. Dat ligt mijlen buiten de stad.'

'Ja, ik weet waar het ligt.'

'Nou oké, als je het zeker weet.'

'Natuurlijk weet ik het zeker.'

Wauw. In al mijn vier jaren in New York was ik nog nooit van de
luchthaven opgehaald. We namen afscheid, en ik draaide me weg
van de Bentleys, ving een glimp op van mijn spiegelbeeld in een
raam van het kolossale landgoed waarin het evenement plaatsvond.
Ik had een grijns van oor tot oor.

Nee, geen taxi, ik word opgehaald

Ik zat op Primrose Hill te genieten van het feit dat ik weer thuis was in Londen. Om me heen zaten groepjes mensen in het gras. Het was een schitterende Engelse zomer. Onder aan de heuvel, achter de wirwar van de dierenverblijven van de London Zoo, spreidde het panorama van de stad zich in al zijn glorie uit.

Angus kwam op me aflopen met een zakje chips tussen zijn tanden en in elke hand een biertje. Ik ging liggen en keek hoe hij dichterbij kwam. Ik was bezig geweest mijn keuken in Shepherd's Bush uit te mesten, herinneringen aan de goede oude tijd ophalend met Tilly en Kathryn, toen hij had gebeld om te zeggen dat hij had gehoord dat ik in de stad was, en om te vragen of ik zin had om iets af te spreken. Sinds Milly en Lukes bruiloft hadden onze paden zich zelden gekruist, maar toen ik hem deze keer op de heuvel had zien staan, was ik hem ongeremd om de hals gevlogen. Zijn vertrouwde geur was geruststellend: gelukkige herinneringen, geen ex-vriendje-complexen. Het was ontzettend fijn hem weer te zien.

Toen we nog een relatie met elkaar hadden gehad, waren we op zomeravonden vaak naar Primrose Hill gewandeld, omdat het vlak bij zijn huis lag. En terwijl ik hem nu uit het café zag terugkomen met zijn bekende vlugge passen, in zijn vervaalde, roze Fred Perry-shirt en jeans, was het bijna alsof de klok was teruggezet. Alleen waren we vier jaar verder. Hij was er voorzichtig optimistisch over dat hij de rest van zijn leven met India door zou brengen; Tilly's tweelingdochtertjes waren inmiddels uitgegroeid tot uitbundige peuters, vol nieuwsgierigheid en aldoor 'waarom' vragend; Kathryn organiseerde een spectaculair decemberhuwelijk met de acteur die ze op een feest 'in een bundel licht' had zien staan. En ik fantaseerde over morgenavond, wanneer ik op JFK eindelijk herenigd zou worden met Evan.

Angus kwam naast me zitten, en ik dacht aan die hartverscheurende middag bij de *Post* waarop hij me over de telefoon over India had verteld, en aan mijn angst dat ik er nooit overheen zou komen... totdat Jack zijn opwachting had gemaakt. En nu was er Evan.

'Grappig, hè? Als het uitraakt met een vriendje denk je altijd dat je nooit meer een ander zult vinden, en dan gebeurt het toch,' mijmerde ik terwijl ik naar de wolkeloze blauwe lucht staarde.

'Wat is het eigenlijk voor een vent? Ik heb je nog nooit met zo'n dwaze grijns op je smoel gezien,' zei Angus.

Zelfvoldaan nipte ik van mijn koude biertje. 'Evan is de perfecte combinatie van jou en Jack.'

'De ideale man, dus,' stelde Angus vast.

Om 20.45 uur begon het lampje voor de veiligheidsgordel te branden, en mijn maag verkrampte van opwinding. Onder me doken er steeds meer lichtjes op boven de donkere vlakte van Amerika naarmate we de oostkust af kropen.

Ik stond op, wurmde me langs de man naast me, die helemaal vanuit Delhi kwam om zijn familie in Queens op te zoeken, trok mijn tas uit het bagagevak en haalde mijn 'aankomstpakketje' tevoorschijn.

Ik liep via het gangpad naar het toilet, sloot de deur achter me, veegde het wastafeltje schoon met papieren handdoekjes en spreidde mijn waren uit. Eén luchthaventenue: fris gewassen grijze katoenen broek die mijn achterwerk flatteerde, lichtblauw American Apparel-topje dat de sproetjes op mijn schouders benadrukte, de roze Havaiana-slippers waarin pas gepedicuurde roze nagels prijkten, de La Perla-lingerie. Eén verfrissingssetje: met Ecco Bella-citroen-verbena bodylotion voor een natuurlijk vleugje citrus, haarwax met honing om me een warrig surfkapsel te geven, MAC-mascara voor 'onzichtbare' wimperverfraaiing, Visine, E45-crème, tandenborstel, floss, extra sterke pepermuntjes. Het was inmiddels twee weken geleden dat ik Evan had gezien. Onze reünie moest volmaakt zijn.

Het vliegtuig minderde vaart en daalde wat. Ik vermoedde dat we nu boven het puntje van Long Island zaten. Ver onder me zou Evan nu achter in zijn limo zitten, op weg naar JFK. Ik dacht weer aan zijn laatste e-mailtje: *Ik kan amper wachten om je glimlach te zien wanneer je de aankomsthal binnenloopt.* Hij mocht dan een meedogenloze Wall Streeter zijn, hij had een zwak voor dat soort zoetsappige berichtjes.

Ik keek naar mijn spiegelbeeld. Mijn ogen waren rood van de ene Temazepan-slaaptablet die mijn moeder me had gegeven, bedoeld voor mijn nachtvlucht naar Londen met kerst, die ik had ingenomen om de reis sneller te laten verlopen. Mijn gezicht was grauw en opgezet door de rondgepompte lucht. Maar dankzij vier dagen driftig schrobben en karig eten was ik in elk geval redelijk mager.

Ik bracht de Visine aan, gevolgd door een paar fikse tikken op de wangen en een plens koud water. Vervolgens trok ik mijn Juicy Couture-trainingsbroek uit, mijn kerstmannen-onderbroek en vergeelde beha. Ik waste mezelf met behulp van de papieren handdoekjes en smeerde me in met de Ecco Bella- en E45-crème. Ik hees me in mijn schone kleren, deed wat wax in mijn haar, bracht mascara op. Ten slotte poetste ik mijn tanden en smeerde ik mijn voeten in.

Ik keek weer in de spiegel. Evan stond op het punt een zongebruinde, sproeterige 33-jarige te ontmoeten die – met een beetje goede wil – best voor een hippe twintig-en-nog-watter door kon gaan, die met natuurlijk sexappeal en stijl van een zeven uur durende vlucht af kwam dartelen.

Ja hoor.

Ik liep terug naar mijn stoel, me sterk bewust van mijn duidelijke 'wordt opgehaald'-metamorfose. Ach, wat maakte het ook uit? Al die keren dat ik de Atlantische Oceaan over was gevlogen – met kerst, bruiloften – had er nooit iemand klaargestaan om me op te halen. Zelfs Jack niet. Nu was ik eens aan de beurt.

Terwijl het vliegtuig het laatste stukje naar de luchthaven aflegde, herinnerde ik me de lange zoen met Evan op de steiger; de baai wit van het maanlicht, de geur van de zee in de wind. Ik grijnsde vanuit het raampje het duister in.

We landden vijftien minuten te vroeg, maar kwamen toen vast te zitten op de taxibaan, wachtend tot een jumbo van Air Canada het platform had vrijgemaakt. De man uit Delhi fleurde op en vroeg me hoe lang ik al in New York woonde. Ik antwoordde afwerend, probeerde intussen te beslissen of ik mijn babyblauwe kasjmieren Juicy Couture-trui om mijn middel moest binden, of dat een glimpje bruine buik beter geschikt was voor het 'eerste gezicht-moment'. Zou Evan de luchthavenproef doorstaan waar ik Angus vier jaar geleden aan had onderworpen? Het kon me niet schelen ook. Sinds die tijd was ik stukken wijzer geworden. Tegenwoordig wist ik dat ik me op de kleine dingen moest concentreren. Ik werd opgehaald, dat was al voldoende.

Eenmaal uit het vliegtuig haastte ik me langs de medepassagiers richting de immigratiebalie om als eerste in de visumrij te staan. De enorme zaal waar je als niet-ingezetene altijd uren moest wachten, was bij wijze van uitzondering vrijwel verlaten. En deze keer straalde ik naar de ijzig kijkende beambte toen hij mijn vingerafdrukken en foto nam en vroeg wat ik deed bij de *Post*.

Dit ritueel had ik al zo vaak ondergaan, en in elk geval lachte het leven me nu toe. Ik had iemand ontmoet van wie ik wakker lag van opwinding, en die me uitgerekend dankzij mijn column had gevonden! Hij was nog maar een paar stappen weg, stond op me te wachten met een limo; niet dat ik om die limo maalde, uiteraard.

Voordat ik door de douane heen liep, liet ik mijn plunjezak en handtas een paar keer zakken. Moest ik er in elke hand een houden, zodat mijn spieren er getraind uitzagen, of moest ik de zak zoals gewoonlijk over mijn schouders hijsen? Ik wikkelde de kasjmieren trui om mijn middel en koos voor de spierflatterende houding. Ik haalde mijn vingers door mijn haar en liep de aankomsthal binnen.

De ruimte zag zwart van de mensen, de gebruikelijke menigte van wachtende familieleden, vrienden, louche uitziende taxichauffeurs en mensen van reisbureaus die bordjes omhooghielden. Zo rustig en ontspannen mogelijk liep ik erop af. Evan zou mij waarschijnlijk eerder in het oog krijgen dan ik hem, hoewel hij tussen dit stelletje met zijn lange postuur gemakkelijk te ontdekken moest zijn. Ik keek rond, mijn best doend niet al te enthousiast te kijken.

Toen ik eenmaal voorbij de meute was, zette ik mijn bagage neer en tuurde om me heen.

'Jij taxi? Jij wil taxi?' vroeg een Chinese chauffeur, die met een stel collega's op zijn hielen op me af kwam snellen.

'Nee, bedankt, ik word opgehaald.'

Ik zag Evan nog steeds niet, en ik vroeg me af of hij even ergens koffie was gaan halen. Ik besloot de bordjes te bekijken, voor het geval hij zijn chauffeur had gestuurd en zelf in de wagen zat te wachten. Nergens stond mijn naam op, dus ik zigzagde nog twee keer door de meute, me afvragend hoe hij me anders over het hoofd had kunnen zien.

Terwijl ik perplex naast mijn bagage stond, loste de stroom passagiers van mijn vlucht geleidelijk aan op, net als de groep afhalers. Nu had ik meer overzicht. Evan was nog steeds nergens te bekennen.

Ik controleerde mijn mobieltje. Geen berichten. Ik belde zijn Blackberry. Het ging over en schakelde door naar zijn voicemail.

'Hé, met Bridge. Ik sta op het vliegveld. Ik ben bang dat ik je ben misgelopen. Ik... eh... ik sta bij de kiosk in hal 4... als je hier nog bent.'

Natuurlijk was hij er nog. Toch voelde ik me ineens onzeker, alsof hij zich ergens had verstopt en me bespioneerde, een geintje uithaalde. Nee, dat soort grapjes paste niet bij Evan. Maar goed ook, want ik hield er niet van.

Uit gewoonte liet ik mijn blik over de voorpagina van de *New York Post* dwalen. OSAMA: NIEUW DUIVELS COMPLOT. Ik had geen zin verder te lezen. Toen ging de kiosk dicht, en ik hield mezelf voor dat ik nu weg moest gaan, naar huis. Maar misschien was hij ergens opgehouden. Het zou een ramp zijn als hij helemaal hierheen kwam en dan ontdekte dat ik veel te snel was vertrokken.

Bij een internetstation in een rij telefooncellen logde ik in op mijn e-mailaccount, met het idee dat hij misschien had geprobeerd me zo te bereiken, maar er waren geen nieuwe berichten van hem. Dus liep ik voor alle zekerheid nogmaals de hele aankomsthal door. Inmiddels liep het tegen elven, en mijn armen werden moe van het zeulen met de bagage.

Uiteindelijk pakte ik opnieuw mijn mobieltje en stuurde hem een sms'je. *Hopelijk ben ik je niet misgelopen. Ik ga nu weg, sorry.* Met een moedeloos gevoel begaf ik me naar de taxistandplaats. Evan had altijd zijn telefoon aanstaan.

Op de weg terug naar Manhattan staarde ik hol naar de voorbijzoevende straten met de vertrouwd aandoende woonhuizen van Queens. Ik vond het prima dit ritje in mijn eentje te maken, dat had ik al honderden keren eerder gedaan. Wat maakte het uit dat een of andere beurspief die ik amper kende me op het vliegveld had laten zitten? Hij kon de pest krijgen, ik zou er geen gedachte meer aan verspillen. Maar hád hij me wel laten zitten? Ik kon het maar moeilijk geloven.

Ik dacht terug aan ons laatste telefoongesprek, het laatste e-mailtje dat ik vier dagen geleden had ontvangen, voordat ik naar Engeland was vertrokken.

'Krijg ik die vluchtgegevens nou nog of niet?' had Evan gevraagd.

'Als het niet uitkomt, kun je het altijd afbellen,' had ik nog eens gezegd voor ik ze doorgaf.

'Hou óp. Je wordt al een echte New Yorkse. Schenk me alsjeblieft een klein beetje vertrouwen. En zorg dat je in een goed humeur bent; ik kan niet wachten je glimlach te zien wanneer je de aankomsthal binnenloopt,' had hij gezegd.

Dat was dinsdag. De volgende dag was ik naar Engeland gevlogen, en ik had hem op weg naar de luchthaven gebeld en een berichtje ingesproken dat ik ernaar uitkeek hem zondag weer te zien. Tijdens mijn afwezigheid had ik niet gebeld, want het leek me romantischer en minder behoeftig de afspraak gewoon zo te laten staan.

De taxi reed het viaduct op naar de Queenstown Tunnel, en automatisch keek ik naar de skyline van Manhattan die voor me opdoemde. Het was vanavond uitzonderlijk helder voor de late zomer, en het bekende panorama leek nog meer te sprankelen dan anders. Batmans Gotham City lag aan mijn voeten. Even fleurde ik op. Maar het sloeg gewoon nergens op. Deze keer had ik het niet verprutst. Ondanks Evans enthousiasme was ik rustig gebleven. Ik was onafhankelijk geweest, niet opdringerig, interessant, geïnteresseerd, had me niet zomaar gewonnen gegeven. Precies zoals ik van mijn column en mijn leven in New York had opgestoken. Dus waar wás hij, verdomme?

Ik kroop meteen in bed toen ik thuiskwam, maar deed amper een oog dicht. Ik maakte me zorgen: misschien had hij een ongeluk gehad. Maar hoe ik ook gewend was voor de *Post* allerlei rampspoed te verslaan, ik wist dat er in dit soort gevallen zelden sprake was van ongelukken.

De volgende dag boekte ik de late Jitney-bus naar Sag Harbor, denkend dat we elkaar heel misschien nog voor een lunch konden ontmoeten. Maar hoe langer mijn telefoon stil bleef, hoe meer mijn teleurstelling en woede plaatsmaakten voor nieuwsgierigheid. Hij moest in elk geval mijn berichtjes hebben ontvangen.

Ik overwoog naar zijn kantoor te bellen, maar verwierp dat idee. Stel dat ik door zijn secretaresse werd afgepoeierd. Vroeg die avond besloot ik naar zijn appartement in Tribeca te bellen in de hoop hem thuis te treffen.

Om precies 19.30 uur zat ik met trillende vingers op de rand van mijn bed zijn nummer in te toetsen. Hij nam bij de tweede keer overgaan op. Hè? Hij nam óp?

'O, dus je bent niet dood,' zei ik.

'Nee.' Hij klonk geagiteerd.

'Waar was je dan, verdomme?'

Er viel een stilte. Hij mocht wel met een heel mooie smoes komen.

'Liefje, waarom zou ik helemaal naar JFK komen om je op te halen, terwijl jij vier dagen niks van je hebt laten horen?'

Mijn mond zakte open. 'Wát? Dit meen je niet, hè?'

'Ja, ik meen het wel. Het moet wel van twee kanten komen. Ik ga ophangen; ik ben druk bezig.' De verbinding werd verbroken.

Verdoofd staarde ik voor me uit. Het 'liefje' galmde na in mijn oren. Nee. Hoe was dit mogelijk? Ik had het zo vaak verpest door te vaak of te vroeg te bellen, en nu werd ik aan de dijk gezet omdat ik niet genóég had gebeld?

Ik bleef nog zeker een minuut zitten, schuddend met mijn hoofd, wachtend tot hij bij zinnen zou komen en me terugbelde. Dat deed hij niet. Toen liep ik naar het raam en keek omlaag naar 14th Street.

Aan de overkant was een groep Mexicaanse arbeiders bezig een nieuw uithangbord te schilderen voor een boetiek die de winkelruimte had overgenomen van Petite Abeille, Poms favoriete ontbijtzaakje. Een broodmager model in een minirok en met Ugg-laarzen aan zeulde met haar fotoportefeuille naar de trendy Milk Studios aan het eind van de straat. Uit een statige glazen kantoorverdieping die op het dak tegenover ons appartement was gebouwd, kwam een man naar buiten om een sigaret te roken. Er stopte een ladderwagen voor Western Beef, en een paar brandweerlieden wipten naar binnen om iets te halen. VOOR EEUWIG IN ONZE HERINNERING, stond er op de zijkant van de wagen, ter nagedachtenis aan 11 september.

Ik had zo veel meegemaakt in deze nooit slapende, zich aldoor ontwikkelende metropool. Toch leek het alsof ik geen steek wijzer was geworden.

Stikken in je ingeslikte trots

Hoogmoed is geen deugd, maar vredelievendheid en vergevingsgezindheid zijn dat wel, viel me in terwijl ik in tweestrijd achter mijn laptop zat. De late augustuszon wierp een perzikkleurig avondlicht in ons chaotische kantoor annex keuken in Sag Harbor. Het luchthavendebacle met Evan was inmiddels een maand geleden, en over krap twee weken zou het Labor Day zijn, de dag waarop we een punt zetten achter ons *Hamptons Diary* en teruggingen naar de stad. Het zou vervelend zijn Long Island te verlaten met een gevoel van wrok, hield ik mezelf voor.

Na het vervelende telefoontje met Evan had ik hem via een bruusk e-mailtje laten weten dat hij me diep had gekwetst, en ik had er, in een nogal bevredigende vlaag van creativiteit, aan toegevoegd dat 'slechte manieren en lafheid een charmante combinatie' waren. Hij had gereageerd met stilte.

Dan en ik werkten de klok rond, en in de plaatselijke winkels ging de *Post* als warme broodjes over de toonbank, want de Hamptons smulden van de schandalen van het seizoen in ons dagboek en in de roddelrubriek. Maar ik wist dat er altijd een smet zou blijven rusten op deze zomer als ik geen vrede sloot met Evan, totaal voor schut gezet op JFK of niet.

Dus uiteindelijk opende ik een nieuw bericht en haalde diep adem.

Hallo, ik hoop dat het goed gaat met je. De zomer loopt ten einde. Als ik overdreven heb gereageerd op het vliegveld, spijt me dat. Laten we het vergeten en vergeven, oké?

Vlug drukte ik op 'verzenden', voordat Dan me kon tegenhouden door me erop te wijzen dat trots ook zijn positieve kanten had. Toen ik het opbiechtte, stak hij een sigaret op, ademde langzaam uit en schudde meewarig zijn hoofd.

Het duurde twee uur voordat Evan reageerde, op een veel prettiger manier.

'Zand erover,' stond er in zijn mailtje. Hij stelde een etentje voor om alle misverstanden uit de weg te ruimen.

Mijn hart sprong op. Dus hij wilde me weer zien! En misschien wás het ook allemaal een misverstand geweest, hoewel ik nog steeds niet kon bevatten hoe.

'Zie je wel! Je moet gewoon over je trots heen weten te stappen en "zand erover" kunnen zeggen,' riep ik opgewekt tegen Dan, die nu rustig de lokale krant zat te lezen en een met pastrami overladen stuk stokbrood naar binnen werkte.

'Ik weet niet of die vent je vriendschap wel waard is,' zei hij terwijl hij een bakje salade mijn kant op schoof. 'Wat hij gedaan heeft blijft waardeloos, en hij heeft nooit gebeld om sorry te zeggen.'

Oké, dus Evan had niet gebeld, maar hij stuurde me een verse lading sms'jes, waarin hij de donderdag voorstelde voor onze afspraak. Hij zou uit Manhattan overkomen en me meenemen op een zeiltochtje met wijn bij zonsondergang, gevolgd door een etentje. Wie zat er op een sorry te wachten?

Wat het netelige luchthavenonderwerp betrof: hij herhaalde eenvoudigweg dat hij niet wilde dat alles van één kant kwam. Als hij om iemand gaf, verwachtte hij iets van ze te horen, en 'sorry, ik heb het druk' vond hij niet bepaald de meest sexy woorden van de Engelse taal.

'Wat vind je dan wel de meest sexy woorden van de Engelse taal?' vroeg ik.

'Bridget, etentje, donderdag,' was zijn antwoord.

De donderdag daarop zat ik dus weer nerveus op Evan te wachten, dit keer bij het eindpunt van de veerboot op Shelter Island. Ik had hetzelfde tenue aan als op het vliegveld, plus een bikini eronder als voorbereiding op een duik tijdens het zeiltochtje. Per slot van rekening zou het zonde zijn zo'n spannend aanbod niet aan te nemen.

Na tien minuten kwam zijn SUV grommend naast me tot stilstand. Ik sprong overeind, mijn hart in mijn keel, trok het portier open en schoof zogenaamd nonchalant op de met leer beklede stoel. We keken elkaar behoedzaam aan. In zijn gesteven lichtblauwe hemd, surfshort en met diep gebruinde huid was hij aantrekkelijker dan ooit. Hij pakte mijn hand vast en gaf me een zachte kus op mijn wang.

'Hallo, vreemdeling,' zei hij.

'Hallo.' Er brak een brede grijns door op mijn gezicht. Goddank dat ik mijn trots had ingeslikt.

In het huis op de landtong schonk hij op het terras wijn voor ons in, en ik voelde aan dat hij het niet meer over het luchthavenincident wilde hebben. Wat ik prima vond. Ik was meer geïnteresseerd in ons zeiltochtje.

'Gaan we nog weg met de boot?' opperde ik. 'Ik heb speciaal mijn bikini aangetrokken.'

'Daar hebben we geen tijd voor,' antwoordde hij. 'Maar ik neem je mee uit eten.'

'Prima, prima, geen punt.' Ik verborg mijn teleurstelling.

In plaats van de zonsondergang tegemoet te varen, gingen we naar Vine Street Café, een piepklein restaurantje midden op het eiland dat vol zat met welgestelde oudere stellen. Het stond bekend, zei Evan, om zijn uitstekende chef-kok. We gingen zitten.

Hij schonk me een brede glimlach. 'Ik ben zo blij dat je me hebt gemaild. Ik heb vaak aan je gedacht.'

Nu kon ik me niet meer inhouden. 'Maar je voelt je wel een beetje schuldig, hè? Omdat je me op JFK hebt laten zitten. Je hebt je nooit verontschuldigd.'

Zijn bruine ogen boorden zich in de mijne. 'Ik ga geen excuses aanbieden, want ik stond in mijn recht. Maar het spijt me als ik je heb gekwetst. Kunnen we het nu over iets anders hebben?'

Om de lieve vrede te bewaren, hield ik erover op, en ik vertelde hem in plaats daarvan over de laatste escapades van *Hamptons Diary*. Ik beschreef dat ik de avond hiervoor politie voor het Stephen Talk-House in Amagansett had zien staan, een populaire club waar reggaeartiest Jimmy Cliff net had opgetreden, en naar binnen was gegaan om poolshoogte te nemen.

'Het bleek dat de band tijdens de rit naar de zaal bonje had gekregen over de afstandsbediening van de tv in de bus, en de saxofonist had de achtergrondzanger met een mes gestoken!'

'Dat meen je niet,' zei Evan zichtbaar opgepept.

'Echt. De zanger was naar het Southampton Hospital gebracht om nog voor het optreden te worden opgelapt. Ze gingen gewoon het podium op, alsof er niets was gebeurd!'

Evan schoot in de lach, en ik lachte mee. De spanning tussen ons verdween. We werden onderbroken door de gasten aan het tafeltje naast ons, twee stellen van in de zestig.

'We willen alleen even zeggen hoe leuk het is een jong stel zo te zien genieten. Het doet ons denken aan al die spannende uitjes toen wij net verliefd waren,' zei een van hen.

We keken elkaar ontzet aan. Ze moesten eens weten. En 'jong' was niet echt van toepassing. Evan stak zijn goudbruine arm over de tafel en legde zijn hand op die van mij.

'Ik weet dat de zomer bijna voorbij is, maar nu we het goed hebben gemaakt, hoop ik niet dat je erover denkt snel terug te gaan naar Engeland,' zei hij.

Ik glimlachte ingetogen en dacht: je mag dan wat onvoorspelbaar zijn, maar hé, jou verlaten voor een land vol saaie getrouwde stellen en hun kleuters? Vergeet het maar.

Terug in zijn huis gingen we op het terras op de bank liggen, en ik spitste mijn oren om te zien of ik het water in de baai kon horen. ''s Winters wel,' zei Evan. 'Soms ga ik hier voor een weekje rust naartoe, gewoon om naar de wind en de golven te luisteren, boeken te lezen en te ontspannen.'

Hmmm, ik dreef weer af naar mijn fantasie over knuffelen onder kasjmieren dekens. Tenslotte hoefde Evan zíjn huis na Labor Day niet te verlaten. Ineens zag ik op zijn zilveren Tag Heuer-horloge hoe laat het was. Bijna één uur 's nachts.

'O nee, ik mis de veerboot!' Ook al was ik over mijn trots heen gestapt, ik zou mijn waardigheid beschermen.

Evan sprong overeind, en we liepen naar zijn Mercedes. Terwijl hij reed belde hij met zijn Blackberry een taxi om me aan de overkant op te halen. Maar toen we bij de kade kwamen, zagen we de boot nog net wegvaren. De lichten van de volgende doemden heel in de verte op. Evan zette de wagen aan de kant van de weg. Hij boog zich naar me toe en legde zijn handen om mijn gezicht. Terwijl de lampen van de naderende veerboot dichterbij kwamen, gleed ik over de walnoothouten versnellingsbak en liet mijn handen onder zijn shirt glijden. Ik voelde de sterke spieren onder zijn schouderbladen. Zijn hand verdween onder mijn topje, en hij streek over de dunne stof van mijn bikini. De veerboot legde aan, twee auto's die achter ons stonden reden om ons heen en reden de oprijplank op.

'Ga niet weg. Blijf bij me vannacht,' fluisterde hij in mijn haar. 'Ik wil morgenochtend met jou in mijn armen wakker worden.'

'O, vooruit dan maar. Omdat je zo aandringt,' zei ik.

De volgende dag werd ik wakker in het waterige zonlicht dat van de baai weerkaatste in de ramen van Evans enorme, luxueuze slaapkamer. Hij lag naast me met de telefoon aan zijn oor, kreeg de laatste stand van de beursnoteringen door. Geen leven dat ik me ooit had voorgesteld, maar ach, waarom zou ik erover klagen dat hij een topfunctie had? Ik had nog nooit in zo'n behaaglijk bed gelegen en hij had me de halve nacht liggen zoenen terwijl ik me uitstrekte op zijn zijdeachtige Pratesi-lakens.

Toen ging mijn eigen mobieltje. Het was Dan. Hij klonk gespannen. Een ouder echtpaar was na een bezoek aan een restaurant in Easthampton tijdens het oversteken aangereden en omgekomen. Hoewel het mijn vrije dag was, zei ik meteen dat ik terug zou komen. Als er nog meer nieuws loskwam, hadden hij en Thomas iemand nodig om ons kantoortje te bemannen.

Nadat hij zijn e-mailtjes had nagekeken, bood Evan me een lift naar Sag Harbors jachthaven aan met zijn speedboot. Terwijl we over de baai vlogen, leefde ik mijn wapperend-haar-en-bikini-fantasie uit (alleen was het geen Prada). Evan zwaaide me uit, belovend me later nog te bellen. Ik sprong de steiger op als Grace Kelly die in Monte Carlo arriveerde.

Zodra Evan terug was op Shelter Island, begon hij me sms'jes en e-mailtjes te sturen. Hij kon mijn haar nog ruiken. De volgende keer zou hij kaarsen aansteken, mijn heerlijke lichaam van top tot teen insmeren met olie. Hij zou het hele weekeinde aan me denken. Wanneer zagen we elkaar weer?

Mijn opgewonden reacties stonden vol flirterige stijlbloempjes. Tot de berichtjes abrupt ophielden. Ik nam aan dat hij het druk had met logés voor het weekeinde, en wierp me op ons drukke *Hamptons Diary*-schema. Twee dagen later sprong ik nog steeds op wanneer de telefoon ging, maar het was telkens iemand anders. Ik werd steeds nerveuzer en belde hem op. Ik zat niet te wachten op nog meer misverstanden, zeker niet omdat hij had gezegd dat hij er een hekel aan had als iemand drukte gebruikte als excuus om geen contact op te nemen. Maar hij had het vast zelf heel erg druk, want hij nam niet op.

Weer twee dagen later heerste er nog steeds radiostilte. Verwilderd belde ik hem opnieuw, smeekte hem terug te bellen, al was het maar om te laten weten dat alles in orde was. De stilte duurde voort. Onze laatste Hamptons-evenementen kwamen en gingen. Ik loerde constant naar mijn telefoon, ijsbeerde door de tuin, vloekte.

Op de avond voor onze terugkeer naar New York zaten Dan en ik op de veranda te roken. Ons kantoortje was al opgeruimd, onze koffers stonden bij de deur. Morgen zouden we weer in Manhattan zijn. De meest enerverende zomer van mijn leven was voorbij.

'Dus hij heeft je niet meer gebeld?' vroeg Dan voorzichtig terwijl we naar de vollemaan keken die uitrees boven onze rustige straat vol pittoreske, witgeschilderde huizen, waarvan de meeste nu waren afgesloten voor het winterseizoen.

'Nee. Het lijkt erop dat ik me twee keer heb laten dumpen door dezelfde vent.' Met een misselijk gevoel schudde ik mijn hoofd. New Yorkse mannen bleven me voor raadsels stellen.

'Als een vent je slecht behandelt, kun je hem maar beter lozen ook.' Dan maakte zijn sigaret uit in onze bloempot-asbak.

'Je zult wel gelijk hebben.' Waarom was zoiets voor de hand liggends altijd gemakkelijker gezegd dan gedaan?

Vreemd genoeg verscheen er twee weken later zomaar een sms-je van Evan. Hij schreef dat hij net in Londen was aangekomen en me de volgende ochtend zou bellen. Het klonk alsof er helemaal niets was gebeurd. Maar deze keer wachtte ik niet meer tot de telefoon overging. Die ging ook nooit over.

Vierendertig is toch niet zo oud?

Soms wilde ik het liefst bij de pakken neer gaan zitten. Waar was het in godsnaam misgegaan? Het was of je oude vrijgezelle huisgenoot die altijd zo veel zoop dat jij er een geheelonthouder bij leek, je een preek geeft over de geneugten van het moederschap (terwijl het jou nog stééds niet lukt het derde afspraakje te halen). Of wanneer je in een kroeg zit te luisteren naar je ex die dweept met zijn nieuwe vlam, en je jezelf erop betrapt dat je doet alsof je een vriend hebt terwijl dat niet zo is. Zoals wanneer je erachter komt dat de enige man voor wie je in tijden iets hebt gevoeld je niet alleen heeft laat zitten op de luchthaven, dat hij je niet alleen nadat je met hangende pootjes bent teruggegaan nóg eens botweg heeft laten stikken, maar dat hij al zijn mooie praatjes ook bij andere vrouwen ophangt.

Het was weer herfst. Paris Hilton en P. Diddy hadden hun feesten naar Miami verplaatst. Ik was terug in New York en had weer 'zo'n dag', of beter: 'zo'n seizoen'.

Mijn zonnige zomeroptimisme had plaatsgemaakt voor duistere onzekerheid over de toekomst. Ik was weer terug bij af. Geen vriendje, alleen een reeks mislukte afspraakjes achter de rug. Nog krap een jaar, en ik moest erover gaan denken mijn eitjes te laten invriezen. En nu kon ik mijn pech niet eens meer aan mijn column wijten.

Maar ja, wat zeiden ze ook weer over mannen? Ze waren als spitstreinen versus boemeltjes. Wanneer je in de twintig was, kwam er om de paar minuten een langs, wanneer je in de dertig was moest je soms uren wachten. En als je dan in de verkeerde stapte, was je goed zuur.

Mijn mismoedigheid was sterk toegenomen nadat ik op een avond op een cocktailparty had staan praten met een oude bekende die ik daar tegen het lijf was gelopen. Ik was net begonnen haar over mijn Evan-debacle te vertellen – niet dat ik daardoor geobsedeerd was of zoiets – toen ze me halverwege een zin had onderbroken.

'Wacht, die vent ken ik. Ik kén hem! Mijn vriendin Angela heeft in het voorjaar iets met hem gehad. Ze dacht dat het heel serieus was, tot hij op een dag ergens kwaad over werd en ze nooit meer iets van hem hoorde.'

'Nee! Weet je het zeker?'

'Hij heette Evan, ja.'

Uiteraard had ik besloten nooit meer een gedachte aan Evan te wijden. Maar toen ze opperde dat ik eens contact op moest nemen met Angela, zodat we ons materiaal konden vergelijken, ging ik er grif op in.

Angela bleek een mooie, geestige, donkerharige kunsthandelaar te zijn. We hadden afgesproken in Bar 6 en bestelden een fles pinot noir. Na nauwelijks vijf minuten over koetjes en kalfjes te hebben gepraat, kwamen we ter zake.

'Hij kwam zo nuchter over,' zei Angela. 'Alsof hij oprecht een hekel had aan al die losse afspraakjes. In eerste instantie vond ik hem niet eens zo leuk. Ik bedoel, zo knap was hij niet, een beetje klungelig en verlegen. Maar we gingen iets drinken, en na afloop stuurde hij me zo'n lief berichtje. "Het is vast tegen alle regels in, maar ik kan me niet inhouden. Ik heb genoten van je gezelschap. Ik wil je heel graag nog eens zien." '

Ik liet bijna mijn wijnglas vallen. 'Hé, dat heb ik ook gekregen. Na het eerste etentje. Stond het al in je mailbox toen je thuiskwam?'

'Het kwam onderweg in de taxi binnen op mijn Blackberry, al vóórdat ik thuis was.'

Nee. Ik liet mijn hoofd op de bar zakken.

'Bij ons eerste afspraakje heeft hij thuis voor me gekookt,' zei ik.

'Mij heeft hij een paar keer met alle boodschappen met zijn watervliegtuig naar Shelter Island gevlogen. Hij bakte van dat onvoorstelbaar lekkere brood.'

'Had hij brood voor je gebakken? Voor míj ook!'

'Jep, olijven.'

'Hou op! Zeg nou niet dat jullie ook op de steiger hebben zitten vozen!'

'Vozen? Je bedoelt zoenen? Ja hoor. Het was zo'n schitterende maanverlichte avond, en we hebben uren zitten knuffelen, met onze voeten in het water.'

O, god. Had Evan de dag van ons etentje soms ook doelbewust bij vollemaan gepland? Nee, nu werd ik paranoïde.

'Er lag ook een mooie boot,' ging Angela verder. 'Ben je ooit met zijn speedboot mee geweest?'

'Ja, hij heeft me een lift gegeven naar de overkant. Daar beloofde hij me te bellen, en dat was de laatste keer dat ik hem heb gezien.'

Angela zei dat hoewel Evan had beweerd dat hij zijn gevoelens niet wilde beteugelen, zij terughoudend was geweest over het beginnen van een relatie. Maar geleidelijk aan, na zijn dagelijkse vleiende e-mailtjes en sms'jes, was ze bijgedraaid.

'Hij stuurde me berichtjes dat hij mijn gezicht voor zich zag voordat hij 's avonds in slaap viel.'

'Dat meen je niet!' zei ik weer. 'Ongelooflijk. En de limo?'

'O, die limo was mooi. Hij had een chauffeur die hij vaak langsstuurde om me van mijn werk te halen, maar vooral wanneer hij geen zin had de deur uit te gaan.'

'En in bed?' Ik moest het toch vragen.

Ze trok een grimas. 'Ja, dat was best prettig. Hij had iets met kaarsen. Zijn hele slaapkamer in Tribeca stond er vol mee.'

Ik kreunde. 'Massageolie?'

'Daar kwam hij in het begin mee aanzetten... en soms stuurde hij overdag berichtjes wat hij allemaal met me wilde doen.'

'O, god, volgens mij heb ik wel genoeg gehoord.' Mijn hoofd lag weer op de bar.

'En waardoor is het uitgegaan?' vroeg ik uiteindelijk.

Angela keek even verongelijkt. 'Op een gegeven moment had ik wat persoonlijke verplichtingen, en hij zei dat hij te moe was om mee te gaan omdat hij het zo druk had gehad op zijn werk. De hele tijd bleef hij verwachten dat ik naar hem toe kwam, klaarstond voor hem, maar toen ik zei dat ik de afspraak met mijn vrienden niet kon afzeggen, werd hij kwaad. Hij zei dat het wel van twee kanten moest komen, dat ik geen rekening met hem hield. Dat was het. Daarna heeft hij me nooit meer teruggebeld.'

'Nou, proost.' Ik hief mijn glas naar haar op. 'Blijkbaar zijn we allebei door dezelfde vent gedumpt.'

We tikten onze glazen tegen elkaar.

'Achteraf kan ik er best om lachen, maar ik ben er maandenlang door van streek geweest,' gaf Angela toe. 'Hij was zo ongekunsteld, zo'n geweldige buit. En net toen het serieus leek te worden, spatte alles, poef!, uit elkaar. Tja, typisch New York.'

Die nacht lag ik mezelf in bed te vervloeken. Ik had mezelf wijsgemaakt dat ik bijzonder was: de wijsneuzerige columnist, de bijdehante, onverstoorbare Britse. En ik was in al Evans gladde praatjes getrapt.

Ik moest het hem nageven: hij had een gouden formule in handen. Al het geld en het raffinement om een vrouw te imponeren, en dan net doen alsof hij een gewone, verlegen jongen was, met zijn kwetsbare hart op de tong. Zolang het hem uitkwam, althans.

Dat was het ironische aan New York. Meedogenloze regels zorgden ervoor dat de singles vreselijk op hun hoede waren, maar onder de oppervlakte hunkerde iedereen ernaar iemand te ontmoeten die bereid was te zeggen dat hij zijn gevoelens niet wilde beteugelen.

Het probleem was dat de stad altijd welgestelde egotrippers zou blijven voortbrengen die er niet voor terugdeinsden anderen te kwetsen, omdat er aan de lopende band verse vrouwen voorbij bleven komen die hun charmes niet konden weerstaan. Zelf vond Evan vast niet eens dat hij iets verkeerds had gedaan. Hij had een vrouw een paar keer mee uit genomen, wat flirterige berichtjes afgevuurd, en zich vervolgens laten afleiden door iets of iemand anders. In deze stad was het dumpen van een vrouw door niet te bellen even geaccepteerd als haar dumpen zodra je iets beters kon krijgen.

Geen wonder dat het zo moeilijk was liefde te vinden in New York.

Toch was het een paar mensen gelukt. Twee weken na mijn borrel met Angela schonk mijn oude huisgenoot Alice het leven aan een meisje van vijf pond. Geheel in lijn met haar chaotische karakter waren haar vliezen gebroken in een pizzeria in Roxbury, een afgelegen gehucht in het noorden van de staat, net terwijl zij en Chris probeerden van het allerlaatste romantische weekeindje met zijn tweetjes te genieten. Alice, die verzuimd had na te trekken of er een kraamkliniek in de omgeving was, moest per ambulance de 140 kilometer over de Catskill Mountains worden geracet.

Toen ze drie dagen daarop met hun baby Scarlet terugkeerden naar de stad, ging ik plichtsgetrouw bij Alice op kraamvisite. Ik hield het kleine roze wurmpje vast, en ze staarde me met melkachtige blauwe ogen aan. Ik liet mijn vingers over haar piepkleine teennageltjes glijden, me erover verwonderend hoe perfect die waren. Ze leek zo kwetsbaar dat ik haar wel eeuwig had willen vasthouden. Ik bracht mezelf in herinnering dat als het zo doorging, ik misschien zou moeten inzien dat ik nooit moeder zou worden.

'Echt, Bridge, een kind hebben, het is doodeng. Ineens is er een wezentje dat volkomen afhankelijk van je is,' zei Alice. 'Ik bedoel, ik heb er totaal geen verstand van. Toen mijn vliezen braken, dacht ik dat ik in mijn broek had gepiest.'

We begonnen te giechelen. Horen hoe hopeloos Alice met het moederschap worstelde, zorgde ervoor dat ik me iets minder ontoereikend voelde.

'Maar het is gek,' vervolgde ze terwijl ze dromerig door Scarlets zijdeachtige blonde lokjes streek. 'Als je een kind krijgt, komen al je moederinstincten opborrelen en besef je ineens waarom je op aarde bent gezet.'

O fijn, daar ging er weer een.

'Oké, Alice, genoeg oermoedergevoel,' snauwde ik, en ik gaf Scarlet aan haar terug.

Mistroostig wandelde ik naar huis. Het leek pas gisteren dat Alice me wakker had gemaakt toen ze met een pizzabezorger de gang in was gestommeld. Ze was zo dronken geworden op een blind date op Thompson Street dat ze haar portemonnee was kwijtgeraakt. Haar date had de benen genomen toen ze hem even de rug had toegekeerd, en de pizzabezorger was de enige die medeleven met haar had kunnen opbrengen en haar naar huis had willen brengen. En nu stak ze tegen mij een preek af over het moederschap.

Waar bleef verdomme míjn nog-lang-en-gelukkig?

Het sms'je dat ik twee weken later van mijn oude vriendin Fi in Engeland kreeg maakte mijn humeur er niet beter op.

Bel me. Ik heb nieuws, stond er.

Wat maar één ding kon betekenen. Ik belde haar nummer.

'Bridge, je zult het wel niet leuk vinden om te horen, maar... ik ben verloofd, en ik ben in verwachting!'

'O, gefeliciteerd, Fi. Maar vertel eens, waarom denkt iedereen dat ik niet blij kan zijn als iemand anders zich zo nodig moet verloven of zwanger raken?' vroeg ik bits.

En daarmee had ik de vraag zelf al beantwoord.

Een paar sombere weken later, kort voordat ik naar Engeland zou vliegen voor Kathryns grootse decemberbruiloft, hadden Jack en ik afgesproken eens bij te praten in de Hog Pit.

Sinds ik terug was uit de Hamptons, was het alsof we nooit iets met elkaar hadden gehad. Tijdens mijn afwezigheid waren de laatste vonkjes tussen ons gedoofd. Uit de aard der gewoonte keek ik nog steeds toe als hij zijn kantoor in liep om aan de telefoon te smoezelen, wanneer hij extra geïnteresseerd leek in zijn e-mail, of wanneer hij vroeger van kantoor vertrok. Maar Michelle, Jeane en Paula zeiden dat Jack nog net zo'n overwerkte vrijgezel was als voorheen. In elk geval was er iemand hetzelfde gebleven.

Hij zat op me te wachten met de drukproeven van die dag en een glas whisky naast zich. Net als bij mijn ontmoeting met Angus op Primrose Hill, leek het bijna net als vroeger. Maar deze keer kon ik het niet opbrengen er sereen onder te blijven.

Ik bestelde een wodka-tonic en vertelde hem alles over baby Scarlet, en dat ook Fi nu verloofd en in blijde verwachting was.

'Fí? Jezus, het lijkt pas gisteren dat ze in die superstrakke broeken in Felix op de tafel stond te dansen. Het verbaast me dat er een baby past in dat magere lijfje van haar.'

'Kom nou, Jack, ze danste nooit óp de tafel, alleen eromheen, en jij wilde nooit mee.' Voor het eerst in eeuwen glimlachte ik weer. 'Maar nu gaat ze trouwen en wordt ze moeder. Iedereen gaat verder, weet je.'

'Nou, als je het mij vraagt, is zo'n "gelukkig" gezinnetje ook niet alles,' zei Jack. 'Vrienden van me die net kinderen hebben, lopen de hele tijd te klagen dat ze van die saaie sukkels zijn geworden die nooit meer ergens komen.'

Ik kon hem wel zoenen.

'En hoe zit het met jou? Maak jij nog wel eens iets romantisch mee?' vroeg ik, ervan overtuigd dat het antwoord nee zou zijn.

'Nou...' Hij grijnsde in zijn drankje. 'Eerlijk gezegd ga ik al paar maanden met iemand om.'

Wát? Mijn maag kwam in opstand. Er trok een akelige grimas aan mijn mondhoeken.

'Maar dit keer hou ik het op kantoor helemaal stil,' zei Jack zonder mijn schrik op te merken. 'Zeker na dat fiasco dat jij en ik hebben doorgemaakt.'

Fiasco? O, bedankt. Ik verstopte me achter mijn glas.

'We zijn elkaar tegengekomen op een pokertoernooi. We zijn van de zomer elk weekeinde samen geweest, en we hebben geen enkele keer ruzie gekregen. Dus het gaat allemaal behoorlijk goed.'

Als ik heel snel wodka-tonic inhaleerde, zou ik mezelf dan kunnen verdrinken?

'Ik heb toevallig zo meteen een afspraak met haar. We gaan eten in Voyage.'

Voyage? Maar dat was óns restaurant! Nee, ik kon beter met het glas naar het toilet gaan en mijn polsen doorsnijden.

Jack nam me met een warme glimlach op. 'En jij, schat? Op kantoor gaat het gerucht dat je van de zomer in de Hamptons een of andere rijke patser aan de haak hebt geslagen, en dat je eindelijk echt gelukkig bent.'

'Ja, dat ben ik ook.'

Wat? Had ik dat echt gezegd? Ik verschanste me weer achter mijn glas.

'En? Wie is het?' Jack had een irritant samenzweerderig toontje aangenomen. En hij leek oprecht blij voor me, wat nog erger was.

'Nou ik heb hem op een feest op Shelter Island ontmoet, en van het een kwam het ander.'

'Wat leuk. Wat doet hij voor werk?'

'Ach, iets op Wall Street.'

'En hoe heet hij?'

'Eh... Evan, je kent hem toch niet.'

'Vertel eens, is het zo serieus als iedereen zegt?'

'Eh... ik weet het niet, eerlijk gezegd. Maar het loopt lekker. Ik bedoel, ik ben gelukkig en alles.'

Nee, in wezen was ik een diep tragisch geval. Zoiets sneus en zieligs had ik nog nooit gedaan.

Het bloed steeg naar mijn hoofd. Jack keek even verward, maar zei er niets over.

'Nou, Bridge, ik ben heel blij voor je.'

'Ik ook, en ik ook voor jou,' piepte ik.

We namen nog een laatste drankje en praatten over andere zaken voordat Jack zei dat hij naar zijn afspraakje moest. Hij betaalde de rekening, en we liepen naar buiten en bleven even hangen op de stoep.

'Je gaat vanavond iets doen met Evan?' vroeg hij.

'Eh... ja.' Ik voelde dat ik weer rood werd. 'Gewoon een rustig etentje in, eh... Tribeca.'

Toen keek ik in Jacks kalme blauwe ogen en herinnerde ik me dat ik me ooit had voorgenomen nooit tegen hem te liegen.

'Jack, om eerlijk te zijn ga ik niet uit met Evan.'

Weer keek hij verward.

'Ik heb zelfs niet eens meer iets met hem. Sorry, ik heb het allemaal zitten verzinnen.'

Verbijsterd nam hij me op.

'Ik bedoel, ik heb wel iets met hem gehad, en ik heb hem wel op Shelter Island ontmoet en alles... En hij werkt echt op Wall Street, iets met risicokapitaal of zo... maar toen ik in augustus terugkwam uit Engeland, heeft hij me voor lul op het vliegveld laten staan wachten. En daarna heb ik hem weer ontmoet en toen liet hij me voor de tweede keer zitten. En dat was eigenlijk het einde.'

Jack staarde opgelaten naar de trottoirtegels. 'Wat vervelend voor je,' zei hij.

Vervelend? Was het vervélend dat ik twee keer door een en dezelfde vent was gedumpt? Vervelend dat ik geen vriend had, of vervelend dat ik de grootste sukkel op aarde was?

Maar ja, wat had ik dan verwacht? Dat Jack wraak zou zweren en een duel met Evan aan zou gaan?

'Nou, hoe dan ook, jij moest maar eens naar Voyage,' zei ik.

'Eh... red je het wel?'

'Ja, natuurlijk.' Ik draaide me om en liep weg, stak 9th Avenue over dat inmiddels was volgestroomd met taxi's en menigten die uit eten gingen.

'Voor hem tien anderen,' zei ik hardop tegen mezelf. Alleen geloofde ik er niet meer in.

Het meisje met de rode jurk

Ik stond op 5th Avenue bij Henri Blendel in de paskamer, met een kersenrode satijnen Miguelina-jurk van $ 300 aan. De halternek gaf me wat decolleté, de soepel vallende A-lijnrok reikte tot mijn knieën. Zag ik er uitdagend en toch subtiel uit, Marilyn Monroe-achtig zelfs, voor een winterse bruiloft? Of was het eerder het soort ordinaire outfit dat de kantoordesperado naar de kerstborrel op de zaak aantrok?

Als het op dit soort dingen aankwam, tastte ik nog steeds in het duister. Maar waar maakte ik me druk om? Het idee naar Kathryns bruiloft te gaan stond me vreselijk tegen. Weer een avond rond-hangen en proberen filosofisch te doen over de liefde, het rap afne-mende aantal singles tellen die over waren voor je je vergetelheid zocht in de goedkope witte wijn. Niet dat de wijn bij deze gelegen-heid goedkoop zou zijn. Kathryn had gisteren gebeld om me bij te praten over haar sprookjesplannen.

'De hele kerk wordt met kaarsen verlicht, en er hangen strengen klimop aan het plafond en langs de paden. De receptie wordt gehouden in een schitterende 14e-eeuwse tiendschuur, de langste in Europa. We boffen maar dat hij bij ons in het dorp ligt, hè? En we gaan met een tractor uit de jaren veertig van de kerk naar de schuur, en overal langs de weg staan vuurtoortsen...'

Fantastisch. En wat was in vredesnaam een tiendschuur?

Ik liep de winkel weer in, die krioelde van de mensen die kerst-inkopen aan het doen waren, om aan een verkoopster een tweede mening over de jurk te vragen; niet dat die ooit de waarheid zeiden als ze iets konden slijten. Op de lingerieafdeling vond ik een hoge spiegel, en ik bleef er fronsend in staan kijken, de groeven op mijn voorhoofd opmerkend. Hmmm, misschien kon ik die $ 300 beter aan botox uitgeven. Laag uitgesneden jurk of glad voorhoofd, wat was een betere investering?

'Hé, hé. Je bent het! Ik dacht al dat jij het was! Het meisje met de rode jurk!'

Ik draaide me met een ruk om. 'Deklin? Déklin?'

Hij kwam tussen de rekken lingerie vol tierelantijntjes door op me af. Hij had nog dezelfde donkere ogen en fladderende dikke wimpers, maar hij was magerder dan eerst, zag er volwassener uit. Ik had hem niet meer gezien sinds die avond vier jaar geleden in Great Lakes. Met zijn vriendin.

'Viespeuk, ik schrik me wild. Wat loop jij hier rond te sluipen tussen de kanten slipjes? Doe je soms aan travestie?'

Hij lachte, waarbij datzelfde spleetje tussen zijn tanden vrijkwam. 'Nee, ik ben inkopen aan het doen voor mijn schoonzussen. Ik heb lijstjes meegekregen.'

We omhelsden elkaar. Great Lakes lag in het grijze verleden. Het had geen zin nu nog boos op hem te zijn.

'Nou, maak jezelf eens nuttig. Wat vind je hiervan?' Ik maakte een pirouette.

'Tja, hij lijkt nogal op de vorige rode jurk die je aanhad, maar deze is ook best gaaf. Als je mijn mening vraagt, moet je altijd een rode jurk dragen.'

'Waar zie je me voor aan? Een wandelend liedje van Chris de Burgh?'

'Nee, jij bent het spannende, mysterieuze meisje op het feest dat zo van het leven lijkt te genieten dat iedere man met haar wil praten.'

Ik sloeg mijn ogen ten hemel. 'Laat die versiertrucjes maar zitten, Dek. Ik trap er niet nog een keer in. En trouwens, die tijd is allang voorbij. Dit is voor de chique bruiloft van mijn beste vriendin in Engeland, en ik zal daar niet van het leven staan te genieten.'

'Waarom niet? Klinkt ideaal.'

'Probeer jij maar eens van het leven te genieten als je als alleenstaande vrouw van bijna 34 op een bruiloft bent.'

'Wat, dat meen je toch niet? Ik kan me niks leukers voorstellen. Probeer maar eens een man te zijn met een niet-verloofde vriendin op een bruiloft als je boven de 25 bent.'

'Ah, Melissa. Hoe is het met haar? Nog geen ring om haar vinger?'

'We zijn vorig jaar uit elkaar gegaan.'

Oeps. 'O, wat vervelend.'

'Nee hoor, het was het verstandigst. Ze was zo geweldig, zo lief. Ze zou een eersteklas vrouw en moeder voor me zijn geweest, maar ik had altijd het gevoel dat er iets ontbrak, en de druk haar een aanzoek te doen werd gewoon te groot. Waarom moet iedereen zo nodig rond zijn dertigste trouwen?'

'Omdat de tijd dringt!' riep ik dramatisch, en nu was het zijn beurt zijn ogen ten hemel te slaan.

'Hou toch op. Ik trouw niet als ik niet zeker weet dat ik het wil. Dan lig je een paar jaar later in scheiding. Ik wil desnoods tot mijn zestigste wachten op de ware. En jij? Ben jij nog steeds de beste vangst van New York?'

'Nou, ik ben in ieder geval een paar keer opgevist en weer in de vijver teruggegooid sinds ik jou voor het laatst heb gezien.'

'Oké, neem die jurk, ook al kost hij duizend dollar. We gaan ergens bijpraten met een borrel.'

Het winkelend publiek sleepte zich in drommen over 5th Avenue, en het verkeer was toeterend tot stilstand gekomen doordat mensen kriskras de weg over renden in de strijd om een vrije taxi. Toeristen zwoegden beladen met tassen over straat, maar we zigzagden er behendig tussendoor.

De weelderige etalages fonkelden, en de bomen op de trottoirs hingen vol glinsterende kerstlichtjes. Het was een hectisch, hels en merkwaardig stimulerend tafereel. Typisch New York vlak voor de feestdagen.

Op 59th Street renden we de trappen van het Plaza Hotel op. Aan de overkant stonden nog meer toeristen in de rij voor de paardenkoetsritjes door het winterse wonderland van Central Park. We baanden ons een weg door de drukke marmeren lobby naar de beroemde bar, de Oak Room. Daar wisten we de twee laatste krukken aan de bar te bemachtigen, en we bestelden heel gepast twee Manhattans.

Langzaam begon ik een beetje op te fleuren. Overal om ons heen liepen mensen die van heinde en verre naar New York waren gekomen om ervan te proeven. En ik had al bijna vijf hele jaren in deze magische stad doorgebracht.

Toen ik Deklin op het feest in Park Slope had ontmoet, was hij een illustrator geweest die knokte voor zijn bestaan. Inmiddels had hij een topfunctie bij de kunstredactie van *The New York Times*. En ik was een volleerde nieuwsreporter voor de *New York Post*; oké, misschien niet zó volleerd, maar ik kon met een notitieblok zwaaien.

'Op vervulde dromen,' zei ik.

'En op oude vrienden.' Deklin tikte zijn glas tegen het mijne.

'Oude vrienden? Jij bent geen vriend van me. Je hebt me heel harteloos mijn eerste les over daten in New York geleerd.'

'En dat was?'

'Als het op mannen aankomt, of op vrouwen, is nooit iets wat het lijkt.' Verdomme, waarom had ik dat niet onthouden toen ik met Evan omging.

'Luister, het spijt me van die avond met Melissa. Ik voelde me net zo opgelaten als jij, en Melissa en ik hadden de dag voor het feest besloten een poosje afstand te houden. Maar hé, je bent door mij niet bepaald afgeknapt op New Yorkse mannen.'

'Hoe zou jij dat weten?'

'Omdat ik elke zondag dat vunzige, rechtse blaadje heb gekocht waar jij voor werkt, alleen om je avonturen bij te houden.' Hij grinnikte. 'Weet je nog, die vent die je nooit wilde zoenen, ook al wierp je je haast aan zijn voeten, en die je toen dumpte met zo'n e-mailtje van "het beste"?'

'Fijn dat je me eraan herinnert.'

'En dan had je die maffe Nederlander met wie je probeerde te vrijen en die commandeerde dat je zijn broek uit moest trekken. Wat een zak was dat.'

'Zeg dat wel.'

'Je wist ons wel te vermaken.' Deklin lachte weer. 'Maar serieus, Bridge, als je erbij stilstaat was het niet alleen die column. Denk eens aan al die andere artikelen die je hebt geschreven. Ik bedoel, de *Post* heeft toch wel wat. Die vent in het restaurant die onthoofd was, weet je dat nog? En dat artikel over dat zeventienjarige meisje in Brooklyn dat te horen had gekregen dat ze misschien nooit kinderen kon krijgen en toen een baby uit het ziekenhuis jatte? En ben jij niet naar Nantucket geweest om die griezel van een Tyco op te sporen, Dennis Koslowski, op zijn jacht van 30 miljoen dollar? En je had die oude man die met kerst knakworst moest eten omdat zijn vrouw was doodgereden. Dat was een hartverscheurend verhaal. Mijn moeder moest erom huilen.'

'Jemig, jij hebt een goed geheugen,' merkte ik op. Ik dacht terug aan meneer Russo, op zijn bank met het zingende rendier. Na dat verhaal had ik gezworen nooit meer over het leven te klagen. Een voornemen waar ik me beslist niet aan had gehouden.

'Vind je niet dat je boft, Bridge? Jij beleeft allerlei avonturen, anderen lezen er alleen maar over.'

Zo had ik het nog nooit bekeken. Niet dat mijn avonturen zo spannend waren geweest. Maar als ik één ding had geleerd van mijn werk als verslaggever, was het wel dat je hele leven binnen een fractie van een seconde voorgoed kon veranderen.

'Ik denk dat ik niet altijd de tijd neem om dingen te waarderen,' zei ik.

'Wie wel? Je hebt een droom, je belooft jezelf dat als je die vervult, je nooit meer ergens om zult vragen. Dan gebeurt het, en je neemt het gewoon voor vanzelfsprekend aan en begint over het volgende te tobben. Af en toe zou je even stil moeten staan en zeggen: "Goh, het leven, hier en nu, is helemaal zo slecht nog niet."'

'Deklin, zit jij soms op een of andere zweverige yogacursus of zoiets? Vanwaar al die positiviteit?'

Hij gooide zijn servet naar mijn hoofd. 'Ik meen het. Bridget, jij was de meid die helemaal in haar eentje naar een feest in Brooklyn ging in haar rode hoerenoutfit, omdat je alles wilde uitproberen. Blijf zoals je bent.'

'Was dat niet ook toevallig de avond waarop ik achter de rug van mijn vriend om met jou in bed dook?'

'Je hoort mij ook niet zeggen dat je perfect bent.'

We bleven nog een uur in de bar hangen, en deze keer beloofden we elkaar bij het afscheid dat er niet weer vier jaar overheen zou gaan voor we weer iets afspraken.

Mijn vlucht naar Engeland vertrok op een woensdag, drie dagen voor Kathryns megabruiloft. De avond voordat ik wegging, ontbood Paula me bij haar thuis op Sullivan Street in SoHo voor een minimetamorfose. Voorbij waren de dagen van haar rustige bestaan in Cobble Hill. Ze was terug in het centrum, schreef een boek, presenteerde een deel van een populair roddelprogramma op tv, en ze had eindelijk de teckel waar ze zo naar had verlangd: Karl, de liefde van haar leven, beweerde ze.

'Kijk, deze jurk heb ik gekocht,' zei ik terwijl ik de rode satijnen Miguelina uit zijn gestreepte Henri Bendel-tas trok. Ik was er nog steeds niet gerust op. 'Ik wil er mijn groene Nicole Farhi-jas overheen dragen.'

'Nee, Bridge, alsjeblieft!' Ze inspecteerde mijn aankoop. 'Die jurk is oogverblindend, maar toch niet met dat oude vod waar je al jaren in rondloopt? Ik bedoel, groen met rood? Hoe wil je eruitzien? Als een kerstboom?'

Ze liep naar haar kast en haalde een zwart fluwelen Gucci-jasje met schitterende zijden voering tevoorschijn, een paar zwart-witte Sarah Jessica Parker-achtige hakken van Christian Lacroix, en een harige bruine stola.

'Dit is coyotebont, helemaal in,' zei ze. 'Luister. Je föhnt je haar glad, en laat in godsnaam eens iets aan die wenkbrauwen van je doen. Draag er heel subtiele zilveren sieraden bij, en ga met blote benen. Met zwarte kousen slaat die jurk dood. Trek je jas zo snel mogelijk uit, maar hou die stola de hele avond, ik herhaal: de hele avond, om. Je zult er fantastisch uitzien.'

Ik pakte mijn nieuwe aanwinsten op, bedankte haar en gaf haar in de deuropening nog een knuffel. Ik zette drie stappen en draaide me toen weer naar haar toe. 'Paulita, vind jij dat ik aan de botox moet?'

'Bridge, zorg er nou maar gewoon voor dat je slipje er niet onder aftekent, en hou die coyote om.'

De volgende dag begon het flink te sneeuwen. Het beloofde een witte kerst te worden in New York. Ik nam mijn tassen mee naar mijn werk zodat ik na afloop rechtstreeks naar het vliegveld kon om de nachtvlucht van Virgin Atlantic te halen. Ik schreef een artikel over welke kerstcadeautjes dit jaar 'onontbeerlijk' waren voor kinderen. Gelukkig hoefde ik niet in een sneeuwstorm door winkelcentra te zeulen op zoek naar computerspelletjes, draagbare dvd-spelers of elektronische huisdieren. Ik dacht dat die krengen van een tamagochi's al jaren geleden in onbruik waren geraakt. Ja, een kerst met een familie van vijf die maar niet wilde uitdijen had één voordeel: het vergde weinig onderhoud.

Kort na achten vertrok ik van de redactie. Ik stond bij de lift te wachten toen Jack plotseling de deur uit kwam stormen, zijn hoofd omlaag, jas aan, leren schooltas over zijn schouder. Hij keek pas op toen we allebei in de lift stapten. De deuren schoven dicht en we bleven met zijn tweeën achter, ieder aan een andere kant van de cabine.

Ooit had ik een moord gedaan voor een moment als dit, maar na mijn vernederende biecht over Evan had ik Jack op kantoor zo veel mogelijk ontlopen, en zelfs nu was ik hem liever niet onder ogen gekomen. Ik probeerde te doen alsof ik het druk had, door in mijn tas te rommelen om te kijken of mijn paspoort erin zat.

'Ik hoorde dat je vanavond naar Engeland vertrekt?' vroeg hij uiteindelijk.

'Ja, mijn vriendin Kathryn trouwt aanstaande zaterdag.'

'In Londen?'

'Nee, ergens op het platteland. In een tiendschuur.'

'Klinkt leuk.'

Ik wilde hem vragen wat een tiendschuur was. In plaats daarvan bestudeerden we allebei onze schoenneuzen.

De lift spoedde zich naar de begane grond, klingelde, en de deuren gingen open. Hij liet me voorgaan.

'Nou, fijne feestagen, hè?' zei hij opgewekt.

'Ja, prettige kerst.' Ik hees mijn tas over mijn schouder en liep voor hem uit de hal in. Ik liep langs de kerstboom die omringd was met cadeautjes die News Corporation had verzameld voor minder bedeelde kinderen en wurmde me door de draaideur. Buiten was het plein al helemaal wit. De straat krioelde nog steeds van de winkelaars die de vrieslucht trotseerden. Het afgezaagde *Jingle Bells* zweefde vanuit een geluidssysteem door de lucht.

Ik deed de bovenste knoop van mijn jas dicht en zette koers naar het metrostation op 47th Street.

'Bridge!' riep hij. Ik bleef staan en draaide me om.

Hij was bij zijn vaste pilaar blijven staan en had een sigaret opgestoken.

Ik liep naar hem toe. 'Wat is er?'

Er lag een vreemde, gekwelde uitdrukking op zijn gezicht. 'Bridge, ik weet dat ik een beetje afstandelijk tegen je ben geweest sinds we uit elkaar zijn.' Hij keek naar zijn voeten. 'Ik wil alleen maar zeggen dat dat komt doordat ik er soms nog steeds moeite mee heb.' Hij keek me aan. 'Ik geef nog steeds heel veel om je, meer dan ik ooit om een vrouw heb gegeven.'

Verrast staarde ik hem aan. Ik voelde dat mijn wangen begonnen te gloeien. Ik zag die bekende twinkeling in zijn ogen en glimlachte. We stonden elkaar aan te kijken en de herrie van 6th Avenue viel weg. Toen stapte ik naar hem toe en legde mijn wang op zijn schouder. Hij sloeg zijn armen om me heen en hield me stevig vast. Nog één keer rook ik zijn geur.

'En ik om jou, Jack,' zei ik zacht. 'Trouwens, weet jij wat in vredesnaam een tiendschuur is?'

In de week voor kerst naar Londen vliegen is een regelrecht drama. Terwijl ik op JFK anderhalf uur voor de balie van Virgin Atlantic stond te wachten, probeerde ik niet te denken aan de vorige keer dat ik hier was, toen Evan me zou komen ophalen. Uiteindelijk overhandigde een stralende grondstewardess in een rood pakje me mijn instapkaart.

'Rij 69, stoel E!' zei ze opgetogen, alsof ze me net had overgeboekt naar de eerste klas, terwijl ze me in feite de rotste stoel in het toestel had gegeven, achterin, bij de toiletten en de stank van het vliegtuigvoer uit het keukentje.

'Drukke vlucht?' vroeg ik tandenknarsend.

'Zeker! Maar hopelijk kunnen we op tijd weg.'

Bij de sluisdeur, waar zo veel mensen opeen stonden gepakt dat je je afvroeg hoe ze ooit in die krappe ijzeren buis zouden passen, haalde ik de vier Tylenol PM-capsules tevoorschijn die ik had meegebracht. Zodra werd omgeroepen dat we konden instappen, nam ik ze met een slok bronwater in. Alice had me verzekerd dat hoewel het een mild slaapmiddel was, het heel effectief was wanneer je er vier tegelijk nam, en ze al binnen tien minuten begonnen te werken.

Eenmaal in mijn krappe stoel maakte ik mijn gordel vast, bleef stokstijf zitten en probeerde niet gek te worden. Links van me zaten twee uit de kluiten gewassen tienerbroers te knokken om een enorme zak chips. Van degene het dichtst bij me kreeg ik herhaaldelijk een elleboogstoot. Rechts van me zat een vent met een grijs-gespikkeld geitensikje vreemd naar me te loeren. En dan te bedenken dat ik ooit in het vliegtuig stapte met de deerniswekkende hoop dat mijn toekomstige echtgenoot wel eens in de stoel naast me kon zitten. Omdat ik niet in de stemming was voor een kletspraatje, haalde ik mijn deken uit mijn tas en trok hem over mijn hoofd, als een crimineel die niet op de foto wil. Ik kneep mijn ogen dicht en hoopte dat de Tylenol me snel zou verlossen. In plaats daarvan dwaalden mijn gedachten meteen af naar mijn ontmoeting met Jack. Vijf jaar na onze eerste ontmoeting wist ik dat ik nog evenveel van hem hield als eerst. Maar ja, het was nu eenmaal mogelijk met hart en ziel van iemand te houden en toch niet met diegene te kunnen leven. We verschilden gewoon te veel. Zijn gereserveerde aard en mijn extraverte karakter hadden bij ons allebei de slechtste trekjes naar boven gebracht. We konden elkaar niet gelukkig maken, maar in elk geval wisten we dat we van elkaar hielden, en dat zou misschien nooit helemaal overgaan. En die hufter van een Evan kon de pest krijgen. Wat had ik in vredesnaam in hem gezien? Had ik de rest van mijn leven willen liggen zoenen in het kaarslicht, zwichtend voor zijn luimen en bankrekening? Pfff, nee bedankt, zelfs niet voor zijn prachtige huis... of boot. Mmmm, een zeilboot. Zat ik daar nu maar op, maar dan zonder hem... met iemand anders, een nieuw iemand. Iemand die ik in de toekomst zou tegenkomen.

Het was weer licht, dat merkte ik van onder mijn deken. Ik had het gevoel alsof ik een dreun met een moker had gekregen en er een stinkdier in mijn mond aan het overwinteren was.

Iemand stootte me aan. Jezus, niet nog steeds die bebaarde gluiperd.

'Eh... pardon, wilt u ontbijten?'

'Nee,' grauwde ik van onder mijn sluier, en ik probeerde weer in slaap te vallen.

'Mevrouw, kunt u die deken wegdoen? We zijn aan het landen.' Deze keer was het de stewardess. Ik negeerde haar.

'Mevrouw.' Ze trok de deken omlaag.

Ik griste hem terug. 'Donder op!'

'Mevrouw, alstublieft, u kunt niet landen met een deken over uw hoofd.'

Kreeg ik dan nooit rust? Moeizaam ontworstelde ik me aan mijn narcose. Mijn gezicht gloeide. Ik wreef in mijn ogen. Mijn haar leek wel een vogelnest. De bebaarde gluiperd zat wéér naar me te loeren. Ik trok het blad van de luchtvaartmaatschappij uit de stoel voor me en begon erdoorheen te bladeren, zogenaamd verdiept in de artikelen. 'Het spijt me dat ik je lastigval. Ik wilde het vannacht al vragen. Jij

bent toch Bridget Harrison? Die columnist van de *Post?*'
O. Ik liet het blad in mijn schoot zakken. Shit, had hij me daarom zo aan zitten gapen?
'Eh... ja.' Ik streek mijn verwarde haar achter mijn oren en probeerde te glimlachen. Een van mijn ogen zat nog dicht van de slaap.
'Ik dacht het al. Ik heb dat tv-programma gezien waar je in zat.'
Ik zag er vast uit als een zwerver.
'Belabberde smaak heb je dan,' wist ik uit te brengen.
Hij lachte verlegen.
'Luister, ik wilde alleen zeggen dat het zo raar is dat we naast elkaar zitten. Ik ben een paar jaar geleden gescheiden, en ik was heel depressief. Toen las ik die column over dat etentje met je ouders nadat het net uit is geraakt met die Aaron, en voor het eerst moest ik weer lachen. Het was zo herkenbaar.'
Ik voelde dat ik rood werd. Ik wreef door mijn kleverige oog. Had ik maar niet zo zitten touwtrekken met die stewardess.
'O, nou, lief dat je dat zegt. Eh... fijn dat je er iets aan had.'
'Nee, echt. Die instelling van je vond ik geweldig. Hoe vaak een date ook op een ramp uitliep, je bleef overeind krabbelen. Je schreef dat je jezelf altijd voorhield dat overal humor in schuilt, en dat je nooit de enige was die nare ervaringen had. En dat is waar.'
'O ja?' Bestond er nóg een vrouw die twee mannen was kwijtgeraakt met wie ze had moeten trouwen? Die zo veel eerste afspraakjes had gehad dat ze de tel was kwijtgeraakt? Die op het vliegveld aan haar lot was overgelaten door een serieversierder? Die had gelogen dat ze een vriend had? Nou ja, misschien wel. Hoogstwaarschijnlijk zelfs.
'Toen kwam die column waarin je naar Aarons nieuwe appartement ging kijken. Over dat je weet dat je over iemand heen bent wanneer je iemands toekomst voor ogen kunt zien en er vrede mee hebt dat jij daar geen deel van uitmaakt.'
Wauw. Hij was een heuse *Post*-fanaat.
'Acht maanden terug heb ik een prachtige vrouw ontmoet. Ook gescheiden. We kwamen in dezelfde koffietent, bij mij in de buurt in New Haven, Connecticut. Door jouw column realiseerde ik me dat ik het nu kon aanvaarden dat mijn ex zonder mij verderging. En dat was de dag waarop ik mijn nieuwe vriendin tegenkwam!'
'Dat is wel heel toevallig.'
'Je eerste verliefdheid is een van de mooiste dingen in het leven, maar beseffen dat het je opnieuw kan overkomen is nog veel mooier.'
Goh, wat klonk het poëtisch zo. Maar er zat iets in. Zelf was ik bang geweest dat ik nooit over Angus heen zou komen, en toen was

ik verliefd geworden op Jack. En hoewel de zeepbel met Evan al heel snel uiteen was gespat, had hij me in elk geval ook vlinders in mijn buik bezorgd. Die zak.

Het vliegtuig daalde, en we ploften neer op de landingsbaan van Heathrow. Ik zette mijn hand tegen de stoel voor me om de schok op te vangen.

'Dus je gaat voor de feestdagen naar je ouders?' vroeg hij.

'Nee, ik ga naar de bruiloft van mijn beste vriendin.'

'O, dat klinkt goed. Als je vrijgezel bent, is er bijna niets zo leuk, hè?'

Hè? Dat had Deklin ook gezegd. Terwijl alleenstaande vrouwen altijd steen en been klaagden als ze naar een bruiloft moesten. Maar ineens voelde ik een steek van opwinding. Het leven viel eigenlijk best mee. Wat maakte het uit dat ik 34 was? Ik had me nog nergens aan gebonden. Ik zat niet met de verkeerde man opgescheept. Ik zat niet opgesloten in een of ander beroerd, leeggebloed huwelijk waarbij ik kissebiste over de kinderen en nooit seks had. Ik lag niet midden in een scheiding, zoals een aantal mensen die ik kende. Ik had een schone lei, alles lag nog open. Een toekomst die nieuwe liefdes zou brengen, nieuwe avonturen. En de bruiloft werd vast een knalfeest.

Het toestel kwam tot stilstand, en de passagiers sprongen uit hun stoel om hun bagage te pakken, erop gebrand uit de bedompte ruimte te ontsnappen. Ik nam een slok water, wreef over mijn gezicht en bond mijn haar in een paardenstaart. Ik was inmiddels klaarwakker. Ik glimlachte naar het geitensikje. Ongelooflijk dat ik hem een gluiperd had gevonden. Wat had ik in New York nou geleerd over eerste indrukken?

'Het was leuk je te ontmoeten. Sorry van dat gesjor met die deken,' zei ik.

'Als je maar nooit de hoop opgeeft,' zei hij. 'Zorg dat je leven spannend blijft. Ach, wat klets ik. Jij bent Bridget Harrison, jij laat je er niet onder krijgen!'

Ik pakte mijn tas op, trok Paula's Gucci-jas aan, en ineens drong het tot me door dat hij gelijk had. Mijn leven zou altijd spannend blijven. Want wie wist wat er morgen zou gebeuren?

We schuifelden over het gangpad, en terwijl ik vanuit de slurf de aankomsthal in stapte, voelde ik dat ik een lichtere tred had.

Straks zou ik de ongebonden vrouw zijn in een sexy rode jurk (en met schitterende Christian Lacroix-schoenen), vers uit New York, op de bruiloft van mijn beste vriendin.

Viel er iets spannenders te bedenken?

Dankbetuiging

Ik ben dank verschuldigd aan de talloze mensen die dit boek mogelijk hebben gemaakt, onder wie alle vrienden, collega's, dates en vreemden die me hebben geholpen in New York te overleven. Ook sta ik diep in het krijt bij mijn agenten, Elisabeth Weed van Kneerim & Williams en Danny Baror van Baror International, mijn briljante en geduldige redacteuren Marnie Cochran van Da Capo Press en Gail Haslam van Transworld Publishers, en bij alle anderen die zo veel werk in dit boek hebben gestoken. Ik bedank mijn proeflezers Michelle Gotthelf en Sacha Bonsor voor hun opbeurende woorden en hun adviezen, Tom Folsom voor zijn inspiratie, en Circe Hamilton en Emma Lovell voor mijn foto's. De gehele fantastische staf van de *New York Post* ben ik dankbaar, onder wie hoofdredacteur Col Allan, de redacteuren van mijn column, Brad Hamilton en Maureen Callahan; Anne Aquilina die samen met Sandra Parsons van *The Times* mijn overplaatsing naar New York mogelijk heeft gemaakt; Xana Antunes, Jonathan Auerbach, Faye Penn en Lauren Ramsby, die hebben geholpen bij de totstandkoming van mijn column; Paula Froelich voor al haar steun (en afdankertjes), Jeane MacIntosh, Dan Kadison, Heather Gilmore, Bruce Furman, en vooral Jesse Angelo. Mijn dank gaat uit naar Olly Keane en Pom Lampson, die me opvingen toen ik net in New York was gearriveerd, en naar alle anderen die mijn gezwets over mijzelf hebben aangehoord, in het bijzonder Rebecca en Josh Veselka, Fiona Henderson, Alice Sykes, Claire Curran, Gavin Morris, Sophie Davis, Alexis Bloom, Daniel Kershaw, Tilly Blyth, Brian Rea, Stefano Hatfield, Keir Ashton, James en Bun. Otto Bathursts onwrikbare generositeit zal ik nooit vergeten. Ten slotte wil ik mijn ouders bedanken, Gillian en John Harrison, omdat ze me voor drie maanden naar New York lieten gaan en me uiteindelijk vijf jaar lieten blijven, en omdat ze me geleerd hebben dat gelukkig zijn belangrijker is dan succes hebben.